I libri di Bruno Vespa

Bruno Vespa

IL CAVALIERE
E IL PROFESSORE

La scommessa di Berlusconi.
Il ritorno di Prodi

MONDADORI

Dello stesso autore
nella collezione I libri di Bruno Vespa

Telecamera con vista
Il cambio
Il duello
La svolta
La sfida
La corsa
Il superpresidente
Dieci anni che hanno sconvolto l'Italia
Scontro finale. Chi vincerà l'ultimo duello
Scontro finale. Ultimo atto
Rai, la grande guerra
La Grande Muraglia

http://www.brunovespa.net

http://www.librimondadori.it

ISBN 88-04-51798-0

© 2003 RAI, *Radiotelevisione italiana, Roma*
Arnoldo Mondadori Editore S.p.A., Milano
I edizione novembre 2003

Indice

Il Cavaliere e il Professore

Spirito buono, dimmi che il mio futuro cambierà, se cambio subito vita.

CHARLES DICKENS, *Canto di Natale*

I

La scommessa del Cavaliere

Prodi e Berlusconi, camere separate

«Un competitor vale l'altro» mi dice Silvio Berlusconi quando gli chiedo un giudizio su Romano Prodi come possibile avversario alle prossime elezioni. «Il rapporto istituzionale è perfetto. Il rapporto privato è di "privato imbarazzo"» mi risponde Prodi quando gli domando come vanno le cose con il presidente del Consiglio. Eccoli, i duellanti annunciati per il 2006. Il Professore e il Cavaliere si conoscono da molti anni e non si sono mai amati, probabilmente si detestano. Alle vecchie ruggini, come vedremo, si sono aggiunte quelle recenti del processo Sme e dell'affare Telekom Serbia, che il presidente della Commissione europea addebita per buona parte all'entourage di Berlusconi.

Quando nel 1994 il Cavaliere vinse le elezioni, il Professore, che era presidente dell'Iri, fece le valigie prima che l'altro glielo chiedesse. I due si rividero durante la campagna elettorale del 1996, quando Prodi venne bollato come «la maschera di D'Alema», un giudizio che Berlusconi è pronto a ripetere. Alla richiesta di un commento sull'ipotesi che il Professore guidi una lista unica del centrosinistra alle prossime elezioni politiche, il Cavaliere risponde: «Mi è indifferente. Il voto dell'Ulivo non è legato più di tanto al personaggio. Tutti i sondaggi dimostrano che il voto alla sinistra è influenzato in misura modesta dal leader designato. L'Ulivo si dà, di volta in volta, un diverso leader elettorale, ma il potere reale resta sempre ben saldo nelle mani della segreteria dei Ds. È un modello aggiornato di centralismo democratico». (*Prodi importante, non decisivo*: così il 2 novembre 2003 il «Corriere della Sera» titola un sondaggio di Renato Mannheimer, segnalando la crescita di Walter Veltroni.) E quando gli domando se non giudichi innaturale che per la terza volta i Ds non propongano un loro candidato, lui risponde: «Sono il partito più forte e, di regola, dovrebbero esprimere loro il leader della coalizione. Una scelta diversa dimostra, una volta di più, che i Ds avvertono ancora una sostanziale carenza di legittimazione democratica nel proporre un loro candidato alla guida del paese».

Durante il semestre italiano il Cavaliere e il Professore si sono visti spesso: a Roma, a Bruxelles, a Strasburgo, a Jalta, a Pechino. (*Una fredda, ma proficua collaborazione*: questo il titolo di un dispaccio dell'Ansa del 17 ottobre 2003.) Come una coppia di reali costretta a mostrarsi unita in pubblico, hanno sorriso per salvare il protocollo, ma tutti sanno che dormono in camere separate, non pranzano insieme e hanno entrambi l'amante. Si sono stretti la mano senza guardarsi negli occhi, si sono lasciati sempre appena era possibile.

Li ho incontrati entrambi a lungo: Berlusconi due volte a Roma per tre ore e mezzo, Prodi a Verona, alla cena con Schroeder, e in una conversazione di due ore e mezzo a fine ottobre nel suo ufficio di Bruxelles. Li ho trovati lontanissimi, con due visioni diametralmente opposte dell'Italia e della politica, e giudizi inconciliabili sull'attuale governo. «Ha fatto molto» mi dice Berlusconi. «Procura angoscia al paese» mi dice Prodi.

Il loro appuntamento è lontano, o molto vicino, se Prodi deciderà, all'ultimo momento, di candidarsi alla guida della lista unica del centrosinistra alle elezioni europee della primavera del 2004. «Non sarebbe uno "sgarbo" né dal punto di vista giuridico né da quello formale» mi spiega il Professore. «I commissari sono liberi di candidarsi per le elezioni europee, e lo hanno fatto regolarmente. Per l'Italia, si ricordi il caso di Emma Bonino.» Dunque, fa capire di essere pronto. Poi frena: «È vero che il capitolo principale del mio mandato potrebbe considerarsi esaurito addirittura il 1° maggio 2004 con l'ingresso nell'Unione dei dieci nuovi membri, ma il lavoro continua... Adesso, per esempio, stiamo lavorando sulle strategie e sugli impegni finanziari di lungo periodo, stiamo costruendo nuovi rapporti con i paesi dell'Est e del Mediterraneo che non entreranno nell'Unione, stiamo formulando nuove politiche per la pace e lo sviluppo in Africa, e così via». Fa una pausa. «In ogni caso, il mio mandato scade il 1° novembre 2004 e avrei diritto di godermi il frutto del lavoro che ho fatto...» In quel condizionale («avrei»), che sceglie con cura preferendolo all'indicativo («ho»), forse si nasconde la voglia di tornare in campo al più presto. (Stretto dalle domande dei giornalisti, il 5 novembre, dopo il rumore fatto dall'anticipazione di questo libro, il Professore ha risposto: «È possibile per un commissario candidarsi. Tutt'altro caso è se lo farò io».)

Il Professore scioglierà la riserva soltanto all'ultimo istante. Vuole capire meglio la situazione del centrosinistra. Si sa che teme la debolezza della Margherita, ma si entusiasma alle vittorie dei «prodini»: Illy a Trieste, Gasbarra a Roma, Dallai a Trento. Per ora, Prodi e Berlusconi hanno problemi diversi, ma paralleli: il primo deve costruirsi una coalizione affidabile, il secondo deve rilanciarne una sofferente.

«Bossi è il Bertinotti della Casa delle Libertà» mi dice Follini. Eppure, mentre Bertinotti fece cadere Prodi, Bossi – paradossalmente – è l'alleato più fedele di Berlusconi, anche se il meno compatibile con Fini e Follini. Tornato dalla Cina all'inizio di novembre in tempo per ricevere Putin, il Cavaliere ha ripreso in mano le briglie della coalizione di centrodestra per evitare che, alla fine del semestre, uova così litigiose facciano impazzire la maionese. Non rassegnandosi al fatto che, in nome della propria visibilità di partito, gli alleati compromettano la stabilità e l'immagine del governo.

«È un miracolo» dice Berlusconi. «È un miracolo che i sondaggi tengano, che tanta gente conservi il proprio giudizio a nostro favore senza farselo cambiare dalle tonnellate di fango che ci piovono addosso ogni giorno dai giornali e dalla televisione. Prenda le conferenze stampa: non viene riferito quasi nulla del contenuto reale, contano solo le battute. La stampa cerca soltanto lo scandalo.»

E prosegue: «È stupefacente che conservi una quota così rilevante di consensi una squadra che a volte sembra presa da un *cupio dissolvi*. Gli strappi su argomenti di modesta importanza non toccano il programma di governo, sul quale invece restiamo assolutamente compatti. Il paradosso è proprio questo: sulle cose da fare concordate nel 2001 non ci sono mai state divergenze tra noi, e siamo andati avanti nonostante l'11 settembre, la crisi dei mercati finanziari dopo lo scandalo Enron, la guerra in Afghanistan, la guerra in Iraq, la stagnazione economica che ha colpito l'Europa intera. E i terremoti, le alluvioni, la siccità che hanno flagellato l'Italia. Consideriamo gli ultimi mesi: abbiamo avviato la modifica costituzionale dell'architettura dello Stato per trasformare l'Italia in una repubblica federale con un sistema sostanzialmente monocamerale. Abbiamo avviato una riforma strutturale del sistema pensionistico. Chi aveva mai avuto il coraggio di affrontare in modo radicale questo tema? Stiamo facendo approvare, tutti insieme, una difficilissima legge finanziaria. In meno di due anni e mezzo di governo abbiamo approvato 383 tra decreti legge e disegni di legge... Poi, in nome delle cosiddette bandiere di partito, si finisce sui giornali per diverbi su temi assolutamente marginali. Fa eccezione il comportamento e la tenuta di Forza Italia, il partito guida che rappresenta il 59 per cento della coalizione e che, a causa dell'attuale sistema elettorale, conta come quelli che hanno un po' più del 3 per cento dei voti ma risultano marginalmente indispensabili alla coalizione».

Fini e Follini lamentano una sua eccessiva attenzione per Bossi: «Qualcuno dice che la Casa delle Libertà soffre della crisi del secondo anno di convivenza, tipico dei matrimoni e, a quanto pare, anche delle coalizioni di governo. È chiaro che i nostri elettori del Centro e del Sud si sono sentiti toccati nell'intimo da certe affermazioni di Umberto Bossi su Roma, su Milano capitale, e così via. La reazione era prevedibile. Ma non è mai esistito un asse Bossi-Berlusconi e, soprattutto, escludo in modo tassativo che ci sia mai stata una prevalenza di Bossi nelle iniziative del governo».

Quando il leader di An e quello dell'Udc hanno detto di essere stanchi del Senatùr, il Cavaliere ha risposto con la storia del nonno matto: se l'intera famiglia vive con la sua pensione, bisognerà pur sopportarlo. E la pensione di Bossi sono 1.400.000 voti spalmati nel Nord in modo determinante su molti collegi strategici. Un po' di pazienza con il nonno, dunque.

«Eppure» dice Berlusconi «i quattro partiti potrebbero stare benissimo insieme in un unico movimento. Tra loro non esistono marcate differenze ideologiche. Forza Italia è un partito liberale antifascista e antitotalitario, insieme cattolico e laico. Alleanza nazionale si è trasformata anch'essa in un partito liberale e la nuova posizione di Fini sugli immigrati segna una svolta di centottanta gradi rispetto alle posizioni tradizionali di An. L'Udc unisce tre partiti cattolici (Ccd, Cdu e Democrazia europea) che non presentano distinzioni visibili rispetto a Forza Italia. La Lega ha rinunciato alla secessione del Nord e ha tenuto alta la bandiera del federalismo, in cui tutti ormai ci riconosciamo con convinzione. Guardiamo alla Svizzera: sanità e scuola sono gestite a livello cantonale molto meglio che a livello centralizzato. Anche noi vogliamo raggiungere lo stesso risultato, all'interno di un quadro unitario di garanzie statali. Naturalmente, anche in un partito unico possono esserci sensibilità diverse, ma si tratta di elementi marginali rispetto a quanto siamo e saremmo in grado di fare insieme.»

Eppure, spesso c'è stata la corsa a distinguersi. Prenda i trentasei franchi tiratori della legge Gasparri. Il loro voto contrario era un avvertimento? «Alla luce di quel che è accaduto dopo, penso si volesse segnalare una voglia di distinzione. Non trascuri, tuttavia, un elemento essenziale: si sono scelti con attenzione due emendamenti assolutamente ininfluenti nel contesto generale della legge. Due "evasioni" su 111 votazioni a scrutinio segreto: un risultato che io considero una forte dimostrazione di compattezza e di unità.»

È tuttora convinto che il Polo – anche senza la Lega – si presenterà con una lista unica alle prossime elezioni europee? «Ho proposto un'ipotesi del genere a Fini e a Casini alcuni mesi prima che lo facesse la sinistra. Le loro reazioni furono positive e lo sono ancora oggi. Fini, in particolare, è assolutamente favorevole. Esiste, dunque, una buona probabilità in tale direzione, nonostante il voto contrario espresso dal consiglio nazionale dell'Udc.»

Quale utilità avrebbe una lista unica del centrodestra? «La coalizione si mostrerebbe per quello che è nella realtà, solida e compatta. Perché la verità è che, sulle cose importanti, siamo stati sempre uniti. C'è inoltre una seconda ragione: se per caso uno dei partiti della coalizione, presentandoci separati, fosse penalizzato dal risultato del voto con il sistema proporzionale, non subiremmo le conseguenze che abbiamo subìto dopo l'ultimo voto amministrativo. Io credo che nel maggioritario non valga più la regola secondo cui, quando più partiti si presentano insieme, due più due fa tre.»

«Limitare Tremonti? Vedremo, ma...»

L'elettorato ritiene che il governo sia in ritardo sui programmi. «È difficile far arrivare ai cittadini la percezione del cambiamento. Eppure, a parte l'aumento delle pensioni minime e l'abolizione delle tasse su successioni e donazioni, in due anni abbiamo riformato il diritto societario e la legislazione sul lavoro, abbiamo fatto la riforma della scuola e avviato grandi opere pubbliche. Abbiamo portato le pensioni minime a 516 euro per gli ultrasettantenni e per i disabili ultrasessantenni. Abbiamo prodotto un 1.200.000 posti di lavoro regolari. La patente a punti ha ridotto gli incidenti del 25 per cento e quest'anno gli alunni dai cinque anni in su cominceranno a imparare l'inglese e a usare il computer. Purtroppo, due anni di attività governativa sono pochi per muovere la macchina burocratica dello Stato e indurla a produrre risultati immediati. In una legislatura si possono fare molte cose, ma per cambiare e ammodernare davvero questo paese ci vorranno almeno altri due anni. In ogni caso, ci sono due persone, Gianni Letta e il sottoscritto, che ogni sera, da mezzanotte in poi, lavorano al cambiamento. E sono ventiquattro le riforme su cui ci stiamo attivando.»

Berlusconi è tuttora convinto di poter fare in tempo utile la riforma più difficile: ridurre a due le aliquote delle imposte sulle persone fisiche: 23 e 33 per cento. «L'imposta sui profitti delle società, l'Irpeg, è scesa al 33 per cento» mi dice. «Abbiamo cominciato a ridurre l'Irap nelle imprese agricole. Ma i numeri sono numeri, e non sono né di destra né di sinistra. Abbiamo ereditato un debito pubblico enorme, ma continuiamo a voler ridurre entro il 2006 le aliquote delle imposte personali sul reddito al 23 e al 33 per cento.»

Il punto ricorrente di discussione e di tensione è il ruolo dominante di Giulio Tremonti nel governo. La legge Bassanini che attribuisce tanto potere al ministero dell'Economia non è ancora completamente attuata, e qualcuno nella maggioranza ritiene che questo potere debba essere limitato. «Se il problema verrà posto, lo affronteremo pacatamente. Ma non sarà facile discostarsi dai canoni europei ai quali si è ispirata la legge che accorpa nel ministero dell'Economia cinque dicasteri del passato [*Tesoro, Bilancio, Finanze, Mezzogiorno, Partecipazioni statali*]. Quando Tremonti partecipa alle riunioni dell'Ecofin, si confronta con ministri che hanno le sue stesse deleghe.»

I colleghi di governo gli riconoscono grandi qualità tecniche, ma hanno problemi con il suo carattere... «Come tutte le persone di carattere, Tremonti ne ha uno difficile. Ma tenga conto che opera in un paese che ha ereditato dal passato un terzo dell'intero debito pubblico europeo. Tutti i problemi si scaricano su di lui. E qualsiasi altro ministro, al suo posto, non potrebbe che ripetere i suoi "no".»

Il 1° novembre, a Shanghai, lei ha escluso il rimpasto di governo, e i suoi alleati hanno reagito con freddezza. «Non credo che verrà avanzata una richiesta di rivoluzionare il governo e, comunque, non ne avverto la convenienza. Ci sono almeno due motivi per non cambiare. Il primo: nessun collega di governo si segnala per una scandalosa insufficienza. Il secondo: non vedo in giro dei Pico della Mirandola nettamente più bravi dei ministri in servizio. Non dimentichi che tutta la vecchia classe di governo, a suo modo esperta, è stata eliminata. Da chi ama prospettare avvicendamenti, non ho ancora sentito, per nessun ministero, un solo nome che, *ictu oculi*, mi sia parso migliore dell'attuale titolare.»

L'Udc si sente nettamente sottovalutata rispetto alla Lega. In fondo ha soltanto due ministri senza portafoglio. «Ma, con il suo 3,2 per cento, ha ottenuto la presidenza della Camera. Quanti ministeri vale il mandato di Casini? Qualcuno dice quattro. Vogliamo dire tre? La presidenza della Camera conferisce grande visibilità ed è un premio di cui un alleato responsabile deve tener conto.»

Aiuterà Alleanza nazionale a entrare nel partito popolare europeo? «La decisione spetta a Fini. Se me lo chiedesse, lo farei certamente.»

Da dove vuole ripartire con quelli che, nell'intervista di ottobre a «Liberal», ha definito i «Tre Moschettieri»? «Tutti dobbiamo prendere atto dell'evidenza. Continuare nelle diatribe, anche se su temi minori, produce ineluttabilmente una perdita di consensi. Nessuno è portato a dare fiducia a una squadra che litiga, che non sa stare insieme. L'elettorato rischia di dimenticare i nostri meriti e può profilarsi il rischio di un governo delle sinistre, che vanificherebbe la ragione stessa per la quale siamo scesi in campo.» Ragione che è stata messa di nuovo a dura prova giovedì 6 novembre, quando Bossi – irritato, come vedremo, per la bocciatura della legge Castelli sui minori – ha chiesto garanzie sulle riforme, minacciando elezioni anticipate. Berlusconi lo ha rassicurato, ma Fini e Follini hanno fatto di nuovo rullare i tamburi di guerra.

«*Tre anomalie: giudici, informazione, opposizione*»

Quando chiedo a Berlusconi quali sono i primi obiettivi della sua azione di governo nella seconda parte della legislatura, il presidente vi inserisce a sorpresa la riforma elettorale. «Una riforma per le politiche del 2006 che cambi l'attuale sistema delle marginalità indispensabili, e consenta a noi – e a chi verrà dopo di noi – di governare con maggiore efficacia. La riforma elettorale è una necessità conseguente alla nuova architettura istituzionale dello Stato che stiamo proponendo. Il Senato federale dovrà essere necessariamente eletto con il sistema proporzionale. È impensabile che si voti alla Camera con un sistema elettorale diverso.»

Pensate a «premi di maggioranza» per la Camera? «Preferirei parlare di garanzia di governabilità con un sistema proporzionale che confermi in pieno il bipolarismo. La coalizione vincente si vedrà incrementato il numero dei deputati in modo da poter governare con efficienza.»

Berlusconi pensa a una riforma elettorale anche per le elezioni europee. «È uno dei nostri obiettivi. Io sono favorevole a un adeguamento del nostro sistema a quello degli altri maggiori paesi europei. Tornando al programma per l'immediato futuro, c'è naturalmente l'accelerazione delle grandi opere, il rilancio delle "cento città", la creazione di nuovi posti di lavoro, la protezione dei cittadini certificata dalla diminuzione del numero dei reati e tutte le altre riforme necessarie per cambiare e ammodernare il paese. Ma è bene che si sappia che, tra riforme già fatte e riforme in corso, siamo arrivati al numero di quindici: dalla scuola alla sanità, dal codice della strada a quello di procedura civile, dalle pensioni alla riforma dell'ordinamento giudiziario. Il mio fermo proposito è quello di mantenere, entro la legislatura, tutti gli impegni previsti nel nostro programma di governo.»

Per la prima volta, il Cavaliere ha qualcosa di cui pentirsi nella sua azione di governo. «Abbiamo sottovalutato la reazione del sindacato alla riforma dell'articolo 18 dello Statuto dei lavoratori. Era una riforma importante per assicurare la crescita dei posti di lavoro, ma nell'approvarla abbiamo commesso un errore di valutazione.»

Sulla giustizia? «Avremmo potuto procedere più rapidamente nell'approvare la riforma dell'ordinamento giudiziario e del codice di procedura penale. Su questo punto abbiamo registrato sensibilità diverse all'interno della coalizione e, in particolare, abbiamo risentito della scarsa apertura di una delle componenti dell'alleanza.»

Non crede che, se provvedimenti come la nuova legge sulle rogatorie o quella sul legittimo sospetto fossero stati inseriti all'interno di un provvedimento generale organico, avrebbero suscitato minori polemiche? «Ne dubito. Ma non dimentichi che noi abbiamo risposto con metodi democratici a un uso antidemocratico e illegittimo che delle leggi hanno fatto una certa procura e una certa magistratura. Noi ci siamo avvalsi degli strumenti della democrazia parlamentare. Loro sono militanti politici – su questo non c'è dubbio – e svolgono un'azione politica abusando del potere di funzionari dello Stato. Questa è proprio una delle tre grandi anomalie italiane.»

Le altre? «La seconda è la disinformazione corrente. È un paradosso che si parli della Gasparri come di una legge liberticida. Se c'è qualcuno che deve lamentarsi, questi siamo noi. In Italia si vendono circa 6 milioni di quotidiani. Si tolgano quelli sportivi, e siamo poco oltre i 5. Di questi, meno di 1 milione è favorevole a noi, o comunque è su posizioni equilibrate. Gli altri 4 milioni sono critici o addirittura ostili nei confronti del governo. Lo si può verificare in un qualsiasi giorno in una qualsiasi edicola.»

Non vorrà lamentarsi anche delle televisioni... «È un fatto che, come dimostrano le iscrizioni al sindacato, l'85 per cento dei giornalisti della Rai sono di sinistra. E per quanto riguarda i telegiornali di Mediaset, con l'eccezione di Retequattro, i giornalisti vogliono dimostrare ogni giorno la loro indipendenza rispetto al fondatore e all'editore.»

Lei parlava di tre grandi anomalie. «La terza anomalia è rappresentata da un'opposizione ancora non completamente democratica.»

La consueta polemica con i comunisti? «Ci sono due partiti che hanno l'orgoglio di chiamarsi così: Partito dei comunisti italiani e Partito della Rifondazione comunista. Ma ci sono altre frange estreme che si richiamano al comunismo e, anche all'interno dei Ds, molti esponenti hanno atteggiamenti ancora influenzati dal pensiero totalitario.»

A che cosa si riferisce? «Puntano sempre e comunque alla delegittimazione dell'avversario politico e in ogni caso, nei fatti, tendono a non riconoscere come legittimo l'avversario eletto dal popolo. Lo criminalizzano, lo ridicolizzano, lo demonizzano. Pera e Casini sono stati eletti da una maggioranza parlamentare, ma nessuno immagina di non riconoscere come "istituzione" il presidente del Senato e quello della Camera. Bene, in Italia il presidente del Consiglio è oggi, nei fatti, l'unica istituzione dello Stato che è stata eletta direttamente dai cittadini, con una croce sul suo nome, nella scheda elettorale. Ma nell'opposizione nessuno lo riconosce come tale. Un esempio? A proposito della legge sulle pensioni, abbiamo dovuto ascoltare i capigruppo ds Angius e Violante affermare *expressis verbis* che l'attuale presidente del Consiglio non è il presidente di tutti gli italiani. E nessuno dei loro colleghi di partito ha sentito il dovere di smentirli. D'altra parte, non c'è conferenza stampa sull'attività di governo in cui i telegiornali, dopo aver trasmesso quindici secondi del mio intervento, non li facciano seguire da un'aggressione della sinistra.»

Non si riconosce, quindi, in questo sistema? «Questi comportamenti sono contrari al nostro credo liberale. D'altra parte, per capire quanto sia alta la carica di odio personale nei miei confronti, basta sfogliare un giorno qualsiasi "l'Unità", quotidiano che fa capo ai gruppi parlamentari dei Democratici di sinistra. Lì sono rappresentate le viscere vere del partito. Quest'odio verbale ha prodotto nell'ultimo anno trentasette minacce di morte nei miei confronti. Contro la mia volontà, i responsabili della sicurezza hanno deciso di aumentare la mia protezione. A volte mi sembra di essere un prigioniero.»

Che magistratura vorrebbe alla fine della legislatura? «Quella ridisegnata dalla riforma dell'ordinamento giudiziario.»

La violenza verbale dell'«Unità» ha indotto giovedì 30 ottobre Giuliano Ferrara, intervenuto a «Porta a porta» per commentare l'assoluzione di Giulio Andreotti, a definire il quotidiano «linguisticamente, tecnicamente e tendenzialmente omicida», e la direzione dell'«Unità» lo ha querelato. Ma, al di là del linguaggio dei giornali, non c'è dubbio che contro Berlusconi si sia scatenata una campagna d'odio mai registrata nella vita politica italiana. Negli anni scorsi, quando mi recavo nella sua casa-ufficio in via del Plebiscito per le conversazioni utili per i miei libri, veniva ad aprirmi un cameriere. Negli ultimi tempi sono stato ricevuto da un agente della sicurezza di Stato e, nel corridoio che introduce nell'anticamera del presidente del Consiglio, c'erano almeno altri due suoi colleghi. E ho visto triplicata la vigilanza esterna. Mai accaduto niente di simile prima.

Un autorevole esperto di sondaggi ha rilevato che l'80 per cento degli elettori ds considera Berlusconi un «pericolo per la democrazia». Quando l'autore del sondaggio ne ha parlato con amici intellettuali che militano in quell'area, loro non se ne sono affatto meravigliati. Il sondaggio non è mai stato reso pubblico perché troppo imbarazzante: si sarebbe potuto definire diversamente il Mussolini del 1922-23? E qual è il modo di combattere i pericoli per la democrazia?

La domanda è angosciosa. Perché milioni di persone che votano per un partito riformista collocato ormai a livello internazionale nella scia delle socialdemocrazie europee pensano una cosa del genere? I suoi dirigenti hanno l'esatta percezione del fenomeno? «Noi» mi risponde Massimo D'Alema «facciamo opposizione con una signorilità cinque volte superiore a quella con cui l'hanno fatta loro. Il centrodestra ha fatto cose inaudite nell'ostruzionismo, è arrivato ad abbandonare l'aula mentre si discuteva la legge finanziaria, non una legge liberticida. Noi non siamo saliti sull'Aventino nemmeno per la Cirami e la Gasparri. Una spanna di differenza.» (E, denunciando la comparsa di testi come Igor Marini in Telekom Serbia, anticipa una svolta: «Proporremo che le commissioni parlamentari d'inchiesta possano essere chieste soltanto dall'opposizione».)

Eppure, osservo, il mondo dei girotondi ha contribuito non poco ad alzare la temperatura. «C'è stato un momento di sbandamento dell'opposizione» riconosce il presidente dei Ds «che ha spinto la gente a scendere spontaneamente in piazza. Un movimento non privo di aspetti positivi, che però corre il rischio di condizionare e di cambiare in modo eccessivo il tono dell'opposizione. Sono stato il primo a contrastare questo atteggiamento. Ma adesso il tema è un altro. Che cosa fa Berlusconi al governo, non l'opposizione che lo criminalizza. E la performance di questo governo è disastrosa.»

Prodi: «Berlusconi ha sbagliato il 12 settembre»

«L'Italia è lontana, meno visibile, sta perdendo velocità» mi dice Prodi. «Arrivano meno protagonisti italiani. Quando è cominciato questo processo? Io sono qui [a Bruxelles] da quattro anni e ho visto una perdita progressiva di peso. Capisco che sia un momento riflessivo per la nostra società, ma è un fatto che le grandi imprese sono assenti in Europa e che l'Italia conta certamente di meno che in passato. Nelle commissioni, nei gruppi scientifici, in tutte le sedi in cui si assumono importanti decisioni politiche ed economiche i protagonisti italiani stanno riducendosi e il nostro paese fatica nel confronto con gli altri.»

Il Cavaliere ha pagato l'11 settembre, le guerre, la crisi economica internazionale... «Nessuno imputa a Berlusconi l'11 settembre. Il problema è stato il 12 settembre. Non ha avuto il coraggio di dire al paese che le cose erano cambiate. Se uno pensa che la situazione economica sia cambiata, deve cambiare i propri programmi: non si continua ad affermare che avremo un meraviglioso sviluppo, un nuovo miracolo economico. E questo è durato ben dopo l'11 settembre... Il dovere di un politico è di tener conto della realtà. Io ho deciso di imporre la tassa per l'Europa perché era necessaria per entrare nell'euro. Non ho detto: cari ragazzi, si entra in Europa con il deficit esistente. In politica è il tempo a segnare la differenza tra il sogno e il governo. E oggi questa differenza è percepita da tutti.»

Su questo punto, Berlusconi aveva già detto la sua nel mio libro del 2002, *La Grande Muraglia*: «La contestazione che ci viene mossa da economisti, industriali e politologi è che, una volta scoperto l'extradeficit [*nel luglio 2001, appena arrivato al governo, Tremonti denunciò un buco di 35.000 miliardi lasciato dal centrosinistra nei conti dello Stato*] e dopo quel che è successo l'11 settembre, noi avremmo dovuto dire: signori, c'è una situazione di emergenza del tutto imprevista, la nostra prima legge finanziaria dovrà essere fatta di lacrime e sangue. Abbiamo seguito responsabilmente una strada diversa. Siamo convinti che quando l'economia è in difficoltà, non dobbiamo aumentare questa difficoltà con una politica restrittiva. Valga per tutti l'esempio in negativo del presidente americano Herbert Hoover. Affrontò la crisi del 1929 con restrizioni che ne aggravarono gli effetti».

«Una politica di lacrime e sangue?» commenta Tremonti. «Nessuno ce la chiese, nessuno in Europa la fece: era illogica.»

Domando a Prodi: l'Italia ha la possibilità di essere un grande paese? «Se continua così, no.» È un modo elegante per dire che basterebbero i prossimi due anni e mezzo per distruggerla? «Sì.»

Non la colpisce la prevenzione anti-italiana che si legge in tanta parte della stampa estera? «Pesa la storia, la nostra fragilità politica, la debolezza dell'amministrazione pubblica, il fatto di non presentarci mai uniti su niente. In ogni caso, quel che conta è che le campagne di stampa, in tutti gli anni che sono stato a Bruxelles, non hanno determinato politiche anti-italiane nei governi europei. È l'Italia che si fa male da sola.»

«Se frugo nella mente» rincara D'Alema «tra le cose fatte bene da questo governo, trovo soltanto la patente a punti.» Già, ma il Cavaliere ha avuto il coraggio di affrontare il tema tabù delle pensioni, mentre il presidente dei Ds ci aveva provato da palazzo Chigi ma era stato costretto a ritirarsi. «Il centrosinistra ha fatto due riforme importanti, con Dini e con Amato» puntualizza. «Rispetto a esse, quella di Berlusconi è un modesto aggiustamento. Noi sostenemmo la riforma Dini, anche a costo di una discussione drammatica tra i lavoratori, aspramente criticata da sinistra. La riforma Dini prevedeva una verifica nel 2001. Io cercai di anticiparla al 2000, proponendo il passaggio al sistema contributivo pro rata per tutti e, al tempo stesso, lo sblocco del trattamento di fine rapporto per dar vita a un sistema integrativo che compensasse la riduzione dei trattamenti pensionistici. I fondi pensione avrebbero rivoluzionato i mercati finanziari.» Perché la cosa non andò a buon fine? «Per una posizione miope del sindacato e anche, in parte, di Confindustria. La riforma di Berlusconi è una *fiction*: un provvedimento differito al 2008. La sua attuazione dipenderà da chi governerà in quell'anno. Se saremo noi, probabilmente Bertinotti ci chiederà di cambiarla. Se sarà Berlusconi, è possibile che la ritiri. È una bomba a orologeria,

senza alcun effetto finanziario immediato.» Perché allora
l'attuale governo l'avrebbe innescata? «Per ragioni di immagine. Il mio sospetto è che Tremonti sia andato in Europa a dire: ho fatto una grande riforma strutturale che darà i
suoi benefici tra sei anni, adesso consentitemi un po' di
sfondamento del patto di stabilità.»

Tremonti: «Abbiamo fatto il nostro dovere»

«D'Alema tentò di mettere le cose in ordine e fallì» precisa Tremonti. «Noi abbiamo ripreso il cammino. Una
riforma strutturale non serve a fare cassa e, dunque, non
incide minimamente sul deficit e sul patto di stabilità.»
Ma è davvero una riforma strutturale? «Dall'autunno del
2002 all'autunno di quest'anno, quasi tutti i paesi europei
hanno revisionato profondamente il welfare e il sistema
pensionistico. Lo hanno fatto la Francia, la Germania,
l'Austria. Lo ha fatto l'Italia. Dappertutto le riforme strut-
turali sulle pensioni sono proiettate tra il 2008 e il 2012.
Non esiste uno specifico problema italiano. Dovunque,
l'attuale sistema non regge. Da noi, la riforma Dini del
1995, che allora votai, era giusta per l'immediato, ma insostenibile nella prospettiva. Tra il 2008 e il 2033 la "gobba"
della spesa pensionistica sarà insostenibile per la spesa
pubblica. Dopo quella data, il sistema sociale salterebbe se
non intervenissero i fondi pensione, il secondo pilastro
che noi stiamo costruendo.»

«Per me sarebbe stato molto più facile ignorare questo
problema e scaricarlo su chi verrà dopo di noi» dice Berlusconi. «Ma sentirei di non fare il mio dovere. Quanta
gente ricorda che nel 1969 per ogni italiano in pensione ce
n'erano quattro che lavoravano e che oggi, invece, il rapporto è di uno a uno? Se le riforme del passato fossero
sufficienti, perché tutti gli organismi internazionali insi-
sterebbero per farci intervenire? La nostra riforma, che
non toglie nulla a nessuno, è fatta per garantire che i figli
non saranno discriminati rispetto ai padri.»

Torniamo a Tremonti. Parlo con lui la sera del 3 novembre. Sta andando a Bruxelles dove deve presiedere una riunione dell'Ecofin dedicata al deficit francese. Il rapporto tra il nostro deficit e il prodotto interno lordo è del 2 per cento, quello di Francia e Germania oscilla intorno al 4. Il limite del patto di stabilità, per il deficit, è il 3 per cento. Noi non possiamo sfondarlo perché abbiamo un disavanzo storico spaventoso, ma nessuno avrebbe mai immaginato di vedere seduti i paesi locomotiva d'Europa sulla scomoda poltrona che fu a lungo nostra. «Da due anni la politica economica o è europea o non è» mi dice il ministro. «L'euro ha prodotto inflazione, ma è stato uno strumento sorprendente di unificazione delle politiche economiche. La *governance* nazionale non esiste più.»

Agli amici Tremonti confessa: «Se dovessi chiedermi dove ho sbagliato, non saprei rispondere. Abbiamo fatto il nostro dovere». Poi, durante la nostra conversazione, torna indietro nel tempo: «Abbiamo avuto vent'anni di debito pubblico, dal 1971 in poi. Quindi, dieci anni di risanamento, con disinvestimenti e privatizzazioni, qualche volta fini a se stesse. Negli ultimi tre anni – borsa su borsa – abbiamo avuto una crisi peggiore di quella del 1929 a Wall Street. Certamente la peggiore dalla guerra del Kippur del 1973. E nessuno ha saputo prevederne la durata. Ma ne siamo usciti senza tagliare il welfare. Nell'ultimo biennio si è rotto l'ordine geopolitico mondiale, il commercio internazionale si è allargato a paesi che non rispettano le regole. È scomparso il continente latinoamericano». E noi? «Quando siamo arrivati, i cassetti erano vuoti e le leggi impedivano, di fatto, di costruire autostrade. Abbiamo cambiato la legge, ripreso gli investimenti. Se devo riparare un argine, lo faccio con la spesa pubblica. Se costruisco un'autostrada, la pagheranno i pedaggi. Molti hanno dimenticato che l'intera autostrada del Sole fu costruita con fondi fuori bilancio. Il "Piano Tremonti per la crescita", che abbiamo fatto approvare in Europa durante il semestre di presidenza italiana, è stato accettato da tutti. Prevede 50-70 miliardi di

euro all'anno di finanziamenti. All'Italia ne arriveranno 8-10 all'anno, a tempo indeterminato. Abbiamo rinnovato il mercato del lavoro e salvato il valore del risparmio: chi avrebbe scommesso sull'emissione di titoli di Stato alla pari con quelli tedeschi? Senza dimenticare che la crisi argentina ci ha preso un punto di prodotto interno lordo e che la storia del bond Cirio ha creato un pesante clima di sfiducia generale.»

Si lamenta la modestia dei nostri investimenti in ricerca e innovazione, e la nostra scarsa competitività con la Cina. «Potenzieremo gli investimenti in questi settori e non è un caso che le imprese che ne fanno di più, Eni ed Enel, siano sotto il controllo pubblico. La Cina? Siamo stati colpiti per primi perché il livello tecnologico della nostra industria è più basso, ma stanno arrivando tempi duri anche per gli altri.» La gente è molto irritata per l'aumento dei prezzi. «Il carovita è il vero problema. L'euro ha prodotto da noi più inflazione perché non eravamo abituati a usare le monete e perché la nostra rete distributiva è eccessivamente frastagliata. Ma che cosa può fare un governo in un'economia di mercato?»

*Il Cavaliere: «Penso che morirò lavorando
per cambiare l'Italia»*

Torniamo a Berlusconi, ai suoi progetti, alle sue aspirazioni politiche. Si dice da tempo che aspiri a sostituire Carlo Azeglio Ciampi nel 2006. Pensa, dunque, di candidarsi? «Ogni decisione al riguardo è prematura. Ci sarà probabilmente ancora bisogno di lavorare per un'altra legislatura perché il cambiamento del paese non può essere lasciato a metà.» È ormai scontato che il prossimo presidente della Repubblica sarà eletto dal nuovo Parlamento. «Certamente. Sarà eletto alla scadenza naturale del settennato.»

Se la Casa delle Libertà dovesse vincere le prossime elezioni e lei andasse al Quirinale, il presidente del Consiglio sarebbe ancora un uomo di Forza Italia o avremmo un leader di un altro partito? «Anche qui, ogni decisione al riguardo è prematura» mi risponde il Cavaliere.

È sempre convinto di non dover lasciare, nell'ipotesi di una condanna nel processo Sme? «Non vedo come possa formularsi una tale ipotesi.»

Che progetti ha per il suo personale futuro? «Non ho avuto il tempo di farne. Dentro di me penso che passerò a miglior vita cadendo, come usa dirsi, sul pezzo, mentre starò lavorando per cambiare l'Italia. Cosa difficile con gli strumenti di cui disponiamo oggi, con coalizioni di partito in cui pesa il potere marginale anche dei più piccoli, con un primo ministro che può disporre soltanto della *moral suasion* e che deve passare una gran quantità del suo tempo a tenere insieme la coalizione, facendo un costante esercizio di pazienza.»

Pensa che un giorno potrà tornare imprenditore? «No. Ho avuto la fortuna di avere dei figli che dimostrano capacità nel proseguire il lavoro paterno. Sarebbe assolutamente controproducente il mio ritorno a un'attività imprenditoriale ormai nelle mani di timonieri adeguati.»

II

Il ritorno del Professore

«Amarone is the best...» disse Romano

Gerhard Schroeder sollevò a mezz'aria il *ballon*, lo fece roteare come una delle mulete che di lì a poco avrebbe visto nella *Carmen*, annusò il vino e disse: «*I like the Italian wines. I prefer the Supertuscans and the great wines from Piedmont*», mi piacciono i vini italiani, soprattutto i «grandi toscani» e i «grandi piemontesi». Di fronte, dall'altra parte del tavolo rotondo, Romano Prodi ripeté lo stesso rituale, ma il giudizio fu diverso: «*Gerhard, Amarone by Allegrini is the best of the best*», l'Amarone di Allegrini è il meglio del meglio. Aveva ragione Prodi: quell'Allegrini del '99 aveva un profumo inebriante e raggiungeva, senza dubbio, i vertici dell'enologia italiana. (Avrei approfondito dopo cena con il cancelliere i suoi gusti in fatto di vino: come a tutti gli stranieri che vogliono andare sul sicuro, a lui piacciono tra i toscani l'Ornellaia e il Sassicaia, e tra i piemontesi il venerabile Barbaresco di Angelo Gaja.) Nella Sala degli Arazzi del municipio di Verona erano da poco passate le otto di sera di venerdì 22 agosto 2003 quando l'Amarone Allegrini fu servito per accompagnare il rotolo di scottona al tegame. Prima, l'eccellente Soave Gini aveva esaltato una *suprême* di quaglia glassata al Soave e i tagliolini di pasta fresca con julienne di verdure.

Quando Schroeder e Prodi si confrontarono sull'Amarone, eravamo a tavola da un quarto d'ora. Dico «eravamo» perché l'improvviso forfait di Silvio Berlusconi aveva indotto il sindaco Paolo Zanotto, come avrebbe rivelato l'indomani il quotidiano locale «L'Arena», a chiedermi con lusinghiera cortesia di prenderne il posto. Mi trovai così più vicino al presidente della Commissione europea di quanto non lo sarebbe stato il presidente del Consiglio, che avrebbe dovuto sedere di fronte a Schroeder, mentre a Prodi sarebbe spettato il posto dinanzi al sindaco. Il cerimoniale rabberciò in fretta e furia la situazione: Prodi sedette di fronte al cancelliere e io, che mi ritrovai inopinatamente alla destra la moglie del prefetto, gli ero abbastanza vicino per fare due chiacchiere.

«Da quanto tempo non ci vediamo...» esordì lui. Tornai indietro con la memoria: ci eravamo incontrati a Bruxelles per le celebrazioni dell'euro, ci eravamo sentiti in un collegamento dalla capitale belga per «Porta a porta», ma il nostro ultimo colloquio politico approfondito risaliva ormai a quasi cinque anni prima. Un giorno dell'autunno 1998 a palazzo Chigi conversammo per il mio libro di quell'anno, *La corsa*. Gli chiesi se gli sarebbe piaciuto diventare presidente della Repubblica, e lui rispose sinceramente di no: «A me piacciono i ruoli operativi». Gli domandai se gli sarebbe piaciuto andare a presiedere la Commissione europea, e lui rispose sinceramente di sì: «È un ruolo operativo». Poi mi guardò aggrottando le sopracciglia: «Non mi vorrete mica cacciar via da qui?». Era una battuta. Onestamente, nessuno di noi due pensava che, qualche settimana più tardi, per un solo voto di scarto il suo governo sarebbe stato battuto alla Camera e che Massimo D'Alema avrebbe preso il suo posto a palazzo Chigi.

Sei mesi dopo, Prodi aveva appena fondato il movimento dei Democratici, ponendo così in atto la sua vendetta, che D'Alema – se non per togliersi di torno il suo fantasma, almeno per allontanarlo, come tentò invano Macbeth con quello di Banco – riusciva a farlo nominare presidente della Commissione. In realtà il candidato più forte era lo spagnolo Javier Solana, ma poiché ricopriva l'incarico di segretario generale della Nato e, di lì a poco, l'Alleanza avrebbe mosso guerra alla Serbia, non era pensabile sostituirlo su due piedi. A dare una mano decisiva a Prodi fu proprio Gerhard Schroeder, che ora, nella Sala degli Arazzi del municipio di Verona, doveva convenire che l'Amarone Allegrini, annata '99, era buono come un «grande toscano» e un «grande piemontese».

Ecco come andarono le cose. La candidatura di Prodi alla presidenza era stata avanzata da Tony Blair il 1° marzo 1999, due giorni dopo la presentazione in pubblico dell'Asinello, simbolo del movimento dei Democratici. Prodi rispose: grazie, ma non abbocco. Si sapeva, infatti, che la scelta doveva passare per la cancelleria tedesca e che Schroeder non era entusiasta di una soluzione italiana. Da poco si era concluso il caso Ocalan. Abdullah Ocalan era il leader del movimento rivoluzionario curdo Pkk: sulla sua testa pendeva un mandato di cattura internazionale per terrorismo, spiccato dalla magistratura tedesca. D'Alema si trovò all'improvviso tra le mani la patata bollente: Ocalan si era presentato in Italia facendo affidamento sulla possibilità di ottenere asilo politico grazie ai buoni uffici dell'allora ministro della Giustizia, Oliviero Diliberto. Ma, visto che i tedeschi volevano l'arresto del ricercato, D'Alema ne offrì subito lo scalpo a Schroeder. Il quale, inopinatamente, gli rispose picche: se me lo porto in casa, fra turchi e curdi qui scoppia la guerra civile. D'Alema non se l'aspettava e rimase con il cerino in mano. Lo spense rispedendo Ocalan da dove era venuto, cioè in Russia. Da qui il capo curdo cominciò un giro tortuoso, conclusosi con l'unica soluzione che nessuno auspicava: l'arresto e il processo in Turchia, dove peraltro le pressioni internazionali impedirono che venisse eseguita la prevedibile condanna a morte. Schroeder contrasse così un debito con D'Alema, che saldò dando il via libera alla nomina di Prodi.

«Da quanto tempo non ci vediamo...» esordì il Professore, affondando le posate nel delizioso rotolo di scottona. (La qualifica di Prodi si scrive convenzionalmente con la maiuscola, come Avvocato per Gianni Agnelli, Ingegnere per Carlo De Benedetti, Dottore per Cesare Romiti e, naturalmente, Cavaliere per Silvio Berlusconi. Esistono, com'è ovvio, legioni di avvocati, ingegneri, dottori e cavalieri, anche tra le personalità più in vista, ma la maiuscola identificativa spetta a uno solo per categoria.) E già, perché nei primi anni del suo incarico a Bruxelles ha tenuto la bocca chiusa. O meglio, non c'è stato giorno mandato in terra dal Signore in cui Prodi non si sia fatto aggiornare partitamente da Arturo Parisi su quel che accadeva nel Palazzo italiano e, soprattutto, nei palazzotti della sinistra, ma i suoi giudizi restavano sigillati nelle signorili orecchie del suo amico sardo. Con il passar del tempo, altre orecchie furono riservatamente ammesse ad ascoltare quei discorsi sottovoce, quei sussurri arrotondati dalla esse sibilante di un accento emiliano mai dimenticato, ora interrotti da un'aperta risata, ora dall'arretramento della voce in un ghigno d'irritazione: qualche esponente della Margherita, qualche leader dei Ds, il direttore della «Repubblica», diventato ormai l'organo ufficiale del centrosinistra... Niente che potesse apparire pubblicamente in un libro e, meno che mai, essere detto in televisione. D'altra parte era giusto che, nei primi due anni di legislatura, chi aveva perso le elezioni del 2001 si leccasse da solo le ferite. Al domani si sarebbe pensato dopo...

«Da quanto tempo non ci vediamo...» Già, ma ci conosciamo da trent'anni. Da quando noi ragazzi dell'edizione principale del Tg scrivevamo di tutto e, se ci incagliavamo in qualche scoglio d'argomento economico, andavamo al telefono: 051... «Scusa, professore. Mi spieghi per favore che roba è questa?» E lui traduceva in volgare cose per noi complicatissime, senza mai perdere la pazienza, a qualunque ora del giorno, festivi compresi. Il nostro mestiere gli piaceva, e qualche volta veniva di persona a fare i commenti in video. Gli piaceva anche la politica, ma si considerava sempre un tecnico dato in prestito, come quando per soli quattro mesi – dal novembre 1978 al marzo 1979 – fu ministro dell'Industria nel governo Andreotti del «compromesso storico».

Nel 1982 Ciriaco De Mita, appena diventato segretario della Dc, lo mandò a presiedere l'Iri. Conducevo allora una trasmissione chiamata «Ping pong», e Prodi mi disse per la prima volta che non poteva intervenirvi perché, di fatto, era il mio editore. Si sfogò a lungo con me rendendomi partecipe della sua frustrazione di essere l'azionista unico della Rai, ma di non poterci mettere becco in quanto gli amministratori erano di nomina politica. Restò all'Iri sette anni, e fu sostituito il 5 dicembre 1989 da Franco Nobili. Nella primavera del 1993, però, quest'ultimo fu arrestato (e poi scagionato, dopo un calvario giudiziario durato molti anni) per l'incredibile dichiarazione di un dirigente, il quale sostenne di essersi sentito tacitamente autorizzato a versare una tangente al neopresidente, poche settimane dopo la sua nomina, con cui si era incontrato in qualche posto che non ricordava. Un'amnistia aveva coperto tutti i reati di corruzione fino al 24 ottobre 1989, e così, per pochi giorni, Nobili era rimasto incastrato senza colpa in una vicenda kafkiana: il contratto al quale si riferiva la presunta tangente era infatti stato firmato durante la precedente gestione. Prodi tornò dunque d'urgenza alla presidenza dell'Iri.

In quelle stesse settimane il Professore sarebbe potuto diventare presidente del Consiglio se Mariotto Segni non avesse dato prova di scarsa lungimiranza politica. Giuliano Amato aveva dovuto lasciare palazzo Chigi dopo che Tangentopoli aveva «investito» sette dei suoi ministri, e il presidente della Repubblica Oscar Luigi Scalfaro pensò di sostituirlo con Segni, protagonista dei grandi referendum di quei giorni, ma fu bloccato da Ciriaco De Mita e Mino

Martinazzoli. Disse il primo: «Quello è uno che per cambiare casa la vuole distruggere». Precisò il secondo: «Non gli affiderei nemmeno l'amministrazione di un condominio». Allora Scalfaro chiamò Prodi e gli offrì la guida del governo: «Se vuoi portarti appresso Segni come vicepremier, fa' pure». Mi raccontò il Professore: «Se Mariotto Segni avesse detto di sì quel pomeriggio, era fatta. Eravamo d'accordo con Scalfaro che dovesse nascere qualcosa di profondamente innovativo». Ma Segni lo gelò: «Caro Romano, tu dovrai rinunciare. E, dopo di te, Scalfaro non potrà che chiamare me alla guida del governo». Il presidente della Repubblica, invece, chiamò Carlo Azeglio Ciampi, governatore della Banca d'Italia. E la storia del nostro paese prese una piega del tutto diversa.

Da poco rientrato all'Iri, Prodi passò lo sgradevole pomeriggio di domenica 4 luglio 1993 a Milano, nell'ufficio di Antonio Di Pietro. Naturalmente l'incontro doveva restare riservato, ma «qualcuno» avvertì i giornalisti, che si precipitarono a palazzo di giustizia in tempo per sentire l'urlo del magistrato abruzzese: «I soldi alla Dc chi glieli ha dati?». Di Pietro era convinto che l'Eni fosse la cassaforte socialista (il suo presidente, Gabriele Cagliari, si sarebbe suicidato in quello stesso mese di luglio dopo centotrentatré giorni di carcere) e l'Iri il salvadanaio democristiano. Si sbagliava, e tutti sapevano perché. L'Eni, con la sua costellazione di società estere, aveva infatti un'enorme capacità di muovere denaro in ogni parte del mondo. L'Iri era invece una holding tipicamente italiana: più che soldi, maneggiava voti. E la Dc la usava come poderosa cassaforte elettorale. Di Pietro mise comunque sotto torchio Prodi e, l'indomani, si sparse la notizia che il Professore stava per essere arrestato. La Borsa andò a picco e Prodi entrò indignato – con le lacrime agli occhi – a protestare nello studio di Scalfaro al Quirinale. Tre giorni dopo, il capo dello Stato tuonò contro i metodi di Mani pulite. Il Professore fu lasciato in pace, ma la stampa si schierò in difesa di Di Pietro. Il 20 luglio, giorno del suicidio di Cagliari, uscendo dal ristorante dove avevo avuto un colloquio con il magistrato, vidi una locandina con la copertina dell'«Espresso»: un fotomontaggio mostrava Di Pietro in catene tra due carabinieri. Titolo: *Operazione Mani legate.*

Quando Prodi diceva: «O privatizzazioni o morte»

Incontrai nuovamente Prodi nell'autunno di quel terribile 1993, nel suo studio di presidente dell'Iri. Aveva la valigia in mano: Londra, Tokyo, New York. Faceva il mestiere che gli piaceva di più: il rappresentante di commercio della nostra economia. «La vede questa?» mi disse sfiorandosi la camicia azzurrina. «Per confezionarla, in Italia si spendono 400 lire al minuto. E nessuno le farà più.» Aveva paura della concorrenza asiatica, proprio come Giulio Tremonti dieci anni dopo. («Le commesse di macchinari dalla Cina» mi spiegò «hanno tamponato la crisi della nostra industria meccanica.» Nell'arco di un decennio, i cinesi hanno imparato così bene a usare quelle macchine che oggi se ne servono per «clonare» i nostri prodotti a prezzi stracciati.) Prodi puntava allora sulla «competitività», parola magica d'ogni tempo. Nell'autunno del 1992 Amato e Ciampi avevano svalutato la lira del 30 per cento e il Professore era contento di come avevano reagito le imprese italiane, tranne le grandi. Mi disse: «Il nostro quadro di relazioni industriali è il più moderno d'Europa. E, tra cinque anni, si vedrà chi si è saputo scegliere le carte migliori: insegnamento, risanamento delle proprie finanze, rapporti tra scuola e impresa, ricerca, sviluppo...». Il suo obiettivo principale erano le grandi privatizzazioni. «Senza privatizzazioni siamo morti. Qualcosa forse andrà alle società estere, ma io punto molto anche sull'Italia. Il risparmio da noi è enorme e bisogna convogliarlo nei canali giusti. In futuro, da noi andranno meglio le imprese medie di quelle grosse. E non si può continuare con un'economia che abbia soltanto quattro protagonisti, com'è stata per decenni quella del nostro paese.

Con le privatizzazioni dobbiamo allargare il gioco e trovare una decina di soggetti nuovi.»

«Il Professore è tornato a graffiare...»

Chi avrebbe immaginato allora che, dieci anni dopo, il suo decennio all'Iri sarebbe stato sezionato al microscopio durante la campagna elettorale per il 2006, cominciata inopinatamente nella primavera del 2003? Che «il Giornale» e «Libero» l'avrebbero martellato ogni giorno per mesi sull'affare Telekom Serbia e che il quotidiano di Maurizio Belpietro avrebbe condotto inchieste gigantesche sulla sua gestione dell'Iri? «La Repubblica» inchiodava il Cavaliere sull'affare Sme? Allora «il Giornale» mandava Gian Marco Chiocci alla Procura di Perugia a spulciare tra le carte dei periti che si erano occupati di certi affari dell'Iri: la cordata Benetton acquistò Gs-Autogrill per 691 miliardi; tre anni dopo rivendette la sola Gs-Supermercati per 5000 miliardi... E così per una settimana alla metà di maggio. Passarono tre mesi e partiva un'altra inchiestona. Mentre il «Corriere della Sera» e «la Repubblica» pubblicavano grandi reportage di viaggi e stimolanti racconti di amori celebri per intrattenere il pubblico annoiato dell'estate, Belpietro deliziava i suoi lettori con i piedi a mollo per sopravvivere alla memorabile calura d'agosto pubblicando un autentico romanzo a puntate di Stefano Filippi dal titolo *L'Iri del Professore*.

Tutto questo perché il Professore è tornato in politica, non ufficialmente (non può con il mestiere che fa, che potrebbe legarlo alla Comunità sino alla fine del 2004), ma è tornato. Ah, se è tornato. «Per la prima volta da quando è a Bruxelles ha cominciato a graffiare» annotava Fabio Martini sulla «Stampa» del 22 agosto 2003. Se a Strasburgo Berlusconi commetteva una gaffe con Martin Schulz, Prodi commentava: «Mi vien da piangere». Se nella maggioranza qualcuno diceva che lo spaventoso rincaro dei prezzi è colpa dell'euro, reagiva sostenendo che l'Italia è un caso isolato. Provocando così la reazione di Giuliano Ferrara il quale, sul «Foglio» del 22 agosto, gli ricordava che, a suo tempo, aveva accettato un tasso di conversione troppo alto. Se a Prodi scappava di dire «Mamma li turchi» per ricordare quanta storica diffidenza ci fosse da noi verso un popolo che Berlusconi vorrebbe portare nell'Unione europea, e Angelo Panebianco sul «Corriere» gli tirava le orecchie, lui replicava piccato: «Capisco che possa essere divertente costruire una specie di par condicio anche nelle gaffe, ma mi sembra che, almeno in questo caso, lo sforzo sia vano». E così via.

Tuttavia, quella sera d'agosto, durante la cena veronese, tra un brindisi e l'altro del sindaco Zanotto non parlammo di politica. L'occasione era troppo formale. Mi complimentai con il Professore per la sua forma fisica. «Vado in bicicletta» mi rispose asciutto. Con questo caldo? «Non solo, ma esco tutti i giorni dalle nove a mezzogiorno.» Chissà quanti chili perde... «Due o tre ogni volta. Bevo un paio di litri d'acqua. Ma poi recupero tutto. Amen.» Mi raccontò delle sue passeggiate con i grandi del ciclismo. Guardò davanti a sé, in direzione di Schroeder, alzò gli occhi al cielo, chiuse le labbra a soffio e disse: «Te li vedi partire davanti in salita come treni. Fuuuu...». Solo più tardi, quando nel breve tragitto che separa il municipio dall'Arena passò, insieme al cancelliere, tra due ali di folla festante, gli sussurrai: «Mi ha detto Bertinotti che, se vuole attraversare la società civile come fece nel 1996 in pullman, stavolta deve far salire a bordo anche i movimenti...». Lui sorrise e allargò le braccia: «Ma allora ci vuole un treno lungo così...».

E Prodi affettò il prosciutto per Rutelli

Mercoledì 30 luglio 2003, all'ora di pranzo, Prodi affettò personalmente il prosciutto di Parma che si era portato da casa. Lo offrì a Francesco Rutelli e ad Arturo Parisi insieme con la mozzarella e altri alimenti freschi e semplici, comprati al mercato. I due ospiti politici divisero la mensa con la moglie del Professore, Flavia, uno dei loro figli, la nuora e la nipotina appena nata. Prodi era in braghe corte e si godeva le ferie nel parco dell'Uccellina, dove aveva affittato una delle belle e antiche dimore medicee recuperate ai tempi della bonifica e in genere prenotate con largo anticipo dagli stranieri per le loro vacanze in Toscana.

Il piatto forte del menu era però un altro: la proposta del Professore di una lista unica dell'Ulivo e, soprattutto, il suo repentino rientro nella politica italiana. Nei primi tre anni e mezzo trascorsi a Bruxelles come presidente della Commissione europea, Prodi in realtà non aveva mai cessato di occuparsi degli affari interni del nostro paese. Ma l'aveva fatto con ammirevole discrezione. Come già detto, Parisi gli riferiva quotidianamente quel che accadeva dietro le quinte del Palazzo, lo aggiornava sui movimenti di truppe nella Margherita e in particolare nei Ds, ne ascoltava i suggerimenti, che diventavano più concreti e pregnanti con il passare dei mesi e degli anni, ma se un cronista lo fermava per strada a Bruxelles, o all'uscita della messa domenicale a Bologna, e gli chiedeva: che cosa pensa, Professore, di questo e di quello?, lui stirava la bocca socchiudendo gli occhi se era di buonumore, stringeva le labbra e corrugava la fronte se non lo era, ma dava invariabilmente la stessa risposta: «Finché sono in Europa, mi occupo di Europa».

Alla fine della prima decade di luglio 2003, improvvisamente, il Professore decise di muoversi nel giro di poche ore. Come il tenente Giovanni Drogo, protagonista del *Deserto dei Tartari* di Dino Buzzati, aveva scrutato per anni l'orizzonte con il cannocchiale cercando di capire se quei puntini in movimento all'orizzonte erano truppe nemiche che si stavano avvicinando. E come Drogo, all'improvviso, un mattino si convinse che era arrivato il momento di agire. Per la verità, al pari del personaggio di Buzzati, Prodi aveva giocato d'anticipo: già nel 1999 aveva proposto a D'Alema di fondare un unico partito riformista. («Sciogliamoci in un unico partito democratico» disse Parisi.) Ma il leader dei Ds, allora presidente del Consiglio dopo la caduta del Professore, gli aveva risposto picche. Quattro anni dopo, Prodi-Drogo decise di agire da solo e, al contrario dello sfortunato tenente della fortezza Bastiani, si prese, anche con D'Alema, la sua brava rivincita.

Tutto nacque consultando il calendario in compagnia dell'inseparabile Arturo Mario Luigi Parisi (le quattro iniziali sono ricamate in basso a sinistra sulla sua camicia). Parisi, come Prodi, è un professore dell'università di Bologna prestato alla politica. A differenza del presidente della Commissione europea, che di mestiere fa l'economista, lui è politologo, studia cioè i sistemi politici con la stessa cura con cui l'indimenticabile Gianni Brera studiava gli schemi tattici delle partite di calcio. Per anni, come Brera, Parisi ha detto la sua dalla tribuna stampa, nel rinomato Istituto Cattaneo di Bologna e nella rinomatissima Associazione di cultura e politica il Mulino, della stessa città. Alla fine, non ha resistito alla tentazione ed è sceso in campo. Nel primo governo dell'Ulivo, è stato per Prodi quel che Gianni Letta è per Berlusconi. Come sottosegretario alla presidenza del Consiglio, è stato il consigliere più ascoltato, anche se della contrattazione delle quote di potere da suddividere con gli altri partiti e con le istituzioni, oggi appannaggio di Letta, nel governo Prodi si occupava l'altro sottosegretario alla presidenza, Enrico Micheli.

Caduto il governo del Professore, la simbiosi tra Parisi e Prodi si è, se possibile, accentuata. Entrambi, per esempio, nonostante quantità industriali di alka-seltzer, non hanno mai digerito il governo D'Alema, considerandolo frutto di un bieco complotto tra il titolare e Franco Marini, mollato a sua volta da D'Alema, che non lo appoggiò nella corsa al Quirinale, come invece il capo del Ppi s'aspettava. Per vendetta, oltre che per realizzare un nuovo progetto politico, da una costola del Partito popolare Parisi creò, insieme a Prodi, il movimento dei Democratici, poi confluito con il Ppi nella Margherita, di cui divenne vicepresidente. E oggi si prepara ad accompagnare il Professore nel gran rientro nell'agone politico italiano.

Il Professore disse: «Annuncio io la lista unica»

Alla fine della prima decade del luglio 2003, dunque, Prodi e Parisi consultarono insieme il calendario. E constatarono due cose: primo, entro la fine dell'anno si sarebbero svolti in vari paesi europei congressi di partito che avrebbero dato un'indicazione per le elezioni continentali del 2004; secondo, entro il mese di gennaio 2004 tutti i giochi sarebbero stati fatti. «Andando a ritroso e immaginando che ogni proposta dotata di una carica innovativa dovesse fare appello e conto su un ampio consenso» mi dice Parisi con la sua cadenza sarda, ben attenta a scandire le finali d'ogni parola, «ritenemmo che le feste di partito di fine estate sarebbero state l'occasione giusta per una discussione approfondita sulla nostra proposta.»

La «proposta» era quella di presentare alle elezioni europee del 2004 una lista unica dell'Ulivo. Prodi e Parisi ne avevano parlato riservatamente tra loro nelle settimane precedenti, ma al termine di quella prima decade di luglio decisero che il tempo dell'attesa era scaduto. Pochi giorni prima infatti, durante una riunione dell'esecutivo della Margherita, Parisi e il responsabile esteri del partito, Lapo Pistelli, negli interventi d'apertura avevano posto il problema di quale atteggiamento avrebbero dovuto tenere il partito e l'Ulivo nelle elezioni europee del 2004. Si erano confrontate allora in modo del tutto informale due proposte che, ridotte all'osso, erano le seguenti: per alcuni – Franco Marini in testa – l'ideale sarebbe stato che Prodi guidasse la lista elettorale della Margherita ponendo ufficialmente la sua candidatura a palazzo Chigi per il 2006; altri, guidati da Arturo Parisi, auspicavano che il nome di Prodi riuscisse a promuovere qualche iniziativa nuova. Nel corso dei loro colloqui successivi a quella riunione, il Professore e Parisi temettero che la proposta di una lista unica dell'Ulivo (era questa l'«iniziativa nuova») fosse bruciata prima ancora di nascere, quindi decisero di giocare d'anticipo. A orientarli in questo senso era stata anche un'altra valutazione: nella Casa delle Libertà, dissero, sono quotidianamente in conflitto, mentre l'Ulivo sta vivendo un momento di serenità. Approfittiamone per avanzare adesso, in modo costruttivo, la nostra proposta.

I due concordarono che Parisi avrebbe rilasciato due interviste che sarebbero uscite lo stesso giorno, venerdì 18 luglio, su un settimanale da sempre vicino alla sinistra, «L'Espresso», e sul più influente e diffuso quotidiano italiano, il «Corriere della Sera».

Parisi concesse la sua intervista all'«Espresso» martedì 15 luglio e fissò un appuntamento alle 10.30 di giovedì 17 con Francesco Verderami del «Corriere», affinché entrambi i giornali pubblicassero contemporaneamente la notizia il giorno prestabilito. Ma quel giovedì accaddero alcune cose che modificarono il programma previsto. La prima, e più importante, fu che quella mattina, d'accordo con Parisi, Prodi decise all'improvviso di esporsi personalmente con un'intervista al «Corriere della Sera». La seconda riguarda «la Repubblica».

Alle tre del pomeriggio Piero Fassino...

Occorre ricordare che, per essere presente nelle edicole di tutta Italia all'alba del venerdì, «L'Espresso» – come il suo più diffuso concorrente, «Panorama» – viene stampato il mercoledì notte, e già nel primo pomeriggio di giovedì le principali personalità politiche ricevono le copie «staffetta» dei due settimanali. Così, alle tre del pomeriggio di giovedì 17 luglio Piero Fassino lesse l'intervista di Parisi e subito dopo lo chiamò a Napoli per lamentarsi della frase in cui il vicepresidente della Margherita accusava i Ds di egemonia («Non posso non registrare l'affermazione di Piero Fassino che ha riproposto i Ds come perno della coalizione. L'Ulivo si deve affidare alla coralità, non alla forza dei singoli partiti. Ritengo sbagliata l'idea che l'Ulivo possa fondarsi sulla diarchia Ds-Margherita, figuriamoci se posso accettare che torni in campo l'idea dell'egemonia diessina»). A quel punto Parisi gli rivelò che l'indomani il «Corriere della Sera» avrebbe pubblicato l'intervista di Prodi. «Prodi prese l'iniziativa senza consultare nessuno» mi conferma il segretario dei Ds. «Nei giorni precedenti ebbi colloqui con il suo collaboratore Ricardo Franco Levi e con Parisi, che mi prospettarono l'idea di una lista unica per le elezioni europee, ma non mi fu anticipata l'intenzione di Prodi di dare un'intervista al "Corriere". Soltanto il giorno prima della pubblicazione, nel corso di una conversazione telefonica Parisi mi fece un generico cenno a una probabile dichiarazione alla stampa di Prodi.»

Il direttore della «Repubblica» Ezio Mauro lo venne a sapere e, a tarda sera, telefonò al Professore per dolersene. Già seccato per gli ottimi colpi messi a segno dal «Corriere della Sera» nelle prime settimane di direzione di Stefano Folli, non poteva accettare che a dargli un «buco» di quelle dimensioni fosse proprio il futuro candidato premier dell'Ulivo. Era o non era «la Repubblica» l'organo ufficiale del centrosinistra, il giornale che puntualmente, ogni mattina, attaccava il Cavaliere, preparando il terreno per la sua successione a sinistra?

Prodi lo sapeva bene, tanto che, quando Mauro lo chiamò, gli raccontò qualcosa della sua proposta. Il direttore della «Repubblica» è una vecchia volpe del mestiere: quante telefonate informali sono diventate negli anni dei «colloqui» scoop? Questa volta, però, non poté trasformare una conversazione amichevole in un'intervista, giacché Prodi si era ufficialmente aperto con il «Corriere della Sera». Allora girò le informazioni ricevute al corrispondente da Bruxelles, Marco Marozzi, che nella notte scrisse un articolo ben documentato consentendo al giornale di dare la notizia in prima pagina.

Nell'intervista concessa a Claudio Lindner, corrispondente da Bruxelles del «Corriere della Sera», Prodi lanciava due messaggi ripresi nel titolo e nel sommario. Titolo: *Non mi dimetto dall'Unione anche in caso di voto anticipato.* Sommario: *Un Ulivo per l'Europa, lista comune senza sigle di partito.* La prima notizia era piuttosto scontata, ma serviva a smontare, una volta per tutte, la tesi di Franco Marini, il quale, come abbiamo visto, avrebbe voluto che in occasione delle elezioni europee il Professore rientrasse al galoppo in Italia per porsi alla guida della lista della Margherita. La seconda, invece, costituiva la vera novità: «Chi si riconosce nella stessa visione d'Europa deve avere il coraggio politico e la generosità per rappresentare assieme, con una lista unitaria, questa idea forte di fronte agli elettori». Un «Ulivo per l'Europa»?, chiedeva il giornalista. E Prodi: «Lo chiami lei così. Ma è un nome che certo a me piace». Una lista unitaria di centrosinistra? «Quando vedo la parte dominante della Margherita e dei Ds, vedo la stessa idea di Europa.» Sparirebbero le sigle dei partiti? «In questo caso, certamente sì.»

Nell'agitato pomeriggio di quel giovedì, Parisi informò anche Francesco Rutelli dell'intervista di Prodi. Il presidente della Margherita ne fu spiazzato. «Rimasi sorpreso dall'intensità del coinvolgimento personale di Romano» mi dice Rutelli. «Lui sapeva che io avrei parlato pubblicamente» precisa Parisi «ma non lo avevo avvertito della mia intervista all'"Espresso". Rivendicai la mia autonomia di iniziativa e, in ogni caso, la proposta di una lista unica poteva essere avanzata soltanto da noi.»

Da Napoli, dove aveva partecipato a un incontro pubblico della Margherita, la notte di quel giovedì Parisi inviò sms sui cellulari di Franco Marini, Pierluigi Castagnetti, Dario Franceschini, Willer Bordon. Parlò al telefono con Enrico Letta che era a Cagliari, con Enrico Boselli che aveva riunito a Roma la direzione dello Sdi, e con lo stesso Marini. Il responsabile organizzativo della Margherita era in qualche modo preparato perché all'ipotesi di un'«iniziativa innovativa» si era fatto cenno, come abbiamo detto, in una riunione dell'esecutivo del partito. Disse a Parisi che avrebbe espresso pubblicamente le proprie perplessità (lo fece sul «Foglio» e su «Panorama»), ma accettò la sfida.

Marini, ricordiamo, era nettamente più favorevole all'ipotesi che Prodi guidasse una lista della Margherita alle elezioni europee del 2004, ma il Professore non ha mai preso in considerazione una tale eventualità. Tuttavia, quando l'indomani Marini lesse sulla «Repubblica» che il Professore considerava – secondo le parole di Marco Marozzi – «una follia» l'idea di guidare le liste della Margherita, andò su tutte le furie, sicché prima Parisi e poi lo stesso Prodi dovettero tranquillizzarlo, smentendo che il presidente della Commissione europea avesse detto niente di simile nella chiacchierata informale con Ezio Mauro. In ogni caso, per rendere pubblico il proprio dissenso, quel giorno stesso Marini dettò al «Foglio» il seguente veto alla proposta del Professore: «Fare le liste unitarie alle elezioni europee vuol dire fare il Partito democratico, perché dopo indietro non si torna. Ma il Partito democratico è un obiettivo rivoluzionario, merita un dibattito serio e un progetto condiviso, non può passare così di soppiatto solo perché sull'Europa la pensiamo allo stesso modo ... Oggi è un'idea assolutamente non matura. Non matura, in primo luogo, nella testa dei nostri elettori». La conclusione? «Credo che questa prospettiva sia già abortita.»

Prodi: «Torna il progetto originario dell'Ulivo»

Marini si sbagliava. Quando, l'ultimo martedì di ottobre, il 28, vado a trovare Prodi a Bruxelles, la lista unica è data per acquisita. «È frutto dell'assoluta continuità con il progetto originario dell'Ulivo» mi dice il Professore. «Ero indeciso se proporla prima o dopo l'estate. Ma poi ho pensato che sarebbe stato meglio anticipare i tempi perché venisse discussa prima del vuoto estivo. Non ho pensato al sistema elettorale, ai vantaggi e ai rischi di questa proposta in presenza di sistemi diversi. Non ho nemmeno pensato all'opportunità dei premi di maggioranza. Ho constatato semplicemente che non c'è una sola differenza tra i partiti dell'Ulivo nel programma europeo. Con coerenza e – se posso dirlo – con ingenuità assolute, ho preso atto dell'identità di un programma condiviso da tutti e ho deciso di trarne le conseguenze politiche più logiche: una lista unica per fare agli elettori una proposta unica.»

Prodi mi riceve al dodicesimo piano del palazzo Breydel, che ospita gli uffici della presidenza della Commissione. Ha uno studio molto ampio, assai luminoso e allegro. Alle due pareti, alle spalle della scrivania e del salotto rosa, sono appese due splendide lunette lombarde dipinte a cavallo tra il Cinquecento e il Seicento. «Me le ha mandate Giovanna Melandri quando era ministro dei Beni culturali. Stavano in un deposito...» Perché non un Tiziano o, a rotazione, un Raffaello, o un più modesto Guercino? «Queste lunette vengono inquadrate da tutte le televisioni del mondo...» sospira il Professore. «Che occasioni mancate...» (Quando D'Alema era a palazzo Chigi, gli suggerii di farsi prestare a rotazione qualche capolavoro dai musei, visto che la sede della presidenza del Consiglio ne è del tutto priva. Lui ci provò, ma si scontrò con il rifiuto dei sovrintendenti. D'altra parte, quando Mussolini negli anni Trenta impose l'esportazione di qualche dipinto di Botticelli per una memorabile mostra a Londra, alla fine si sfogò: «Preferirei farmi cavare dieci denti piuttosto che discutere di nuovo con un sovrintendente». Peccato...)

Il Professore mi invita a colazione. Mario e Jean, i suoi premurosi collaboratori d'anticamera, hanno fatto apparecchiare per cinque. Con noi siedono a tavola il consigliere politico Ricardo Franco Levi, che fu suo portavoce a palazzo Chigi, Marco Vignudelli, l'attuale portavoce, e il capo di gabinetto Stefano Manservisi. Il menu, legato dal cordoncino con i colori gialloblu dell'Unione, prevede *croquettes aux crevettes grises, gibelotte de lapin braisé à la bière, émincé d'oignons et jeunes carottes* e, infine, *crêpe suzette*. Vini italiani, ovviamente: Gavi di Gavi 2000 e Barbera d'Alba Altare '98 (un'annata, quest'ultima, che il Professore dovrebbe cancellare dalla lista perché la vendemmia politica non fu certo fortunata).

Tra una croquette e un sorso di Gavi, gli faccio notare che i suoi viaggi in Italia sono diventati più frequenti: un'inaugurazione qui, una festa là, ed è bell'e partita la campagna elettorale.

Lui nega con decisione: «Non vengo più spesso di prima, ho fatto qualche weekend in più in Italia, rispetto ai tre ogni due mesi che facevo prima, perché mia moglie non è stata bene. La vera novità è l'accoglienza diversa rispetto all'anno scorso. Un seminario in onore di Nino Andreatta, o l'inaugurazione del nuovo municipio di Casalecchio, che nel 2002 sarebbero stati quasi ignorati, oggi assumono un significato diverso per il diverso atteggiamento della gente. La stampa ne coglie la differenza, ma giunge a conclusioni che non hanno ancora giustificazione. Cominciata la campagna elettorale? Me ne guardo bene. Seguo la situazione interna italiana con minore assiduità di quanto si pensi. Ho rilasciato tre interviste per comunicare le mie opinioni sulle prospettive dell'Italia e del centrosinistra, e credo che pensare faccia parte del mio dovere. Ma non ho il tempo materiale per i contatti necessari a chi vuole stabilire regolari rapporti politici con i propri interlocutori. Il mio obiettivo è finire bene il mio lavoro a Bruxelles. Manca meno di un anno alla scadenza del mio mandato e devo portare a termine ancora tante cose».

Che cos'è una lista Prodi senza Prodi?

La lista unica (e non unitaria, come amano dire gli ulivisti di Roma con un bizantinismo che servirebbe a marcare misteriose quanto sostanziali differenze) è dunque acquisita. Faccio però osservare al Professore che una lista Prodi senza Prodi sarebbe una lista zoppa. Ormai la politica in tutto il mondo è condizionata dai leader e sarebbe curioso pregare qualcuno di tenergli il posto. «Nelle elezioni europee» risponde «la leadership è molto più mediata che nelle elezioni politiche, la personalizzazione della battaglia politica è inferiore. Un giorno, quando il vincitore delle elezioni diventerà il candidato automatico alla presidenza della Commissione o del Consiglio europeo, il discorso sarà diverso. Un primo passo sarà compiuto con la nuova Costituzione europea, che prevede la scelta del presidente tenendo conto dei risultati elettorali. È un piccolo passo in avanti, ma nella direzione di rendere sempre più politiche le istituzioni europee.»

A fine agosto Prodi incontrò D'Alema. Il presidente dei Ds cerca – come vedremo nel prossimo capitolo – di rivestire di una patina di normalità il confronto avvenuto nel residence nella zona di via Veneto, l'alloggio romano di Prodi fin dai tempi dell'Iri. Mi dice invece Parisi: «Avrebbero anche potuto raccontarsi barzellette, ma il solo fatto di aver comunicato che l'incontro c'era stato segnava una svolta: erano due amici, o comunque due vecchi compagni di strada, che riprendevano il cammino insieme». A un amico che gli chiedeva da quanto tempo non incontrasse il presidente dei Ds per un colloquio a tutto campo, Prodi ha risposto con una battuta: «Da quanto tempo non si fa una bella confessione profonda e completa? Chissà...». Nella nostra conversazione di fine ottobre a Bruxelles la risposta è più formale: «Da quanto tempo non ci vedevamo? Ci siamo visti molte volte, ma è stata certo la prima occasione in cui abbiamo potuto parlare a lungo, profondamente e con molto agio».

Dico al Professore: sulla lista unica è tutto chiaro, ma quando D'Alema ha cominciato a parlare di partito unico... Mi ferma, alzando la mano: «Onestamente bisogna riconoscere che nelle frasi testuali pronunciate da D'Alema dopo il nostro incontro non si parla mai di partito unico. Questa ipotesi è nata da interpretazioni giornalistiche che sono state vigorosamente smentite. D'Alema ha rilanciato la nostra idea di casa comune dei riformisti, formulando l'ipotesi di un partito unico riformatore come una prospettiva lontana e, comunque, non immediata. Il fatto che tanti ne abbiano forzato l'ipotesi ha provocato molti danni e ha spaventato molta gente. Oggi, l'idea di un partito unico è prematura, se non impossibile. Tuttavia, la polemica seguita all'intervista di D'Alema ha dato luogo a una serie di chiarimenti che hanno restituito al problema la sua giusta dimensione. Le sue dichiarazioni dopo il nostro incontro sono state infatti perfettamente in linea con quanto era avvenuto e con quanto lui stesso mi aveva anticipato. Le forzature sono avvenute dopo».

Bene, ma può una lista unica restare a mezz'aria? Non ci vuole qualcosa a cui ancorarla, almeno nella prospettiva? «D'Alema ha correttamente affermato che la lista unica è un'iniziativa troppo grande e impegnativa per lasciarla cadere il giorno dopo. E, su questo, sono in perfetto accordo con lui.»

In effetti, nel loro incontro i due presero atto che l'estate aveva tenuto a bagnomaria la proposta di Prodi e riconobbero che questa non poteva essere considerata come un'improvvisazione di mezz'estate: era una storia che aveva un padre (la vecchia alleanza dell'Ulivo) e doveva avere dei figli (le prospettive politiche ulteriori). E Prodi e D'Alema avevano la possibilità di indicare il sesso e i principali caratteri somatici del nascituro: maschio o femmina? Alto o basso? Biondo o bruno?

Su un punto entrambi concordavano: occorreva dare un ancoraggio solido al «pluralismo» del centrosinistra. Perché avere anime diverse può essere una ricchezza, ma se queste anime si dividono ed eleggono a sede di confronto la rissa permanente, alla fine si perdono le elezioni. Sul resto, Prodi e D'Alema si lasciarono con interpretazioni apparentemente concordi: mutuarono dal linguaggio diplomatico l'espressione «cooperazione rafforzata» all'interno dell'Ulivo e dell'intero centrosinistra, affidando a una piattaforma comune il ruolo di motrice, di forza propulsiva della nuova alleanza. «Le lezioni del passato e la vittoria del centrodestra nel 2001 dimostrano che una coalizione di governo deve essere accomunata da una piattaforma programmatica» mi dice Parisi. «Nel 1996 non andammo oltre il patto di desistenza con Rifondazione comunista. Nel 2001 non facemmo nemmeno questo, anche se autonomamente Bertinotti decise una serie di misure che portarono alla riduzione del danno. Ma le conseguenze si sono viste.»

«Vino nuovo in otri nuovi»

Prodi e D'Alema riconobbero che l'intero centrosinistra si dichiarava disponibile a un nuovo accordo di legislatura, ma che dentro e dietro questo accordo continuano a esserci progetti differenti di società. L'intesa tra Democratici di sinistra, Margherita e socialisti democratici di Boselli poggia su fondamenta diverse da quelle di Rifondazione, Verdi, Comunisti italiani e dello stesso Di Pietro. «Un'ulteriore convergenza» mi spiega Parisi, tornando a indossare le vesti del politologo, «può passare soltanto attraverso la cessione di sovranità: le varie componenti decidono di liberarsi del diritto di veto. Il centrodestra ha risolto il problema riconoscendo o subendo la leadership personale di Berlusconi. Noi abbiamo fatto una scelta diversa, di natura plurale e collettiva, dobbiamo però trovare una regola comune.»

Questo problema angoscia il centrosinistra dal giorno stesso in cui ha perso le elezioni del 2001. I suoi maggiorenti si incontrarono per affrontarlo la prima volta nel pomeriggio dell'11 settembre di quello stesso anno, il giorno più tragico dalla fine della seconda guerra mondiale. A palazzo Marini, nella sede dei gruppi parlamentari videro insieme il crollo delle Twin Towers e quello delle proprie aspirazioni unitarie. Nei due anni successivi cercarono invano un luogo comune di decisione: una federazione di partiti? Una comune assemblea nazionale? Nessun progetto fu mai portato a termine, e ora, nel primo vero incontro a quattr'occhi dopo cinque anni di reciproca diffidenza, Prodi e D'Alema provavano a ricomporre i cocci di un progetto credibile.

Il resoconto che ne diedero i giornali mise in allarme la

sinistra ds e, soprattutto, l'ala democristiana della Margherita. De Mita e Parisi si incontrarono il 5 settembre alla festa di partito a Lerici e su un punto si trovarono d'accordo: la prospettiva del partito unico era da escludere. Tuttavia, alla fine del loro colloquio, l'ex segretario della Dc non era convinto: le parole sono parole, occorreva qualcosa di concreto a cui ancorare quella rassicurazione. «De Mita e io non siamo mai stati uniti come in questo momento» mi disse pochi giorni dopo Franco Marini. «Lui ha l'accento avellinese, io quello abruzzese. Ma la pensiamo esattamente allo stesso modo.» Aggiunse di essere pronto ad andare in minoranza sulla lista unica, ma di considerarla un errore. «La lista unica» era il suo ragionamento «è l'anticamera del partito unico. Il rischio forte è di procurare uno sbandamento nei nostri quadri dirigenti e tra gli attivisti.» Temeva la scomparsa del partito. «Al congresso di Parma Rutelli disse: costruiamo un partito che durerà a lungo. Mi accontenterei di una vita media. Ma che esali l'ultimo respiro prima di nascere non è solo una preoccupazione mia.» Ricordò le sofferenze dei popolari quando si sciolsero nella Margherita, ed escluse che fossero pronti a un secondo salto mortale. Poi arrivò a quella che sarebbe stata la vera questione irrisolta: «Noi della Margherita abbiamo maturato la convinzione di uscire sia dal Partito popolare europeo, sia dal gruppo liberale in cui sta Rutelli, per formare un gruppo autonomo. Ma fino a oggi nessuno dei Democratici di sinistra ha preso in considerazione l'ipotesi di uscire dal Partito socialista europeo».

Lunedì 29 settembre Prodi e Marini si incontrarono a cena in un ristorante italiano di Bruxelles. Tre giorni più tardi, giovedì 2 ottobre, si sarebbe riunita l'assemblea della Margherita e il capofila dell'ala democristiana del partito era andato alla fonte per capire quale fosse la posizione del Professore. Erano trascorsi esattamente cinque anni da quando Prodi aveva lasciato palazzo Chigi convinto di essere rimasto vittima della congiura ordita da D'Alema e

Marini. Da quel giorno il rapporto tra i due era stato di fatto inesistente. Altro che ultima confessione ben fatta. Qui bisognava risalire alla prima comunione... Nelle settimane precedenti, Prodi e Marini si erano scambiati opinioni al telefono, ma questo era l'incontro decisivo. Il vecchio lupo marsicano espresse al Professore le perplessità di una parte dei popolari sulla strada che si stava percorrendo. «Quale sarà la sorte della Margherita?» gli chiese. «Io non sono disposto a farmi coinvolgere in iniziative che mettano in discussione l'esistenza del partito e pongano le premesse per il suo assorbimento in un partito unico comunque definito.» Prodi si disse d'accordo. Allora Marini chiese che l'assemblea sottolineasse la prospettiva europea della lista unica e la necessità di battersi perché, a valle dell'iniziativa, si creasse al Parlamento europeo un gruppo unico degli eletti della lista.

Nacque così l'immagine evangelica del «vino nuovo in otri nuovi». Ma, come vedremo nel prossimo capitolo, questo passaggio sarebbe sfuggito ai Democratici di sinistra. Mi spiega uno dei più alti dirigenti della Margherita: «I Ds vogliono una sinistra unica, a conduzione comunista, alla testa di una cultura di governo frutto dell'esperienza democristiana. Noi non ci limitiamo a dire che non vogliamo morire socialisti. La nostra scommessa è quella di continuare a vivere».

«Gruppi diversi, politica comune»

Rutelli mi dice di non avere con Prodi alcuna «differenza di opinioni». Aggiunge di ritenere che le elezioni europee siano un grande laboratorio politico: «Sia nel 1994 sia, in particolare, nel 1999 Berlusconi ha approfittato delle elezioni europee per riaffermare nei numeri l'egemonia del centrodestra – valorizzata dal sistema proporzionale – e, soprattutto, per marcare un punto decisivo del suo progetto politico, fondato anche sulle alleanze internazionali. Nel contesto di un voto d'opinione è più facile compiere una sperimentazione, come la lista unica, senza conseguenze irreparabili per l'intera legislatura. E proporci come la più forte lista elettorale italiana». I termini della sperimentazione? «Nessuna scomparsa dei partiti contraenti, che saranno presenti con i loro simboli alle grandi elezioni amministrative della primavera 2004 (31 milioni di elettori). Iniziativa unitaria del centrosinistra italiano alle elezioni europee. A Strasburgo il Pse e il Ppe sono ormai contenitori senz'anima, e questo sarà ancora più vero quando arriveranno dall'Est i partiti contadini conservatori e i partiti ex comunisti. Noi non saremo parte del socialismo europeo, ma porteremo il valore di una cultura riformista.»

Giovedì 2 ottobre 2003 l'assemblea della Margherita approvò con 87 voti favorevoli e 40 astenuti una mozione articolata in tre punti: lista unica per le elezioni europee, cooperazione rafforzata nel centrosinistra e gruppo unitario a Strasburgo. Per portare a casa il risultato, Rutelli fece capire che la candidatura di Prodi alle europee sarebbe stata ragionevolmente probabile e che mai la Margherita sarebbe stata schiacciata dalla Quercia. «Siamo passati dall'opposizione all'astensione per un riguardo a Prodi» mi dice Nicola Mancino, che si riconosce nelle posizioni di De Mita e Marini. «Nel 1995 io e Nino Andreatta, capigruppo del Partito popolare, insieme con Leopoldo Elia, Sergio Mattarella e Rosy Bindi, indicammo Romano Prodi come futuro candidato del centrosinistra alle elezioni politiche del 1996. Oggi siamo di nuovo con lui, ma resta determinante la scelta successiva.» E la scelta non potrà essere «né quella del partito unico, né quella della federazione di partiti». Poi aggiunge: «Non abbiamo fatto nascere la Margherita per trasformarla in un ponte verso altre destinazioni. E la lista unica non avrebbe senso se poi a Strasburgo non andassimo tutti in un solo gruppo parlamentare».

Ormai rassegnato all'idea della lista unica, che è in attesa di essere battezzata dalle assemblee di Ds e Margherita convocate negli stessi giorni a metà novembre, Marini, all'immediata vigilia, non molla sull'idea del gruppo unico. «Che senso ha mandare noi della Margherita nel gruppo misto lasciando i Ds in casa loro? Restino nel Partito socialista europeo, ma non nel gruppo. Non potrà esistere una politica comune se staremo in gruppi separati.»

Su questo punto, nel nostro colloquio di Bruxelles, il Professore dissente. «Si può andare in gruppi diversi e poi fare politica insieme» mi risponde quando gli ricordo le forti divergenze al riguardo tra Margherita e Democratici di sinistra. «È chiarissimo che a Strasburgo i grandi partiti hanno al loro interno posizioni del tutto diverse anche riguardo ai problemi fondamentali della politica europea. Nei socialisti e nei popolari al Parlamento europeo la disomogeneità interna è a volte catastrofica. Non esiste un gruppo completamente filoeuropeo. Questo non avviene per i popolari, dove i conservatori inglesi sono euroscettici, e non avviene tra i socialisti, dove molti laburisti e molti socialisti tedeschi hanno assunto atteggiamenti ugualmente euroscettici. Questi partiti sono oggi così divisi al loro interno che spesso non sono in grado di proporre una strategia comune. A Strasburgo ci sarebbe bisogno di un grande partito omogeneamente pro-europeo e senza euroscettici al suo interno. Per questo gli eletti italiani nella lista unica potranno svolgere un ruolo importante. Proprio perché, oggi, essere socialista o essere popolare a Strasburgo non indica più la politica che si vuole fare.»

Ricordo al Professore quanto sia forte il timore negli ex democristiani di perdere le proprie radici. La storia della Dc è destinata a scomparire? «La sua storia non può scomparire, né di conseguenza i suoi grandissimi meriti storici, ma il mondo cambia e così devono cambiare le aggregazioni politiche per rispondere alle nuove domande. Capisco benissimo la sofferenza che ne deriva: c'è sempre sofferenza quando si cambia la propria vita. Tuttavia è assolutamente indispensabile superare le vecchie diatribe tra cattolici e laici, e tra famiglie politiche che oggi condividono le stesse idee fondamentali della società. Gli schieramenti politici si costruiscono per il futuro, non per il passato. Anch'io capisco che, proponendo la lista unica, cerco di forzare la realtà in cui ha sempre operato la vita politica italiana, ma sono i bisogni del nostro paese che ci obbligano a questa forzatura. A tali bisogni occorre infatti rispondere con formule capaci di soddisfarli.»

La presenza dei democristiani in politica è diventata antistorica? «L'esperienza della Dc ha un valore storico di enorme importanza. Essa ha dato al paese un contributo assolutamente positivo che non bisogna perdere. Ma io credo che la nostra proposta sia quella che risponde, oggi, ai bisogni e agli obiettivi degli italiani. Ma perché una domanda così intellettualmente leggera? Lo ripeto: il sistema bipolare esiste e bisogna interpretarlo con coerenza e con saggezza.»

A proposito, è vero che Prodi non è mai stato democristiano? «Bisogna vedere che cosa si intenda. Non ho mai fatto attività di partito, ho sempre mantenuto una posizione autonoma, ma questo non vuol dire che non sia stato democristiano.»

«Questo governo non ama il presente
e non capisce il futuro»

Siamo arrivati al dessert e, per chiudere sul futuro, converrà dare un'occhiata al passato. Il Professore riconosce qualche errore negli anni del suo governo? «È finito troppo presto» sorride. Fu un errore chiedere la fiducia che portò alla bocciatura? «No, assolutamente.» È pentito di non aver sollecitato l'aiuto di Cossiga, che l'avrebbe salvato? «No, assolutamente. Sono stato sempre consapevole di ogni virgola. Se non ho accettato quell'aiuto, è perché ne ho pesato bene le conseguenze. Sarebbero cambiate le condizioni. Ricordiamo che cosa diceva Cossiga: offro aiuto per distruggere...»

Una nuova alleanza con Bertinotti non rischia di riproporre gli stessi problemi di un tempo? «Posso limitarmi a rispondere che non sarà certo difficile fare meglio dei rapporti tra Berlusconi e la Lega.»

Saranno trascorsi dieci anni dalla fondazione dell'Ulivo quando il Professore dovrà competere di nuovo con il Cavaliere alle elezioni politiche. Come si prepara a guidare la coalizione? Prima arriva la premessa di rito: «Alla scadenza del mio mandato manca un anno, possono capitare nuovi eventi...». Poi la risposta vera: «L'esigenza che ha portato nel 1995 alla nascita dell'Ulivo è sempre più valida e attende una risposta per il momento ancora inevasa: mettere insieme i grandi filoni riformisti laici e cattolici e fare una proposta per un governo credibile del paese. È quello che la gente ci chiede tuttora e, dopo l'esperienza del governo di centrodestra, ce lo chiede ancora di più, e con angoscia. Il vero fatto nuovo è che questo governo procura angoscia al paese».

Angoscia è una parola forte. Dove la si percepisce? «Nelle espressioni della vita quotidiana: lo vedo negli incontri con la gente, lo leggo nelle lettere che mi arrivano. Questo governo non ama il presente e non capisce il futuro.»

Quando ha pensato per la prima volta di candidarsi nel 2006? «Io, mai. Ci hanno pensato gli altri. La necessità di un'alternativa è cresciuta man mano che progrediva il decadimento di questo governo.»

Quali sono gli elementi di tale decadimento? «Non mantiene le promesse. I ricercatori non trovano lavoro, le imprese non sono competitive, il gap sociale aumenta a dismisura. Ma, soprattutto, la società italiana si sente perdente. In questi casi si cerca un'alternativa, comunque si chiami. Si chiama Prodi? Non lo so.»

III

«Splende il sol dell'avvenir...»

Lista unica in casa socialista

La mattina di mercoledì 23 luglio 2003, Massimo D'Alema incrociò Arturo Parisi in quel settore del Transatlantico di Montecitorio chiamato in gergo «Corea», dove sono esposti i ritratti di tutti i presidenti della Camera. «Domani sul "Corriere della Sera" uscirà una mia intervista sulla lista unica» gli disse il presidente dei Ds «dove affronto alcune questioni, tra le quali il modo in cui ci presenteremo alle prossime elezioni europee.» Lui e Piero Fassino erano stati colti alla sprovvista dall'iniziativa del presidente della Commissione europea, Romano Prodi. «Il tema è delicato» mi confida D'Alema «e Prodi avrebbe potuto preparare meglio la sua sortita. Le sue dichiarazioni rischiarono di creare qualche difficoltà a Fassino e Rutelli.» «Forse sarebbe stata preferibile una consultazione preventiva» aggiunge Fassino. «In ogni caso, ho superato i problemi di forma, ho cercato di misurarmi subito con la sostanza e ho visto il valore politico positivo dell'iniziativa.»

L'intervista concessa da D'Alema ad Antonio Macaluso venne titolata: *Sì alla lista unica dell'Ulivo per l'Europa, ma in una casa socialista rinnovata*. Il succo dell'articolo, però, era nel sommario: «Io sto con Prodi ma iniziative così non si lanciano con le interviste ... Verdi, Pdci e Udeur si sono detti contrari. Io non voglio escludere nessuno, ma un simile progetto può andare avanti con le forze che sono disponibili». Il presidente dei Ds lanciava l'idea di «un grande partito di centrosinistra ... in chiave europea ... Un'operazione di questo tipo non può che guardare a un rinnovato polo socialista e riformista. Certo sarebbe sbagliato proporre agli altri partner di questo processo, agli amici della Margherita, di diventare socialisti, ma si potrebbe pensare, essendoci un anno di tempo, di aprire un discorso con le forze del socialismo europeo per allargare il polo riformista ... Mentre la distinzione tra noi e la Margherita è molto chiara se si guarda al passato, alle provenienze, se si guarda al futuro non è così. Cosa mi divide da persone come Enrico Letta sul terreno delle analisi, delle proposte, del modo di vedere la società? Credo assai poco. Per questo fatico a vederlo come alleato di Aznar e di Berlusconi [*nel Partito popolare europeo*]. Lo vedo come parte di un'area progressista, riformista, con una sua matrice cattolica ... Se ci fosse una robusta area riformista, che si allea con Rifondazione, l'equilibrio sarebbe più accettabile».

Giovedì 24 luglio – il giornale milanese era ancora fresco di stampa – D'Alema non aspettò d'incontrare Parisi in Transatlantico. Lo raggiunse al suo banco dell'aula parlamentare e gli disse che un dispaccio dell'agenzia giornalistica Italia, nel dare notizia di una riunione della direzione della Margherita tenutasi quella stessa mattina, sosteneva che l'iniziativa di Prodi era stata valutata complessivamente con favore e che alcuni dirigenti, tra cui Franco Marini, si erano risolti ad accettarla sottolineando il carattere insidioso che avrebbe avuto per i Democratici di sinistra. Parisi liquidò l'indiscrezione come una malignità ininfluente e riprese con D'Alema il vecchio discorso sul bipolarismo, in corso da molti mesi tra le due anime dell'Ulivo.

Fin dall'ottobre 2002, infatti, sulla loro rivista «Italianieuropei» Giuliano Amato e Massimo D'Alema avevano sollevato il problema se bisognasse strutturare il Partito socialista europeo come il Partito popolare europeo, in cui convivono anime diversissime, la maggior parte delle quali ha ormai un legame molto debole con la vecchia tradizione cristiano-democratica: basti pensare a Forza Italia e, soprattutto, ai conservatori inglesi. «La nostra lettera ai socialisti europei» mi dice il presidente dei Ds «suscitò un autentico dibattito internazionale. Mi cercarono molti parlamentari non socialisti, dai democristiani catalani a quelli belgi e lussemburghesi. Se voi riuscirete a fare quel che dite, ci stimolavano, noi troveremo un nuovo punto di riferimento. Rispetto alla situazione italiana consideravamo superata la vecchia polemica tra ulivismo e partito democratico.»

«Con D'Alema stabilimmo che fosse lui a uscire per primo allo scoperto. Io l'avrei seguito subito dopo» mi rivela Fassino. «Nella mia intervista al "Corriere della Sera", apparsa il 27 luglio, tre giorni dopo quella di Massimo, usai una formula che prefigurasse in concreto a cosa si poteva lavorare: parlai di un "patto d'azione" tra forze riformiste che ci consentisse di andare alle elezioni europee con una lista unitaria, il primo passo per costruire in prospettiva un nuovo soggetto politico. La proposta di Prodi di andare alle elezioni con una lista unica di tutto l'Ulivo era suggestiva, ma scontava una difficoltà di consenso da parte di alcuni partiti dell'alleanza. Occorreva, dunque, impostare la cosa in termini diversi.»

E aggiunge: «Non c'è una differenza sostanziale tra la proposta di D'Alema di arrivare al partito riformista e la mia di passare attraverso una federazione dei partiti riformisti. Entrambi avvertiamo la necessità di costruire un soggetto politico riformista, che abbia una cultura di governo, forti radici nella società, e sia in grado di raccogliere almeno un terzo dell'elettorato. Una grande forza che sia il perno, il motore di una larga alleanza di centrosinistra, che vada dal centro moderato a Rifondazione comunista. Insomma, quello che avviene in molti paesi europei, dove il centrosinistra è costituito da una coalizione di diversi partiti, guidata da una forza principale dotata di largo consenso elettorale. Anche D'Alema conviene con me che la formula più adatta per questo soggetto sia non tanto quella del partito unico, ma di un soggetto federativo delle forze riformiste, che non obblighi né i Ds né la Margherita né altri a recidere le proprie radici e a sciogliere le proprie identità».

«I Ds avevano proposto di superare il vincolo del nome Partito socialista europeo» mi dice Parisi. «Obietto che non si tratta di mettere vino vecchio in otri nuovi, ma vino nuovo in otri nuovi. Se apri le porte del partito per far entrare qualcuno, devi mettere in conto che qualcun altro possa uscirne.»

D'Alema: «Io avrei affossato la proposta di Prodi?»

Al di là delle intenzioni dichiarate dall'interessato, l'intervista di D'Alema non fu interpretata come un sostegno alla proposta di Prodi. Il 25 luglio «Il Foglio» titolò così il colonnino d'apertura del giornale: *D'Alema mette Prodi nei guai e prepara la sua finale giubilazione*. Attacco del pezzo: «L'intervista di Massimo D'Alema ... dimostra che nell'opposizione è tutto fermo al 1998, quando il governo di Romano Prodi cadde, con l'aiuto di Fausto Bertinotti, e fu sostituito dal governo D'Alema. Il Professore non gradì, fece una lista alle elezioni europee, l'Asinello, da cui poi si generò la Margherita. Il compromesso provvisorio venne con la designazione di Prodi a capo della Commissione esecutiva, ma non bastò. D'Alema fu segato dopo un anno e, perse le elezioni politiche, l'Ulivo cominciò a vivere d'ipocrisia. Francesco Rutelli, sconfitto sul campo, restò formalmente portavoce della coalizione, poi si fece presidente del partito "prodiano", ma con una sua autonomia da navigatore prudente. Intanto la guerra dei capi si alimentava di fatti nuovi e dispetti vecchi. Walter Veltroni a Roma faceva l'africano, accentuando il suo nobile distacco e rendendosi attraverso quel distacco appetibile come eventuale numero uno per la rivincita. Piero Fassino diventava il numero uno del partito, e navigava anche lui su una rotta di divergenza parallela da quella di D'Alema. Nei test di potere la Margherita segnava qualche gol, mentre infuriavano i girotondi, e a D'Alema fu negata la Convenzione europea sulla nuova Costituzione e la rappresentanza parlamentare di tutto l'Ulivo. Il Professore pontificava a Bruxelles, e cercava di schivare i siluri di Londra. L'antiberlusconismo viscerale copriva i buchi, poi una boccata d'ossigeno e un po' di respiro per le amministrative, con i Ds in forma e la Margherita piuttosto flebile, ed ecco D'Alema al contrattacco».

A questa lucida analisi del passato prossimo, il giornale di Giuliano Ferrara ne affiancava un'altra per l'immediato futuro, sempre interpretando il gioco di D'Alema: «La Margherita deve sciogliersi in un Ulivo socialista, deve trasferirsi armi e bagagli in un alveo che noi presidiamo da tempo, magari con un ritocco "riformista". Osservazione più significativa di tutte: vado molto d'accordo con Enrico Letta, il ticket leader coltivato come protagonista di una eventuale abbinata con un diessino della generazione oggi al potere (Veltroni o Fassino) ... Il Professore sente che la ruota gira, che D'Alema si riserva il ruolo di futuro ministro degli Esteri ma non rinuncia a quello del king maker e lavora per un salto generazionale che mantenga il potere di coalizione nelle mani della nomenclatura ex Pci, con alleati deboli». Conclusione del «Foglio»: «La proposta di Prodi è virtualmente bocciata in ventiquattr'ore, e senza bisogno di dirlo».

«Io avrei affossato la proposta di Prodi? Io lavorerei per farlo?» si sfoga D'Alema tre mesi dopo. «Quante stupidaggini ho letto. Un tempo mi arrabbiavo, adesso ho smesso. Dopotutto, questa melma non entrerà nei libri di storia. Né è vero che io mi sia furbescamente accodato all'idea di Prodi, come sostengono Michele Salvati e altri improbabili mentori. In realtà, io sto lavorando a questa ipotesi da due anni e mezzo...»

D'Alema parte da lontano: «Nel 1994 perdemmo perché eravamo divisi, mentre Berlusconi era riuscito a mettere in piedi una spregiudicata alleanza al Nord con Bossi e nel Centrosud con Fini. Perdemmo, ma sommando i voti della sinistra a quelli dei popolari avremmo avuto la maggioranza. Così tra il 1994 e il 1996 nacque l'Ulivo e vincemmo, anche perché il Polo si era diviso. In questi dieci anni c'è stato un cambiamento profondo nel panorama politico italiano ed europeo. Il Partito popolare italiano non c'è più. Berlusconi è diventato membro di un Partito popolare europeo che ha completamente cambiato natura: il vecchio centrismo democristiano è entrato in crisi in tutta l'Europa e il Ppe è diventato un contenitore delle forze di centrodestra, al punto che il capogruppo Hans-Gert Pöttering sostiene che non sarebbe uno scandalo se ne facesse parte anche il partito di Fini».

Quando giro a D'Alema le inquietudini della Margherita, che lui avrebbe liquidato come partito incapace di presidiare il centro dello schieramento politico, la smentita è immediata: «La Margherita non c'entra niente. Da quando è scomparso il Ppi, la Margherita è una forza complessa, "multietnica". Che motivo avrei di fare nei suoi confronti una polemica sciocca e sterile, visto che da più di tre anni non polemizzo con nessuno nel centrosinistra? La verità, come ho detto, è che è entrato in crisi il centrismo democristiano che si reggeva sull'unità politica dei cattolici opposta al comunismo. Dovunque, il sistema tende a diventare bipolare. In Europa non c'è più alcun partito di centro. Si sta nel centrodestra o nel centrosinistra. Gerhard Schroeder dice "Siamo noi il nuovo centro", con una provocazione che al tempo stesso rivela un'aspirazione. E Tony Blair parla del Labour come di un partito di "center center left", ripetendo "centro" due volte. Ho descritto di questo grande cambiamento il 7 ottobre 2003 a Bruxelles, celebrando i cinquant'anni della presenza del Pse nel Parlamento europeo, e ho detto che i popolari hanno avuto maggiore dinamismo di noi, hanno interpretato meglio il cambiamento politico. I socialisti dovrebbero muoversi nella stessa direzione e costituire un *rassemblement* di forze democratiche, riformiste, ma non soltanto socialiste». Una pausa e poi, con l'inevitabile dose di civetteria «dale-

miana», aggiunge: «Il problema è mondiale, e io me ne occupo a livello internazionale, per esempio cercando di
convincere il brasiliano Lula a entrare nell'Internazionale
socialista, che non è presente nelle Americhe. Come si può
pretendere di esportare l'Ulivo in tutto il mondo? L'ulivo
è un albero mediterraneo, l'idea di un centrosinistra mondiale non può che basarsi su un raggruppamento socialista e democratico».

Le tre ipotesi di Fassino

E in Italia? Mi dice Fassino: «Dobbiamo introdurre nella
vita politica italiana una grande novità, dobbiamo mettere mano a questo bipolarismo fragile, a un sistema politico frantumato e litigioso (un po' per colpa nostra e un po'
per colpa della destra). Partito unico del centrosinistra è
una brutta espressione, quindi non lo faremo. Non vogliamo costringere Franco Marini e Nicola Mancino a diventare socialisti. Ma una forza fondamentale del centrosinistra, che metta insieme socialisti e persone provenienti da
altre aree, darebbe la carica a molti cittadini delusi dalla
politica litigiosa. In questo senso, una lista unitaria alle
elezioni europee del 2004 ci consentirebbe di fare un passo importante nella direzione giusta, anche se non risolve-
rebbe il problema. Le principali forze del centrosinistra
non si farebbero concorrenza nelle grandi elezioni di respiro nazionale, e manterrebbero la possibilità di presentare più liste in quelle locali».

Che cos'è la «federazione dei partiti riformisti» di cui
ha parlato? «Una cooperazione rafforzata tra Margherita,
Ds e Sdi che dia volto a un patto federativo per decidere
insieme le grandi questioni, come la politica estera, economica, costituzionale. Se, a suo tempo, il centro-sinistra con
il trattino fu utile per unire popolari e sinistra, oggi non
ha più senso.»

Bene, ma la Margherita condiziona la lista unica alla costituzione di un gruppo parlamentare dell'Ulivo a Bruxel-

les, nel quale dovreste confluire tutti. «Noi non intendìamo recidere il nostro legame con gli altri partiti socialisti europei» mi dice Fassino «e sono quindi possibili diverse soluzioni. Primo, si forma un gruppo parlamentare di centrosinistra, costituito sia dai socialisti sia da esponenti di altri partiti riformisti. Secondo, ciascun deputato entra nella sua famiglia politica e poi si costituisce un intergruppo di coordinamento fra gli eletti della lista unitaria italiana. Terzo, gli eletti che si riconoscono in Ds e Sdi confluiscono nel gruppo socialista, mentre gli eletti della Margherita formano un gruppo parlamentare autonomo e fra i due gruppi si stabilisce un patto di consultazione. La strada che preferisco è la prima, perché anche a livello europeo si va *sempre di più* verso una netta divisione in due campi, uno di centrosinistra e uno di centrodestra. D'altra parte, oggi il Ppe non è più il partito dei democristiani e dei popolari, ma con l'ingresso di Berlusconi, Aznar e i conservatori inglesi è diventato il partito del centrodestra europeo. Anche il centrosinistra deve essere riorganizzato su scala europea. Naturalmente è un processo che richiede un lungo cammino e non si concluderà all'indomani delle elezioni europee. E quindi bisognerà individuare tappe e soluzioni intermedie.»

«Il gruppo unico dell'Ulivo non è possibile» osserva D'Alema. «Il regolamento del Parlamento europeo prevede che in un gruppo debbano confluire rappresentanti di almeno sette paesi. Valuteremo a tempo debito quel che si potrà fare. Ma vorrei ricordare che attualmente a Strasburgo i membri della Margherita sono distribuiti all'interno di diversi gruppi parlamentari. Marini è membro di un partito, la Margherita, guidato da Rutelli, che non è democristiano e nel Parlamento europeo siede in un gruppo diverso dal Ppe, al quale è iscritto Marini. Questo accade oggi. Se accadesse anche domani, non sarebbe un dramma.»

D'Alema non si meraviglia che i Verdi e i Comunisti italiani abbiano scelto un'altra strada. «I Verdi hanno una loro precisa identità, i comunisti credono ancora nel comunismo. Noi e la Margherita facciamo tutt'altro discorso. È vero che veniamo da storie diverse, ma oggi abbiamo valori comuni. Se anche la destra seguisse la stessa strada, sarebbe molto efficace il confronto tra due forze del 35-40 per cento che si disputano la guida del paese.»

«Non rinuncio alla mia storia»

Una parte della Margherita teme che la lista unitaria senza un unico gruppo parlamentare dell'Ulivo a Strasburgo sia l'anticamera dell'egemonia dei Ds sui centristi dell'Ulivo. «C'è un fatto obiettivo e innegabile» mi fa notare Fassino. «I Ds sono la principale forza del centrosinistra perché raccolgono più voti. E questo, in democrazia, conta. Eppure, nei primi due anni della mia segreteria credo di non essere mai stato sfiorato da tentazioni egemoniche. Ho riconosciuto a Rutelli il ruolo di coordinatore dell'Ulivo, ho indicato per primo Prodi come nostro candidato per vincere le elezioni del 2006, abbiamo nominato vicepresidente del Consiglio superiore della magistratura il candidato della Margherita Virginio Rognoni quando avremmo potuto proporre un candidato altrettanto autorevole come Luigi Berlinguer, nelle elezioni amministrative abbiamo sostenuto lealmente candidati non appartenenti al nostro partito. Dove nasce questa paura della nostra egemonia?»

Molti nella Margherita hanno paura di perdere la propria storia. «Perché dovrebbero perderla? Io non rinuncio alla mia, non vedo perché Marini dovrebbe rinunciare alla sua. E proprio per questo propongo di costruire una federazione e non un partito unico.»

E Bertinotti? Come riuscirete a fare un'alleanza organica di governo con Bertinotti, dal quale vi dividono tante scelte strategiche, dalla politica estera a quella sociale? «In politica estera le differenze certamente ci sono» risponde D'Alema «ma sto notando da parte di Rifondazione la scoperta dell'importanza dell'Europa e dell'integrazione europea. Vedo maggiori difficoltà nella politica sociale e in quella del lavoro. Dovremo discuterne e definire con chiarezza un pacchetto ragionevole di punti sui quali confrontarci.»

«L'accordo con Bertinotti ci sarà» assicura Fassino «per la semplice ragione che né lui né noi possiamo presentarci agli elettori senza un'intesa. Non ce lo perdonerebbero. Ci rimproverano di aver perso perché ci siamo divisi nel 2001, figuriamoci se accetterebbero la replica dell'errore.» E le divergenze? «Ci si mette intorno a un tavolo e si discute. Non vedo un solo punto sul quale non sia possibile trovare un accordo ragionevole. Vedo maggiori divisioni all'interno del centrodestra. Guardiamo, per esempio, all'Europa. Che cosa unisce l'antieuropeismo di cui Bossi fa un tratto di identità della Lega con l'europeismo degasperiano dell'Udc? A sua volta, Fini usa l'Europa per completare la sua legittimazione politica. Forza Italia, un'idea dell'Europa non ce l'ha... Insomma, sull'Europa è molto più facile vedere unito il centrosinistra che non il centrodestra.»

È fantascienza immaginare un Bertinotti ministro del Lavoro? «Non so se Fausto sia attratto dall'idea di fare il ministro. In ogni caso, il governo francese ha avuto ministri comunisti e non vedo perché, in una coalizione di centrosinistra larga, la stessa cosa non debba avvenire in Italia.»

«La grande Francia ha avuto un ministro dei Trasporti comunista e non è crollata» conviene D'Alema. «Noi governiamo insieme con Bertinotti in tante città e, in media, lo facciamo meglio della destra. In un paese che ha visto Bossi ministro delle Riforme, non cascherebbe il mondo se Bertinotti diventasse ministro del Lavoro e delle Politiche sociali.»

2006: Fausto Bertinotti, ministro del Lavoro
e delle Politiche sociali

Alla fine di via Veneto, nell'ultimo solenne palazzo d'angolo prima di piazza Barberini, c'è un meraviglioso attico da cui si possono guardare a perdita d'occhio le glorie di

Roma e la loro cavalcata attraverso i secoli. Dalle due terrazze dello sterminato alloggio si dominano tutti i palazzi del Potere, da quelli degli antichi Cesari alle dimore dei nuovi. Ecco il palazzo di Montecitorio, che aveva da poco rinnovato i suoi prestigiosi inquilini. Più in là, contraddistinto dalla bandiera del presidente della Repubblica, svettava il torrino del Quirinale, anch'esso abitato da qualche mese dal successore di Carlo Azeglio Ciampi.

Si era infatti alla fine del settembre 2006, anno cruciale per le istituzioni del nostro paese, essendosi rinnovati nel giro di poche settimane il Parlamento, il governo e la prima carica dello Stato. Dalle due terrazze in fondo a via Veneto si poteva godere il panorama di Roma al tramonto nel cielo terso dell'autunno incipiente, mentre la temperatura ancora mite consentiva ai padroni di casa di ricevere per la cena all'aperto, e nella suggestione di tale irripetibile scenario, i loro illustri ospiti. Quell'attico è la foresteria romana del presidente di Confindustria, che vi abita durante i quattro anni del suo mandato, vi lavora con lo staff dei più stretti collaboratori, vi tiene gli incontri riservati con uomini politici e sindacalisti e, talvolta, vi riceve amici e personalità di riguardo.

La cena di quella sera di fine settembre 2006 era tuttavia molto diversa dalle tante che quelle terrazze avevano ospitato nella loro lunga storia. Da due anni era stato eletto il successore di Antonio D'Amato alla guida degli industriali italiani, che ora si accingeva a dare il benvenuto, in un incontro riservato, al ministro del Lavoro e delle Politiche sociali del nuovo governo Prodi e alla sua simpatica consorte: l'onorevole Fausto Bertinotti e la signora Lella. Il leader di Rifondazione comunista non era affatto emozionato: nei lunghi anni dell'opposizione «antagonista» era stato ospite di riguardo in salotti importanti. La cultura e la piacevolezza della conversazione di lui e la simpatia di lei avevano sempre fatto sentire a proprio agio la coppia in qualunque circostanza. Niente a che vedere, risalendo indietro di decenni, con l'imbarazzo del vecchio Pietro Nenni, che non sapeva raccapezzarsi tra gli stucchi di palazzo Chigi, o con quello di Enrico Berlinguer, che abitava in uno dei più esclusivi complessi residenziali della borghesia romana, ma la cui timidezza non ne aveva certo favorito le frequentazioni mondane.

Bertinotti era diverso. Appena entrato nei palazzi del Potere, si muoveva come se vi avesse sempre abitato. Da gran signore, aveva trattato subito gli uscieri del ministero con grande cordialità, ma aveva dato del lei a tutti e da tutti lo aveva ricevuto. Nessuna confidenza all'antica da «compagno a compagno», nessuna concessione a una forma che quasi sempre restava fine a se stessa.

Arrivando quella sera nella foresteria del presidente di Confindustria, il ministro salutò l'ospite consegnandogli amichevolmente una bottiglia di Krug millesimato, lo straordinario champagne che l'omonima famiglia produce da generazioni nelle campagne di Reims. Era il modo più diretto e informale di esprimere il proprio buon augurio per lo sviluppo di rapporti che non si annunciavano facili. In quegli stessi saloni, trent'anni prima, Gianni Agnelli aveva incontrato Luciano Lama ai tempi del punto unico di contingenza. Da lì era passata un'intera generazione di politici «comunisti», ma fra un ministro dell'Industria come Pierluigi Bersani e un ministro del Lavoro come Fausto Bertinotti c'era un divario che non aveva precedenti nella vita politica degli ultimi anni. L'arrivo al governo del più strenuo difensore dell'orario di lavoro a 35 ore e della tutela dell'articolo 18 dello Statuto dei lavoratori cambiava completamente le carte in tavola...

Bertinotti: «Sì, prevediamo ministri...»

Rifletto su un simile scenario fantapolitico (ma nemmeno poi tanto, come ci ha spiegato D'Alema qualche pagina fa) in una mattina di tre anni prima, dopo che il fondamentale contributo di Rifondazione comunista ha consentito all'Ulivo alcuni successi significativi nelle piccole elezioni amministrative di primavera del 2003, mentre Bertinotti sta concludendo una breve telefonata.

Un istante prima che squillasse il suo cellulare gli avevo chiesto: farete un vero accordo di governo con l'Ulivo per le elezioni del 2006? «L'accordo di governo è l'ipotesi più alta» era stata la sua risposta. «Ma certo non potrà più esserci una semplice desistenza. Con la desistenza, io alieno qualunque mia potestà per consentirti di vincere, ma abbiamo visto che se i miei voti sono stati determinanti per la tua vittoria, la desistenza cambia immediatamente natura, tant'è vero che nel 1996 fummo indotti a votare la fiducia al governo Prodi per consentirgli di vivere. Da quel momento abbiamo avuto tutti i vincoli dell'alleanza, senza i vantaggi di poter operare direttamente. Ecco perché stavolta propendo per la strada più difficile da seguire: l'accordo programmatico.» In caso di vittoria elettorale, avremmo dunque dei ministri di Rifondazione? «Nella forma più impegnativa di accordo, sì.»

Mentre il mio interlocutore interrompe la nostra lunga conversazione per la brevissima telefonata, lo scenario fantapolitico acquista un sapore via via più realistico. L'ufficio del leader di Rifondazione comunista, in viale del Policlinico, è sempre lo stesso: ampio, luminoso, con i manifesti delle vecchie sconfitte (il lungo assedio alla Fiat del 1980 finito con la «marcia dei quarantamila») e il buonumore per le nuove vittorie. Una conversazione con Bertinotti è un autentico ristoro intellettuale. Si può non condividere una sola parola di quel che dice, ma nessuno potrà negargli l'assoluto rigore logico delle argomentazioni, la coerente matrice ideologica del discorso, l'ampiezza del disegno al cui interno esso si sviluppa. E poi ha un'altra dote che lo rende una perla rara: il rispetto dell'avversario. Di Berlusconi, probabilmente, condivide soltanto la scelta del sarto (anche se la loro eleganza è assai diversa), ma in questi dieci anni di incerto e controverso abbozzo di Seconda Repubblica non l'avrete mai sentito unirsi allo sport diffusissimo di offendere il Cavaliere, di aggredirlo sul piano personale, di auspicarne l'esecuzione giudiziaria. Berlusconi incarna l'antitesi di ciò che Bertinotti pensa e politicamente desidera, ma sarà difficile che il Cavaliere trovi un avversario altrettanto corretto, anche se nell'autunno del 2003 il leader di Rifondazione ha immaginato di poter dare una «spallata» al governo con la forza della piazza. («Non credo che Bertinotti abbia pensato una stupidaggine del genere» mi dice D'Alema. «I governi cadono sempre per spallate interne, quando vengono meno le maggioranze. Non è mai accaduto che l'opposizione li abbia fatti cadere.»)

Bertinotti si districa magistralmente fra le contraddizioni che gli propongono i due libri che sul suo tavolo di lavoro fanno compagnia all'immancabile scatola di Antico Toscano: *Verso il programma dell'Ulivo per il lavoro*, a cura dei Democratici di sinistra, e *Marx: máximas, aforismos, reflexiones*, a cura di Manuel Sacristán Luzón (il primo trova posto nel cervello, il secondo nel cuore).

«Allorché, a metà luglio 2003, fui ospite della festa di Rifondazione a Modena» mi racconta Francesco Rutelli «ci fu una partecipazione di pubblico così massiccia da sorprendere anche Bertinotti. Fausto è un politico di razza, che quando è in mezzo alla gente si fa guidare dall'istinto. Quel giorno ha colto un interesse verso di me e un'aspettativa nei suoi confronti, il cui significato era quello di sollecitarci a elaborare un vero programma comune di governo. Non c'era soltanto la sua base così esigente e così poco governativa, c'era tanta gente che premeva perché tornassimo insieme.»

«L'Europa? Non è più una provincia Usa»

Alla prospettiva di una diretta partecipazione del suo partito al governo, Bertinotti arriva disegnando un ampio scenario che può anche non essere condiviso, ma che va seguito con molta attenzione perché rientra nel novero delle possibilità. «Nessuno si alza a dire no a una nuova candidatura di Prodi» mi spiega. «Lui si è fatto avanti per stemperare le tensioni. Ma non è un imbroglio, potrebbe essere davvero lui il candidato. Ha dalla sua la forza di quella che è un'indicazione logica: è stato presidente del Consiglio, è il presidente della Commissione europea, è l'uomo dell'euro. Anche per questo è difficile dirgli di no. E intanto la credibilità della sua candidatura svolge nel centrosinistra una funzione pacificatrice.»

Tuttavia, Bertinotti non sembra appassionarsi al gioco delle candidature («I tempi delle elezioni non sono brevi»). Gli interessano piuttosto «i movimenti nella società politica italiana, entrati in una fase molto dinamica». E fa questa premessa: «Anche le formazioni politiche più innovative, se non sono un prodotto della crisi della Prima Repubblica, giocano di rimessa». Un esempio? «Noi e i Democratici di sinistra siamo i casi più evidenti. Loro dicono che è finito un ciclo. Sì, ma quale? Socialdemocratico? Liberaldemocratico? Sappiamo quello che non siamo e che non vogliamo. Ma per il resto? La stessa Rifondazione, malgrado i nostri sforzi giganteschi, è nel fondo una forma di reazione allo scioglimento del Pci.» E l'altra parte del centrosinistra? «Anche la Margherita è il frutto della dissoluzione della Dc e del Ppi e di una componente laica, piuttosto che l'esito di un reale processo fondativo.» Dunque? «Dunque si tratta di questioni enormi, non voglio negarlo, ma senza il maggioritario che cosa resterebbe di questo assetto politico? Siamo di fronte a formazioni nate dal crollo della Prima Repubblica e dei regimi dell'Est e generate dalla levatrice del maggioritario piuttosto che da nuove concezioni della società.»

La sostanziale immobilità – o mobilità artificiosa – del quadro politico italiano appare a Bertinotti tanto più anomala se confrontata con i grandiosi movimenti che si registrano sulle due sponde dell'Atlantico. Egli sostiene che «nel cuore dell'impero americano si sta affacciando una cultura politica assolutamente nuova. Chi avrebbe mai immaginato che si potesse fare una guerra come quella con-

tro l'Iraq ignorando organizzazioni che hanno caratteriz-
zato lo scenario successivo all'ultimo conflitto mondiale,
come l'Onu o persino la Nato? La rivoluzione capitalistica,
la globalizzazione, ha prodotto enormi mutamenti nel
quadro istituzionale: in condizioni diverse, gli uomini e le
culture neoconservatrici che stanno intorno a Bush non sarebbero mai uscite dalla minorità. Il risultato è, a mio avviso, tragico».

Sull'altra sponda dell'oceano «si sta affacciando una
nuova Europa, non solo atlantica, diversa dagli Stati Uniti,
pur se compatibile con il loro primato. A me, naturalmente,
la Convenzione non piace, ma è una finestra dalla quale si
può osservare la nascita di un nuovo edificio. Sembrava
che stessimo andando verso il modello sociale americano
(con la flessibilità come paradigma), e invece quando, dopo la guerra contro l'Iraq, l'asse franco-tedesco si è rivelato
la base necessaria per la costruzione dell'Europa, il continente ha guadagnato una rendita di posizione che gli per-
metterà di realizzare qualcosa che non sarà omologazione,
pur non essendo ancora autonomia».

Ovviamente, non tutti gli aspetti della nuova Europa
piacciono a Bertinotti, il quale, pur rimproverando a Bossi
«i toni da Vandea quando aggredisce la burocrazia europea», riconosce che «per un verso coglie il bersaglio»,
quando l'accusa di «depotenziare sistematicamente la democrazia, se la si intende come sovranità del popolo europeo. Invece è una democrazia di secondo grado, perché
costruita sugli Stati».

Per riepilogare, Bertinotti sostiene che «da un lato la
globalizzazione ha ormai determinato uno scenario carat-
terizzato dall'instabilità delle relazioni sociali, politiche,
economiche e culturali, e del quale fanno parte la crisi
economica internazionale, la guerra e il terrorismo. Dal-
l'altro, in questo nuovo scenario l'Europa sceglie, se non
di essere un popolo alternativo a quello imperiale degli
Usa, almeno di non esserne una provincia».

«I partiti italiani» afferma Bertinotti «si sono scoperti privi di fondamenta in grado di reggere l'urto di queste grandi novità. E non è un caso che il processo di "ridefinizione" sia iniziato a sinistra. Berlusconi, infatti, può illudersi di essere già in questa nuova fase storica. Può pensare che l'originale combinazione italiana di liberismo e populismo, che sta alla base della Casa delle Libertà e della leadership presidenzialista, lo collochi sulla scia di Bush e gli consenta di dire: io ci sono già, ancorché – a mio parere – gli scricchiolii che si registrano da tempo nella maggioranza siano anch'essi segnali di questo ritardo. È comunque naturale che sia l'opposizione, che ha visto vincere in Europa le forze conservatrici, la più sollecita a ripensarsi.»

È dunque possibile immaginare una scomposizione della sinistra italiana e una sua ricomposizione in due grandi forze politiche oggi inesistenti? «Sì,» risponde Bertinotti «due forze che sono il frutto di una rilevante novità: la sempre più evidente perdita di autosufficienza delle attuali formazioni politiche. L'opzione riformista accetta la nuova Europa della Convenzione e del nuovo sistema di difesa, nella quale ritiene di poter competere con i conservatori e la destra europea, emarginando totalmente la "destra americana" di Berlusconi. L'opzione radicale pensa invece che la globalizzazione della crisi debba produrre un'alternativa al modello nordamericano.»

Provo a sottoporre al leader di Rifondazione comunista il seguente schema: da un lato, un grande partito riformista che raggruppi la maggioranza della Margherita e dei Democratici di sinistra, i socialisti di Boselli, il partito di Di Pietro e una parte dei Comunisti italiani; dall'altro, Rifondazione comunista, i Verdi, una parte dell'attuale sinistra ds e una parte dei Comunisti italiani.

«È un quadro verosimile dal punto di vista della razionalità politica» osserva Bertinotti. «E in questo quadro

vanno immessi i movimenti, che sono nuove forme organizzative della società civile basate sul binomio "unità e
radicalismo", che nella politica dei partiti tradizionali tende invece a scomporsi. Oggi i movimenti sono al tempo
stesso unitari e radicali: hanno detto insieme no alla guerra contro l'Iraq, anche nel caso in cui questa fosse stata
combattuta sotto la bandiera dell'Onu.»

Secondo Bertinotti, i movimenti hanno ridato vita, in
modo inatteso e dirompente, al collateralismo, scomparso in Italia con la fine della Prima Repubblica. «Le ultime
grandi organizzazioni di collateralismo "pesante" sono
state le parrocchie, le leghe sindacali, le cooperative, che si
sono mosse intorno alla grande macchina delle sezioni di
partito democristiane e comuniste. Allora gran parte del
voto passava attraverso quei filtri. Come non era immagi-
nabile una Dc senza il sostegno della Coldiretti e della Cisl,
così non lo erano Pci e Psi senza la Cgil e la Lega delle cooperative. Oggi tutti i partiti sono "leggeri", sono partiti
d'opinione che galleggiano su una società molto destrut-
turata. A questo punto sono entrati in scena i movimenti,
la cui forza agisce sia sulla componente riformista sia su
quella radicale. Finché non sarà definito con chiarezza il
rapporto tra i movimenti e il progetto politico dei partiti
dell'opposizione, l'articolazione fra opzione riformista e
opzione radicale può subire mille varianti.» Per esempio?
«Potremmo avere una sinistra riformista come quella immaginata da D'Alema, interna all'Europa e orientata verso
un rapporto di buon vicinato con gli Stati Uniti. Una sinistra di alternativa radicale e in mezzo coloro che vogliono
un riformismo forte, critico verso l'Europa che si sta costruendo, ma non esterna a essa.» Un nome? «Sergio Cofferati. Il suo è un tentativo di dare corpo a questa terza anima. Non è una necessità, è una possibilità.» I tempi? «Non
credo che si arrivi a trasformazioni così impegnative per
esigenze elettorali. Penso piuttosto a una Bad Godesberg
della sinistra italiana.»

E la lista unica dell'Ulivo per le elezioni europee del

2004 proposta da Prodi? «Non sta in piedi un'alleanza elettorale in Italia fra partiti che hanno una collocazione diversa nel Parlamento europeo. Non funziona l'idea di mettere insieme socialisti che stanno in un gruppo, popolari che stanno in un altro e liberaldemocratici che se ne vanno per conto loro.» E allora? «Allora la proposta di Prodi, nata per restituire efficacia a un assetto politico vecchio, si rivela impraticabile perché, paradossalmente, troppo italiana e troppo poco europea. E sotto i consensi apparenti che essa riceve prende piede l'idea di D'Alema di fare l'unità dei riformisti. È comprensibile che una parte dei Ds non ci stia e che lui dica che non è un grande problema. Ma in questo modo l'Internazionale socialista diventa un'Internazionale riformista europea.»

Secondo Bertinotti, Prodi può essere il candidato dell'aggregazione tra queste nuove forze «se non si limita a riproporre un centrosinistra com'era quello che ha preceduto la stagione dei movimenti. Se vuole ricandidarsi, deve attraversare in pullman la nuova società civile che si è solidificata intorno ai movimenti, con i quali dovrebbe confrontarsi per costituire un'Alleanza con la maiuscola. Se Prodi diventa maieuta di questa alleanza, perché dirgli di no?».

«Sarà Berlusconi a unirci»

A questo punto la domanda è scontata: come si può formare un governo con Rifondazione se il partito di Bertinotti ha posizioni molto diverse – talora radicalmente divergenti – da quelle del centrosinistra su temi chiave come la politica estera, le pensioni, il lavoro? (Basti pensare al referendum sull'articolo 18, che nella tarda primavera del 2003 ha visto Rifondazione comunista e Cgil schierate sul fronte opposto rispetto a quello su cui si è attestato il centrosinistra.) «È la domanda cruciale» risponde Bertinotti «la più difficile, perché è assolutamente vero che sui grandi nodi programmatici tra Rifondazione e le principali forze dell'Ulivo ci sono differenze che, allo stato attuale, sembrano incolmabili. La domanda, dunque, è decisiva e non è detto che la mia risposta sia convincente, ma è obbligata. Se noi giocassimo una partita a due con il metodo negoziale che abbiamo a lungo praticato con Prodi e con il centrosinistra, non c'è dubbio che il patto sarebbe quasi impossibile. Tuttavia, altro è valutare una così grande difficoltà dopo un'esperienza di governo di centrosinistra, altro è pensarla in presenza di un governo Berlusconi. Nel secondo caso, la spinta a riunire le nostre forze per cacciare Berlusconi è soverchiante rispetto alle differenze programmatiche.» Dopo una brevissima pausa, Bertinotti si impone un minimo di cautela: «Penso, però, che il progetto di cacciare Berlusconi dal governo, se non è accompagnato da un programma forte, rischi di trasformarsi in un boomerang, cioè di favorire la sfiducia e l'abbandono della politica. La soluzione di questo problema apparentemente irrisolvibile è il problema stesso della nostra politica».

L'ottimismo di Bertinotti sulla possibilità di un grande accordo innovativo nella sinistra muove dalla convinzione che l'Ulivo si stia allargando ben oltre i partiti tradizionali. «Nelle elezioni amministrative del 2003 ho visto candidati di cultura cattolica assumere posizioni non meno radicali delle nostre non solo sulla guerra, ma anche su temi come la qualità dello sviluppo e la giustizia sociale. I movimenti avvenuti nel sindacato e nel mondo delle associazioni hanno poi determinato una nuova geografia all'interno dei Ds. Non era mai accaduto che due grandi organizzazioni come Arci e Cgil assumessero una posizione diversa da quella del loro maggiore partito di riferimento, come invece è successo per il referendum sull'articolo 18.»

Per semplificare, «se, quando decidemmo di porre fine alla desistenza, da un lato c'era l'Ulivo compatto come un monolite e dall'altro c'eravamo noi, adesso un confronto programmatico non ci vedrebbe separati da una diga». La conseguenza? «Se siamo i soli a dire di no al sistema di difesa europeo, oppure se conduciamo da soli la battaglia per un nuovo meccanismo automatico di adeguamento dei salari al costo della vita, il ricatto nei nostri confronti diventa troppo pesante e possono chiederci di rinunciare alla nostra posizione pur di battere Berlusconi. Se invece a sostenere quelle posizioni siamo in quaranta o in sessanta, le cose possono andare diversamente.» Dunque, il problema sarebbe trovare il modo di contarsi. «Una formula innovativa potrebbe essere quella di esprimersi negli Stati generali, che uniscono la partecipazione individuale a quella collettiva. Per esempio, nel Partito laburista inglese votano sia i singoli iscritti sia i sindacati in quanto organizzazioni. A quel punto potresti anche accettare un responso che invece non accetteresti se uscisse dal solito confronto tra chi vince sempre e chi perde sempre. Ieri, per ottenere qualcosa dovevamo rischiare la rottura, domani potremmo ottenerlo insieme con altri sulla base di un peso reale nello schieramento.»

Dunque, Bertinotti punta su un Ulivo più schierato a sinistra e sull'influenza dei movimenti che, da quando sono nati all'inizio del 2002, hanno oggettivamente contribuito a rilanciare l'opposizione. E, al tempo stesso, studia i meccanismi che gli consentano un'onorevole resa dinanzi a obiettivi politicamente impossibili. Il problema sarà come conquistare, insieme, i voti moderati che dovrebbero spostarsi da destra per garantire una vittoria della sinistra. È forse per questo che Bertinotti sta attento a non rompere con i grandi organi di informazione moderata. Quando sono entrato nel suo studio, ne stava uscendo Sandro Curzi, che, prima di congedarsi, lo aveva abbracciato con affettuosa cordialità. «Ma non avevate litigato?» ho chiesto al segretario di Rifondazione appena il direttore di «Liberazione» se ne fu andato. (Avevano litigato, e di brutto, il giorno in cui Stefano Folli era stato chiamato alla direzione del «Corriere della Sera». Curzi aveva descritto la successione a Ferruccio de Bortoli come una bieca manovra berlusconiana, lo stesso, del resto, aveva fatto «l'Unità». Bertinotti se ne era pubblicamente dissociato, come peraltro Fassino rispetto al giornale di Furio Colombo.) «Abbiamo sensibilità diverse» mi spiega Bertinotti. «Io credo che la qualità professionale del giornalista è comunque una resistenza all'omologazione, qualunque sia la sua inclinazione politica. Investo sempre sulla professionalità.» Diavolo d'una sirena.

D'Alema guarda all'estero, il Correntone dimagrisce

Bertinotti potrebbe essere, in astratto, il ministro del Lavoro in un eventuale governo di centrosinistra. E D'Alema? Sta studiando da ministro degli Esteri? «No» mi risponde secco il presidente dei Ds. È una bugia, obietto. «No» ribatte. «Sono a disposizione. Non posso dire tutta la verità sulle mie aspirazioni, ma mi sento proiettato verso un impegno internazionale, e non è necessario essere il ministro degli Esteri italiano per fare politica oltre i confini del nostro paese. È questo l'aspetto che mi appassiona e mi diverte.»

Nel suo ufficio alla Fondazione Italianieuropei di palazzo Borghese, nel cuore della Roma politica, D'Alema continua a studiare l'inglese (aveva cominciato nel 1998 a palazzo Chigi), a tessere rapporti internazionali (ma l'occhio sul partito è sempre vigile), a documentarsi sulle grandi questioni, e a stimarsi sempre di più.

«Io non sono sempre ossessionato dalla mia carriera. Sono sufficientemente autorevole, avendo come carica quella di chiamarmi Massimo D'Alema. È già una carica importante, e io ricavo il mio spazio dal fatto che un certo numero di persone mi dà retta. Vado in giro per il mondo, imparo molte cose, ne vedo altre che mi appassionano, sono curioso. Ma non penso alla Farnesina. Vivo in una dimensione non legata necessariamente alla carriera, anche perché è noto che in Italia, se ti muovi molto, al ritorno rischi di non trovare più la tua seggiola. Berlusconi ha stabilito che dobbiamo andare in pensione a sessantacinque anni? Bene, vorrà dire che per un'altra decina d'anni sarò ancora un protagonista della vita politica italiana. Tutti i tentativi di rottamarmi sono falliti. Ci hanno provato da destra e da sinistra, da Carlo Taormina a Gianni Vattimo, dai girotondi a Silvio Berlusconi, con il suo appello di Gallipoli. Ricorda? Mandiamolo a lavorare... Ma io sto ancora qui.» Chiunque pensi di toglierselo di torno, questo signore con i baffi e le mani di ferro, mai afflitto da crisi di modestia, ci rinunci. È un'impresa fallita in partenza.

Tornando a Fassino, l'ultimo ma non meno importante dei suoi problemi è quello di portarsi dietro, nell'avventura riformista, la quasi totalità del partito. Nel mese di ottobre il segretario ha mosso le sue pedine in modo da incamerare in anticipo la scontata vittoria all'assemblea nazionale di metà novembre. «La nostra posizione» mi dice Fassino «è condivisa da una maggioranza più larga di quella che mi ha eletto al congresso di Pesaro. Veltroni e Bassolino, per esempio, a Pesaro erano in minoranza, mentre ora hanno condiviso non soltanto il nostro percorso, ma anche l'obiettivo finale.»

Riferiva «l'Unità» dell'8 ottobre 2003: «All'indomani del congresso di Pesaro la maggioranza diessina contava all'incirca sul 60 per cento dei membri della Direzione, il "correntone" sul 35, i liberal-ulivisti [*che fanno capo a Enrico Morando*] sul 5. I numeri, dopo la riunione di lunedì [*6 ottobre*], fotografano una realtà diversa: Fassino (con l'apporto di liberal-ulivisti e bassoliniani, ma contando anche alcune astensioni di ex veltroniani) può giovarsi del 70 per cento, il "correntone" del 20, Salvi e Mele del 10». La verità è che il Correntone è dimagrito per le diverse strategie adottate dalle sue tre personalità più rappresentative. Sergio Cofferati, candidato sindaco di Bologna, non può permettersi distrazioni e ha mollato la minoranza. Antonio Bassolino ha bisogno di rafforzarsi in Campania ed è diventato per forza di cose più prudente. Walter Veltroni sa di essere la vera carta di riserva qualora fallisse l'opzione Prodi, e certo non può candidarsi avendo contro la maggioranza del partito. Così ha traslocato, portando con sé anche Giovanna Melandri e Olga D'Antona.

E se Prodi rinunciasse?

In minoranza, su posizioni diverse, sono rimasti soltanto i seguaci di Fabio Mussi e di Cesare Salvi, ormai capi di correnti distinte. «Non ci saranno scissioni» garantisce Fassino «perché la nostra gente non accetta più divisioni. D'altra parte, in un soggetto riformista largo ci può e ci deve essere un'area di sinistra più radicale. E così anche dentro la lista unitaria.» Qual è la differenza tra lista unica e lista unitaria? «La lista unica è un cartello elettorale di tutte le forze dell'Ulivo che esaurisce la sua funzione all'indomani delle elezioni: ci si mette insieme per dimostrare di avere un voto in più dell'avversario. Un obiettivo dignitoso, ma che si esaurisce lì. La lista unitaria è il primo passo compiuto da forze politiche e sociali che si mettono insieme non solo per presentarsi unite alle elezioni, ma anche per costruire dopo il voto una nuova aggregazione politica. Che io immagino in chiave federativa e non come partito classico.»

Fabio Mussi, portavoce di un Correntone ormai depotenziato, ha respinto la proposta di Fassino, ha chiesto orgogliosamente un congresso straordinario, non lo ha ottenuto, e si prepara a partecipare alla lista unica. Più radicale la posizione di Cesare Salvi, che nel luglio 2003 ha patrocinato una piccola scissione a sinistra dal Correntone fondando Socialismo 2000. «Il Correntone» mi dice «è stato frutto di un equivoco politico. È nato in funzione anti-D'Alema, e questo non mi è mai piaciuto. Poi, partendo dal collante antidalemiano, sembrava che dovesse decollare con Cofferati. A quel punto ho chiesto quale fosse il progetto politico della minoranza. Temevo che non ci fosse e adesso ne ho avuto conferma. Tanto è vero che Cofferati ci ha mollato e si è candidato alla carica di sindaco di Bologna. Veltroni e Bassolino sono rientrati nella maggioranza, dunque…» Dunque sono rimasti fuori soltanto Mussi e Salvi. Qual è la differenza? «Consideriamo entrambi un errore la lista unica, anche perché, se la fanno pure a destra, perdiamo. Mussi è un ulivista radicale, noi vorremmo che i Ds si trasformassero in un partito socialista in vista dell'unità di tutte le sinistre.» A quando la scissione? «Andremo tutti insieme alle elezioni europee. Poi, quando finalmente ci sarà il congresso, ognuno farà le sue scelte.»

Resta irrisolto l'ultimo problema: la candidatura elettorale di un dirigente dei Democratici di sinistra a palazzo Chigi. Nel 1996 ci fu Prodi, nel 2001 Rutelli, nel 2006 ancora Prodi. Non è singolare questo destino a cui è condannato il maggior partito della sinistra? «Non credo che sia un problema» risponde Fassino. «Il nostro è un atteggiamento pragmatico: dobbiamo valutare di volta in volta chi è l'uomo o la donna che possa guidare una coalizione vincente, senza pregiudiziali ideologiche.»

E se Prodi rinunciasse a candidarsi, come ha detto finora? «È scontato che, mentre è in corso la Conferenza intergovernativa che deve approvare la nuova Costituzione europea e alla vigilia dell'allargamento dell'Unione, il presidente della Commissione europea non assuma altri impegni. Se ne riparlerà alla vigilia delle elezioni per il nuovo Parlamento di Strasburgo. Una lista senza Prodi? Avrebbe ugualmente valore, tanto più se è il primo passo verso la costituzione di un nuovo soggetto riformista, a cui lo stesso Prodi non farebbe mancare comunque il proprio contributo e il proprio sostegno.»

Intanto, autorevoli esperti di sondaggi fanno test sul gradimento, come possibili uomini di governo, di personaggi del mondo economico e imprenditoriale, apparentemente lontani dalla politica. A cominciare dagli amministratori delegati di Unicredito, Alessandro Profumo, e di Banca Intesa, Corrado Passera.

IV

Processo Sme contro Telekom Serbia

Una sera di settembre, a Belgrado

La sera di mercoledì 10 settembre 2003 il centro del tappeto erboso dello stadio Stella Rossa di Belgrado, dove l'Italia avrebbe incontrato la nazionale serba, era coperto da un gigantesco lenzuolo bianco con un'enorme scritta: Telekom Srbija. La stessa scritta campeggiava in altri settori dello stadio (a cominciare dalla copertura delle panchine occupate dagli allenatori e dalle riserve delle due squadre) e i turisti italiani provvisti di cellulare potevano ascoltare la voce di un'operatrice che li salutava a nome della società telefonica serba.

Ho chiesto alla mia accompagnatrice del posto: ma qui si parla dell'affare Telekom Serbia? La bionda signora si è aperta in una risata: «Certo che se ne parla». E cosa si dice? «Che c'è gente che ha preso un sacco di soldi.» Anche in Italia? «Qui, e in Italia.»

Quello che la gente mormora non ha – e non deve avere – nulla a che fare con quanto viene deciso nelle aule di giustizia e nelle commissioni parlamentari d'inchiesta. Ma la grande partita che s'è giocata in Italia per tutto il 2003 – e che ha vissuto in autunno i suoi momenti più caldi – è stata quella del processo Sme (Berlusconi, Previti) contro Telekom Serbia (Prodi, Fassino, Dini, chiamati ripetutamente in causa dal faccendiere Igor Marini, nonostante le smentite e le querele). Ora, porre sullo stesso piano un processo arrivato alle soglie della sentenza e i nomi fatti da uno spregiudicato faccendiere non è molto corretto. D'altra parte sono ormai anni che la politica italiana vive di colpi bassi. E così la destra, trovando appoggi insperati in alcuni notissimi commentatori di sinistra, ha inteso cominciare a rispondere alla «criminalizzazione preventiva perpetua» di Silvio Berlusconi.

«Erano quattro pari. Poi una telefonata...»

«Erano quattro contro quattro. Il nono giudice era indeciso. Poi arrivò una telefonata dall'alto.» Così un'autorevolissima personalità mi spiega il mistero del 28 gennaio 2003, quando con un voto sorprendentemente unanime le Sezioni unite penali della Suprema Corte di cassazione stabilirono che la legge Cirami sul legittimo sospetto non andava applicata ai processi Sme (Berlusconi, Previti) e Imi-Sir/Lodo Mondadori (Previti e altri), che quindi restavano di competenza del tribunale di Milano.

Una telefonata decisiva? C'è stata davvero? E da parte di chi? Quello che stupì nella decisione della corte non fu tanto la sostanza del verdetto – che pure molti si aspettavano di segno opposto – quanto l'unanimità dei pareri. Chi riteneva di conoscere l'orientamento dei nove giudici (quattro moderati, quattro di sinistra, con il presidente Nicola Marvulli indecifrabile ago della bilancia) si aspettava una decisione presa comunque a strettissima maggioranza, e fra gli avvocati della difesa si dava per certo che la sentenza sarebbe stata di cinque a quattro a favore del legittimo sospetto. Invece, in soli 300 minuti, tutti i nove giudici si erano schierati contro l'applicabilità della Cirami ai casi di Berlusconi e di Previti. Come mai?

In realtà, la legge Cirami – che aveva provocato in Parlamento, tra l'estate e l'autunno del 2002, uno scontro di inaudita durezza – era stata emendata in modo da restringerne notevolmente il campo di applicazione. Era nata per restituire ai cittadini una garanzia eliminata dal codice di procedura penale nella riforma del 1989 in omissione del vincolo della legge delega del 1987, che avrebbe imposto il mantenimento del «legittimo sospetto» come causa di trasferimento ad altra corte di un processo qualora, nel luogo presso cui pende un giudizio, si fossero create condizioni soggettive o oggettive tali da dubitare della serenità dei magistrati.

Il 30 maggio 2002 le Sezioni unite della Cassazione, chiamate a pronunciarsi una prima volta sulla rimessione dei due processi, avevano stabilito che, in effetti, esisteva un «buco» nell'ordinamento. (Anche allora c'era stato un colpo di scena. Fino al giorno prima, gli imputati erano convinti che la corte avrebbe deciso il trasferimento del processo a Brescia. Poi, durante la notte, il clima era cambiato e il ricorso sarebbe stato respinto, se all'ultimo momento non fosse stato proposto e accettato il quesito sull'incostituzionalità, rimettendo la decisione alla Consulta e determinando l'intervento correttivo del Parlamento.) Così il senatore Melchiorre Cirami dell'Udc, già pretore di Canicattì e di Agrigento, cominciò a lavorare riprendendo una vecchia proposta del deputato di Alleanza nazionale Gianfranco Anedda, e per sei mesi il Parlamento fu messo a ferro e a fuoco.

Come spesso accade, tuttavia, *in cauda venenum*. All'ultimo giro vennero iniettate nella legge Cirami quelle sostanze venefiche che l'avrebbero vanificata. Gaetano Gifuni, potentissimo segretario generale del Quirinale, amabile e temibile al tempo stesso, fece sapere che il capo dello Stato non avrebbe firmato la legge se non fossero state introdotte delle clausole restrittive. E Loris D'Ambrosio, magistrato di Cassazione in servizio e, nel contempo, consigliere del presidente della Repubblica per le tematiche giudiziarie, fu incaricato di trattare una soluzione. (D'Ambrosio, omonimo dell'ex procuratore di Milano, era stato il brillante capo di gabinetto dei ministri della Giustizia del centrosinistra e venne segnalato a Gifuni come sottile mente giuridica dal capo della Polizia Gianni De Gennaro.) Andò in Senato e, sul divano dello studio del presidente Marcello

Pera, concordò con Jole Santelli, sottosegretario alla Giustizia e già assistente di Pera, la fatale modifica. Il testo fu poi inviato anche a Niccolò Ghedini, parlamentare di Forza Italia e difensore di Berlusconi, che diede parere favorevole. Non era possibile fare nient'altro, si sostenne.

Nella versione definitiva, diventata legge il 5 novembre 2002, si stabiliva che ci sarebbe stato «legittimo sospetto» solo in presenza di «gravi situazioni locali, tali da turbare lo svolgimento del processo e non altrimenti eliminabili». La restrizione era evidente, e già nell'autunno del 2002, nel mio libro *La Grande Muraglia*, segnalai come «la rimessione dei processi contro Previti e Berlusconi fosse ormai a rischio». Eppure, nel gennaio 2003 gli imputati erano ottimisti. Qualcuno osservò che nella legge finanziaria per il 2003 era stato inserito l'innalzamento dell'età pensionabile dei magistrati da 73 a 75 anni. (E gli alti magistrati ne furono lietissimi, mentre neppure un anno dopo, il 24 ottobre 2003, i sindacati hanno indetto uno sciopero generale contro la decisione del governo di innalzare l'età pensionabile per tutti i lavoratori. Così va il mondo.) Alcuni dissero che tale norma era stata sollecitata dalla Cassazione, altri notarono che tra i beneficiari ci sarebbero stati proprio il primo presidente Nicola Marvulli e il procuratore generale Francesco Favara, oltre ai consiglieri di Stato che assistono le più alte cariche della Repubblica. Comunque siano andate le cose, è certo che il provvedimento fu assai gradito nel palazzo umbertino affacciato sul Tevere e su Castel Sant'Angelo. Come furono gradite le discrete assicurazioni del governo che nella riforma dell'ordinamento giudiziario i poteri della Cassazione sarebbero stati rafforzati. E invece poi, il 28 gennaio, andò come andò.

In uno stralcio della motivazione della sentenza, anticipato alla stampa, la Cassazione stabilì che «sono configurabili motivi di legittimo sospetto quando si è in presenza di una grave e oggettiva situazione locale, idonea a giustificare la rappresentazione di un concreto pericolo di non imparzialità del giudice, inteso come l'intero ufficio giudiziario della sede in cui si svolge un processo». Insomma, sarebbe stato necessario qualcosa di molto vicino allo stato d'assedio, o comunque, fu chiarito nella motivazione depositata il 27 marzo 2003, un'autentica «patologia del territorio». I giudici stabilirono inoltre che gli atti del pubblico ministero sono censurabili «quando abbiano pregiudicato in concreto la libera determinazione delle persone che partecipano al processo oppure abbiano dato origine a motivi di legittimo sospetto». Tutte queste circostanze non furono «ravvisate» dalla Cassazione nel caso di Berlusconi e di Previti.

Nelle ultime delle 171 pagine della motivazione – scritta con una chiarezza stilistica non consueta negli atti giudiziari – si lascia intravedere qualche traccia di comprensione per le doglianze degli imputati su tre punti chiave del processo: la competenza territoriale del tribunale di Milano, che oggettivamente è appesa a una nuvola; la gestione del teste Stefania Ariosto, giudicata dalla difesa di Berlusconi del tutto oscura nella sua fase iniziale e del tutto ambigua in quella successiva; l'accertata manomissione della registrazione ambientale del bar Mandara (colloquio fra i magistrati Renato Squillante e Francesco Misiani), che, indipendentemente dalla responsabilità personale dell'imputato, nel marzo 1996 fu decisiva per il suo arresto.

Sul primo punto si può osservare: perché episodi corruttivi maturati a Roma a opera di avvocati romani che avrebbero comprato sentenze pronunciate a Roma da magistrati romani devono essere giudicati a Milano? Sul secondo: davvero Stefania Ariosto può essere elevata a «teste della corona»? (Quando gli mossi questa obiezione, Piercamillo Davigo, pubblico ministero di Mani pulite, mi disse che ormai la signora era «inconferente», sostenendo che l'accusa aveva acquisito prove documentali più solide. A suo tempo, infatti, le contraddizioni dell'Ariosto apparvero spettacolari, eppure la motivazione della sentenza di condanna di Previti ha giudicato credibile la teste.) E infine, sul terzo: fatto salvo l'enorme carico di ambiguità, per usare un eufemismo, che grava su Squillante, quanti magistrati avrebbero arrestato uno dei più importanti giudici italiani sulla base degli appunti scritti da un poliziotto su un tovagliolo di carta in un bar, lasciando credere a lungo che il dialogo tra i due amici (Squillante e Misiani) fosse il resoconto fedele di un'intercettazione ambientale? (Quando i poliziotti mandati dalla Procura di Perugia a sequestrare il compact disc contenente l'intercettazione si presentarono alla Procura di Milano, si sentirono dire che il cd si era rotto. Perché i periti incaricati di simulare di nuovo l'incidente non ci riuscirono? Ovviamente, tali osservazioni prescindono del tutto dall'innocenza o dalla colpevolezza di un imputato, ma si riferiscono alle regole del gioco democratico e garantista che dovrebbero valere per il signor Rossi, per Totò Riina, per Berlusconi, Previti e Squillante.)

Le Sezioni unite della Cassazione sfiorarono questi punti con un lievissimo, quasi impercettibile, tocco di perplessità, che, visto l'andamento procedurale del processo, fu invece del tutto ignorato dal tribunale di Milano: esattamente tre mesi dopo, il 29 aprile 2003, come vedremo, Previti e gli altri coimputati per il procedimento Imi-Sir furono condannati.

Processo Imi-Sir: undici anni a Cesare Previti

Berlusconi prese malissimo la decisione della Cassazione di non spostare il processo e l'indomani mattina, davanti alle telecamere, rilasciò una dichiarazione di fuoco: «[*Contro di me*] c'è un'incredibile persecuzione giudiziaria. Questa situazione va corretta per il bene del paese e delle sue istituzioni. Il governo è del popolo e di chi lo rappresenta, non di chi, avendo vinto un concorso, ha indossato una toga e ha soltanto il compito di applicare la legge». Il ragionamento di Berlusconi era questo: in una democrazia liberale nessuno è al di sopra della legge e le sentenze si rispettano, come la presunzione d'innocenza degli imputati. Ma in una democrazia liberale, dice il presidente del Consiglio, i giudici non fanno politica e non oppongono «resistenza» a chi è stato scelto dagli elettori. Evidente l'allusione a Francesco Saverio Borrelli che, all'inaugurazione dell'anno giudiziario 2002, aveva lanciato il suo famoso proclama «resistere, resistere, resistere» contro il governo Berlusconi. Di qui il richiamo al 1993, quando «le correnti politicizzate della magistratura ... imposero a un Parlamento intimidito e condizionato un cambiamento della Costituzione del 1948 che ha messo nelle loro mani il potere di decidere al posto degli elettori». E al 1994, quando il leader di un governo sgradito alla «magistratura giacobina di sinistra» è stato messo sotto accusa: molti anni dopo ci fu una «clamorosa assoluzione». Berlusconi chiarì che, in caso di condanna, non si sarebbe dimesso: «Farò fino in fondo il mio dovere di presidente del Consiglio dei ministri senza tradire mai il mandato dei miei elettori». Infine, la proposta che avrebbe segnato i mesi successivi: «All'estero esiste l'immunità ... non è dignitoso che il presidente del Consiglio si presenti [*in giro per il mondo*] come imputato ... E poi non posso essere lì a difendermi ... Sarebbe opportuno sospendere i processi».

La decisione della Cassazione lasciò liberi di procedere i due collegi del tribunale di Milano che giudicavano Previti, Squillante e altri nel processo Imi-Sir/Lodo Mondadori (il presidente del Consiglio ne era uscito per avvenuta prescrizione), e Berlusconi, Previti, Squillante e altri nel processo Sme. Il primo procedimento era in una fase più avanzata e, esattamente tre mesi dopo che la Suprema Corte ne ebbe stabilito la permanenza a Milano, arrivò la pesantissima sentenza. Cesare Previti fu condannato a undici anni di reclusione (due in meno di quelli chiesti dal pubblico ministero Ilda Boccassini), il giudice Vittorio Metta – accusato di essere l'estensore materiale delle sentenze comprate – ebbe tredici anni, Renato Squillante otto anni e sei mesi, gli avvocati civilisti Attilio Pacifico undici anni e Giovanni Acampora cinque anni e sei mesi. Dure condanne anche ai congiunti del petroliere Nino Rovelli che, grazie alla sentenza del 1991, ora contestata, aveva beneficiato di un gigantesco risarcimento da parte dell'Istituto mobiliare italiano: sei anni al figlio Felice, quattro anni e sei mesi alla moglie Primarosa. Unico assolto, il giudice civile di Roma Filippo Verde.

Cesare Previti aveva fatto un uso inedito ed estremo delle sue prerogative parlamentari per ritardare il più possibile lo svolgimento del processo e l'emissione del verdetto. Ma questa era la sentenza più pesante emessa nella storia giudiziaria italiana per episodi di corruzione. «Ribadisco di essere innocente e di essere stato ed essere ancora pervicacemente perseguitato attraverso i processi» disse qualche ora dopo, leggendo in una drammatica conferenza stampa le ventiquattro cartelle introduttive. Berlusconi gli espresse subito la propria solidarietà e aspettò il giorno successivo per innescare una nuova santabarbara sull'operato dei giudici di Milano. Prima di partire per Londra, dove avrebbe incontrato Tony Blair, scrisse una lettera incandescente al «Foglio» di Giuliano Ferrara, nella quale paragonò il processo Previti a quello contro Bettino Craxi: «Fu aizzata dalla sinistra forcaiola sotto la residenza privata di Craxi a Roma una piazza urlante che, a colpi di insulti e monetine, rinverdì con altri mezzi il cupo ricordo di altri linciaggi ... Il voto segreto ... fu abolito in pochi giorni. E fu incardinata con brutalità ... la riforma ... che portò all'abolizione dell'immunità varata dai padri fondatori. L'Italia divenne la Repubblica delle Procure ... Solo la reazione democratica messa in campo dalla nascita di Forza Italia impedì provvisoriamente il trionfo della barbarie giustizialista, restituendo la parola al popolo». Berlusconi ricordò il 1994, «le alte complicità istituzionali» (Scalfaro), «il grilletto giudiziario del ribaltone» (il governo cadde per colpa di Bossi, a dire il vero, ma certo l'invito a comparire dei giudici di Milano aiutò a creare il clima giusto), «un'inchiesta per tangenti dalla quale chi scrive fu assolto per non aver commesso il fatto». Arrivando al punto più caldo, il Cavaliere scrisse: «Bisogna alzare il tono della nostra democrazia, bloccare il nuovo ordito a maglie larghe del giustizialismo e impedire che si consumi per la terza volta un furto di sovranità. Ripristinando subito le immunità violate ... perché in una democrazia liberale i magistrati politicizzati non possono scegliersi, con una logica golpista, il governo che preferiscono».

Apriti cielo. L'opposizione gridò a sua volta al golpe, mentre il vicepresidente del Consiglio superiore della magistratura, Virginio Rognoni, protestò per «l'offesa all'onorabilità e all'imparzialità» della categoria.

Carfì si toglie i sassolini dalle scarpe...

La polemica esplose di nuovo il 7 agosto 2003, quando il collegio presieduto dal giudice Paolo Carfì depositò le motivazioni della sentenza. Non fu un documento asettico, perché Carfì si tolse parecchi «sassolini dalle scarpe». «Uno scatto d'orgoglio dopo tre anni di insulti» disse l'indomani al «Corriere della Sera», giustificando l'anomala premessa alla motivazione delle condanne e lo stile di scrittura, che la maggioranza bollò come «pesanti insulti agli imputati per coprire con le parole l'assenza di prove inoppugnabili» (Fabrizio Cicchitto, oggi vicecoordinatore di Forza Italia). Nel testo parlava di «corruzione eletta a sistema di vita» e definiva la vicenda come la «più grande corruzione nella storia dell'Italia repubblicana».

Ecco, in breve, le vicende dei due processi. Cominciamo da Imi-Sir. Il petroliere Nino Rovelli avvia nel 1982 una causa civile contro l'Istituto mobiliare italiano, allora controllato dallo Stato, accusandolo di non aver salvato il gruppo chimico Sir dalla liquidazione. Nel 1986 il tribunale di Roma dà ragione a Rovelli e condanna l'Imi a pagargli 983 miliardi di lire. Il verdetto viene confermato nel 1990 dalla Corte d'appello e, due anni dopo, dalla Cassazione, dove accade un episodio singolarissimo e mai chiarito: scompare la procura con cui l'Imi affida ai propri avvocati l'incarico di difenderlo. Così Rovelli vince «a tavolino». Il petroliere muore nel 1990 e, quattro anni dopo, l'Imi versa al figlio e alla vedova 678 miliardi netti. Durante l'inchiesta contro Squillante, divenuta pubblica il 12 marzo 1996 con l'arresto del magistrato, i Rovelli dicono agli investigatori di aver versato estero su estero 67 miliardi – il 10 per cento della somma che avevano ricevuto dall'Imi – a tre avvocati: Previti (21 miliardi), Pacifico (34 miliardi), Acampora (12 miliardi). Altri 33 miliardi vengono versati a saldo di regolari parcelle per la loro consulenza professionale agli avvocati Mario Are e Angelo Giorgianni. Nel 1997 Previti mi raccontò, per il mio libro *La sfida*, che 2 di quei miliardi erano il saldo di una sua parcella, 10 erano andati ad avvocati stranieri «conosciuti dai magistrati di Milano» e il resto a una società di Pacifico.

Dopo la motivazione della sentenza, l'8 agosto, Pacifico dice a Virginia Piccolillo del «Corriere della Sera» che i 34 miliardi ricevuti dagli eredi Rovelli erano soldi suoi, frutto di vecchie speculazioni sull'oro. I magistrati di Milano scrivono invece che quel denaro costituiva la provvista per corrompere due giudici di Roma: Squillante, che sarebbe intervenuto sulla Cassazione, e Metta, «che ha copiato la sentenza Imi-Sir dalle bozze degli avvocati occulti dei Rovelli», cioè da Pacifico, il quale respinge naturalmente l'accusa e sostiene di aver ricevuto dal vecchio petroliere soltanto «appunti» rimasti estranei alla sentenza di Metta.

La vicenda ha molti aspetti controversi. Ne segnaliamo due. Contro gli imputati sta il fatto che gli eredi Rovelli sborsano 67 miliardi in nero sostenendo di aver onorato, senza chiedergliene ragione, la volontà espressa dal padre sul letto di morte. A loro vantaggio, il fatto che – come ricordò Maurizio Tortorella su «Panorama» il 30 ottobre 2002 – le decine di magistrati che, di diritto o di rovescio, si occuparono della questione Imi-Sir, furono tutti favorevoli ai Rovelli. Ora, Filippo Verde, che diede ragione al petroliere in primo grado, è stato l'unico assolto al processo di Milano, e Vittorio Metta, che scrisse la motivazione della sentenza d'appello, l'unico condannato. (Gli altri due membri del collegio, il presidente Arnaldo Valente e il consigliere Giovanni Paolini, difesero la correttezza dell'operato della Corte d'appello.) Dunque, il giudice Metta prese dei soldi per scrivere una sentenza che – se scritta da altri – sarebbe stata comunque favorevole ai Rovelli? Secondo il tribunale di Milano, a quanto pare, sì.

Lo stesso collegio si occupò – in modo altrettanto corretto, secondo Valente e Paolini – del processo d'appello nella causa tra De Benedetti e Berlusconi per il controllo della Mondadori. Qui la storia comincia nel 1988, quando la famiglia Formenton, proprietaria della quota di controllo della casa editrice milanese, decide di venderla a Carlo De Benedetti. Alla fine del 1989, però, la famiglia si divide e alcuni membri preferiscono a De Benedetti un altro azionista della Mondadori, la Fininvest di Silvio Berlusconi. Per risolvere la controversia, De Benedetti e i Formenton si affidano a un arbitrato. Il primo presidente della Cassazione, Antonio Brancaccio (poi ministro dell'Interno nel governo Dini), sceglie come presidente del collegio arbitrale con voto decisivo Carlo Maria Pratis, ex procuratore generale della Cassazione. De Benedetti vince, i Formenton e Berlusconi, che a questo punto si associa al processo, ricorrono in appello e ribaltano il giudizio a proprio favore. La posizione dei tre membri del collegio (Valente, Paolini, Metta) viene analizzata dai magistrati, ma soltanto Metta è incriminato. Il processo sul Lodo Mondadori era stato assegnato alla loro sezione (la prima civile) in via automatica perché, come viene ricordato nella stessa motivazione di Carfì, a essa erano delegati i ricorsi sugli arbitrati.

... e viene denunciato da un altro magistrato

La tesi del tribunale di Milano è che Metta fu nominato relatore del processo Mondadori (e anche di quello Imi-Sir) per ragioni oscure, poi di fatto «chiarite» dall'accusa di corruzione e dall'esito delle sentenze. Egli sarebbe stato il «dominus» del processo e gli altri due membri del collegio, nonostante l'importanza delle questioni, si sarebbero affidati a lui senza conoscere pressoché nulla della causa. A questa versione si ribella fieramente il presidente Arnaldo Valente. Chiamato in udienza nel capoluogo lombardo, si rifiutò di rispondere, «seguendo l'esempio e il precedente che ha fatto scuola, di due magistrati del Pubblico Ministero di Milano». Disse: «Non ho difensore di fiducia, non ho mai avuto nulla da cui difendermi, la mia toga è stata onoratissima e limpidissima e le mie mani sono pulitissime, più che quelle di ogni altro».

Il 12 ottobre 2003 Stefano Zurlo ha riferito sul «Giornale» di una denuncia contro Carfì presentata alla Procura della Repubblica di Roma dallo stesso Valente, con una memoria di 108 pagine. Il presidente dei collegi d'appello Imi-Sir e Lodo Mondadori si dice indignato per la credibilità attribuita dal tribunale di Milano a Stefania Ariosto, «che mi aveva indicato come presenza fissa alle cene di casa Previti ... ma poi non seppe dire nulla di concreto sul mio nome, si ingarbugliò e non seppe dare alcun particolare smentendosi platealmente». E il magistrato, oggi in pensione, aggiunge: «Carfì s'è preso l'ardire di lasciare a mezz'aria insinuazioni e congetture circa miei presunti rapporti con il senatore Previti di natura inconfessabile». Deve averlo ferito l'insinuazione di aver affidato a Metta, in maniera anomala, l'istruttoria del processo. «La designazione di Metta non si era discostata di un millimetro dalla corretta e rigorosa applicazione dei criteri: era infatti il consigliere più anziano della sezione, e quindi il suo nome era il primo a dover essere collegato con l'ordine di collocazione materiale visiva in cui venivano presentate le cause dalla cancelleria ... Metta aveva inoltre un carico di cause ridottissimo, inferiore di cinque o sei volte a quello degli altri consiglieri.» E gli avvocati di De Benedetti avevano in effetti pregato il presidente della Corte d'appello di Roma di affidare la causa a un magistrato con un modesto carico di lavoro, perché volevano arrivare subito alla sentenza.

Dopo il giudizio d'appello, anziché andare in Cassazione le due parti si affidano alla mediazione di Giuseppe Ciarrapico, un controverso finanziere amicissimo di Andreotti, per spartirsi le attività editoriali. Il senatore mi ha riferito di non aver patrocinato l'arbitrato, anzi di aver sconsigliato Ciarrapico dal mettersi in una grana così grossa, anche se politicamente giudicava sensato – come confermò in aula al processo di Milano – non lasciare a un solo editore, chiunque esso fosse (in questo caso, Berlusconi), un patrimonio editoriale immenso. Così, sulla base dell'accordo patrocinato da Ciarrapico, il Cavaliere si tenne la casa editrice Mondadori, con i suoi libri e i suoi periodici, e restituì a De Benedetti «la Repubblica», «L'Espresso» e la grande catena dei quotidiani locali.

Come per il processo Imi-Sir, anche in questo caso la sentenza d'appello fu scritta da Metta. Secondo il tribunale di Milano, Previti, Pacifico e Acampora l'hanno comprata versando su un conto estero di Previti 3 miliardi usciti «da un conto occulto della Fininvest». (Nel 1997 Previti mi parlò di parcelle per attività estere delle società di Berlusconi.) A Metta sono stati contestati 400 milioni provenienti da un conto estero con i quali il magistrato ha acquistato in contanti una casa per la figlia. Il giudice sostiene che questi soldi fanno parte di una cospicua eredità ricevuta da un altro magistrato, Orlando Falco, ricco di suo. (Quest'ultimo avrebbe lasciato diversi miliardi a Metta, che considerava un suo figlioccio, e a un fedele cancelliere.)

Quando, dopo la pubblicazione della motivazione di Carfì, «la Repubblica» massacrò il Cavaliere, Giuliano Ferrara («Il Foglio», 9 agosto 2003) scrisse: «Tutti sanno che furono Andreotti, Craxi, Forlani e Ciarrapico, d'intesa con Caracciolo e De Benedetti, a organizzare la spartizione e a togliere Scalfari, e il suo futuro successore, dalla scomoda posizione di dipendenti di Berlusconi. Forse le sentenze si compravano come voi dite [*l'editoriale è rivolto a Ezio Mauro*] ma per onestà dovreste ammettere che una parte delle sentenze poteva essere riacquistata, senza sovrapprezzo. E che la politica era arbitra della giustizia, con il vostro consenso attivo, almeno quando decideva in favore dei vostri interessi. E il caso è chiuso».

Dopo aver letto la motivazione della sentenza di condanna a Previti, Sandro Bondi, allora portavoce di Forza Italia, rilanciò la proposta di una commissione d'inchiesta sull'operato della magistratura: «Occorre accertare l'esistenza di un'associazione per delinquere» disse, con un linguaggio che faceva a pugni con la sua serafica immagine di custode di un convento francescano. Va ricordato che in sede istruttoria Rosario Lupo, giudice per le indagini preliminari di Milano, aveva prosciolto tutti gli imputati ed è risaputo che l'ambiente giudiziario milanese lo isolò, procurandogli molte amarezze. La sua decisione venne impugnata e, in Corte d'appello, a Berlusconi fu riconosciuta la prescrizione.

Retroscena del Lodo Maccanico

Fin da quando, a fine gennaio 2003, aveva reagito al rifiuto della Cassazione di trasferire i processi di Milano a Brescia, il Cavaliere aveva fatto cenno alla necessità di un provvedimento che salvaguardasse pro tempore il presidente del Consiglio da spiacevoli impegni giudiziari. Pochi giorni dopo il provvedimento delle Sezioni unite, Marcello Pera ricevette la visita di Giovanni Maria Flick, già autorevole avvocato e professore universitario, poi ministro della Giustizia con Prodi e oggi giudice costituzionale. Flick concordò con il presidente del Senato che la continuità delle più alte cariche dello Stato fosse un bene supremo della Repubblica e disse di non vedere aspetti di incostituzionalità in una norma che avesse formalizzato l'immunità. (Il problema della costituzionalità di un provvedimento del genere era infatti decisivo.) La Casa delle

Libertà lamentava che nella Corte costituzionale, per tutte le questioni con una qualche valenza politica, vincesse con una maggioranza schiacciante l'orientamento di sinistra. I giudici costituzionali sono quindici: ebbene, nella migliore delle ipotesi, molte «partite» finiscono dodici a tre e, nella peggiore, tredici a due. Al punto che Romano Vaccarella, il famoso civilista che ha rinunciato a uno dei più remunerativi studi forensi italiani per andare alla Corte su indicazione del centrodestra, aveva deciso di dimettersi dalla Consulta e vi era stato trattenuto per i capelli.

Qualche tempo dopo Flick tornò da Pera, gli confermò il suo parere favorevole alla norma sull'immunità, e venne fatta l'incauta previsione che nemmeno i magistrati di Milano avrebbero sollevato eccezioni di legittimità costituzionale. A questo punto Pera informò Berlusconi, poi andò da Ciampi, ricevendo da lui il via libera per mettere nero su bianco. Si trattava di riprendere una proposta avanzata il 12 settembre 2002 dall'ex ministro per le Riforme Antonio Maccanico. Quest'ultimo, vecchio repubblicano e ora parlamentare della Margherita, suggeriva di sospendere i processi alle cinque più alte cariche della Repubblica per garantire la continuità istituzionale dello Stato. Il provvedimento avrebbe interessato i presidenti della Repubblica, del Senato, della Camera, del Consiglio e della Corte costituzionale. Sarebbe stata dunque introdotta un'«immunità di carica». Maccanico aveva avanzato la sua proposta per evitare che il Parlamento si impigliasse nella legge Cirami, terreno di furiose battaglie e rivelatasi alla fine inutile per gli emendamenti che vi erano stati apportati. Il 5 febbraio 2003 l'anziano gentiluomo si fece nuovamente vivo, sperando di portare a casa la nuova legge «quando il clima nei Poli comincerà a rasserenarsi». Ma, in questa legislatura, momenti sereni non ve ne sono mai stati e mai ve ne saranno.

Durante la gestazione del provvedimento, il primo problema fu se estendere l'immunità anche ai ministri. Il Quirinale disse no: fermiamoci alle cinque più alte cariche dello Stato. Secondo problema: se una delle cinque personalità è processata insieme con altri, la sospensione del processo si applica anche ai coimputati? Cesare Previti, naturalmente, premeva per il sì, ma invano. Terzo e più delicato problema: dove comincia il processo? Si sospendono i dibattimenti in corso, come quello Sme a carico di Berlusconi, ma possono essere avviate nuove indagini nei confronti delle cinque più alte cariche dello Stato? Nacque così un elevato dibattito tecnico sulla differenza tra «processo» e «procedimento». Pera fece osservare che un passo del nuovo articolo 111 della Costituzione, quello sul «giusto processo» approvato negli anni del centrosinistra, recita: «La legge ne assicura la ragionevole durata». Non c'è dubbio che questa voce assorba anche la fase iniziale del procedimento, essendo impensabile che le indagini preliminari possano durare all'infinito (come talvolta è capitato, con sottili marchingegni giuridici, e come sta capitando con il famoso fascicolo 9520, aperto nel 1995 dai procuratori di Milano e rivelatosi un'autentica valigia di Mary Poppins dalla quale, a comando e con il pretesto delle indagini contro ignoti, potrà uscire qualunque cosa in qualunque momento fino alla fine dei secoli). Anche qui, niente da fare: Gifuni comunicò a Gianni Letta che il capo dello Stato non avrebbe firmato la legge non solo se i benefici fossero stati estesi ai coimputati, ma anche se fossero state bloccate le indagini preliminari.

Su questo punto Berlusconi era inquieto. Sebbene il processo Sme fosse l'ultimo ancora aperto contro di lui, sapeva che, finché fosse vissuto, la Procura di Milano non si sarebbe mai dimenticata di lui, come avrebbe dimostrato di lì a poco la richiesta di nuove rogatorie internazionali sui diritti cinematografici di Mediaset negli Stati Uniti e altrove. Se lo spirito della legge era quello di salvaguardare le cinque più alte cariche da imbarazzi interni e internazionali durante il mandato, la totale assenza di riservatezza che caratterizza in Italia anche le indagini più delicate avrebbe potuto esporre tali personalità alle stesse sgradevoli conseguenze di un processo in aula. Ma non ci fu niente da fare: il 28 maggio, durante lo scalo milanese del volo Roma-Manchester, Berlusconi fu avvertito da Letta per telefono che il provvedimento di immunità avrebbe escluso le indagini preliminari.

Il Lodo Maccanico fu approvato il 5 giugno al Senato e il 18 giugno alla Camera. A palazzo Madama ci fu battaglia, anche se il presidente Pera non venne assediato dai girotondi come gli era accaduto per la legge Cirami. Alla Camera le cose andarono meglio, anche se, al momento del voto, l'Ulivo e Rifondazione abbandonarono l'aula. I socialisti di Boselli e l'Udeur di Mastella si astennero, come fece peraltro anche Maccanico. A destra, la legge continuava a portare il nome con cui era nata, mentre a sinistra fu ribattezzata Lodo Berlusconi o Lodo Schifani, dal nome del capogruppo dei senatori di Forza Italia. Maccanico, in un intervento appassionato, criticò il metodo seguito dalla maggioranza per l'approvazione della legge, ma bacchettò anche l'opposizione che la giudicava incostituzionale. La sinistra invitò Ciampi a non firmare il provvedimento in quanto «manifestamente incostituzionale». Il Quirinale fu di diverso avviso, attirandosi critiche esplicite quanto sgradevoli.

Al contrario di ciò che fu autorevolmente assicurato a Pera, i magistrati di Milano si precipitarono a impugnare la norma dinanzi alla Corte costituzionale. Questa, accelerando un pochino i tempi che le sono abituali, ha fissato l'udienza per il 9 dicembre 2003 e la pubblicazione della sentenza per la settimana prenatalizia. Tanta fretta è dovuta al fatto che il 9 gennaio 2004, in mancanza di novità, il processo Berlusconi «morirà»: quel giorno, infatti, uno dei tre componenti del collegio giudicante, Guido Brambilla, dovrà comunque abbandonare l'incarico per coprire il posto di magistrato di sorveglianza sulle carceri, al quale ha da tempo chiesto di essere trasferito. In verità se ne sarebbe dovuto andare già un anno fa, giacché il Csm non aveva mai concesso deroghe per quell'ufficio, ma per il Cavaliere si è fatta un'eccezione. E il tribunale di Milano ha chiesto alla Corte costituzionale di fermare l'orologio del trasferimento di Brambilla, così come si era fermato quello del processo.

A questo punto le ipotesi sono tre: se la Corte costituzionale respinge il Lodo Maccanico e ferma l'orologio del trasferimento di Brambilla, entro il gennaio 2004 sarà emessa la sentenza anche su Berlusconi; se la Corte accetta il Lodo e non ferma l'orologio del trasferimento di Brambilla, il processo «muore» per sempre (stesso risultato se la Corte respinge il Lodo e non ferma l'orologio del trasferimento di Brambilla, perché sarebbe impossibile andare a sentenza entro l'Epifania); se la Corte accetta il Lodo e ferma l'orologio del trasferimento di Brambilla, il processo riprenderà quando Berlusconi non sarà più presidente del Consiglio.

Sme: Berlusconi contro Prodi

Facciamo ora un passo indietro. Il 5 maggio 2003 Berlusconi si presenta per la prima volta in aula per rendere una «dichiarazione spontanea». E rifà la storia della mancata vendita della Sme (la holding alimentare di Stato facente capo all'Iri di Romano Prodi) alla Buitoni di Carlo De Benedetti. La storia, in breve, è questa. Il 30 aprile 1985 Prodi e De Benedetti concordarono il seguente affare: 497 miliardi di lire, da pagarsi a rate, per i due terzi di un'azienda che ne fatturava 3000 all'anno e che, dieci anni dopo, sarebbe stata venduta per 2200. Bettino Craxi, allora presidente del Consiglio, bloccò la vendita considerandola un regalo a De Benedetti (e, di riflesso, alla corrente di Ciriaco De Mita, che parteggiava per l'Ingegnere e che il leader socialista detestava, perfettamente ricambiato). Giuliano Amato, allora sottosegretario a palazzo Chigi e braccio destro di Craxi, spiegò all'«Economist» che il presidente del Consiglio voleva che le privatizzazioni avvenissero «a mercato aperto e non a porte chiuse».

Dopo un mese di polemiche, il ministro delle Partecipazioni statali Clelio Darida annunciò un'asta pubblica. Andreotti mi ha raccontato l'angoscia di Darida, stretto tra le minacce politiche di De Mita («Se non vendi a De Benedetti, non farai più il ministro») e quelle giudiziarie di Craxi («Se vendi a De Benedetti, ti mandiamo dinanzi alla commissione inquirente»). All'asta parteciparono tre cordate d'imprenditori che presentarono offerte tra i 600 e i 620 miliardi. I tecnici dell'Iri ammisero al confronto finale soltanto la Buitoni di De Benedetti e l'alleanza tra la Fininvest, Ferrero, Confcooperative e Barilla, che era da tempo la più interessata all'affare. Tuttavia, De Benedetti ricorse al tribunale di Roma, sostenendo la validità del suo precedente accordo con Prodi. Perse la causa, ma i giudici non ammisero all'asta nemmeno Berlusconi, Barilla e Ferrero. De Benedetti fu poi sconfitto anche in appello e presso le Sezioni unite civili della Cassazione. Così la Sme restò all'Iri che, fra il 1993 e il 1994, la divise in tre tronconi e incassò con la loro privatizzazione oltre 2000 miliardi.

L'inchiesta giudiziaria ebbe inizio nel 1996, allorché Stefania Ariosto affermò che Cesare Previti avrebbe avuto a disposizione «fondi illimitati» di Berlusconi per pagare i giudici romani e, segnatamente, Renato Squillante. Nessuno può dire, allo stato attuale, se Berlusconi sia innocente o colpevole. Sta di fatto che, quando i processi al Cavaliere erano dieci (nove sono ormai esauriti), i tecnici erano concordi nel sostenere che quello Sme era di gran lunga il più fragile quanto a impianto accusatorio. Infatti le società di Berlusconi sono accusate di aver pagato nel 1991 Previti perché pagasse Squillante (poco meno di mezzo miliardo esce dal conto dell'avvocato ed entra in quello del magistrato in un breve lasso di tempo) per corrompere un giudice civile (il presidente del tribunale civile di Roma, Filippo Verde, ma qui il passaggio di denaro non è chiaro) che, cinque anni prima, aveva invalidato gli accordi del 1985 tra Prodi e De Benedetti, escludendo al tempo stesso dalla gara la cordata del Cavaliere. Il pagamento del 1991 è fondamentale per il processo, poiché la corruzione in atti giudiziari è stata introdotta nel nostro ordinamento soltanto nel

1990. (Se si fosse proceduto per corruzione semplice, il processo sarebbe già prescritto.) Inoltre, la figura del corruttore è punita dal codice penale soltanto dal 1992, un anno dopo la presunta corruzione di cui è accusato il Cavaliere. Questi i fatti.

Domenica 4 maggio è carica di tensione come raramente è capitato a Berlusconi da quando è sceso in politica. Il Cavaliere aspetta Paolo Bonaiuti e gli avvocati-onorevoli Gaetano Pecorella e Niccolò Ghedini nell'abitazione di Macherio. Riempie di carte ogni spazio disponibile di un grande salotto – tavoli, divani, pavimento – e percorre a grandi passi i modesti camminamenti rimasti liberi. L'unico che conserva per tutto il tempo la cravatta è Ghedini. Per l'intero pomeriggio Berlusconi prende appunti (ogni tanto dice: «Vedi? Ricordavo bene» rivolto a qualcuno dei collaboratori), al momento della cena trasferisce le carte sul tavolo della sala da pranzo, poi continua a lavorarvi durante la notte. Berlusconi si presenta in tribunale stringendo fra le mani una cartellina contenente una memoria di ventuno pagine, che tuttavia non legge, esponendone il contenuto a braccio e parlando ininterrottamente per cinquantuno minuti. Egli sostiene di aver evitato «una spoliazione del patrimonio dello Stato a beneficio dell'arricchimento indebito di un privato cittadino», come gli disse Craxi dopo aver incontrato un Pietro Barilla furioso per quello che stava accadendo.

Secondo il Cavaliere, le anomalie dell'accordo tra Prodi e De Benedetti sono almeno due. La prima: nell'aprile 1985 il titolo Sme era salito in Borsa fino a 1290 lire, ma l'accordo del 30 aprile lo valutava 930 lire. La seconda: subito dopo la firma del patto che gli cedeva il 64 per cento della Sme per 497 miliardi, De Benedetti ne avrebbe rivenduto il 13 per cento per 104 miliardi a Mediobanca e Imi, entrambi controllati dall'Iri, mantenendo comunque il 51 per cento della finanziaria alimentare, al prezzo di 393 miliardi da versare in diciotto mesi. Con i soldi incassati da Mediobanca e Imi e con la liquidità dell'azienda, De Benedetti avrebbe saldato la prima rata di 150 miliardi «con la possibilità di non dover spendere neppure una lira sua». Secondo Barilla, sostiene Berlusconi, l'Ingegnere avrebbe poi rivenduto la Sme alla francese Danone, incassando la relativa plusvalenza.

Il Cavaliere ammette di essere intervenuto nell'affare aderendo volentieri a una richiesta di Craxi, vista la storica inimicizia che lo opponeva a De Benedetti (vicenda Mondadori e altro). Si chiede perché un privato avrebbe dovuto corrompere un solo magistrato sui quindici che, nei tre gradi di giudizio, si erano occupati dell'affare con giudizio univoco; perché avrebbe dovuto farlo visto che non ci ha guadagnato nulla; e perché, morto Pietro Barilla, né Ferrero né i dirigenti di Confcooperative, che pure fecero parte della cordata, non furono mai inquisiti.

Secondo Berlusconi, Amato avrebbe saputo di tangenti da versare a una corrente della Dc per il buon esito dell'affare, ma l'interessato smentirà con decisione. E l'indomani, con altrettanta energia, Romano Prodi – chiamato costantemente in causa dal Cavaliere, che in aula lo aveva sempre definito «presidente dell'Iri» senza mai farne il nome – diffonde da Bruxelles sul sito dell'Unione europea la sua versione dei fatti, opposta a quella di Berlusconi. Prodi ricorda che, prima della trattativa con De Benedetti, la Sme era stata offerta ai principali imprenditori del settore (Barilla, Ferrero, Star), ciascuno dei quali ne avrebbe voluto un pezzo, ma nessuno tutta. Lo stesso Berlusconi avrebbe trovato troppo caro il prezzo chiesto dall'Iri. La Sme aveva conti pessimi e fu offerta a De Benedetti a 1106,9 lire per azione (e non 930). In ogni caso, la cessione avrebbe dovuto essere ratificata dal consiglio d'amministrazione dell'Iri, che diede parere favorevole, e dal governo, che invece la bloccò. Prodi, dunque, ribadisce di essersi comportato con assoluta correttezza. Ma, anni dopo, la vendita avvenne a un prezzo enormemente superiore? Ci furono la crescita dell'economia italiana e l'esplosione della Borsa, spiega Prodi. In ogni caso, «non esiste per un'azienda un prezzo giusto per ogni tempo».

«Quei gioielli visti dall'Ariosto»

Il 9 maggio Berlusconi si sarebbe dovuto presentare di nuovo in aula, ma disse di esservi impedito da un Consiglio dei ministri e dalla cerimonia in onore di Aldo Moro (di cui ricorreva il venticinquesimo anniversario dell'assassinio). Fornì un calendario di indisponibilità anche per le udienze immediatamente successive. Il tribunale contestò le giustificazioni e il 16 maggio, con una mossa a sorpresa, stralciò la sua posizione da quella di Previti e degli altri coimputati. Da quel momento il processo Sme fu diviso in due tronconi. Uno (Previti) il 27 ottobre è stato a un passo dalla sentenza quando la Cassazione ha sospeso il dibattimento per alcune settimane in attesa di decidere se la presenza in aula di Ilda Boccassini e Gherardo Colombo, sotto inchiesta a Brescia per presunte irregolarità commesse proprio nella fase istruttoria di quel processo, fosse motivo sufficiente per trasferire il processo a Brescia, facendolo in questo caso «morire» per prescrizione. L'altro (Berlusconi) era stato sospeso dopo il voto parlamentare del 18 giugno sul Lodo Maccanico.

La notizia dello «stralcio» fu commentata severamente dal centrodestra, da un lato perché la maggioranza temeva che la Procura volesse arrivare comunque alla requisitoria della Boccassini con la richiesta di condanna per Berlusconi prima che il Lodo fosse approvato, dall'altro perché la condanna dei coimputati nel processo parallelo non sarebbe stata «politicamente neutra», come osservò Fabrizio Cicchitto. Pur non processabile personalmente, Berlusconi sarebbe stato infatti il convitato di pietra nell'altro giudizio: non sarebbe esistita accusa nei confronti di Previti e degli altri, infatti, se il Cavaliere non fosse stato sospettato di essere il corruttore principale. («Le toghe rosse condizionano la politica» commentò Gianfranco Fini, che pure sulla giustizia si era sempre mosso con molta prudenza.)

Il giorno prima che il Lodo fosse approvato, il presidente del Consiglio tornò in aula a Milano per la seconda parte della sua «dichiarazione spontanea». I tentativi discreti di Loris D'Ambrosio per un rinvio del processo a «nuovo ruolo» erano infatti falliti. E l'11 giugno il tribunale non aveva considerato legittimo impedimento nemmeno un viaggio di Berlusconi in Medio Oriente, suscitando perplessità e allarme nel capo dello Stato e nei presidenti delle due Camere.

Quel 17 giugno il Cavaliere si presentò davanti ai giudici di nuovo battagliero ed esibì una lettera fattagli pervenire da Francesco Forte, ministro delle Politiche comunitarie del governo Craxi al tempo della vendita Sme. «Ho appreso da Craxi» scriveva Forte «che l'ingegner De Benedetti aveva erogato alla Dc, segreteria De Mita, una robusta donazione di denaro, probabilmente per la campagna elettorale del 1983. E pertanto reputava di aver ottenuto il titolo per comperare un'impresa pubblica al modo con cui Totò pensava di poter comprare *brevi manu* il Colosseo.» (De Mita smentì seccamente: è vero che De Benedetti ha dato qualche contribuito al partito, disse al «Corriere della Sera», ma non per la campagna del 1983 e non in coincidenza con l'affare Sme.) Poi Berlusconi definì «mitomane» Stefania Ariosto, che partecipava alle cene di Arcore in quanto fidanzata di Vittorio Dotti, allora avvocato del Cavaliere: «Mitomane è colui che su un particolare vero costruisce un quadro falso. La Ariosto, per esempio, sostiene di aver visto su un vassoio d'argento pacchettini contenenti gioielli, con sopra scritto il nome di un magistrato. Falso, ovviamente. Ma c'è un particolare vero». (Il vassoio con i gioielli arrivava effettivamente nella sala da pranzo di Arcore ogni anno per la cena di Natale, alla quale erano invitati soltanto i più stretti collaboratori di Berlusconi accompagnati dalle mogli. Ma non ci sono mai stati magistrati.)

Alla fine della deposizione spontanea, la Boccassini, che aveva già pronta la requisitoria con la richiesta di condanna del Cavaliere, contravvenendo alla procedura (le deposizioni spontanee non ammettono domande) gridò a Berlusconi che se ne stava andando: «Presidente, è vero, come dice il direttore finanziario Gironi, che Fininvest pagò in nero Previti?». E lui rispose: «Ora non posso ... a Roma mi sta aspettando il premier greco. Sarò lieto di rispondere se mi si userà la cortesia istituzionale di venire a palazzo Chigi». Poco prima aveva detto: «Se ci fosse stato davvero bisogno di fare pagamenti illeciti, che bisogno ci sarebbe stato di falsificare il bilancio delle mie società? Avrei potuto prelevare i soldi in contanti dalla cassa personale, senza lasciare traccia, come fa chi paga l'idraulico in nero...».

Rogatoria Usa, retroscena di uno scontro

Ma i colpi di scena, nelle vicende giudiziarie che riguardano il Cavaliere, non finiscono mai. Così, nella primavera del 2003, due pubblici ministeri milanesi, Fabio De Pasquale e Roberto Robledo, indagarono il presidente del Consiglio per frode fiscale. L'inchiesta era partita nel 2001 con l'arrivo dalla Svizzera di carte relative a conti correnti di società delle Isole Vergini britanniche che, nella prima metà degli anni Novanta, avrebbero acquistato pacchetti di film delle principali case cinematografiche americane rivendendoli alla Fininvest dopo alcune transazioni sul mercato internazionale. La frode fiscale ipotizzata dall'accusa sarebbe maturata con la sovrafatturazione dell'acquisto al fine di procurare fondi in nero alla società italiana e di assicurare alla Fininvest (e dal 1996 a Mediaset, quotata in Borsa) vantaggi fiscali ripetuti negli anni. Erano già stati indagati Fedele Confalonieri, presidente Mediaset, e altri dirigenti del gruppo, che avevano difeso la piena regolarità dell'operazione. Ma quando, il 13 giugno, i giornali comunicarono che alla lista era stato aggiunto il nome del presidente del Consiglio, la polemica politica riesplose.

Il Cavaliere disse di cadere dalle nuvole: «Non avevo più incarichi direttivi, ero già sceso in politica». I magistrati avevano chiesto al ministro della Giustizia di trasmettere per rogatoria una richiesta di indagini negli Stati

Uniti e, in un primo momento, il ministro della Giustizia Roberto Castelli non era sembrato contrario all'inoltro. «Arrivano molte richieste del genere» mi dice il Guardasigilli. «Al novanta per cento riguardano persone sconosciute. Le trasmettiamo regolarmente agendo in base al codice di procedura penale e ai trattati bilaterali, come nel caso degli Stati Uniti. Il problema nacque perché, dopo la trasmissione della richiesta all'ambasciata americana, il Parlamento aveva approvato il Lodo Schifani. Si aprì una questione lessicale: che significa processo? Significa dibattimento in aula o la parola assorbe l'intero procedimento penale e quindi anche le attività investigative? Da quando Follini ha detto che sto facendo i corsi accelerati di giurisprudenza al Cepu, anch'io mi sento un giurista. E allora posso affermare che, su questo punto, tra i colleghi giuristi ci sono marcate divergenze. Decisi per questo di chiedere un parere *pro veritate* al professor Gustavo Pansini. E Pansini fece questo ragionamento: la ratio delle legge non vuole tutelare la persona, ma lo Stato che la persona in quel momento rappresenta. Se per processo si intende soltanto il dibattimento, si può arrivare al paradosso che il presidente del Consiglio, che può non essere parlamentare, e il presidente della Corte costituzionale, che certamente non lo è, sono tutelati nel dibattimento, ma possono essere arrestati nella fase delle indagini. Dopo aver letto il parere di Pansini, decisi di richiamare la rogatoria dall'ambasciata degli Stati Uniti.»

Il caso scoppiò la mattina di venerdì 25 luglio 2003, festa di San Giacomo Apostolo e sessantesimo anniversario della caduta del fascismo. A margine del Consiglio dei ministri, Castelli stava informando Berlusconi che avrebbe voluto che fosse il Parlamento a decidere sulla questione. «Ho partecipato a quattro legislature» dice il ministro «e ho visto più d'una volta le Camere pronunciarsi sull'interpretazione autentica della legge.» Mentre Castelli parlava con il Cavaliere, il suo portavoce Lorenzo Colombo gli fece avere attraverso un commesso un dispaccio dell'agenzia Ansa. «Il sottosegretario alla Giustizia, Michele Vietti» recitava la nota delle 10.57 «è certo che la posizione del ministero della Giustizia sul blocco della richiesta di rogatoria negli Usa è "frutto dell'eccesso di zelo di qualche funzionario e che perciò la stessa verrà tempestivamente corretta". In caso contrario, il sottosegretario è "pronto a trarne tutte le conseguenze".» Vietti aveva seguito il Lodo Schifani in commissione e in aula per conto del governo e ora ricordava di aver avuto il mandato di sostenere che la sospensione dei processi nei confronti delle alte cariche dello Stato «si applica solo dopo la richiesta di rinvio a giudizio e perciò non riguarda le indagini preliminari».

Castelli interpretò la dichiarazione del sottosegretario come una pugnalata alla schiena. Capì che Vietti, «uomo intelligente e di notevole esperienza politica», si era mosso con la copertura politica del suo partito, l'Udc. («Hanno voluto infilzare me per colpire Berlusconi» disse a un amico.) Il Guardasigilli lasciò il Consiglio dei ministri e dettò alle agenzie una dichiarazione sferzante: «Non ho mai visto un democristiano dimettersi». Apriti cielo. Rocco Buttiglione, depositario del simbolo della Dc e, come tale, Custode del Santo Sepolcro democristiano, nel giro di mezz'ora andò da Berlusconi e minacciò: «Castelli ci ha offeso. Ritiriamo la delegazione al governo». Paolo Bonaiuti chiamò d'urgenza il Guardasigilli e, sotto l'alta vigilanza di Gianfranco Fini, si tenne a palazzo Chigi un giurì d'onore al quale parteciparono, oltre a Castelli e Buttiglione, che si ritenevano parti offese, anche Carlo Giovanardi come ufficiale conciliatore. Il ministro della Giustizia era furioso per due ragioni: invece di dettare la dichiarazione alle agenzie, disse, Vietti avrebbe potuto telefonargli, e poi il riferimento allo «zelante funzionario» che avrebbe trescato alle sue spalle lo faceva passare per un imbecille. Dopo due ore di trattativa, Buttiglione scrisse un documento in cui si dava atto che Castelli non aveva inteso offendere i democristiani e in cui Vietti confermava la sua fiducia nel ministro. Castelli lo firmò, Giovanardi assicurò che l'avrebbe consegnato al sottosegretario, ma del documento si persero le tracce. «Mai visto» mi conferma Vietti.

Castelli non ne era al corrente quando, la sera di quel venerdì 25 luglio, salì ad Almenno San Salvatore, in provincia di Bergamo, per una festa della Lega. «Con Vietti ci siamo chiariti» dichiarò ai giornalisti. Ma otto minuti più tardi fu smentito dall'Udc: il partito e il sottosegretario restavano «in attesa di conoscere le determinazioni del ministro della Giustizia». Castelli ebbe conferma che il gioco era molto più pesante di una sgradevole incomprensione tra un ministro e un suo collaboratore. Si sfiorò la crisi di governo: Vietti non voleva perdere la faccia, l'Udc non voleva regalare nulla a Berlusconi, ma intanto la sinistra aveva presentato una mozione di sfiducia nei confronti di Castelli, e Bossi disse ai suoi che, se fosse passata, la Lega sarebbe uscita dal governo.

Alla fine ciascuno dei duellanti ebbe soddisfazione. Castelli incassò la fiducia della maggioranza e resistette alle «fortissime pressioni di chi voleva che facessi marcia indietro senza ascoltare l'interpretazione della legge fatta dal Senato». Il dibattito ci fu, la Casa delle Libertà si ricompattò, i capigruppo affermarono all'unisono che il Lodo Schifani non copriva le indagini preliminari. L'Udc – e, per essa, Vietti – ebbe la soddisfazione di veder restituire la richiesta di rogatoria all'ambasciata degli Stati Uniti, come annunciò lo stesso Castelli replicando agli interventi nel dibattito. E alla fine dagli occhi del roccioso ministro padano spuntò una lacrima che alleggerì la tensione.

Il chiarimento tra Castelli e Vietti avvenne molto tempo dopo, in un colloquio tra i legni scuri dello studio del ministro, ed ebbe come unico testimone Alfredo Rocco, celebre Guardasigilli fascista, ritratto sul soffitto dell'ampio salone. Ma si frantumò il 5 novembre quando il ministro addebitò a franchi tiratori dell'Udc la bocciatura della legge di riforma del tribunale dei minori.

Ma non è ancora finita. I processi a Berlusconi e a Previti hanno sullo sfondo un misterioso fascicolo giacente presso la Procura della Repubblica di Milano. Protocollato con il numero 9520, questo fascicolo fu aperto nel 1995, all'inizio della vicenda Ariosto, e, contrariamente alla consuetudine giudiziaria, non è mai stato chiuso. Esso contiene un procedimento contro ignoti – e questo ne giustifica la singolare longevità – ma al tempo stesso è un cilindro da prestigiatore da cui ogni tanto emerge qualcosa (sempre a carico di Berlusconi, Previti e compagnia) che segue poi un autonomo percorso processuale. La difesa degli imputati ritiene che quel fascicolo sia un ricettacolo di irregolarità, ma il contenuto del 9520 resta misterioso. Se un magistrato tiene aperto illegittimamente un fascicolo processuale, incorre in una sanzione disciplinare. La stessa cosa avviene se i reati ipotizzati nel fascicolo sono prescritti. Gli ispettori del ministero della Giustizia, capitati nel capoluogo lombardo per un'inchiesta amministrativa di routine (se ne fanno continuamente in tutta Italia), hanno cercato di capire se il 9520 ha seguito o no un percorso regolare. I procuratori di Milano, però, si sono rifiutati di mostrarglielo, invocando il segreto istruttorio. In pratica, i procuratori ispezionati hanno detto agli ispettori: è tutto in regola, fidatevi di noi. Ma allora che ispezione è?, hanno obiettato gli altri. Si tenga conto che gli ispettori sono per legge magistrati, e i magistrati sono tenuti al segreto istruttorio. Se aprono un fascicolo, possono verificarne la regolarità, ma non possono riferire a nessuno del suo contenuto, nemmeno al ministro della Giustizia, perché l'Italia – come vedremo nel capitolo VII – è l'unico paese occidentale in cui la pubblica accusa non risponde al governo. Nemmeno sotto il vincolo del segreto gli ispettori recatisi a Milano hanno potuto vedere alcunché.

«Il problema» mi spiega Castelli «travalica il fascicolo 9520 e investe le mie stesse responsabilità istituzionali. La

Costituzione mi affida il potere-dovere di esercitare l'azione disciplinare nei confronti dei magistrati inadempienti. Ma se qualcuno si trincera dietro il segreto istruttorio, non posso verificare la regolarità del suo operato. A questo punto desidero andare fino in fondo alla questione. Come? O riformulando la legge o aprendo un conflitto di competenza dinanzi alla Corte costituzionale.»

Lo stesso Berlusconi è molto perplesso dinanzi alla gestione del fascicolo 9520. «È solo una delle tante anomalie» mi dice «che hanno costellato l'ultimo decennio.»

V

L'«affare misterioso» che tutti conoscevano

Telekom Serbia, tra le «varie ed eventuali»

La storia comincia il 6 giugno 1997, giorno in cui ebbe luogo la riunione del consiglio d'amministrazione della Stet, holding delle telecomunicazioni controllata dallo Stato attraverso il ministero del Tesoro. Presidente della società è Guido Rossi, prestigioso avvocato milanese, docente di diritto commerciale, già presidente della Consob ed ex senatore del Partito comunista italiano. Amministratore delegato è Tomaso Tommasi di Vignano, che ha svolto tutta la sua carriera all'interno delle aziende di Stato ed è giunto ai vertici di Telecom su segnalazione di Enrico Micheli, già direttore generale dell'Iri e, all'epoca, sottosegretario alla presidenza del Consiglio e braccio destro del premier Romano Prodi.

Dopo aver affrontato molti argomenti, alla fine, tra le «varie ed eventuali» – inserite secondo tradizione in calce all'ordine del giorno –, Tommasi propone di ratificare un affare assai corposo: l'acquisto del 29 per cento dell'azienda telefonica di Stato Telekom Serbia per 893 milioni di marchi, poco meno di 900 miliardi di vecchie lire. Lucio Izzo, membro del consiglio d'amministrazione della Stet, dirà in seguito alla commissione parlamentare d'inchiesta che la discussione fu liquidata in sei-sette minuti. Quando gli venne chiesto come mai non avesse riferito al ministero del Tesoro che Tommasi aveva inserito l'argomento tra le «varie ed eventuali», rispose che non era tenuto a farlo.

(Alla fine di questo capitolo Tommasi preciserà che l'ordine del giorno era stato redatto dal presidente Rossi e che, allora, nessun consigliere aveva l'obbligo di informare l'azionista di riferimento.)

Tre giorni dopo la riunione del consiglio, il 9 giugno, il contratto viene perfezionato, e l'indomani Telecom Italia versa 702 milioni di marchi (pari a circa 700 miliardi di vecchie lire, il resto sarebbe stato pagato tra il dicembre e il marzo 1998). Contemporaneamente la compagnia greca Ote rileva il 20 per cento di Telekom Serbia per l'equivalente di circa 670 miliardi di vecchie lire.

L'affare si rivelerà pessimo. Telecom Italia viene privatizzata e, appena due anni dopo la firma del contratto, nel bilancio 1999 l'azionista di maggioranza Roberto Colaninno deve abbattere il valore della società di telefonia serba, che nel 2001 si riduce a 195 milioni di euro, pari a 377 miliardi di lire. Per questa cifra, nel dicembre 2002 Telekom Serbia è rivenduta al ministero delle Poste serbe dal nuovo azionista di controllo di Telecom Italia, Marco Tronchetti Provera, con una perdita secca pari a 523 miliardi di lire.

Settecento miliardi in sacchi di iuta

La firma dell'accordo viene annunciata dalla «Repubblica» il 6 giugno 1997, tre giorni prima della stipula, nell'articolo di Guido Rampoldi *I telefoni salvano Milošević*. Nel dicembre 2000 qualche aspetto anomalo dell'operazione è segnalato da Francesco Bonazzi e Dina Nascetti su «L'Espresso», ma la polemica esplode soltanto il 16 febbraio 2001, allorché «la Repubblica» inizia la pubblicazione di una lunga e dettagliatissima inchiesta a cura di Carlo Bonini e Giuseppe D'Avanzo, che ha l'effetto di una bomba per quanto riguarda le modalità della decisione, la destinazione del denaro, le modalità di pagamento, la segretezza dell'affare (a causa di possibili, devastanti risvolti internazionali) e le presunte tangenti connesse all'operazione.

Modalità della decisione. Secondo la ricostruzione della «Repubblica», Tommasi «non mostra a Guido Rossi una carta, che è una, della gestione» della Stet e delle consociate come Telecom Italia, e gli parla in termini molto generali di Telekom Serbia. Quando poi Rossi chiede chiarimenti, «riceve mediocri risposte alquanto evasive e larghe». Il presidente della Stet si rifiuta di andare a Belgrado per la firma dell'accordo. «Dicono che s'infuri, come a volta gli capita» scrivono i due giornalisti. «Prende carta e penna. Mette agli atti quanto è accaduto e chiede di essere ricevuto da Carlo Azeglio Ciampi, ministro del Tesoro e azionista di riferimento Stet. Ciampi lo riceve. Sconsolato, alle proteste di Guido Rossi allarga le braccia e dice: "Anch'io vengo tenuto all'oscuro di tutto".»

Destinazione del denaro. Tra soldi italiani e soldi greci, al presidente Slobodan Milošević arrivano 1500 miliardi di lire. «È una manna dopo tante vacche magre» scrivono Bonini e D'Avanzo. «Con quel denaro lo Jul, il partito della signora Milošević, Mira Marković, e il Partito socialdemocratico di Slobo vinceranno le elezioni di settembre ... Slobo Milošević pagherà le pensioni di anzianità e gli stipendi di Stato. Potrà rianimare le riserve in valuta ridotte a soli 200 milioni di dollari. E, quel che più conta, potrà armare l'esercito e la milizia in Kosovo, e gli albanesi del Kosovo avranno quel che si meritano.»

Modalità di pagamento. Da parte serba, l'affare è condotto dal ministro per le Privatizzazioni Milan Beko. I primi 700 miliardi vengono pagati dalla Stet con un bonifico su un conto corrente depositato presso una banca greca la mattina del 10 giugno («Dovevano pagarci in 48 ore. I soldi sono arrivati dopo 26. Bene» dichiara Beko all'agenzia britannica Reuters, secondo la ricostruzione di Bonini e D'Avanzo). Il ministro serbo si reca personalmente in Grecia a ritirare il denaro e, stando a quanto raccontano i due giornalisti della «Repubblica», lo ripone in sacchi di iuta. Diciotto, si accerterà. (Diciotto, confermerà Francesco Cossiga il 12 marzo 2003 dinanzi alla commissione parlamentare d'inchiesta, e a una precisa domanda risponderà: «Se lei mi chiede se sia possibile che da un punto di vista formale i politici non sapessero, le rispondo che non è possibile. Se mi chiede se i politici tutti, compreso l'Innocente [*così Cossiga chiama Ciampi, al quale non manca di rivolgere periodicamente pesanti attacchi*], avessero capito di cosa si trattasse, le rispondo che può darsi benissimo che non lo avessero capito o che avessero considerato l'operazione come una pratica normale».)

Tangenti. È, naturalmente, il punto cruciale dell'intera vicenda, lo spartiacque che divide un'operazione clamorosamente sbagliata per miopia imprenditoriale da un'operazione deliberatamente sbagliata per far pervenire molto denaro nelle tasche di qualcuno. Nella loro inchiesta del 2001 Bonini e D'Avanzo parlano, oltre che di quello principale, di altri versamenti, effettuati dalla Stet e dall'Ote su due banche di Francoforte e di Londra. «La somma dei denari spediti da Stet e da Ote, l'11 e 12 giugno, su conti che con Milošević, con il governo serbo, con i sacchi imbarcati sul Falcon di Milan Beko, nulla hanno a che fare è di 31.574.370 marchi [*poco più di 30 miliardi di vecchie lire*].»

(Quando Milošević, la sera del 10 giugno 1997, chiese al suo ministro perché la somma pattuita non fosse stata versata interamente, Beko gli spiegò che quei 30 miliardi mancanti costituivano la provvigione del 3 per cento. «Il 3 per cento è abituale pagarlo in Occidente e doveroso quando si fanno affari con gli italiani» scrivono Bonini e D'Avanzo. E Milošević avrebbe commentato: «Quei mafiosi...». Una controinchiesta del «Giornale» – sostiene il direttore Maurizio Belpietro nell'ottobre 2003 – accerta che, pur lamentandosi dell'esosità degli italiani, il dittatore serbo non li avrebbe chiamati mafiosi.)

Nel febbraio 2001 un'indagine della magistratura cercherà di stabilire dove siano finiti i soldi della sostanziosa mediazione. I due personaggi chiave sono il conte Gianni Vitali e il professore serbo Srdja Dimitrijević, che firmano il contratto di mediazione soltanto quattro giorni prima della conclusione dell'affare (anche se Vitali se ne occupa dal 1995) e si fanno liquidare i 30 miliardi sul conto svizzero della società macedone Mak Environment, che commercializza mangimi per animali: 16 miliardi vanno al mediatore serbo, 14 all'italiano. Quel denaro comincia a farsi un bel po' di giri turistici tra un paese e l'altro, finché nel 2001 Vitali versa il suo patrimonio (complessivamente 22 miliardi) presso la Banca di San Marino. L'anno successivo tenta di riportare la somma in territorio italiano, ma i soldi sono spariti. Dove sono finiti?

Torniamo all'inchiesta della «Repubblica» del 2001. Il quotidiano sostiene che l'affare Telekom Serbia è stato patrocinato dal ministro degli Esteri dell'epoca, Lamberto Dini. Il quale si indigna, dice di aver saputo dell'acquisizione della società serba dalla stampa. «Nessuno me ne ha mai parlato» dichiara testualmente. E liquida i due giornalisti Bonini e D'Avanzo come «manovali della Cia».

Il centrodestra, allora all'opposizione, cavalca lo scandalo e, fin dal marzo 2001, Gianfranco Fini sollecita la costituzione di una commissione parlamentare d'inchiesta, che viene insediata quattordici mesi più tardi, nel maggio 2002, quando Berlusconi è da un anno al governo.

Fassino: «Non mi sono mai occupato dell'affare»

Uno degli elementi sui quali i commissari puntano fin dall'inizio la loro attenzione è la sostituzione degli amministratori della Stet e di Telecom Italia prima della conclusione dell'affare. Rossi e Tommasi, che aveva le deleghe più importanti ed era quindi il vero capo dell'azienda, erano stati nominati da soli quattro mesi. Fino al febbraio 1997, presidente della Stet era stato infatti Biagio Agnes, già direttore generale della Rai e vecchio amico di Ciriaco De Mita, e amministratore delegato Ernesto Pascale. Il 23 ottobre 2002 quest'ultimo dice alla commissione d'inchiesta di essere stato allontanato «in modo brusco e senza preavviso» da Romano Prodi e da Enrico Micheli. (Successivamente, in un'intervista, attribuisce il suo licenziamento proprio al fatto di essersi opposto all'affare Telekom Serbia.) Aggiunge di essere stato avvicinato prima del 1996 da faccendieri che gli avevano chiesto tangenti per mandare in porto l'operazione, ma che si era rifiutato di avviare la trattativa, dirottando gli intermediari sulla Stet International, la quale aveva dato parere negativo all'acquisto dell'azienda serba. Il governo sapeva?, domandano i commissari di centrodestra. «La Serbia era uscita dall'embargo da poco, un'operazione economica di tale portata e rilevanza era impossibile che non avvenisse con l'avallo dell'esecutivo ... il Tesoro doveva sapere che si stava facendo un'operazione di questo genere.»

Anche Biagio Agnes non aveva alcuna intenzione di dimettersi. Alla commissione (11 dicembre 2002 e 20 marzo 2003) riferisce che il ministro del Tesoro Ciampi e il direttore generale Mario Draghi gli chiesero di lasciare il suo incarico «perché è meglio che forze nuove facciano le privatizzazioni», e che, al suo rifiuto, Ciampi avrebbe commentato: «La capisco, non posso dire che fa male, faccia come vuole». Accompagnandolo all'auto, Draghi avrebbe però aggiunto: «Le conviene dimettersi, lei ha pure famiglia, perché non dimettersi? Pensi a tante cose...». Cosa che Agnes afferma di aver poi fatto su consiglio della moglie. Dinanzi alla stessa commissione Draghi smentisce recisamente la versione di Agnes, sostenendo che il ministero del Tesoro era all'oscuro dell'affare: «Ciampi venne a sapere di Telekom Serbia dopo l'acquisizione. Dunque non poteva ravvisare eventuali irregolarità in una vicenda che non conosceva». In ogni caso, nella prima audizione Agnes dichiara ai commissari di aver saputo da Draghi che la sua rimozione avvenne per decisione dell'allora presidente del Consiglio Romano Prodi e, nella seconda, che «era prassi che Stet riferisse all'Iri e al governo».

Accusati da sinistra di essere contrari alle privatizzazioni, Agnes e Pascale smentiranno categoricamente, citando circostanze precise. Comunque, anche altri importanti dirigenti del gruppo Stet si dissero increduli circa la mancata informativa al governo. Ascoltato dalla commissione il 9 gennaio 2003, Francesco Chirichigno, ex amministratore delegato Telecom Italia sostituito allo stesso modo di Pascale e di Agnes, mette a verbale: «L'abitudine della casa era che almeno una settimana prima mandavamo [*al governo*] i dossier e la bozza delle delibere per esaminarli ... E quando si è passati dall'Iri al Tesoro quale azionista di riferimento, non mi risulta sia stato abolito l'obbligo dell'informativa». Dello stesso avviso Massimo Masini, ex amministratore delegato di Stet International, sentito il 2 luglio 2003: «Non penso che la Farnesina e il Tesoro, quale azionista di riferimento, fossero all'oscuro ... Noi dirigenti di Stet International cominciammo a pensare che questa operazione non dico fosse stata imposta, ma sicuramente non nascesse all'interno di Stet International».

Il 9 ottobre 2002 la commissione ascolta Francesco Bascone, ambasciatore a Belgrado ai tempi dell'affare, poi retrocesso a capomissione a Cipro – afferma il centrodestra – per aver martellato il governo di centrosinistra con le sue obiezioni all'operazione Telekom Serbia. Il diplomatico rivela di aver espresso a voce e attraverso quattordici comunicazioni scritte le sue perplessità sull'affare a Piero Fassino, allora sottosegretario agli Esteri con delega per i Balcani. Il 27 novembre Stefano Sannino, capo di gabinetto di Fassino alla Farnesina, dichiara ai commissari: «A quanto ne so, Fassino informò il ministro Dini» dei rischi politico-finanziari dell'operazione. Ma il 9 gennaio 2003 il suo collega Federico Di Roberto, capo di gabinetto di Dini, afferma di non aver mai parlato di Telekom Serbia né con Dini né con Fassino, perché «l'operazione non presentava un rilievo politico tale da giustificare una segnalazione specifica ad alti livelli».

«Non ho mai detto di non sapere niente di Telekom Serbia» mi spiega il segretario dei Ds «anche perché quel negoziato non era segreto, ma si svolgeva alla luce del sole. Ho sempre detto, e lo ripeto, di non essermene mai occupato, per la semplice ragione che non era competenza del

ministero degli Esteri occuparsi di una trattativa aziendale. Stet e Telecom hanno agito in completa autonomia.»

Pur indignato per la campagna di stampa lanciata dal
«Giornale» contro gli esponenti del governo di centrosinistra i cui nomi erano comparsi nel corso dell'inchiesta svolta dalla commissione, Fassino – al pari di Prodi e di Dini –
aveva preferito evitare interviste. Cambia linea quando le
perplessità contagiano anche alcuni notissimi commentatori di sinistra come Giampaolo Pansa, che titola il suo «Be-
stiario» sull'«Espresso» del 28 agosto 2003: *Per favore aiuta-
teci a sapere la verità.* Sullo stesso numero del settimanale,
Claudio Rinaldi si associa alla richiesta di chiarimenti. Fassino risponde rilasciando un'intervista a Massimo Franco
per il «Corriere della Sera» il 1° settembre, ma il 18 dello
stesso mese Pansa, che nel frattempo ha ricevuto anche una
lettera di Prodi, si dichiara insoddisfatto.

Il 1° ottobre 2003 «il Giornale» pubblica in prima pagina
una foto scattata il 18 novembre 1996 a Belgrado nella quale l'allora sottosegretario agli Esteri è a colloquio con Milošević. «Lo scatto» è scritto sul quotidiano «è del fotografo
di un importante giornale serbo e la didascalia aggiunge
che "stanno negoziando per il contratto con la Telekom
Serbia". Sette mesi prima che l'accordo venisse firmato.»

«È una delle tante calunnie di cui qualcuno dovrà rispondere» mi dice il segretario dei Ds. «Quello fu un incontro ufficiale, che si svolse dopo che erano state abolite
le sanzioni e l'embargo. Non si parlò in nessun modo di
Telekom Serbia. Al colloquio era presente l'ambasciatore
Bascone, che può confermare.»

Allorché chiedo a Fassino quale fu la sua reazione ai ripetuti avvertimenti di Bascone sui rischi dell'affare, replica di
volersi riservare la risposta per quando eventualmente sarà
ascoltato dalla commissione. Fu un errore l'acquisto di Telekom Serbia? «Non lo so e non spetta a me dire se sia stato
un affare buono o cattivo. Era un negoziato di natura commerciale e, come tale, va valutato nei suoi aspetti economici. Faccio notare che in Italia è stato sciolto da tempo, con un

referendum, il ministero delle Partecipazioni statali, proprio per la ragione che anche le imprese pubbliche debbono agire esclusivamente con regole di mercato, rispettando le strategie economiche aziendali. E questo valeva anche per Telecom Italia, che non aveva bisogno di alcuna autorizzazione per muoversi, per di più era finito l'embargo contro la Serbia, non c'era alcun vincolo posto dalle autorità internazionali a fare investimenti in quel paese. Anzi, come è stato confermato dal portavoce dell'allora segretario di Stato americano Madeleine Albright, dopo la pace di Dayton la comunità internazionale sperò che un'apertura di carattere economico favorisse l'evoluzione democratica del regime di Milošević. E molte aziende non solo italiane, ma anche tedesche, francesi, inglesi, americane, orientarono i loro investimenti verso Belgrado, valutando che così avrebbero avuto nuove opportunità di mercato nei Balcani. D'altra parte, nessuno nel 1997 poteva sapere che ci sarebbe stata una guerra nel 1999.»

Da destra si contesta in radice questa posizione citando James Rubin, portavoce della Albright, che in un'intervista alla «Repubblica» del 17 febbraio 2001 avrebbe sostenuto che l'amministrazione americana era contraria all'affare. Bob Gelbard, responsabile dell'amministrazione Clinton nei Balcani, lo ha confermato nel settembre 2003 a «Panorama» e, a metà dello stesso mese, rispondendo a un'interpellanza di Antonio Tajani, capogruppo di Forza Italia a Strasburgo, gli uffici della Commissione europea hanno negato di aver mai caldeggiato l'operazione.

Il ciclone Igor Marini

La commissione parlamentare d'inchiesta sull'affare Telekom Serbia opera tranquillamente fino al 30 aprile 2003, quando viene ascoltato l'ex direttore generale del Tesoro Mario Draghi. La settimana seguente entra in scena un singolare personaggio, destinato a tenere banco per mesi e a scatenare furibonde polemiche. Si chiama Igor Marini,

ha quarant'anni, è figlio dell'attrice polacca Halina Za-
lewska, che ebbe una parte nel *Gattopardo* di Luchino Vi-
sconti, ed ex marito dell'attrice Isabel Russinova. È stato
consulente finanziario, si è distinto per operazioni spericolate (è indagato per riciclaggio dalla Procura di Roma)
e, al momento di essere chiamato a deporre in commissione, fa l'operaio in una fabbrica del Nord.

Interrogato il 7 maggio, Marini accusa l'ex presidente
del Consiglio Romano Prodi (indicato con il nome in codice «Mortadella»), l'ex ministro degli Esteri Lamberto Dini
(«Ranocchio») e l'ex sottosegretario agli Esteri Piero Fassino («Cicogna») di aver percepito cospicue tangenti nel-
l'affare Telekom Serbia. I tre, naturalmente, smentiscono e
querelano. L'accusatore però insiste e chiede di poter accompagnare i commissari in Svizzera: la prova della corruzione sarebbe racchiusa in quaranta faldoni custoditi a
Lugano nello studio del notaio Gianluca Boscaro. Questi,
già uomo di fiducia della famiglia di Saddam Hussein, è
morto nell'estate del 2002 in un misterioso incidente di
deltaplano, ma le prove della corruzione, afferma Marini,
gli sono sopravvissute. Detto, fatto.

Il presidente della commissione, Enzo Trantino, un gentiluomo di Alleanza nazionale affezionato al suo pizzetto
bianco, organizza per l'indomani, 8 maggio, una trasferta
oltreconfine. Il teste varca la frontiera accompagnato da
due commissari, Enrico Nan e Giovanni Kessler, ma la magistratura elvetica, avvertita da una «gola profonda» italiana, interviene: arresta Marini e ferma i due deputati italiani
denunciandoli per spionaggio. Estradato poco dopo in Italia su richiesta della magistratura di Torino, a tutt'oggi (novembre 2003) Marini non è ancora tornato in libertà.

Nell'estate e nell'autunno del 2003 Marini viene interrogato per decine di ore dai magistrati della Procura della Repubblica di Torino, dimostrando una memoria prodigiosa
o, se si tratta di menzogne, una prodigiosa capacità di con-
catenarle. Il succo della sua tesi è questo: la gigantesca tangente che sarebbe stata elargita dai serbi sarebbe pervenuta

a lui attraverso due persone, un avvocato d'affari romano,
Fabrizio Paoletti, e tale Stefano Formica. (Marini e Paoletti,
insieme con altri due faccendieri, Zoran Persen e Rado To-
mić, vengono arrestati nel luglio 2003 dalla magistratura di
Torino con l'accusa di associazione per delinquere, ricettazione, riciclaggio e quant'altro, per una serie di spericolate
operazioni truffaldine commesse dal 1999 in poi.)

Paoletti e Formica avrebbero chiesto a Marini di mettere a disposizione di una terza persona una società di cui
era comproprietario con il defunto notaio Boscaro. (Nel
settembre 2003, allorché una parte delle carte custodite
nel suo studio giunse alla commissione parlamentare
d'inchiesta, ci fu un gran rumore, che poi si è progressivamente sopito.) La società era la Jundor Trading delle
Isole Vergini britanniche, uno di quei posti che pochi sanno con esattezza dove si trova, ma tutti sanno che cosa vi
accade. La «persona» era Thomas Mares, un faccendiere
straniero operante anche in Italia. A nome della società
messagli a disposizione, egli avrebbe aperto un conto
presso la banca Paribas di Montecarlo. Marini, il quale sostiene di aver dato il suo assenso, afferma che nel luglio
2000 Mares avrebbe versato sul conto monegasco la non
indifferente cifra di 120 milioni di dollari, pari a circa 240
miliardi di vecchie lire, provenienti da una banca serba in
cui un ministero di Belgrado, o qualche analoga istituzione statale, avrebbe depositato la somma delle tangenti relative all'affare Telekom Serbia. L'operazione, secondo il
testimone, sarebbe stata gestita da Dojcilo Maslovarić,
l'ambasciatore serbo presso la Santa Sede, il cui nome era
già comparso nell'inchiesta della «Repubblica» del febbraio 2001. Un'istituzione ufficiale serba si sarebbe compromessa così vistosamente agendo in proprio? No, risponde Marini. A «ripulire» la provenienza del denaro
avrebbe provveduto un notaio di Montecarlo: attestando
una circostanza falsa, il professionista avrebbe garantito
l'arrivo della provvista da un fondo comune gestito dalla
banca inglese Barklays.

Secondo Marini, Formica avrebbe incassato per il «disturbo» mezzo milione di dollari in due rate. Ma il teste ritiene anche di sapere dov'è finito il malloppo di 120 milioni di dollari. L'avvocato Paoletti avrebbe ordinato di «disperderlo» in una dozzina di conti aperti in banche di mezzo mondo. Uno, di cui si è ampiamente parlato su «Libero» e sul «Giornale» nell'estate del 2003, sarebbe stato a disposizione della Zara International presso la Tiroler Sparkasse di Innsbruck, in Austria. Questa società è un punto nodale dell'inchiesta perché, sempre secondo Marini, presso la banca austriaca esisterebbe un conto cifrato la cui titolarità risalirebbe addirittura a Romano Prodi e Piero Fassino. Le modalità di accesso al conto, indicate in modo assai dettagliato dal teste, fanno pensare ai film di James Bond, ma alla magistratura non dovrebbe essere impossibile stabilire la verità.

Interrogato sulla versione di Marini, Paoletti conferma che, in effetti, c'era il progetto di versare su un conto della Paribas di Montecarlo questi famosi 120 milioni di dollari, ma sostiene che alla fine non se ne fece nulla, e dice di ignorare quale fosse la provenienza del denaro. Per contro, suo figlio ha confermato di essere stato a Lugano con Marini e di aver versato 250.000 dollari (metà del pattuito, secondo il teste) a Formica, senza peraltro che i 120 milioni di dollari fossero mai arrivati alla Paribas monegasca. Perché tanta generosità nei confronti di Formica per un affare che non sarebbe esistito? Solo per il disturbo?

«Il burattinaio è a palazzo Chigi»

Nell'autunno del 2003, attraverso una rogatoria con il principato di Monaco, la Procura torinese scopre che alla Paribas i 120 milioni di dollari non ci sono mai stati e sarebbero frutto di un falso virtuale, operato attraverso Internet. Marini insiste nella sua versione e dichiara che, se i miliardi non si trovano, deve averli cancellati la banca. A dargli manforte interviene un altro discusso faccendiere, Antonio

Volpe, già sotto inchiesta per vari reati. Da destra si sostiene che quei soldi non sono un'invenzione del solo Marini, perché la loro esistenza viene confermata anche da Paoletti e Mares, i quali avrebbero tutti gli interessi a negare. È possibile, si aggiunge, che il circuito Euroclear – borsa telematica di titoli finanziari – possa essere inquinato dal dipendente infedele di una banca, dal momento che sono necessari sei controlli di funzionari di grado elevato per potervi inserire un titolo on-line?

Nel frattempo accadono due cose. La prima: non contento di aver tirato in ballo Prodi, Fassino e Dini, Marini dice che altri soldi sono andati a Francesco Rutelli e Walter Veltroni, che li avrebbero utilizzati per finanziare le loro campagne elettorali, e a Clemente Mastella. Naturalmente i tre querelano, e Mastella si presenta alla festa del suo partito, l'Udeur, con una valigia a simulare la consegna in contanti del denaro illecito.

La seconda: Fassino perde la pazienza e, alla Festa dell'Unità del 30 agosto 2003 a Bologna, spara sul governo. «Igor Marini deve spiegare chi lo ha mandato» dice. «Lui è il burattino. Noi vogliamo sapere chi sono i burattinai, che peraltro non hanno nemmeno nomi oscuri. Il burattinaio è a palazzo Chigi e dovrà rispondere anche lui.» Il titolare di palazzo Chigi si chiama Silvio Berlusconi, che il 15 settembre querela il segretario dei Ds per diffamazione dinanzi al tribunale di Bologna e lo cita anche in un giudizio civile chiedendogli un risarcimento di 15 milioni di euro. Quando domando a Fassino se la sua sia stata una denuncia politica o uno sfogo, mi risponde: «È stata una denuncia politica, che trae spunto dalla personale indignazione per essere stato aggredito per più di un anno in modo assolutamente vergognoso con accuse false e facendo comparire testimoni altrettanto falsi. Da dove viene Marini? Perché ha lanciato accuse assolutamente prive di qualsiasi fondamento come ormai riconosciuto da tutti? È un mitomane o qualcuno lo ha mandato e istruito? Da dove escono tutti gli altri personaggi del sottobosco malavitoso di cui la commissione Telekom Serbia è diventata un crogiuolo? Come si spiegano le contraddizioni del comportamento del presidente Trantino? I fatti accaduti nelle settimane successive alla mia denuncia confermano che avevo visto bene». È possibile che l'affare Telekom Serbia nasconda aspetti illeciti? «Non ho alcun elemento e, in ogni caso, non spetta a me valutare. C'è un'inchiesta della magistratura di Torino guidata da un procuratore di altissima caratura professionale come Marcello Maddalena. Aspettiamo le sue conclusioni.»

In effetti, Maddalena si è mosso con estrema prudenza. In agosto ha saltato le ferie immaginando di chiudere l'inchiesta entro l'estate, ma a novembre sta ancora indagando. Tiene da mesi in carcere Marini e ha riservato lo stesso trattamento a Paoletti, che è l'uomo chiave dell'inchiesta e il contraddittore di Marini.

A quali «contraddizioni del comportamento» di Trantino si riferisce Fassino? Il presidente della commissione viene accusato di essersi fatto guidare sulla strada che ha poi portato all'individuazione di Paoletti e Marini. Il 3 ottobre «la Repubblica» scrive che Volpe sarebbe autore di una lettera anonima che ha condotto Trantino a Paoletti e, da questi, a Marini. Trantino risponde di essere arrivato a Paoletti attraverso le indicazioni del dirigente di polizia Guido Longo (amico del capo della polizia Gianni De Gennaro), ufficiale di collegamento tra la commissione e il dipartimento di pubblica sicurezza, che aveva incontrato in sue precedenti indagini. L'8 ottobre, in una seduta chiave della commissione, il presidente prende le distanze da Marini: «Sia chiaro ... che, se si scoprisse e si provasse l'esistenza di manipolatori, noi, parte offesa, saremmo pronti a chiedere la costituzione di parte civile contro chi ha cercato di utilizzare le istituzioni».

Due nuovi elementi agitano intanto le acque. A metà ottobre il direttore del Sisde, Mario Mori, esclude di aver mai avuto rapporti con i faccendieri dell'affare, sui quali fornisce peraltro cattive referenze. Negli stessi giorni a

Belgrado i vecchi sodali di Milošević assicurano la correttezza dell'operazione, mentre i suoi avversari, oggi al governo, avanzano pesanti sospetti, annunciando l'apertura di un'inchiesta. L'ex governatore della banca centrale iugoslava Mladjan Dinkić sostiene, in ogni caso, che tra quanto pattuito dal governo serbo e Telecom Italia e quanto arrivato effettivamente nelle casse di Milošević c'è una differenza negativa di 200 milioni di marchi. (Una prima informazione sulla presunta scomparsa del denaro era stata già fornita sempre da lui ai giornalisti della «Repubblica» il 17 maggio 2001.)

Con il passare delle settimane, tuttavia, gli aspetti giudiziari dell'inchiesta si separano da quelli politici. Il direttore del «Giornale», Maurizio Belpietro, che dall'inizio di agosto all'autunno inoltrato ha dedicato ogni giorno la prima pagina alle sue inchieste colpeviliste, ricorda a «Porta a porta» di aver sempre diffidato dei supertestimoni, quindi anche di Marini, ma afferma che proprio il suo avversario professionale più irriducibile, il direttore della «Repubblica» Ezio Mauro, parlando all'inizio di ottobre alla trasmissione di Raitre «Primo piano» ha detto che il governo non poteva non essere a conoscenza della compravendita di Telekom Serbia e che sospetta il pagamento di tangenti. (Mauro ha anche parlato di una possibile «trappola».) In questo modo, «la Repubblica» – accusata ossessivamente dal «Foglio» di Giuliano Ferrara di aver rinnegato, in odio alla destra, la sua fondamentale inchiesta del 2001 – tornerebbe a sposarne gli elementi essenziali, pur avendo svolto negli ultimi mesi nuove inchieste per dimostrare la montatura del caso Marini, che sarebbe stata opera di persone contigue al centrodestra. Venerdì 17 ottobre 2003 la sede romana del «Giornale» subisce una lunga perquisizione (sette ore, con faldoni sequestrati e computer sigillati), mentre il direttore Belpietro e il giornalista Gian Marco Chiocci vengono indagati dalla Procura di Perugia per violazione del segreto istruttorio e per diffamazione. Il fatto sarebbe comico se non fosse preoccupante: i principali quotidiani italiani, a cominciare dalla «Repubblica», grazie al diligente lavoro dei loro giornalisti hanno regolarmente pubblicato verbali delle procure, ma nessuno s'è mai sognato di mandare i carabinieri in redazione.

La solitudine di Tommasi di Vignano

Non sente Romano Prodi da cinque anni («Dalla sera precedente le mie dimissioni da amministratore delegato Telecom»). Non vede l'allora sottosegretario Enrico Micheli da tre anni («Ci conoscevamo dai tempi dell'Iri, ma ci siamo sempre dati del lei»). Quando, un sabato sera di fine ottobre 2003, lo incontro nella sua abitazione romana – un attico signorile ma non lussuoso, nel quartiere Prati –, Tomaso Tommasi di Vignano è un uomo solo.

«Assolutamente solo» mi conferma. È l'uomo chiave dell'affare Telekom Serbia. Indagato da tre anni a Torino, ha incassato nel maggio 2003 una secca richiesta di archiviazione da parte della Procura ma, poiché le indagini non sono finite, dovrà aspettare fino all'estate del 2004 per la pronuncia del giudice delle indagini preliminari. «La prova più dura della mia vita, per me e per la mia famiglia. Avevo fatto della mia credibilità professionale una bandiera...»

Tommasi fa il pendolare. Dirige a Bologna la Hera, società delle municipalizzate emiliane, portata con successo in Borsa, e torna a Roma per il fine settimana. Si macera da due anni e mezzo con un pensiero fisso: perché quella che giudica una normale operazione manageriale è finita nel tritacarne di una gigantesca inchiesta sulla corruzione politica? Per due anni e mezzo è stato zitto, aspettando che Torino chiudesse l'inchiesta. Adesso parla: una lunga intervista all'«Espresso» del 23 ottobre e un successivo colloquio di due ore con chi scrive.

«Se si fosse agito con trasparenza fin dall'inizio» mi dice «si sarebbe evitato un polverone inutile.» Igor Marini gli sembra una persona venuta da un altro mondo, ma questa parte dell'inchiesta non gli interessa. Bada solo alla «storia aziendale dell'operazione, che non era discutibile e non è mai stata discussa nemmeno dagli uomini di business».

Resta sorpreso quando gli faccio osservare che è proprio su tale aspetto che i commissari del centrodestra concentrano la propria attenzione: troppo frettolosa e troppo malfatta, sostengono, per non nascondere qualcosa.

La botta arrivò a Tommasi all'improvviso, con la prima puntata dell'inchiesta della «Repubblica», il 16 febbraio 2001. «Era uno scoop pieno di errori e di insinuazioni. Non mi chiesero nulla prima di scrivere. Mi telefonarono dopo aver pubblicato per tre giorni pagine intere sulla storia. Ero a Trieste, dove Illy mi aveva chiamato per portare in Borsa le municipalizzate comunali. È tardi, dissi, ormai il danno l'avete fatto. Vennero ugualmente. Li ricevetti dopo quattro ore e feci rilevare a D'Avanzo alcuni degli errori che avevano commesso (avevano scritto, per esempio, che avevamo comperato la licenza mobile in esclusiva, quando invece nel contratto era previsto che saremmo stati il secondo gestore). Non accettai, però, alcun colloquio formale. Mi chiamò il direttore Ezio Mauro proponendomi un'intervista riparatrice, io rifiutai. Ho sporto querela, ma dopo due anni e mezzo non si è mosso nulla. Poi fu aperta l'inchiesta giudiziaria a Torino e mi presentai per una deposizione spontanea. Da allora, nulla, a parte la richiesta d'archiviazione del pubblico ministero. E a parte, naturalmente, la martellante campagna del "Giornale" – che ho querelato – e di "Libero".»

Come nasce l'inchiesta della «Repubblica»? «Per il poco che ho capito, è nata in Iugoslavia. Con il cambio di regime, è montata una reazione al nostro accordo con il governo di Milošević. Andata al governo, l'opposizione ha cavalcato l'ipotesi di una svendita e ha protestato per le clausole vessatorie che noi avremmo imposto. Lì è stato commesso il primo grosso errore: non aver distinto la vicenda aziendale italiana da tutto quello che poteva essere capitato fuori della nostra possibilità di controllo.»

È possibile che dalla Iugoslavia qualcosa sia tornato in

Italia? «Noi abbiamo firmato due soli contratti: l'acquisto della partecipazione e il contratto di mediazione iscritto regolarmente a bilancio. I magistrati torinesi sanno tutto. Su tangenti di matrice iugoslava o sull'utilizzo improprio dei soldi pagati al governo Milošević non mi sento di avvalorare nessuna ipotesi.» L'ipotesi di tangenti al mondo politico? «In questa vicenda né prima, né durante, né dopo ho ricevuto attenzioni da parte del mondo politico. Né per questa, né per altre operazioni. Nella stessa settimana in cui abbiamo concluso la trattativa per Telekom Serbia, siamo diventati il secondo gestore telefonico sul mercato spagnolo. Tre anni dopo Telecom aveva guadagnato 1000 miliardi di plusvalenza.» E se qualcuno si fosse messo in mezzo? «Se qualcuno si è infilato nella trattativa, lo ha fatto al di fuori dell'azienda. Ma credo che, dopo quasi tre anni di ricerca, lo avrebbero trovato.»

Torno a chiederle: è ipotizzabile che i serbi abbiano pagato tangenti a personaggi italiani? «È la mia tortura mentale da quasi tre anni. Ho incontrato personalmente soltanto Milošević e il suo primo ministro, e non si è mai parlato di soldi.» Ne hanno parlato però i suoi colleghi con il ministro delle Privatizzazioni Beko, che guidava la delegazione serba e viene descritto come un uomo piuttosto disinvolto. «Francamente non riesco a capire come e perché l'ipotesi che lei avanza si sia potuta concretizzare. Mi sembra difficile immaginare che uno ti venda un appartamento e incassi il tuo denaro, poi interviene un altro che gli dice: guarda, io non ho interferito nell'affare, quindi dammi la metà di quello che hai intascato. Possono dimostrarmi domani mattina che è andata così, ma mi sembrerebbe assai strano.»

Ancora in ottobre, tuttavia, il direttore della «Repubblica» si è detto convinto che siano corse delle tangenti. Si è parlato anche di finanziamenti a Milošević. «Immagino che ci si riferisca a finanziamenti politici: pagare le pensioni e pagare la campagna elettorale per vincere le elezioni. Tangenti da parte nostra, torno a ripetere, non ne sono state pagate. E anche con i mediatori abbiamo agito con molta cautela.»

E se le tangenti fossero passate proprio dai mediatori? «Hanno preso 16 miliardi da noi e 14 dai greci, l'1,9 per cento dell'affare. Abbiamo pagato noi e siamo stati rimborsati dai greci. Non mi pare plausibile che personaggi così si siano ritagliati porzioni di denaro da destinare alla politica italiana.»

Ha letto che l'ex governatore della Banca di Iugoslavia parla di 200 miliardi in meno trovati in cassa rispetto a quelli che ci sarebbero dovuti essere? «Noi abbiamo le ricevute di pagamento dell'intera somma. Ma non mi meraviglio che i vecchi governanti sostengano una tesi e i nuovi un'altra.»

«Tutti sapevano, nessuno ci fermò»

Tommasi lega la «coloritura politica negativa» della vicenda a quel che accadde nel 1997, l'anno di Telekom Serbia, ma anche l'anno della fusione Telecom-Stet e della privatizzazione delle telecomunicazioni. «Fu un cambiamento epocale, che portò a un forte ricambio generazionale. In questi casi può accadere che nell'interpretazione di certe vicende si creino dei veleni.» Resta da chiarire perché persone capaci come Pascale e Agnes, confermate nei loro incarichi nel giugno 1996, ne siano state rimosse otto mesi dopo. Tommasi non vuole entrare in polemica diretta con nessuno, ma la tesi che prevale da queste parti, pur nel riconoscimento delle capacità di Pascale come amministratore delegato Stet, è che il manager fu sostituito per la diversa visione che aveva della strategia della privatizzazione, tanto che il commissario europeo Karel van Miert se ne lamentò in un'intervista alla «Repubblica».

All'«Espresso» Tommasi ha detto: «Tutti sapevano, ma nessuno mi ha chiesto di fermarmi». Che significa in concreto? «All'interno del gruppo l'operazione è passata attraverso quattro consigli d'amministrazione. All'esterno, nella primavera del 1997 – prima della firma del contratto – il ministero degli Esteri si è fatto vivo con una richiesta di chiarimento ai nostri uffici dopo le riserve espresse dall'ambasciatore a Belgrado, Bascone. Chiesero notizie sulle trattative e noi le trasmettemmo. La cosa finì lì. Subito dopo Bascone chiese un paio di incontri alla nostra delegazione che trattava a Belgrado e che ricevette in ambasciata.»

Mai parlato con Dini o Fassino? «No, né di Telekom Serbia né delle altre trattative. I rapporti sono rimasti a livello di uffici. D'altra parte, l'acquisto fu annunciato dai giornali prima della firma e tutta la vicenda si svolse in un clima di assoluta normalità. Tre mesi dopo c'è stata la fusione Telecom-Stet, e l'operazione Telekom Serbia era presente nei prospetti informativi che inviammo a tutte le banche del mondo. Per quattro anni nessuno mi ha chiesto niente.» Se vi avessero chiesto di fermare l'operazione, l'avreste fatto? «Avrei avuto molti dubbi. Per noi era una buona operazione di business. Se fossimo usciti, sarebbero entrati i tedeschi.»

I suoi predecessori, Pascale e Chirichigno, hanno detto che era prassi informare il governo, nel vostro caso il Tesoro, visto che le Partecipazioni statali non esistevano più. «Si riferiscono a una procedura in vigore fino alla fine del 1996, quando l'azienda era dell'Iri. Dopo la privatizzazione, il Tesoro aveva la *golden share* [*il voto decisivo per evitare la cessione incontrollata di settori strategici per l'economia nazionale*] e fu rappresentato da un consigliere d'amministrazione, tenuto a informare l'azionista sulle iniziative strategiche [*in Telecom-Stet il Tesoro fu rappresentato da Lucio Izzo, che incontreremo tra poco*]. L'Unione europea ci aveva chiesto da tempo di privatizzare. Noi eravamo in ritardo e alla fine del 1996 Ciampi, ministro del Tesoro, andò a Bruxelles e ottenne a fatica un anno di proroga. Nell'occasione portò le azioni Stet dall'Iri al Tesoro. Io fui chiamato all'inizio del 1997 ed ebbi mandato di accelerare le operazioni all'estero per rimpinguare un portafoglio modesto rispetto ai competitori internazionali e di inserire le possibili acquisizioni estere nel piano industriale.»

Lei parlò di Telekom Serbia nel piano industriale? «Nel

piano industriale approvato dal consiglio d'amministrazione tra fine aprile e fine maggio si parlava di interventi nell'Europa dell'Est e in Sudamerica, senza indicare i nomi dei singoli paesi.»

Si è detto che lei fosse di casa nello studio di Enrico Micheli, il Gianni Letta di Romano Prodi. «Si è molto favoleggiato intorno a questo rapporto. Ci conoscevamo perché Micheli era stato direttore del personale e poi direttore generale dell'Iri quando io ero in Telecom. Ma durante l'anno della mia gestione ho incontrato tre volte Micheli e due Prodi.»

Ha parlato con loro di Telekom Serbia? «Se ragioniamo in termini di piano strategico, è possibile che se ne sia parlato. Magari rispondendo a una domanda del tipo: che state facendo in questo periodo? Oppure con un: state tranquilli, non ci sono problemi. Ma se lei mi chiede in quale giorno una cosa del genere è avvenuta, né io né loro saremmo in grado di provarlo. Tenga conto, tuttavia, che la notizia della vendita era certamente rimbalzata dai giornali sulla rassegna stampa di palazzo Chigi e che non dovevamo chiedere nessuna autorizzazione.»

Chi era il suo interlocutore al Tesoro? «Mario Draghi, il direttore generale.» Gli parlò di Telekom Serbia? «Certamente gli ho parlato del piano industriale. Ma non sarei in grado di dire se, parlando dei paesi con cui stavamo trattando, abbia citato espressamente la Serbia. Le operazioni completate quell'anno furono quattro. In Serbia, appunto, ma anche in Francia, Spagna e Austria. Tre si rivelarono positive, con una plusvalenza di 3100 miliardi, incluse le perdite di Telekom Serbia.»

«Perché questi due anni e mezzo di silenzio?»

Chi rappresentava il Tesoro nel consiglio d'amministrazione Telecom dopo la fusione con la Stet? «Tutti noi undici consiglieri eravamo stati indicati dal Tesoro. Soltanto con la privatizzazione Izzo fu delegato a rappresentare la *golden share* del governo.»

Sostenendo che tutti sapevano tutto, lei ha parlato di quattro consigli d'amministrazione che hanno trattato l'affare. «La storia è cominciata nel 1994, i serbi e i mediatori andavano e venivano, ma il primo *business plan* al consiglio d'amministrazione Telecom fu portato all'inizio del 1996 e fu deliberata una joint-venture con i serbi per 1200 miliardi di lire. La cosa poi cadde. Amministratore delegato era Chirichigno, e quella era un'azienda ancora controllata dall'Iri. Chirichigno avrebbe dovuto dunque informare il governo, ma non ci arrivò nessuna indicazione. I serbi ricomparvero alla fine del 1996 e ci dissero che potevamo comperare una quota dell'azienda. Io non ci credevo più e solo il 20 gennaio 1997, incontrando il primo ministro iugoslavo, ebbi la conferma che stavolta Belgrado faceva sul serio. Abbiamo firmato in giugno. Quattro mesi e mezzo per una trattativa già istruita non sono pochi.»

Ma sono pochissimi sei minuti per approvare un affare del genere, come è avvenuto nel consiglio d'amministrazione della Stet. Tommasi prende il verbale di quella riunione e mi mostra le sei pagine che si riferiscono a Telekom Serbia. «Il 30 aprile 1997 era stata deliberata la fusione Telecom-Stet. Il 6 giugno 1997 era stata convocata a Torino l'assemblea della società. Poiché la trattativa con i serbi si era conclusa, decidemmo di convocare un consiglio d'amministrazione in coincidenza con l'assemblea per una semplice informativa sulla vicenda. Occupammo i primi tre minuti di quella riunione per confermare i poteri al presidente Guido Rossi e a me, e poi passammo a Telekom Serbia.»

Perché ne parlaste durante la discussione delle «varie ed eventuali»? «L'ordine del giorno del consiglio viene deciso dal presidente, in quel caso da Rossi. Comunque non dovevamo decidere nulla, ma solo informare il consiglio di un'operazione già deliberata all'unanimità dai consigli d'amministrazione di Stet International e Stet International Nederland, costituita da Pascale per farvi confluire tutte le acquisizioni estere di rete fissa. Il consiglio durò tre quarti d'ora. Su Telekom Serbia intervennero soltanto due consiglieri, Lucio Izzo e Maurizio Prato. Izzo si dichiarò favorevole e Prato disse di badare al cambio tra marchi tedeschi e moneta serba, visto che la transazione era fatta in marchi. Tutto qui.»

Telekom Serbia fu un'operazione sbagliata? «Non nel merito economico e strategico. Noi pagammo un prezzo nettamente più basso dei parametri usati in situazioni analoghe da francesi, tedeschi e americani. Abbiamo pagato 719 dollari per abbonato, i tedeschi pagarono 2118 e 1728 dollari per le due rate dell'acquisizione ungherese, gli americani 1802 dollari per la Cecoslovacchia. Noi scontavamo la minore ricchezza della Serbia, ma i prezzi furono riconosciuti congrui anche dalle banche che si occuparono della privatizzazione di Telecom Italia. Per quanto riguarda l'aspetto strategico, per noi era l'ultima occasione di entrare in un'area dominata dai tedeschi. Il nostro disegno era di essere presenti in Grecia con la telefonia mobile, in Austria e in Romania, oltre che in Serbia. In Grecia e in Austria ci siamo, l'operazione rumena fu bloccata dal mio successore Gian Mario Rossignolo.»

Se errore c'è stato, dove lo riconosce? «La guerra. Non potevamo prevedere che due anni dopo quell'area sarebbe stata sconvolta dalla guerra.» Confesso la mia incredulità a proposito del fatto che non si sia dato ascolto alla tenace opposizione dell'ambasciatore a Belgrado. «Della sua insistenza, noi dell'azienda abbiamo saputo solo cinque anni dopo. Se devo individuare un punto debole, è proprio questo. In ogni caso, quando siamo entrati a Cuba o in Bolivia, nessuno ha mosso obiezioni sul fatto che quei paesi fossero dominati da dittatori e sull'uso che essi avrebbero fatto del denaro.»

Perché Guido Rossi l'ha mollata, facendo quasi intendere di volersi dissociare dall'operazione? «Ha convocato il consiglio d'amministrazione, ma poi, visto il mio strapotere, non se ne è immischiato.» La bozza di comunicato stampa che annuncia la conclusione dell'affare, stilato il 6 giugno 1997 e datato 8 giugno, giorno previsto per la firma, recita: «Rossi e Tommasi concludono l'accordo con il governo di Belgrado». Poi la firma slittò di un giorno, Rossi non volle muoversi dalla sua tenuta di campagna e il comunicato fu corretto. Ma la settimana successiva, l'11 giugno, il presidente difese l'operazione scrivendo una lettera al «Financial Times», che ne aveva dato un giudizio negativo, nella quale anzi lasciava intendere che ci sarebbe stata la distribuzione di un dividendo straordinario agli azionisti.

In realtà, nella Stet (come alla Rai) stavano cambiando i rapporti di forza tra democratici di sinistra e popolari-prodiani. Alla Rai il prodiano Franco Iseppi cedette il posto di capo azienda a Pierluigi Celli, designato da D'Alema, e alla Stet Rossi, ex parlamentare comunista, scalpitava contro i poteri di Tommasi, considerato vicino a Prodi, anche se l'interessato esclude di essersi mai accostato alla politica e meno che mai di essere tra i fondatori dell'Ulivo. Quando Tommasi fu costretto a lasciare nel 1998, Gian Mario Rossignolo, che lo sostituì, aveva il benestare del Bottegone.

Torniamo al nostro colloquio con l'ex amministratore delegato di Telecom Italia. «L'unica cosa che mi conforta» mi dice «è che nessuno mi ha accusato di aver tratto da questa vicenda benefici personali.» Colaninno ha sbagliato a svalutare la quota in Serbia, rimettendoci più di 400 miliardi? «Non poteva fare diversamente a causa della guerra, ma poiché la vendita è avvenuta nel pieno della bolla speculativa, la sua incidenza sui bilanci è stata poco avvertita. Tronchetti non ci ha rimesso niente perché ha venduto a prezzo di carico, dopo la svalutazione. Tra il 1997 e il 2002, in ogni caso, l'azione di Telecom Italia si è rivalutata del 24 per cento, mentre le analoghe compagnie tedesca e francese l'hanno vista ridursi del 40 per cento.»

Veniamo a questi due anni e mezzo di silenzio. Come giudica gli interventi di Fassino, che ha rilasciato un'intervista in autunno, e le reazioni di Prodi e Dini? «Assolutamente tardivi. Il 1997 fu un anno importante e di grandi risultati. Conoscendo la persona, bastava che qualcuno mi facesse raccontare quello che sto raccontando a lei e sarebbe andata in modo diverso.»

Perché non si è mosso lei autonomamente? «Lo choc della vicenda giudiziaria. Aspettavo che si concludesse.»

È per tale motivo che ha chiesto di non presentarsi nel luglio 2003 dinanzi alla commissione parlamentare d'inchiesta? «L'invito è arrivato tra la richiesta di archiviazione del pubblico ministero e la decisione del gip di proseguire ancora per un anno. Se occorrerà, vorrei essere ascoltato da testimone, non da indagato.»

Ha ricevuto qualche telefonata di conforto in questi anni? «Nessuna.»

Al di là delle vistosissime divergenze tra le posizioni dell'accusa e quelle della difesa, è ormai assodato che il governo sapeva perfettamente quello che Telecom stava combinando a Belgrado. Un lunghissimo silenzio e qualche palese differenza di vedute tra gli uomini di Stato che conoscevano le cose più da vicino non ha certo favorito un chiarimento trasparente e tempestivo della vicenda.

Prodi: «Dovranno chiedermi scusa...»

L'ultima parola su questa vicenda spetta a Romano Prodi. E quando, nel nostro incontro di Bruxelles, tocchiamo l'argomento, il Professore si irrigidisce. Si ritiene vittima, infatti, di una campagna studiata a tavolino. «L'incrocio tra politica e media è sempre più preoccupante. Questa campagna è partita da giornali controllati da esponenti della maggioranza ed è stata amplificata in modo "scientifico" dalle televisioni, possedute o controllate. Questa vicenda mi ha cambiato la testa e l'anima. Non è bello sentir dire la gente, per strada o a un raduno degli alpini: ma i soldi ce li ha in tasca lui? Li ha sua moglie? Li hanno messi in banca? È stata fatta una battaglia indecorosa. Un comportamento del genere è indecente sotto il profilo etico e politico. E non pensino adesso di potersene uscire dicendo che il vero tema che interessa la commissione parlamentare d'inchiesta non sono più le accuse di Marini, ma l'aspetto manageriale dell'acquisto di Telekom Serbia. Tutto ciò non potrà non avere conseguenze politiche forti e gravi, se non altro perché dovranno chiedermi scusa pubblicamente. E il momento si sta avvicinando. Chi dovrà farlo? I fatti stanno ormai indicando responsabilità precise.»

Ha visto in tutto questo una macchinazione a freddo? «Ho visto una mobilitazione di uomini e di mezzi che non ha precedenti in Italia.»

Igor Marini si è presentato da solo oppure è stato mandato da qualcuno? «Non c'è alcun dubbio che da solo non avesse la testa e i mezzi per fare queste cose.»

Fu mai informato delle trattative per l'acquisto di Telekom Serbia? «Non c'è stato alcun quadro informativo, le aziende erano autonome e libere di muoversi come credevano. I rapporti istituzionali sono rapporti istituzionali. Nessuno doveva informarmi, nessuno lo ha fatto. In ogni caso, l'anomalia rispetto agli altri numerosissimi acquisti di Telecom Italia e delle altre società di telecomunicazione di quel tempo non è il prezzo al quale Telekom Serbia è stata comprata – ripeto, simile o addirittura più basso rispetto ad acquisti comparabili –, ma quello al quale è stata venduta. È probabile che Telecom, di fronte alle sue necessità finanziarie, non avesse alternative, ma successivamente il valore delle azioni è andato sempre aumentando.»

Ha respirato lo stesso clima a proposito dell'affare Sme? «Su questo non faccio commenti ulteriori. Il caso Sme è stato un buon inizio che faceva presagire quanto sarebbe avvenuto dopo. Metodi e strumenti erano già gli stessi.»

VI

La guerra di carta

Una mattina di giugno, a Porto Rotondo

L'articolo di Giuliano Amato sul «Sole-24 Ore» di domenica 29 giugno 2003 aveva il sapore di un babà, di cui, come è noto, il Cavaliere è ghiottissimo. Ma quel giorno lui non ebbe modo di gustarne l'impasto sapiente, grondante affettuosa rugiada di rum. Il suo risveglio a Porto Rotondo fu pessimo. La baia di Marinella, che si spinge fin quasi ad accarezzare le sculture di Andrea Cascella nel parco di villa La Certosa, gli sembrò devastata dall'uragano Isabel, nonostante la calma piatta del mare. Ebbene, sì: il presidente del Consiglio dei ministri, Cavaliere del lavoro dottor Silvio Berlusconi, doveva dolorosamente prendere atto che era in corso una nuova, imprevista rivoluzione. Maturata proprio lì dove non avrebbe mai dovuto, nell'istituzione «Corriere della Sera», guidata da pochi giorni dal nuovo direttore Stefano Folli.

Troppo duro (e inatteso) era stato quel titolo in prima pagina – *Stampa europea contro Berlusconi. Da Londra a Parigi a Berlino, diffidenze e ironie sul semestre –*, tanto da indurre il Cavaliere a indossare elmetto e giubbotto antiproiettile sopra il costume da bagno. Intanto, sulle spiagge, sui colli, sui monti, sulle rive dei laghi della Padania (e non solo) alcune centinaia di migliaia di piccoli e grandi borghesi che nel 2001 avevano votato per la Casa delle Libertà si chiedevano a quale livello di degrado Berlusconi avesse mai precipitato l'Italia se la «Gazzetta ufficiale della borghesia produttiva», che si stampa dal 1876 in Milano, aveva ritenuto opportuno rilanciare un così clamoroso grido d'allarme europeo.

Il 29 giugno, dedicato dalla Chiesa alla celebrazione degli apostoli martiri Pietro e Paolo, precedeva di due giorni il 1° luglio. (Questo accade inflessibilmente ogni anno dal 1582, allorché papa Gregorio XIII – saltando dal 4 al 15 ottobre – corresse alcune piccole incongruenze del calendario precedente, stabilito da Giulio Cesare, e introdusse gli anni bisestili.) E il 1° luglio 2003 aveva inizio il semestre di presidenza italiana dell'Unione europea. Prima di noi era toccato ai greci, dopo di noi sarebbe toccato agli irlandesi. Non si poteva quindi fare niente, assolutamente niente, per impedire che a un certo punto toccasse anche agli italiani. Già, ma mentre il premier greco si chiamava Kostas Simitis e quello irlandese Bertie Ahern, quello italiano si chiamava Silvio Berlusconi. Berlusconi? Non saremo mica matti?, si chiese costernato più d'un esponente dell'opposizione politica e intellettuale. Andiamo a presiedere il semestre europeo con Berlusconi? E alla Boccassini chi glielo dice? È una tragedia troppo grossa per essere vera. Ma Berlusconi ha vinto le elezioni... Sì, però... E ha una fortissima maggioranza parlamentare... D'accordo, ma in Italia... Viene ricevuto calorosamente da Bush, Putin, Blair... Dite quello che volete, ma è sotto processo. Anzi, per evitare che i giudici lo impallinassero proprio in apertura del semestre europeo, il suo governo ha varato una legge che...

Per questo alcuni grandi giornali internazionali – tutti insieme, lo stesso giorno – avevano sparato tanti mortaretti che alla festa di San Gennaro se li sognano. Per questo l'istituzione «Corriere della Sera» aveva lanciato il più acuto grido di dolore della sua storia recente.

Un «autorevole amico non italiano» disse ad Amato...

Ma proprio tutti, in Europa, la pensano così? Lasciamo per un momento il «Corriere della Sera» di domenica 29 giugno e guardiamo la prima pagina del «Sole-24 Ore».

Giuliano Amato, ultimo presidente del Consiglio dell'Ulivo, vicepresidente in carica della Convenzione europea e fresco commentatore del bel quotidiano diretto da Guido Gentili, raccontava «quasi un monologo» raccolto a Bruxelles da un «autorevole amico non italiano».

Osservava l'amico di Amato: «Non siete l'unico paese in cui vi sono indagini e processi che riguardano personaggi della politica, ma siete quello in cui la politica sembra dipenderne di più. ... Voi da anni vi muovete fra due piste, quella dei successi e degli insuccessi politici e quella dell'attesa di rivelazioni e di smentite, di condanne e assoluzioni. E si ha la sensazione che le vostre aspettative politiche dipendano più da quest'attesa che da quei successi o insuccessi. ... quando noi vediamo un italiano gli chiediamo sempre: "Ma che cosa pensa [*Berlusconi*] realmente di questo o di quello? Che cosa ci possiamo aspettare dalla sua presidenza dell'Unione? Ma davvero vuole che entri anche la Russia?". Tu capisci che aggiungere a queste domande quelle che sono al cuore della vostra politica interna ("Sarà assolto? Sarà condannato? Quali conseguenze se sarà condannato?") significherebbe per tutta Europa far fronte a un semestre davvero mozzafiato. E allora, lasciami dire una cosa: per quanto ci riguarda, quest'ultima legge che avete fatto, quella che sospende i processi alle alte cariche, è semplicemente un sollievo».

Quindi, riferendosi all'opposizione politica del centrosinistra, andava al cuore del problema: «Dite che le questioni politiche devono avere soluzioni politiche e non giudiziarie, ma in realtà l'alternativa giudiziaria è ormai dentro di voi, ci costruite sopra e ve ne fate de-responsabilizzare rispetto all'impegno che dovreste invece manifestare per i tanti problemi che avete e che abbiamo. Dimmi la verità: ma sei proprio sicuro che le critiche a Ciampi siano dovute alla effettiva e profonda convinzione che quella legge sia incostituzionale e ingiusta o non piuttosto al fatto che essa vi ha privato della vostra droga, della vostra attesa quotidiana della grande condanna giudiziaria, che equivarrebbe da sola a una vostra vittoria sul campo? ... E allora, se questo ci è invece evitato, il vostro Ciampi io non lo critico affatto e aggiungo che davanti a voi, che siete quello che siete, di coraggio ne ha avuto non poco, ma tanto. Ha avuto il coraggio di portarvi al di là delle pregiudiziali, importanti quanto volete, dietro le quali rischiavate di restare sepolti e vi ha costretti a misurarvi di nuovo, e senza la vostra droga, con la politica».

E concludeva toccando l'altro tasto dolente della politica italiana, il conflitto d'interessi sulla televisione: «Ma com'è possibile che ve ne stiate lì a lamentarvi perché il vostro presidente del Consiglio controlla, in un modo o nell'altro, le due imprese del duopolio televisivo che avete in Italia e non avete il coraggio di battervi con chiarezza e con fermezza per la privatizzazione della Rai? Davvero pensate che la strada sia invece quella di privare lui di Mediaset, tenendo in caldo la Rai per il vostro eventuale ritorno al governo? Non è che al fondo continuate a contare più sui giudici che sul mercato?».

«Non ce l'ho fatta a replicare» concludeva Giuliano Amato, ammettendo di non aver avuto il coraggio di informare quel suo amico della nuova e politicamente assai rischiosa iniziativa di una parte della sinistra italiana di promuovere un referendum contro il Lodo Maccanico, con il doppio risultato – aggiungiamo noi – di mettere sotto schiaffo il capo dello Stato e di dilaniare ancora una volta l'opposizione.

Non sapremo mai se l'«autorevole amico non italiano» esiste realmente o se Amato, che negli ultimi mesi aveva passato più tempo a Bruxelles che a Roma, gli ha attribuito le proprie amare riflessioni sulla divaricazione tra quella che dovrebbe essere la Grande Politica e l'eterna caccia del Gatto giudiziario milanese al Topo più grosso, quello che, ormai da dieci anni, è la trave portante della politica italiana.

Non è Mussolini. Anzi, sì

La mattina del 29 giugno, però, Silvio Berlusconi non lesse l'articolo di Giuliano Amato. Come un fulmine entrò nell'elegante camera da letto affacciata sul parco della Certosa il titolo d'apertura del «Corriere della Sera». Il presidente ne fu travolto come Topolino nel memorabile crescendo musicale che Leopold Stokowski trasse dall'*Apprendista stregone* di Paul Dukas per il film di Walt Disney *Fantasia*. Il sommario era ancor più duro del titolo, e le poche righe di presentazione erano le più pesanti di tutte: «Silvio Berlusconi ha le qualità morali e la competenza per reggere la presidenza di turno dell'Unione europea? A 48 ore dall'inizio del semestre, la domanda si affaccia con evidenza su molte delle prime pagine dei quotidiani europei». In seconda e terza pagina il «Corriere» pubblicava il vistoso rosario delle perplessità internazionali. Le immagini più ruvide erano quelle del tedesco «Der Spiegel» (Berlusconi veniva paragonato al Padrino), del francese «Le Point» (*I trucchi di Berlusconi*) e dell'inglese «Financial Times».

Il prestigioso quotidiano londinese aveva affidato a Tony Barber, capo dell'ufficio romano di corrispondenza, una fluviale inchiesta annunciata da una gigantesca fotografia che occupava quasi per intero la prima pagina dell'eccellente supplemento del sabato «FTWeekend». Anche se nel testo si precisava, a proposito delle oggettive difficoltà di governo in Italia, che «Berlusconi non è Benito Mussolini», la foto di copertina lo raffigurava come un duce. E, a scanso di equivoci, il titolo lo presentava così: *Berlusconi, il prossimo, e intoccabile, presidente d'Europa*. Nel sommario, il consueto riferimento al conflitto d'interessi e al processo Sme per corruzione di magistrati. «Berlusconi» scriveva Barber a questo proposito «ha schierato la sua maggioranza parlamentare per far approvare una legge cucita su misura delle sue personali esigenze.» E Francesco Rutelli commentava: «Il danno deriva dal fatto che la gente percepisce differenti versioni della giustizia per i potenti e i comuni cittadini».

Lo «Spiegel», a sua volta, era un distillato di pura cattiveria, senza il minimo sforzo pluralista. Il 12 settembre 2003 «il Giornale» avrebbe rilanciato un articolo scritto per il giornale inglese di sinistra «The Guardian» da Tim Parks, uno scrittore e traduttore britannico che vive da molti anni in Italia, il quale rivelò di essere stato invitato a suo tempo dallo «Spiegel» a scrivere un commento sul caso Berlusconi da destinare al numero sul Cavaliere-Padrino e di esserselo visto respingere in quanto «non quadrava con il nostro approccio critico alla storia», un «approccio» annotava Parks «che consisteva nello sparare cannonate contro Berlusconi per il suo controllo dell'opinione pubblica». Nell'articolo respinto il giornalista aveva affermato: «Non si vede come un qualsiasi presidente dell'Unione europea possa danneggiare questa cosiddetta comunità quanto lo fa un altro vertice franco-tedesco che aspiri a dire a noi tutti quale deve essere il nostro futuro».

«Lamentele per la prima volta condivise...»

Quella domenica 29 giugno Berlusconi si era alzato alle 7.30 e aveva iniziato la lettura dei giornali. Ma, come abbiamo visto, di fronte alla prima pagina del «Corriere» era diventato una furia. Anche Gianni Letta e Paolo Bonaiuti (il primo legge i giornali prestissimo, il secondo era stato addirittura svegliato dai famigliari con la cattiva notizia) restarono spiazzati. Letta cercò di calmare il Cavaliere dicendogli che nell'articolo di fondo Stefano Folli non solo mostrava di non condividere la campagna denigratoria orchestrata dalla stampa europea, ma invitava l'opposizione a tutelare il presidente del Consiglio per il buon nome dell'Italia. Tuttavia, lo stesso Letta, che non ha mai dimenticato di essere stato un importante giornalista, dovette riconoscere che lo spirito dell'editoriale era «antitetico all'evidenza grafica dell'inchiesta».

Il presidente del Consiglio non cambiò parere. Disse ai suoi collaboratori di essere indignato perché il giornale-istituzione comunicava all'opinione pubblica che l'Europa bocciava Berlusconi prima dell'apertura del semestre di presidenza italiana. Temette il ritorno della «sindrome del '94», «come se due anni di successi internazionali non fossero esistiti». Protestò al telefono con Umberto Agnelli, presidente della Fiat e principale azionista della Rizzoli (il suo 10,21 per cento è la quota maggiore, seguita dal 9,37 di Mediobanca e dal 9,20 della Gemina di Cesare Romiti). Partecipò la sua indignazione all'amministratore delegato di Mediobanca, Gabriele Galateri di Genola. Si rifiutò di parlare al telefono con Cesare Romiti, presidente di Rcs Quotidiani e quindi editore del giornale. «Ma per la prima volta» mi dice il più autorevole testimone e mediatore di quei colloqui «le lamentele di Berlusconi furono condivise.»

La sua esasperazione durò l'intera giornata («Era carico di rabbia e d'impotenza» mi rivela un altro testimone) e fu causa di uno sgradevole infortunio. Quella domenica il presidente del Consiglio aveva ospiti nella sua villa in Sardegna il ministro dell'Interno Beppe Pisanu e quello francese Nicolas Sarkozy. Al seguito di quest'ultimo era giunto alla Certosa anche Jean-Pierre Elkabbach, un giornalista di origine libanese che aveva già intervistato il Cavaliere per l'emittente radiofonica transalpina Europe 1 e voleva registrare un altro colloquio. Berlusconi parla il francese correntemente, e l'idea di entrare nelle case dei cittadini di un paese straniero esprimendosi nella loro lingua gli è sempre piaciuta. Questa volta, però, disse a Elkabbach che non era la giornata giusta per concedere interviste. Dopo un interminabile tira e molla, tuttavia, cedette alle insistenze del giornalista. Così il lunedì, alla vigilia del debutto di Strasburgo, Europe 1 trasmise i seguenti messaggi del Cavaliere: «C'è un cancro da curare ed è la politicizzazione della magistratura. Certi giudici sono il peggio. ... Dietro le critiche della stampa internazionale c'è la sinistra: mi fanno la guerra da quando sono sceso in campo e hanno perso». Ma fin qui siamo, diciamo così, nell'ordinaria amministrazione delle intemerate berlusconiane. Il presidente aggiunse però che «la legge sull'immunità [*sospensione dei processi per le cinque più alte cariche dello Stato*] è frutto di un'iniziativa parlamentare sostenuta dal presidente della Repubblica. Io ero contrario». Ciampi andò su tutte le furie e la sera stessa, da palazzo Chigi, il sottosegretario Bonaiuti fu costretto a rettificare: la legge sull'immunità non era stata promossa dalla presidenza del Consiglio, era frutto di un'iniziativa parlamentare, e Ciampi, ovviamente, non c'entrava nulla. Ora, si sa che il presidente della Repubblica ha visto di buon occhio quella legge per evitare traumi giudiziari durante il semestre di presidenza italiana dell'Unione europea, ma di qui a dire che ne è stato il promotore...

De Bortoli stretto fra D'Alema e Berlusconi

Torniamo al «Corriere della Sera». Stefano Folli ne aveva assunto la direzione esattamente un mese prima. Per dodici anni ne era stato il più apprezzato notista politico (il suo «Punto» era la prima lettura del mattino per i signori del Palazzo), ma la sua successione a Ferruccio de Bortoli era avvenuta in un clima di forte tensione. De Bortoli, un galantuomo del giornalismo italiano, aveva diretto il quotidiano di via Solferino per oltre sei anni, sfiorando il record di durata stabilito da Alfio Russo negli anni Sessanta. Durante la sua direzione, autorevole ed equilibrata, il «Corriere» aveva conservato il primato sui concorrenti. Il grado di indipendenza del giornale era complessivamente alto (soprattutto se rapportato a quello di altri grandi quotidiani) e l'unico cruccio di De Bortoli era qualche sbandata sul fronte della cronaca giudiziaria, i cui redattori e opinionisti costituivano un'enclave spesso appiattita sulle posizioni della Procura di Milano. (La sola autorevole voce talora critica, Ernesto Galli della Loggia, non era sufficiente a controbilanciare la sistematica impostazione di segno opposto.)

Anche qui, peraltro, il «Corriere» non faceva eccezione nel panorama delle grandi testate nazionali, di cui non si ricordano – dai tempi di Mani pulite – puntuali e ricorrenti prese di distanza da tante iniziative anomale partorite dagli uffici giudiziari milanesi. La ragione di questo atteggiamento generale va ricercata negli anni di Tangentopoli, prima che il Cavaliere «scendesse» in politica. I procuratori di Milano «rivoltarono l'Italia come un calzino», ma furono molto attenti a non disturbare gli editori dei principali giornali, titolari di grandi aziende operanti in settori, per così dire, «a rischio». E, fin dal 1993, questi gliene furono grati. (Anche il Tg5, in un primo momento, si unì con entusiasmo al coro dei dipietristi.) Tant'è vero che se le rogatorie internazionali richieste successivamente dai procuratori milanesi contro Silvio Berlusconi hanno di gran lunga superato le trecento unità, neanche una fu chiesta nei confronti degli editori del «Corriere della Sera», del gruppo Repubblica-L'Espresso, della «Stampa», ovvero Cesare Romiti, Carlo De Benedetti e il compianto avvocato Gianni Agnelli, mai chiamato nemmeno a testimoniare.

Eppure, a chi gli muoveva questa obiezione, Ferruccio de Bortoli replicava con fermezza che l'indipendenza del giornale era stata salvaguardata anche nei confronti della Procura milanese, al punto da incrinare irreparabilmente il suo rapporto con Francesco Saverio Borrelli. E che Piercamillo Davigo arrivò al paradosso di contestare al «Corriere» di essere stato informato da Silvio Berlusconi dell'avviso a comparire del novembre 1994, giuntogli mentre presiedeva a Napoli una conferenza internazionale dell'Onu sulla criminalità. (Il magistrato disse anche a noi la stessa cosa, palesemente inverosimile giacché il Cavaliere ne fu svergognato in Italia e nel mondo. La nostra tesi, frutto di un'attenta ricostruzione, è invece che i giornalisti del «Corriere» si procurarono la notizia per conto loro, ma senza una conferma finale da fonte primaria e diretta non l'avrebbero mai sparata in prima pagina.)

In ogni caso, nell'ultimo anno della sua gestione de

Bortoli, di carattere mite e signorile, soffriva. Si sa che gli uomini politici, di qualunque colore essi siano, hanno un concetto assai soggettivo dell'indipendenza altrui. Così, ai tempi del governo di centrosinistra, il direttore del «Corriere» ebbe con Massimo D'Alema un durissimo scontro che, iniziato nel salottino d'anticamera di «Porta a porta», si trascinò a lungo nelle aule giudiziarie. (Ecco l'antefatto. Alla fine del 1997 il «Corriere» aveva pubblicato un'inchiesta su una presunta manovra operata dai Democratici di sinistra per controllare i tre maggiori sindacati italiani: «l'ulivizzazione del sindacato» scrisse il giornale. D'Alema smentì alcune circostanze circa il suo ruolo nella vicenda, ma il «Corriere» le confermò. Il segretario dei Ds si rivolse allora all'Ordine dei giornalisti per sollecitare sanzioni disciplinari nei confronti del direttore e degli autori dell'inchiesta. Dopo aver subìto un pesante processo dall'Ordine lombardo ed evitato la condanna soltanto grazie al voto di un consigliere pubblicista, de Bortoli reagì scrivendo: «L'esposto è l'ultimo di una serie di piccoli atti di intimidazione nei confronti di un giornale libero da parte di un uomo politico: atti che ricordano il miglior Craxi». D'Alema rispose con una denuncia e una richiesta di risarcimento di 2 miliardi di lire. Rinunciò all'azione legale dopo essere salito a palazzo Chigi, alla fine del 1998.)

Molto tesi erano sempre stati anche i rapporti fra de Bortoli e il ministro delle Finanze, Vincenzo Visco, il quale gli rimproverava, fra l'altro, di essere amico di Giulio Tremonti. E incomprensioni c'erano state con il governo di Romano Prodi. L'allora presidente del Consiglio aveva inviato al «Corriere» un articolo per il 1° maggio 1997, ma de Bortoli, appena giunto al comando del giornale, lo aveva cestinato giudicandolo una rimasticatura di altri scritti. E quando, in tempi molto più recenti, il quotidiano di via Solferino condusse un'inchiesta sull'affare Sme, da Bruxelles il presidente della Commissione europea protestò vivacemente.

Era quindi fatale che analoghe incomprensioni sorgessero anche con il governo di centrodestra. Amico personale di Marco Follini, con il quale trascorre ogni anno un periodo di vacanza, attento a ogni evoluzione di Alleanza nazionale e della Lega Nord, de Bortoli si scontrò ben presto con i settori più oltranzisti di Forza Italia. Ora, è noto che giustizia e informazione sono i due nervi scoperti di Silvio Berlusconi. Ebbene, mentre Giovanni Sartori non ha mai risparmiato al Cavaliere generose dosi di veleno in tema di giustizia, non c'è domenica mandata in terra dal Signore per ricevere la gratitudine degli uomini che Enzo Biagi dimentichi di attaccare Berlusconi non solo in tema di informazione, ma in ogni campo, per il fatto stesso che abbia il pass per entrare a palazzo Chigi. E mai de Bortoli ha immaginato di censurare Biagi, una delle sue firme più prestigiose, anche se i rapporti tra i due hanno conosciuto momenti di forte tensione (quando morì Indro Montanelli, l'allora direttore del «Corriere» ne affidò la «Stanza», cioè la rubrica delle lettere, a Paolo Mieli; il giornalista bolognese, che aspirava alla successione, minacciò di andarsene alla «Repubblica» e de Bortoli reagì con molta freddezza; la controversia fu poi appianata con l'apertura in prima pagina della rubrica domenicale di Enzo Biagi, quasi sempre dedicata a Berlusconi).

Inoltre, come abbiamo accennato, la sintonia del «Corriere» con la Procura di Milano portò a fortissime frizioni con gli avvocati del Cavaliere. Il 31 luglio 2002, nel pieno della bagarre al Senato per l'approvazione della norma sul «legittimo sospetto», de Bortoli scrisse un indignato editoriale in cui stigmatizzava lo scontro tra «gli ineffabili pretoriani della Casa delle Libertà e gli scatenati girotondisti dell'opposizione», che si concludeva con questo appello al presidente del Consiglio: «Tolga ai cittadini la sgradevole sensazione che il Parlamento venga usato come un maglio sulla magistratura e mandi in ferie, ne hanno bisogno, quegli onorevoli avvocaticchi preoccupati più per i loro onorari che per le sorti del paese». A chi gli chiese la ragione di quell'attacco, l'allora direttore del «Corriere» rispose che era sommerso «dall'opera di delegittimazione anche morale fatta dai difensori di Berlusconi ai danni dei miei colleghi che si occupano di giudiziaria. Se qualche volta, come accade a tutti in tutti i settori, abbiamo sbagliato, questo non giustifica le continue telefonate aggressive ricevute dai miei giornalisti».

Completamente diversa, com'era prevedibile, la versione di Niccolò Ghedini, che condivide con Gaetano Pecorella il doppio ruolo di parlamentare di Forza Italia e di difensore del Cavaliere. Ghedini mi confida di aver avuto rapporti di «ottima conoscenza, direi di amicizia» con Giuseppe Guastella, uno dei due cronisti del «Corriere» che seguono i processi Berlusconi, e buoni con l'altro, Luigi Ferrarella. Proprio per questo, dopo un loro articolo, incontrando Ferrarella in un corridoio del palazzo di Giustizia si sarebbe permesso una battuta sulla «disinformacija da Kgb». «Gli rimproverai di aver scritto un articolo molto duro contro di noi» mi racconta Ghedini «per un rinvio del processo dovuto a nostri impegni parlamentari senza prima avermene chiesto la ragione. Inviai una lunga lettera riservata personale a de Bortoli, che mi aveva fatto un'eccellente impressione umana e professionale, dicendogli che, a mio giudizio, la linea del "Corriere" verso di noi era prevenuta. Lui mi rispose con un'altra lunghissima missiva in cui contestava le mie tesi, sostenendo che i suoi cronisti si erano comportati bene. Io replicai e, dopo la pubblicazione dell'articolo sugli "avvocaticchi", ricevetti da de Bortoli una seconda lettera. E i rapporti si interruppero.» Gli avvocati di Berlusconi citarono poi in giudizio il giornalista.

Nell'estate del 2003, quando ormai al «Corriere della Sera» era stato nominato un nuovo direttore, de Bortoli, Ghedini e Pecorella si trovarono dinanzi al giudice per il tentativo di conciliazione di rito. Anche in questo caso le

versioni divergono: entrambe le parti sostengono di essersi presentate pronte a chiudere la vertenza, ma de Bortoli
sostiene che i due non lo salutarono neppure, respingen-
do di fatto una mano tesa, mentre Ghedini non solo nega
il fatto, ma dichiara di essere irritato perché de Bortoli
esibì al giudice le sue lettere riservate personali. Comunque sia, alla fine il tentativo di conciliazione fallì e l'ex direttore del «Corriere» dichiarò al magistrato che, se avesse
dovuto riscrivere quell'articolo, non avrebbe cambiato
una virgola.

Cesare Previti, da parte sua, reagiva alle critiche e alle
analisi dei cronisti e dei commentatori del «Corriere» inviando numerose lettere, tutte regolarmente pubblicate.
Al punto che Giuliano Pisapia, parlamentare di Rifondazione comunista e avvocato di parte civile per la Cir di
Carlo De Benedetti nei processi contro Berlusconi e Previti, nella memoria presentata alla Corte di cassazione che si
sarebbe dovuta pronunciare sulla rimessione ad altro tribunale per legittimo sospetto, definì Previti un «collaboratore» del giornale, ricevendo una furibonda telefonata
di protesta da de Bortoli.

«Buon lavoro, professor Tremonti...»

Alle tensioni fra il giornale di via Solferino e gli avvocati del Cavaliere si aggiunse la sorda polemica tra Ferruccio de Bortoli e Giulio Tremonti. I due si conoscevano da
molto tempo. L'allora direttore del «Corriere» aveva lavorato per anni alla redazione economica del giornale, di cui
fu responsabile dal 1987 alla fine del 1993 e di cui, di fatto,
conservò la guida, in qualità di vicedirettore delegato al-
l'economia, dal 1994 al 1997, quando sostituì Paolo Mieli.
Dal canto suo, l'attuale ministro dell'Economia è stato per
dieci anni editorialista del «Corriere» e le sue posizioni in
campo economico e fiscale gli valsero fin da allora l'attenzione e l'apprezzamento, oltre che di Silvio Berlusconi, di
Umberto Bossi. Dai rapporti professionali era nato tra de

Bortoli e Tremonti un rapporto d'amicizia, consolidato dallo stretto legame che nel frattempo si era instaurato tra le rispettive consorti.

Domenica 27 ottobre 2002 il «Corriere della Sera» pubblicò un'ampia e importante intervista a Tremonti, curata dal vicedirettore Massimo Gaggi, che aveva per titolo un'affermazione del ministro: *L'economia ormai è in una trincea e la finanziaria è di protezione sociale*. Gaggi e Tremonti si conoscono da vent'anni, da quando entrambi collaboravano con l'allora ministro delle Finanze Franco Reviglio, e l'articolo fu il frutto di un colloquio di due ore che aveva avuto luogo nella Sala Albertini, nella sede del giornale. La sera stessa Gaggi perse temporaneamente la voce, sicché l'indomani, quando doveva rileggere a Tremonti il testo dell'intervista, incaricò del compito un vice redattore capo. Come accade talvolta agli intervistati, il ministro ebbe qualche ripensamento, chiese di togliere qualche riga e di aggiungerne altre: la conversazione telefonica durò ottantacinque minuti e alla fine il testo era sensibilmente diverso da quello iniziale, tanto che ci fu chi, in direzione, suggerì di non pubblicarlo. Ma per evitare dissapori con il ministro di gran lunga più importante del governo Berlusconi, si decise di passarlo comunque con la giusta evidenza. Poiché, tuttavia, il radicale mutamento del testo era ormai notizia di dominio pubblico all'interno del giornale, Gaggi – pur non ritirando la firma – siglò il pezzo con le sole iniziali in corsivo. Ovviamente il lettore non si accorse di nulla, ma a chi doveva capire – dentro e fuori il giornale – non sfuggì che il disagio era stato forte. E de Bortoli non digerì l'episodio.

Due giorni dopo, martedì 29 ottobre, approfittando delle voci di dimissioni di Tremonti respinte da Berlusconi dopo dissensi nella maggioranza sulla finanziaria per il 2003, egli scrisse in prima pagina un durissimo corsivo che si concludeva così: «Tremonti ha ottenuto la fiducia totale del premier e ne siamo lieti (è un nostro apprezzato ex editorialista, uomo di gran qualità). Ma di fiducia (nel senso di voti anche in Parlamento) questa finanziaria di corto respiro ne avrà bisogno. Molto bisogno. E la fiducia si recupera anche risparmiando sulle promesse che non si possono mantenere e sulle stime troppo generose, come quelle sulle entrate della legge di bilancio. E pure, se è consentito, con un briciolo (ma solo un briciolo, per carità) di arroganza intellettuale in meno. Buon lavoro, professor Tremonti». Gaggi, che lesse in anticipo il corsivo, avvertì il suo direttore: «Guarda, Ferruccio, che così chiudiamo». Ma de Bortoli fu irremovibile e il rapporto con Tremonti si chiuse davvero.

Il ministro dell'Economia troncò i rapporti anche con tutti gli azionisti del «Corriere della Sera», compresa la Fiat (e tutti sanno quanto l'azienda torinese avesse bisogno del governo). Tremonti era convinto che l'ispiratore di quel violento corsivo fosse stato Cesare Romiti. Sia quest'ultimo sia de Bortoli lo hanno sempre negato, ma conversando il giorno stesso della pubblicazione con un collega di Confindustria, Romiti disse di condividerlo. E la voce era giunta all'orecchio del ministro.

Morto Agnelli, Romiti più forte. E allora...

La posizione del «Corriere della Sera» contraria al sostegno italiano alla guerra contro l'Iraq non contribuì a distendere gli animi. Il 1° maggio 2003 la proprietà si lamentò con il direttore per un editoriale di Sergio Romano severo nei confronti del Cavaliere. Un giorno Berlusconi e de Bortoli si incontrarono a San Giuliano di Puglia dove il presidente del Consiglio inaugurava il nuovo villaggio per i terremotati costruito a tempo di record, anche con il contributo finanziario dei lettori del «Corriere della Sera» e dei telespettatori del Tg5. Vedendo de Bortoli, il presidente del Consiglio disse al suo portavoce Bonaiuti: «Salutami il direttore del "manifesto"». Eppure, prima delle elezioni amministrative del 2003, a Berlusconi avrebbe fatto piacere che proprio il direttore del «Corriere» lo intervistasse a «Porta a porta», ma allora fu de Bortoli a rifiutare. Considerava oltraggioso il processo intentatogli dagli avvocati del Cavaliere e sentiva ormai vicina la fine del suo mandato.

Paolo Bonaiuti, che ha sempre avuto con lui un ottimo rapporto, continuò a manifestargli segnali di amicizia, e Gianni Letta, incontrandolo alla posa in opera della targa in memoria delle vittime dell'incidente aereo di Linate, ne fece il pubblico elogio. Era il mese di maggio e il conto alla rovescia era ormai iniziato.

Una delle ragioni – forse quella decisiva – che spinse Cesare Romiti a decidere il cambiamento al vertice del quotidiano milanese fu la volontà di riaffermare pubblicamente il proprio ruolo di azionista di riferimento della Rcs Media-Group e le proprie prerogative di editore in quanto presidente della Rcs Quotidiani. A suo tempo la Fiat aveva cercato, durante la presidenza di Paolo Fresco, di emarginare Romiti, e non c'era riuscita, ma se Gianni Agnelli fosse stato ancora in vita, la sua parola sarebbe risultata comunque determinante. Dopo la morte dell'Avvocato, Romiti aveva quindi rafforzato il suo potere sul «Corriere della Sera» e, infastidito dalle voci circa un possibile cambiamento dei rapporti nel patto di sindacato e le pressioni per entrarvi (richiesta peraltro in quel momento respinta) esercitate da Salvatore Ligresti, amico di Berlusconi e detentore del 5,20 per cento del pacchetto azionario (gli altri membri del «sindacato di blocco e di consultazione» – Italmobiliare, Franco Caltagirone, Generali, Pirelli, Banca Intesa, Sinpar di Luigi Lucchini, Finint, Edison e Mittel – hanno quote inferiori), aveva voluto dimostrare a tutti che le decisioni importanti spettavano a lui.

A questo si aggiunga, secondo quanto ha riferito Umberto Brunetti nel numero di giugno 2003 di «Prima comunicazione», il mensile specializzato di cui è direttore, che con la nomina di Gaetano Mele ad amministratore delegato del gruppo Rcs Quotidiani, l'azienda aveva progressivamente riassorbito il potere manageriale condiviso per molti anni prima con Paolo Mieli e poi con de Bortoli, programmando un gigantesco piano di rinnovamento tecnologico del quotidiano senza coinvolgerne più di tanto il direttore. De Bortoli, i cui rapporti con il predecessore di Mele, Claudio Calabi, erano stati di gran lunga migliori, dovette rilevare altresì che il nuovo direttore generale della Rcs Quotidiani, Enrico Greco, in conformità con la linea aziendale di incremento della redditività e di riduzione dei costi, aveva respinto la sua richiesta di nuove assunzioni (che sarebbero state invece concesse a Folli).

In ogni caso, fu de Bortoli a far precipitare le cose: giovedì 29 maggio rassegnò le dimissioni «per motivi personali» e rifiutò l'invito a restare al suo posto rivoltogli da ciascuno dei grandi azionisti. Il direttore aveva capito di essere arrivato alla fine del suo lungo e prestigioso periodo di comando in via Solferino. Sentiva che la fiducia della proprietà si era allentata e avvertiva ogni giorno di più che l'indebolimento della sua posizione all'interno dell'azienda si traduceva in un indebolimento della sua posizione nei confronti del mondo politico, e viceversa.

La sera stessa, l'amministratore delegato della holding Rcs MediaGroup, Maurizio Romiti, figlio di Cesare, annunciava la nomina di Stefano Folli, «scelto attraverso la crescita all'interno delle redazioni», confermando che la testata avrebbe continuato nella linea dell'indipendenza.

Arriva Folli, giornali in rivolta

In realtà, Folli sapeva da una decina di giorni di essere designato alla direzione del «Corriere della Sera». Il primo a informarlo, pur nella massima riservatezza, fu proprio de Bortoli, che fece un sondaggio per conto della proprietà. Gli comunicò la sua intenzione di lasciare il giornale e l'orientamento degli azionisti di scegliere come nuovo direttore una persona che garantisse l'equilibrio e l'autorevolezza della testata nel segno della continuità. Folli chiamò subito Romiti e, nel giro di trentasei ore, consultò tutti gli azionisti riuniti nel patto di sindacato. Se Marco Tronchetti Provera fu il più entusiasta della nuova scelta, non ce ne fu uno che gli manifestasse freddezza.

Nei palazzi che contano, Stefano Folli può contare su due grandi sostenitori: Carlo Azeglio Ciampi e Gianni Letta. Il suo rapporto con il presidente della Repubblica è stato sempre solidissimo e, nelle sue note, il giornalista ha sempre interpretato con discrezione e con acume trepidazioni e inquietudini del Quirinale nei frequenti passaggi difficili della vita politica italiana. Quanto a Letta, è da sempre un ammiratore di Folli, che definisce «un giornalista completo e perfetto». I due si conoscono da quando l'attuale direttore del «Corriere» era stretto collaboratore di Giovanni Spadolini (diresse la «Voce Repubblicana», prima di diventare capo dei servizi politici del quotidiano romano «Il Tempo») e Letta ne aveva già avanzato la candidatura (una candidatura strettamente professionale, senza alcun retropensiero politico) quale successore di Paolo Mieli.

La decisione dell'azienda di premiare un «interno» (come era accaduto per de Bortoli, mentre Mieli era venuto dalla «Stampa») trovava in Folli un candidato ineccepibile: è davvero raro che un commentatore sia stimato e rispettato da tutte le parti politiche. Naturalmente, il nuovo direttore aveva anche degli avversari: all'interno della Casa delle Libertà, chi non lo amava metteva in dubbio che un buon notista potesse essere un buon direttore; a sinistra, chi non lo voleva – come temeva, sospirando, Bonaiuti – lo aggregava d'ufficio alla squadra del Cavaliere.

Si son presi anche il «Corriere» titolò «l'Unità» in prima pagina. Piero Fassino, furioso, mise subito una pezza: «La nomina di Folli è un giusto e bel riconoscimento delle sue doti professionali e umane». Anche su «Liberazione» si registrò un contrasto tra il direttore Sandro Curzi e il segretario di Rifondazione comunista, Fausto Bertinotti: il primo definì il nuovo direttore «un cerchiobottista permeabile alla destra», il secondo ne difese fermamente la professionalità. Fra i pressoché unanimi apprezzamenti per la nomina di Folli, si distinse il giudizio negativo di Sergio Cofferati, che dichiarò: «Il pluralismo dell'informazione subisce un altro colpo sotto la cintura come se niente fosse».

Fu a questo punto che nacque uno dei più sconcertanti equivoci della storia del giornalismo italiano. Se tutti i leader dell'opposizione avevano pubblicamente manifestato la loro fiducia nel nuovo direttore, era evidente che alla testa del primo quotidiano italiano non era andato un burattino i cui fili sarebbero stati tirati da Berlusconi (come si sarebbe ampiamente dimostrato nei mesi successivi). Eppure, i giornalisti del «Corriere» scesero subito in sciopero per «protestare contro le ambiguità nella proprietà che hanno portato all'avvicendamento al vertice del più importante quotidiano italiano con un "metodo" privo di chiarezza». Giuliano Ferrara, sul «Foglio», bollò questa iniziativa come una delle «grottesche intemerate ... la base di un piccolo potere di ricatto travestito da sindacalismo libertario». Ma poco dopo l'intera stampa italiana fu paralizzata dal più surreale sciopero generale della propria storia. Tra i primi a prendere le distanze, insieme all'intera redazione romana, fu Piero Ostellino, già direttore e ora editorialista del «Corriere»: «Non si può far passare de Bortoli per un antiberlusconiano doc e il suo successore per una quinta colonna del premier» disse a Paolo Brusorio del «Giornale». «De Bortoli ha voluto dimettersi perché logorato da sei anni di direzione. E il logorio è fatto anche di pressioni: ne ha subite con Prodi, con D'Alema e sicuramente anche con Berlusconi. Per non parlare di quelle spinte interne contrarie al suo modo di impostare il giornale.»

Folli pagò prima di sedersi sulla poltrona di Luigi Albertini proprio queste «spinte interne», che sono state sempre fortissime. Se, in centoventisette anni di storia, soltanto due direttori – Piero Ottone e Alberto Cavallari – hanno impresso al «Corriere» una netta impronta di sinistra, non c'è dubbio che da alcuni decenni la stragrande maggioranza dei redattori, come è avvenuto in altri giornali e nella stessa Rai, abbia un orientamento marcatamente progressista. Il malessere di una parte della redazione per le amarezze e il progressivo indebolimento aziendale di de Bortoli è stato il fiammifero che ha fatto esplodere la benzina versata sulle dimissioni del direttore dall'«Unità» e dalla «Repubblica», che integrava astutamente la sua linea politica antiberlusconiana con la speranza di assestare un duro colpo al suo unico, vero concorrente sul mercato nazionale. La redazione romana del «Corriere» si schierò compatta accanto a Folli per scongiurare lo sciopero, ma la redazione milanese lo votò a larga maggioranza, senza che le grandi firme del giornale si sbracciassero più di tanto per evitarlo.

A ogni buon conto, a due settimane dalla nomina Folli incassò una cospicua fiducia dalla redazione (210 sì, 64 no, 35 schede bianche, una nulla) e gli azionisti gli diedero prova della loro fiducia attivando immediatamente il nuovo piano industriale che, con un investimento di 200 milioni di euro, porterà a metà del 2005 il «Corriere» a essere stampato interamente a colori («la Repubblica» si propone di ottenere lo stesso risultato negli stessi tempi).

Accolto da uno sciopero, Folli – come avrebbe fatto qualunque altro giornalista al suo posto – volle subito dimostrare che tra lui e il Cavaliere non c'era nemmeno la più lontana parentela politica.

Di qui la monumentale iniziativa del 29 giugno, che tuttavia ha un piccolo retroscena. Quando Folli fu nominato direttore del «Corriere», Berlusconi fu l'unico grande leader a non telefonargli per congratularsi. Declinò inoltre il suo invito a concedere al «Corriere» una grande intervista in apertura del semestre di presidenza italiana, cosa che ovviamente non c'entra nulla con la decisione del quotidiano di via Solferino di salutare l'avvio del semestre in maniera così ruvida. Anzi, Folli ha sempre sostenuto che quello era stato un modo per avvertire Berlusconi del trappolone che gli stavano preparando al Parlamento europeo e rimprovera al Cavaliere di non averlo capito. Ma possiamo dire che i due non fecero nemmeno una settimana di viaggio di nozze insieme.

Due giornalisti inglesi a Porto Rotondo

Le reazioni del centrodestra all'inchiesta del «Corriere» sulla stampa europea non si fecero attendere. L'indomani, lunedì 30 giugno, «il Giornale», di proprietà di Paolo Berlusconi, titolava a piena pagina: *È il «Corriere», ma sembra «l'Unità»*, facendo seguire un articolo di fondo di Paolo Guzzanti – già inviato della «Repubblica», già amico e sodale di Eugenio Scalfari, oggi senatore di Forza Italia – che temeva di vedere «un galantuomo come Stefano Folli, professionista che tutti ammiriamo da sempre» ostaggio di una redazione schierata a sinistra. Quattro giorni dopo, Stefano Lorenzetto, una delle penne più brillanti del «Giornale», rincarò la dose ricordando come alcuni posti chiave del quotidiano di via Solferino fossero coperti da giornalisti provenienti dall'«Unità». (Il che spiegherebbe, secondo Lorenzetto, perché la notizia dell'assoluzione definitiva in Cassazione di Berlusconi per la vicenda delle tangenti alla Guardia di finanza, che gli procurò il famoso invito a comparire del 1994, fu pubblicata nel 2001 dal «Corriere» con un rilievo diciannove volte minore di quello con cui, sette anni prima, era stata data la notizia dell'incriminazione.) Inoltre, Lorenzetto scrisse che Folli avrebbe lasciato il suo posto di notista principe della redazione romana a Roberto Gressi, già uomo chiave dell'«Unità», ma fu smentito due mesi dopo perché, dal 1° settembre 2003, la nota politica del quotidiano milanese fu affidata alla prosa attenta ed equilibrata di Massimo Franco, già inviato di «Panorama» e editorialista di «Avvenire».

Sotto il profilo della qualità giornalistica, i primi mesi della direzione Folli diedero ragione a chi, come Gianni Letta, riteneva l'amico adattissimo al ruolo. L'impostazione politica, viceversa, fu per Berlusconi una doccia scoz-

zese. Il 30 giugno, giorno successivo all'inchiesta che gelò
il Cavaliere, il principale titolo di prima pagina fu di segno diametralmente opposto: *L'Europa può contare sull'Italia*, sintesi di una benevola intervista del presidente del
Parlamento europeo Pat Cox. E così fino all'inizio di settembre, quando una nuova gaffe di Berlusconi provocò
una durissima reazione da parte del «Corriere».

Il Cavaliere, che in Sardegna ogni tanto si annoia, ricevette due distinti signori inglesi: Boris Johnson, deputato conservatore e direttore della brillante rivista di nicchia «The
Spectator», e Nicolas Farrell, collaboratore del «Daily Tele-
graph», recatosi tempo fa a Predappio per scrivere una monumentale biografia revisionista su Mussolini, pubblicata
recentemente a Londra con il titolo *Mussolini. A New Life*, e
poi stabilitosi in Romagna dove lavora come editorialista in
un piccolo giornale locale, «La Voce di Rimini». Come accade spesso, gli amici del Cavaliere erano divisi sull'opportunità dell'intervista. Paolo Bonaiuti era da mesi nettamente
contrario, Giuliano Ferrara e Paolo Guzzanti nettamente
favorevoli. Berlusconi tergiversava, ma Johnson s'era piaz-
zato in Sardegna e fece sapere che non si sarebbe mosso prima di essere ricevuto a villa La Certosa.

«La sventurata rispose» scriverebbe a questo punto
Alessandro Manzoni narrando il fatale cedimento della
monaca di Monza alle insistenti attenzioni di Egidio. Così
fece Berlusconi, il quale si illuse di poter replicare dalle
colonne di un giornale certamente autorevole ai formida-
bili attacchi subiti dagli altrettanto autorevoli «The Economist» e «Financial Times». L'intervista, molto ampia e
prudentemente registrata dagli intervistatori, sarebbe stata credibile e di buona qualità se non fosse stato per tre
madornali infortuni. Prima di elencarli, però, occorre ricordare il clima nel quale avvenne l'incontro. I due inglesi
sono persone molto simpatiche e, se vedono una bottiglia,
si può giurare che vi faranno onore, anche se giurano di
aver bevuto quel pomeriggio soltanto tè. Le ore trascorse
alla Certosa di Porto Rotondo si trasformarono così in una

divertente rimpatriata tra amici, assolutamente informale. E a chi gli ha poi rimproverato di non aver tenuto conto che il colloquio veniva registrato, il Cavaliere ha risposto: «È vero, ma eravamo d'accordo che quella dovesse essere soltanto una traccia. Come sempre, aspettavo che mi fosse inviato il resoconto scritto per poterlo rivedere». Quando Bonaiuti, chiamato d'urgenza al telefono durante la sua beata crociera nei mari spagnoli, si mise alla caccia di Johnson, l'inglese prima disse: «Sto sbobinando il testo», poi si eclissò. Finché un amico giornalista romagnolo annunciò al portavoce di palazzo Chigi: «Domani uscirà un'intervista di Berlusconi sulla "Voce di Rimini"». Bonaiuti dovette ammettere con un certo imbarazzo di ignorare l'esistenza del giornale e, in ogni caso, escluse categoricamente che il Cavaliere, pur lasciato senza guinzaglio in Sardegna, avesse mai potuto fare qualcosa del genere. Purtroppo si sbagliava. Sapeva dell'intervista allo «Spectator», ma non immaginava che ci sarebbe stato un suo immediato rilancio in Italia.

«Questi giudici due volte matti...»

Il primo e più grave infortunio nel quale Berlusconi incappò fu la risposta alla domanda se Andreotti fosse o non fosse mafioso: «Ma no, ma no. Andreotti è troppo intelligente. Guardi, Andreotti non è mio amico, è della sinistra. Hanno creato questa montatura per dimostrare che la Democrazia cristiana, che è stata per cinquant'anni il partito più importante nella nostra storia, non era un partito etico, ma un partito vicino ai criminali. Ma non è vero. È una follia!».

Se si fosse fermato qui, il Cavaliere avrebbe espresso soltanto un giudizio politico legittimo, come verrà dimostrato nell'ultimo capitolo di questo libro. Purtroppo, invece, proseguì: «Questi giudici sono due volte matti. Prima, perché sono politicamente fatti così, e in secondo luogo perché sono matti in ogni caso. Per fare questo lavoro bisogna essere malati di mente, se fanno questo lavoro è perché sono antropologicamente diversi. Questo è il motivo per cui sto riformando tutto».

In realtà, il governo è in gravissimo ritardo sulla vera riforma della giustizia, che avrebbe potuto varare fin dalla prima metà del 2002 raggruppando in un unico quadro normativo istituzionale provvedimenti legislativi come quelli sulle rogatorie, sul legittimo sospetto e sulla stessa immunità per le alte cariche dello Stato, tutte norme che, pur avendo un solido fondamento giuridico, sono apparse paradossalmente, proprio per la mancanza di un contesto unitario, come leggi su misura per il presidente del Consiglio.

È vero che da tempo si discute sull'opportunità di inserire test psicoattitudinali negli esami per l'ingresso in magistratura, vista la delicatezza del compito e la stravaganza di alcune decisioni, soprattutto in merito a episodi minori. Ma è ovvio che, se un presidente del Consiglio dice quel che ha detto Berlusconi, può suscitare soltanto una gigantesca sollevazione istituzionale con conseguente sciopero della magistratura, puntualmente avvenuto giovedì 18 settembre. Anche perché ai giornali (ma non ai magistrati) è sfuggito un secondo passaggio pesante dell'intervista. Alla domanda dei giornalisti inglesi se la Fininvest non avesse mai corrotto il giudice Squillante, Berlusconi risponde: «Riguardo ai flussi di denaro non è stato provato nulla, perché ... per quanto riguarda la mia società quello che è stato appurato è solo il pagamento di parcelle ai legali che a Roma avevano un sistema di conti bancari che andavano su e giù dalla Svizzera, nei quali partecipavano *tutti* i giudici di Roma. Non dico che questo sia corretto, dico solo che non ci abbiamo niente a che fare...». Quel «tutti» è un'enormità che si commenta da sola.

Il mondo giornalistico insorse invece per un'altra frase paradossale, ma sostanzialmente meno grave, dell'intervista. Rispondendo a una domanda sugli attacchi degli opinionisti italiani, Berlusconi disse: «Penso che in queste persone ci sia un elemento di gelosia, non trovo altra spiegazione. Tutti questi giornalisti – Biagi, Montanelli – erano più vecchi di me, si sentivano molto importanti: a un certo punto però il rapporto con loro si è ribaltato e io sono diventato quello che loro stessi volevano essere». Ancora una volta, il Cavaliere trasformò in una formidabile gaffe quella che sarebbe potuta essere una ragionevole riflessione. A parte quell'«erano» riferito anche al vivente Enzo Biagi, non c'è dubbio che molti grandi giornalisti abbiano avuto il vezzo di prendere per mano i leader politici e tracciare loro la strada: basti ricordare il caso di Eugenio Scalfari con Ciriaco De Mita. A Indro Montanelli, che riconobbe sempre di aver avuto in Berlusconi il migliore degli editori possibili (uno che ripianava i debiti senza aprire bocca), non sarebbe dispiaciuto che il Cavaliere ne facesse il suo mentore. Il problema era che i due seguivano strade diverse e, soprattutto, che Berlusconi si aspettava dal «Giornale» diretto da Montanelli un appoggio politico che quest'ultimo non era disposto a dargli. Ma l'idea di essere «diventato quello che loro stessi volevano essere» è davvero stravagante e gratuita, visto che il grande giornalista di Fucecchio rifiutò persino la carica di senatore a vita.

Una trappola per il nuovo direttore?

L'intervista concessa ai due giornalisti inglesi produsse un'altra svolta nel «Corriere della Sera». Il 5 settembre il giornale pubblicò un editoriale intitolato *Oltre il limite* e firmato da Francesco Merlo, la penna più elegante, brillante e caustica del «Corriere», provvista di quel genio misto a una punta di follia di cui alcuni siciliani sono esempi ineguagliabili. Francesco Merlo, siciliano trapiantato a Parigi, è uno di questi. Se vuoi distruggere una persona, chiamalo, e il tuo uomo è morto. Conoscendo Stefano Folli, riteniamo che si aspettasse dall'editorialista una bastonatura con lesioni da trenta giorni di prognosi. Invece fu compiuto un omicidio politico, aggravato dal vilipendio di cadavere. Cento righe di articolo in cui non c'era aggettivo che non fosse una pugnalata e non c'era sostantivo che non fosse un colpo d'ascia. Insomma, un massacro degno della New York ottocentesca di Martin Scorsese. Enrico Deaglio, già direttore di «Lotta Continua» e attuale patron del settimanale «Diario», fece una ricerca d'archivio e scoprì che mai parole simili erano state usate contro un presidente del Consiglio in carica.

Il Cavaliere, che da buon milanese è abituato sin dalla prima giovinezza a fare colazione con il caffellatte e il «Corriere», per poco non svenne. «Hanno pubblicato quell'articolo come editoriale» notò mestamente Gianni Letta, che da vecchio direttore di giornale sa che, in quella nobile posizione, le parole pesano ancor di più. Quando, al termine della lunga giornata, diede al Cavaliere il bacio della buonanotte, sapeva che l'amico avrebbe sognato Daniele Luttazzi, Marco Travaglio e Michele Santoro vestiti da cherubini, ed Enzo Biagi con addosso il costume di Babbo Natale.

Incredibilmente, il primo a restare tramortito per la violenza dell'articolo era stato proprio Folli, che si sentì tradito da quella che era la prima firma del giornale. Se avesse censurato il pezzo, la redazione gli avrebbe rinfacciato di preferire Berlusconi alla sacra memoria di Montanelli. Non lo fece e, com'era prevedibile, i giorni successivi furono tra i più difficili della sua lunga vita professionale. Folli temette di essere caduto in una trappola poco tempo dopo, quando seppe che Merlo lasciava il «Corriere» per «la Repubblica», un passo rispettabile ma professionalmente incomprensibile (tutti i grandi commentatori che avevano fatto quella scelta – da Ernesto Galli della Loggia ad Alberto Ronchey – erano tornati di corsa in via Solferino). Quando l'aveva deciso? Nonostante le assicurazioni contrarie, qualcuno ai vertici del «Corriere» sospettò che Merlo avesse fatto la sua scelta prima di scrivere l'articolo contro Berlusconi. Se questo fosse vero, si sarebbe ripetuto quel che accadde con Michele Santoro allorché, alla fine degli anni Novanta, concluse il suo triennio in Mediaset con una trasmissione dal ponte di Belgrado così schiacciata sulle posizioni di Milošević che Pierluigi Celli, l'allora direttore generale della Rai, si chiese con una certa preoccupazione a quali grane sarebbe andato incontro con il rientro del giornalista. Allora si disse che quella andata in onda su Italia 1 non era stata l'ultima trasmissione condotta da Santoro per Mediaset ma, politicamente, la prima per la Rai, proprio come l'articolo di Francesco Merlo scritto per il «Corriere» con la valigia in mano.

Mussolini e i confinati «in vacanza»

Una settimana più tardi lo «Spectator» e «La Voce di Rimini» pubblicarono la seconda parte dell'intervista di Berlusconi, che conteneva un'altra battuta che scatenò enormi polemiche. Rispondendo a una domanda sul possibile parallelo fra Saddam Hussein e Benito Mussolini, il presidente del Consiglio dichiarò: «Mussolini non ha mai ammazzato nessuno, Mussolini mandava la gente a fare vacanza al confino». Chiarendo il senso delle sue parole, dopo che era scoppiato il caso, precisò: «Mai difeso Mussolini: ho agito da patriota rifiutando paragoni con Saddam». Si aprì un gigantesco dibattito sulla differenza tra regimi «autoritari», come il fascismo, che non usò il terrore di massa, e regimi «totalitari», come il nazismo e lo stalinismo, in nome dei quali furono sterminati milioni di persone. Insomma, sia Hitler sia Stalin massacrarono i loro Nenni e i loro Pertini. Ma, a parte il fatto che Giacomo Matteotti non morì per cause naturali e che Antonio Gramsci non fece nelle carceri fasciste una cura ricostituente (anche se si discute tuttora se i suoi compagni si dannarono l'anima per farlo uscire), l'idea che Ponza e Ventotene, oggi isole ambitissime, fossero fin da allora luoghi di villeggiatura e stazioni balneari esclusive non era certo delle più brillanti. Gianfranco Fini, che sull'argomento si era cucito la bocca subito dopo che, molti anni prima, gli era scappato di definire Mussolini «il più grande statista del secolo», commentò che il Cavaliere di oggi avrebbe potuto risparmiarsi la battuta su quello di ieri. All'«Unità» non parve vero di poter titolare *Berlusconi come Mussolini*, mentre questa volta il «Corriere della Sera» se la cavò con una censura severa, ma al tempo stesso garbata, stilata da Paolo Franchi.

In conclusione, fin dai primi mesi della sua direzione Stefano Folli, contro la cui nomina «berlusconiana» era scesa in campo tutta la stampa italiana, fece del «Corriere» il giornale più ricco, autorevole e meglio impostato d'Italia, sulla scia di de Bortoli che, per la crisi dell'11 settembre 2001, confezionò un numero memorabile. Su palazzo Chigi Folli alternò commenti stranieri talvolta benevoli e persino lusinghieri a censure di straordinaria durezza, attenuatesi peraltro in autunno. Il giornale apparve complessivamente più severo di prima nei confronti del governo, ma il direttore sostiene che le critiche sono e saranno sempre di taglio liberale e non ideologico, e sempre accompagnate dallo stimolo a far meglio.

La politica estera della maggioranza non fu mai contestata, e lo stesso Tremonti tornò a concedere interviste importanti, come quella sulle pensioni apparsa a metà settembre in un clima più disteso. Folli spiazzò «la Repubblica» dettando l'agenda politica dell'estate anche sul terreno dove il concorrente è più forte, la sinistra: fu sul «Corriere» che Prodi annunciò la proposta di lista unica dell'Ulivo e fu sullo stesso giornale che gli risposero Massimo D'Alema e Piero Fassino. Fu sempre sul «Corriere» che Fini diede l'alt alla Lega e Umberto Bossi sparò le sue «cannonate» contro gli immigrati. Anche nella campagna acquisti, Folli puntò sui moderati: Magdi Allam, il più autorevole commentatore di politica mediorientale, fu strappato alla «Repubblica», Massimo Franco a «Panorama» e, da ottobre, Aldo Cazzullo alla «Stampa». L'arrivo di Luigi Spaventa fu ampiamente compensato da quello dei riformisti Michele Salvati e Sabino Cassese. E la partenza di Merlo garantì al direttore l'assenza di colpi di mano per il futuro.

Alle 18.56, sul sito dell'«Economist»

Nemmeno Francesco Merlo era comunque riuscito a superare la potenza dell'attacco atomico sferrato un mese prima contro il Cavaliere dall'«Economist». Quando, alle 18.56 di giovedì 31 luglio 2003, le graziose collaboratrici di Paolo Bonaiuti a palazzo Grazioli cominciarono a stampare il dossier appena pubblicato sul sito del prestigioso settimanale inglese, il sottosegretario alla presidenza del Consiglio non batté ciglio. «Erano tre settimane che lo aspettavamo» disse ai suoi, mentre l'ampia fronte cominciava a imperlarsi di sudore. Da metà luglio, infatti, a palazzo Chigi era giunta la voce che gli avvocati del periodico stavano studiando i possibili risvolti legali di un testo molto aggressivo sul presidente del Consiglio italiano.

Quindici giorni prima di quel fatidico venerdì 1° agosto l'«Economist» aveva attaccato Berlusconi nella rubrica *Charlemagne*, che si occupa di istituzioni europee. Ma era come la mascotte che, nelle sfilate, precede le truppe d'assalto. Le quali arrivarono puntuali con quel dossier di cinquanta pagine, qualcosa di assolutamente inedito nella secolare e prestigiosa storia del giornale. Bonaiuti aspettava l'attacco, ma non ne immaginava la portata. «Nemmeno a Pol Pot hanno mai dedicato una roba simile» commentò scorrendo il malloppo. Pochi minuti dopo ne riassumeva per Berlusconi il contenuto: «Roba vecchia, ripresa dai libri contro di te pubblicati dalle edizioni Kaos, dalla ricerca commissionata dai magistrati alla Kpmg, dal sito di Romano Prodi per la questione Sme, dalle tesi di Carlo De Benedetti…». Infine, il comunicato stampa: «Berlusconi ha altro da fare che leggere l'"Economist". Lo faranno i suoi avvocati».

L'inchiesta del settimanale inglese era presentata in copertina da una foto del Cavaliere con la scritta: *Caro Mr Berlusconi … La nostra sfida al primo ministro italiano*. Una «lettera» del direttore Bill Emmott annunciava che la «sfida» era articolata in sei sezioni: «l'affare Sme, le dichiarazioni spontanee al processo di Milano, la denigrazione *[questa è la traduzione proposta dall'"Unità" per il vocabolo inglese "smearing". In realtà, il termine è più forte: non proprio "diffamazione", piuttosto qualcosa che assomiglia al verbo siciliano "mascariare", cioè "lordare l'immagine"]* di Romano Prodi, la pretesa medaglia d'oro [*"Altro che processo. Per aver evitato la svendita della Sme dovrebbero darmi una medaglia d'oro" ha ripetuto spesso Berlusconi*], gli altri processi, l'inizio della sua carriera di uomo d'affari».

L'edizione cartacea del giornale pubblicò una sintesi del contenuto delle cinquanta pagine diffuse on-line. Ma le ventotto domande alle quali Berlusconi era invitato a rispondere erano condite a sufficienza per «mascariare» il Cavaliere dinanzi alla selezionata opinione pubblica internazionale dei lettori dell'«Economist». Il presidente del Consiglio italiano veniva sbrigativamente definito «il più estremo caso in Europa di abuso da parte di un capitalista nei confronti della democrazia nella quale vive e opera ... Un perpetuatore della vecchia e peggiore Italia ... che ha sfruttato la sua maggioranza parlamentare per porsi al di là della legge. Un ricco uomo d'affari che usa il suo potere politico per favorire i suoi affari, sia sventando le indagini giudiziarie contro di lui, sia facendo approvare nuove leggi nel suo esclusivo interesse». Un bandito, insomma: un uomo dagli oscuri esordi imprenditoriali passato dalla corruzione finanziaria a quella politica al solo scopo di diventare sempre più ricco.

Niccolò Ghedini si affrettò a ricordare: «Gli autori dell'inchiesta ignorano che contro il premier non è passata in giudicato neanche una multa per divieto di sosta» e, dopo una prima lettura del testo, si disse convinto che era così «diffamatorio» da consentire «amplissimi spazi per un'azione risarcitoria». E così avvenne. (Berlusconi aveva già denunciato l'«Economist» il 2 maggio 2001 dopo che nel numero del 28 aprile, a due settimane dalle elezioni politiche, il settimanale aveva dedicato una copertina al Cavaliere definendolo «inadatto a guidare l'Italia» e alimentando una formidabile campagna, anche televisiva, della sinistra italiana. E, il 10 maggio 2003, altra affermazione: «Berlusconi è inadatto a guidare l'Europa».)

Berlusconi: «Hanno confuso le guardie con i ladri»

Perché l'«Economist» lanciò una campagna così violenta e inusuale? L'«Unità», che dedicò diverse pagine al dossier apparso on-line il 31 luglio, la giudicò doverosa. Sulla stessa linea «la Repubblica»: Paolo Garimberti sostenne la legittimità della preoccupazione che Berlusconi possa «essere un'offesa per il popolo italiano... e per l'Europa in quanto esempio più estremo dell'abuso da parte di un capitalista della democrazia nella quale vive e opera». Da destra si rispose per le rime, osservando che il prestigioso settimanale aveva sposato parola per parola le tesi di Prodi e De Benedetti sull'affare Sme.

Ma le analisi più serie e problematiche furono fatte dalla «Stampa» e dal «Foglio». Aldo Rizzo si pose nel ruolo – scontato all'estero, inconsueto in Italia – del cittadino che, per chiunque abbia votato, si sente colpito nell'orgoglio nazionale per un'aggressione di tale portata al proprio primo ministro. E ricordò sul quotidiano torinese che tale «inaudita severità» non era stata usata dal settimanale inglese nei confronti di Jacques Chirac, salvato dall'immunità presidenziale «per certi precedenti amministrativi e giudiziari di quando era sindaco di Parigi», né tantomeno, spostandoci su un altro piano, per Tony Blair dopo le tempeste abbattutesi su di lui – «tra testimoni suicidi e accuse sdegnate della Bbc» – per la questione irachena. «E allora» concludeva Rizzo «ritenendo che il premier di un grande paese, presidente di turno dell'Ue, debba essere giudicato per quello che farà o non farà nel semestre, quali che siano i suoi problemi interni, e viste le molte domande che il settimanale... pone a Berlusconi, poniamo anche noi una domanda: perché?»

Giuliano Ferrara provò a dare una risposta, attribuendo – tra le diverse ipotesi – l'ispirazione della campagna alla «coalizione di interessi e di sensibilità finanziarie e politiche rappresentata da quel giornale incline a raggiungere lo scopo di indebolire il *maverick*, l'outsider della politica europea, al fine di consolidare e rassicurare un establishment leso nelle sue abitudini e nelle sue tasche dalle performance del Cav., come businessman e come politico». Opinione almeno in parte condivisa dal direttore dello «Spectator», che il 6 settembre successivo disse alla «Repubblica»: «Non c'è, evidentemente, alcun complotto. Berlusconi suscita antipatia in una certa euro-nomenklatura perché è un politico nuovo, insolito, acceso partigiano del libero mercato e filo-americano».

Stupisce che questa «antipatia» possa spingere un settimanale autorevole come «Newsweek» a scrivere il 20 ottobre 2003 un articolo (a firma Barbie Nadeau) di puro massacro contro il premier italiano, pieno di inesattezze e di paradossi come quelli, riscontrabili fin dalle prime righe, di confondere il presidente del Consiglio con il leghista Stefano Stefani (insulti ai turisti tedeschi) e di sostenere che ogni spicchio delle sue vicende processuali vale quanto l'intero scandalo Enron, che ha sconvolto la finanza degli Stati Uniti con contraccolpi in tutto il mondo.

E l'interessato che ne pensa? «Il gruppo L'Espresso-Repubblica, che controlla anche i giornali locali Finegil» mi dice il presidente del Consiglio «è un nemico storico di Silvio Berlusconi. Per quanto riguarda il "Corriere della Sera", il paradosso è che mi era stata addossata la colpa di un intervento per la nomina a direttore di Stefano Folli con una campagna sfociata addirittura in uno sciopero generale dei giornalisti. Io, ovviamente, non avevo mosso un dito. Basta peraltro sfogliare un giorno qualsiasi il "Corriere della Sera" per coglierne la linea editoriale.»

L'«Economist» e la stampa straniera non fanno capo a De Benedetti... «È una campagna coordinata dall'Italia. Esiste un circuito di giornalisti di sinistra che si tengono per mano. La campagna dell'"Economist" parte da un errore di base: ha scambiato le guardie con i ladri. Ma a parte questo colpevole e imperdonabile strafalcione, l'iniziativa ha una sua causalità molto, molto precisa.»

Non avrà per caso rotto le uova nel paniere a qualcuno? «È possibile. Può darsi che una posizione economica importante aiuti un imprenditore di successo a dedicarsi alla vita pubblica. E questo può essere avvertito come un pericolo dall'establishment politico. Ma anche qui hanno sbagliato. Non è il potere economico che mi ha portato al governo: è stata la fiducia degli italiani sulla mia capacità di cambiare le cose certificata da quel che ho saputo fare come imprenditore. E poi c'è l'invidia, che è un sentimento umanissimo.»

VII

L'Italia diversa.
Conflitto d'interessi e anomalia giudiziaria

E Berlusconi disse: «Sia la luce»

Berlusconi è certamente l'incarnazione della grande anomalia italiana dell'ultimo decennio. Ha dichiarato il suo
amico e sodale Marcello Dell'Utri a Giancarlo Perna del
«Giornale» l'8 settembre 2003: «È uno capace di realizzare
l'utopia. Lo ricordo di fronte a un terreno nebbioso. Disse:
"Devo fare una città in cui ci sarà tutto". E fece Milano Due.
Poi, una Tv più grande della Rai. E l'ha fatta. Poi, di una
squadra di serie B, la più forte del mondo. E l'ha fatta. Poi,
dal nulla, il partito più forte d'Italia. E l'ha fatto». Si può
obiettare che questo racconto assomiglia tremendamente
ai primi versetti della Bibbia: «La terra era informe e deser-
ta. Dio disse: "Sia la luce". E la luce fu. Dio disse: "Sia il fir-
mamento in mezzo alle acque per separare le acque dalle
acque". E così avvenne. Dio disse: "Le acque brulichino di
esseri viventi". E Dio vide che era cosa buona. Dio li bene-
disse» (*Genesi* 1,2-22). Eppure, non c'è nessuno che possa
smentire Dell'Utri.

Il problema è nato quando gli italiani hanno affidato a
questo geniale imprenditore il compito di guidare il loro
paese. Per giustificare le sue continue gaffe istituzionali,
Berlusconi ha dichiarato (9 settembre 2003): «Dico quel che
la gente pensa. Continuerò a sostenere la verità anche se
non è politicamente corretto». E ha aggiunto: «Non sono
un politico di professione né voglio diventarlo». Ma questo
non è credibile da parte di un uomo che ormai da dieci anni

è in politica ed è arrivato a occupare una delle più alte cariche dello Stato. In privato Berlusconi ha un tratto molto
signorile: non c'è ospite, anche di basso rango, che al momento del commiato non venga da lui accompagnato personalmente all'ascensore. Non sarebbe male che lo stesso
riguardo il Cavaliere lo manifestasse anche verso le istituzioni dello Stato – a cominciare dalla magistratura – che
non gli sono amiche e che lo hanno combattuto in maniera
assolutamente inedita nella storia italiana e in quella della
democrazia occidentale. Benché sia il leader che sa parlare
meglio alla «pancia» dell'elettorato, continua a incarnare la
«grande anomalia» italiana, pur avendone egli stesso – come abbiamo visto nel capitolo I – indicate altre tre che giudica gravissime.

Ha ragione il direttore di «The Spectator», Boris Johnson, quando associa la sua ammirazione per il Cavaliere
(«Un uomo di grande capacità che ha creato grandi cose»
ha detto alla «Repubblica») alla considerazione che mai
potrebbe esserci un Berlusconi inglese. È un peccato, però,
che l'egregia compagnia di giro dei giornalisti stranieri in
Italia non spieghi fino in fondo ai propri lettori come e
perché è nata questa «anomalia».

Sul conflitto d'interessi e su alcuni eccessi verbali del
presidente del Consiglio – sapientemente riportati, come
vedremo tra poco – Tony Barber del «Financial Times» e i
suoi colleghi hanno ragione. Ma, a proposito della giustizia, sorprende che i corrispondenti stranieri non scrivano
quanto sia abissale la differenza tra i loro sistemi giudiziari e il nostro, e quale condizionamento abbia esercitato la
magistratura sulle vicende politiche italiane dell'ultimo
decennio.

In Inghilterra il Lord Cancelliere, ministro della Giustizia, è al tempo stesso un uomo politico e il più alto magistrato del Regno Unito: nomina i magistrati su parere di
una commissione consultiva istituita in ciascuna giurisdizione e può essere rimosso in qualsiasi momento dal primo ministro. Il pubblico ministero, cioè colui che stabili-

sce se dare avvio all'azione penale, è nominato invece da un omologo del nostro procuratore della Repubblica, il quale è nominato a sua volta da un omologo del nostro procuratore generale di Cassazione. Entrambi esponenti del partito di maggioranza, restano in carica quanto il governo e hanno la facoltà non solo di sospendere i processi penali in corso ma anche di impedirne l'avvio, qualora ritengano che possano nuocere all'interesse nazionale o alle relazioni internazionali del paese.

In Francia l'apertura di un procedimento penale è lasciata alla discrezionalità del pubblico ministero, che dipende da un procuratore della Repubblica, che dipende da un procuratore generale, che dipende gerarchicamente dal ministro della Giustizia, il quale, dopo la riforma introdotta nel 1993, deve trasmettere per iscritto le sue disposizioni ai magistrati. In base al codice di procedura penale, il pubblico ministero valuta l'opportunità dell'azione penale, che dunque è assolutamente discrezionale.

In Germania i pubblici ministeri sono «funzionari» che «devono conformarsi agli ordini dei loro superiori», cioè del governo. Nelle corti federali vengono nominati dal ministro della Giustizia, il quale sottopone il suo provvedimento all'approvazione del Senato. Nelle corti locali, invece, sono nominati dai ministri della Giustizia dei Länder.

In Spagna i pubblici ministeri dipendono da un procuratore generale, che viene nominato dal re su proposta del governo. Il ministro della Giustizia e lo stesso primo ministro possono chiedere al procuratore generale di promuovere un'azione penale, e se un pubblico ministero rifiuta l'incarico, ne viene scelto un altro.

In Belgio tutta la magistratura è sottoposta agli altri poteri dello Stato, i pubblici ministeri sono semplici «funzionari», al pari dei prefetti, e vengono nominati discrezionalmente dal re. Paragonabili a funzionari di prefettura sono anche i pubblici ministeri svedesi, che vengono nominati dal ministro della Giustizia. In Olanda l'azione penale non è obbligatoria e i pubblici ministeri rispondono diretta-

mente al governo. In Svizzera il tribunale federale è nominato dal Parlamento. In Giappone i magistrati della Cassazione – e persino quelli delle corti inferiori – sono nominati
dal governo. Per non parlare degli Stati Uniti, dove è noto
che tutta la magistratura è di nomina politica.

Quando una sera a «Porta a porta» dissi che la posizione costituzionale della magistratura italiana era unica al
mondo, il presidente dell'Associazione nazionale magistrati, Edmondo Bruti Liberati, osservò garbatamente che
almeno il Portogallo si trovava nella nostra stessa situazione. Per scrupolo mi sono letto la Costituzione porto-
ghese e, poiché un paio di articoli facevano pensare che
fosse un po' diversa dalla nostra, ho chiesto ulteriori chiarimenti a Lisbona. Bene, su alcuni punti chiave vi sono
differenze sostanziali. Innanzitutto la carriera del pubblico ministero è separata da quella dei magistrati giudicanti
ed esistono due Consigli superiori della magistratura:
uno per i pubblici ministeri, l'altro per i giudici. In secondo luogo, pur essendo l'azione penale formalmente obbligatoria, i pubblici ministeri – la cui organizzazione è
strutturata gerarchicamente – si muovono nell'ambito
delle grandi linee di politica criminale tracciate dagli organi sovrani dello Stato, cioè dal Parlamento e dal governo, che hanno rapporti di consultazione con il procuratore
generale della Repubblica, la massima autorità della magistratura requirente. Anche il Portogallo, dunque, pur
avendo subìto una dittatura durata molto più a lungo del
nostro ventennio fascista (è caduta solo alla metà degli anni Settanta), ha un ordinamento che, al momento, da noi
sarebbe impensabile.

«È incredibile» dissero alla Corte Suprema americana

La maggior parte dei governanti stranieri ignora che in
Italia i pubblici ministeri sono indipendenti e che la loro
carriera è comune con quella dei magistrati giudicanti.
Quando si cerca di spiegarglielo, spesso non ci credono.

Gli stessi giuristi stranieri, che dovrebbero saperne qualcosa di più, sorridono pensando a equivoci linguistici.

Nell'estate del 2002, a Washington, il presidente del Senato Marcello Pera è stato ospite a colazione dei nove potentissimi giudici della Corte Suprema americana. Era la prima volta che un'autorità italiana aveva questo privilegio e i commensali ne approfittarono per confrontare i rispettivi sistemi giudiziari. Quando Pera illustrò l'ordinamento italiano, con particolare riferimento all'indipendenza dei pubblici ministeri, in un primo momento i suoi interlocutori pensarono di aver capito male. Il presidente del Senato non si stupì più di tanto e, poiché conosce bene l'inglese, insisté. Alla fine, uno dei giudici si arrese a nome del gruppo: «*It isn't incomprehensible. It's incredible*», non è incomprensibile, è incredibile.

Un anno dopo, Pera si recò a Londra per incontrare Tony Blair e il Lord Cancelliere, di cui poc'anzi è stato illustrato il ruolo nell'ordinamento giudiziario inglese. Nell'ultimo rimpasto di governo, all'inizio dell'estate del 2003, Lord Alexander Irvine of Larig – che occupava il prestigioso incarico – era stato sostituito da Lord Falconer of Thoroton, vecchio amico di Blair. «Il Foglio» dell'11 luglio 2003 ha ricordato che trent'anni fa i due hanno diviso, quando erano studenti, un appartamento in Scozia e che Falconer ha scippato a Blair una fidanzata, ma questo non pare aver incrinato la loro amicizia di ferro, che ha fatto dell'attuale Lord Cancelliere uno dei consiglieri più fidati del premier. Come Blair, Falconer ha esercitato l'avvocatura e, da avvocato, ha portato alla vittoria il sindacato degli elettrici in un'importante vertenza contrattuale, tant'è che le Trade Unions, in segno di riconoscenza, hanno donato al Partito laburista 1 milione di sterline. E il primo ministro si è comportato generosamente con l'amico. Dopo averlo fatto entrare nel 1997 nella Camera dei Pari, ora lo ha gratificato del titolo politico-istituzionale più prestigioso: la carica di Lord Cancelliere ha 1400 anni ed è antecedente allo stesso antichissimo Parlamento britannico. Secondo alcuni giornali, la statura di Falconer non sarebbe gigantesca, ma a lui (nominato al tempo stesso ministro delle Riforme istituzionali) Blair ha affidato una revisione del sistema giudiziario inglese che lo renda indipendente dalla Camera dei Lord. (Oggi tutti i magistrati vengono nominati dal Lord Cancelliere, mentre con la riforma si pensa di istituire per i soli giudici – non per i pubblici ministeri, che restano strettamente subordinati al potere politico – un corrispettivo dell'italiano Consiglio superiore della magistratura, ma nominato dal governo.) Ebbene, quando Pera ha raccontato nei dettagli a Blair e a Falconer come funziona il nostro sistema giudiziario, i due autorevoli interlocutori sono rimasti turbati e si sono detti: «Forse è il caso di valutare meglio la nostra riforma».

Prima di andare a Londra, il presidente del Senato ricevette Herwig Hösele, il presidente del Bundesrat di Vienna, il Senato federale austriaco. Anche con lui parlò di giustizia (capita spesso che se ne parli, vista la popolarità internazionale delle vicende giudiziarie di Berlusconi) e gli spiegò pazientemente come opera il pubblico ministero italiano. Naturalmente, pure l'ospite austriaco pensò d'aver capito male: «Scusi, presidente, dove starebbe scritto quello che lei mi sta dicendo?». «Nella Costituzione» rispose asciutto Pera. L'altro restò allibito. «Da noi» ricordò non senza una nota di sollievo «i pubblici ministeri sono funzionari dello Stato.»

Nell'ultimo decennio l'Italia ha avuto una storia giudiziaria impensabile in qualunque altro paese. Lasciamo stare i francesi, che negli stessi giorni in cui iniziava il semestre europeo di Berlusconi ammettevano che, in fatto di autotutela giudiziaria, Chirac non ha nulla da imparare. («È simpatico, ma poco onesto» rivelava un sondaggio d'opinione sul presidente della Repubblica francese pubblicato dai giornali l'11 luglio 2003.) In tutti i paesi occidentali la corruzione è punita dalla legge, ma in nessuno di essi un fenomeno come Tangentopoli avrebbe interamente cancellato in meno di due anni dalla scena politica tutti i partiti che avevano governato per quasi cinquant'anni. Da nessuna parte il presidente del Consiglio in carica avrebbe ricevuto un invito a comparire da una Procura della Repubblica mentre presiedeva una riunione internazionale dell'Onu, come è accaduto a Berlusconi nel 1994, o avrebbe dovuto giocare al topo inseguito dal gatto giudiziario che voleva condannarlo a ogni costo in apertura del semestre europeo da lui presieduto nel 2003.

Resistere e giudicare al tempo stesso?

E in nessun altro Stato ci sarebbe stata la gragnuola di inchieste giudiziarie contro un capo dell'opposizione, come è piovuta addosso al Cavaliere tra il 1996 e il 2001. All'estero, come abbiamo visto, i pubblici ministeri rispondono, di diritto o di rovescio, al governo, e nessun ministro della Giustizia si sarebbe assunto la responsabilità di essere indicato come il costante persecutore giudiziario del proprio principale avversario politico. Se il centrosinistra non ha massacrato Berlusconi sul conflitto d'interessi, non lo ha costretto a vendere le sue aziende e non gli ha oscurato nemmeno una rete Mediaset, figuriamoci se gli avrebbe fatto scaricare addosso dieci processi in pochi anni.

C'è da segnalare un altro piccolo episodio emblematico: nell'ottobre 2003 il pubblico ministero di Milano Laura Bertolè Viale ha chiesto la condanna di Marcello Dell'Utri a quattro anni di reclusione per bancarotta fraudolenta. Nulla da obiettare: saranno i giudici a stabilire se Dell'Utri è innocente o colpevole. Due anni prima lo stesso magistrato aveva espresso parere contrario a una delle istanze di ricusazione del collegio del tribunale di Milano che si occupa del processo Sme avanzate dalla difesa. Anche qui si tratta di un'opinione del tutto legittima, ma il problema è che la Bertolè Viale è uno dei magistrati la cui militanza nelle correnti radicali dell'associazione si è manifestata ripetutamente in uno dei circuiti telematici di aggiornamento professionale, sui quali si è sviluppata una forte polemica

all'inizio del 2002. Dai messaggi di posta elettronica riportati dalla rivista «Il giusto processo» (marzo-aprile 2003)
traspare un'evidente insofferenza del magistrato verso il
centrodestra e un'adesione entusiastica al «resistere, resistere, resistere» pronunciato da Francesco Saverio Borrelli
all'inaugurazione dell'anno giudiziario 2002. Al di là della
valutazione dell'episodio, diversa a seconda della collocazione politica di chi la fa, in quale paese del mondo un pubblico ministero che si occupa dei processi del presidente
del Consiglio e dei suoi più stretti collaboratori aderisce in
maniera così esplicita alle campagne di resistenza al governo? Un altro episodio impensabile all'estero è l'incidente
esploso il 4 novembre 2003 quando Giuseppe Di Federico,
uno dei cinque membri «laici» del Consiglio superiore della magistratura indicati dal centrodestra, si è dimesso da
presidente della IX commissione Csm che sovrintende al
corso di formazione per uditori giudiziari. Di Federico aveva scoperto che agli uditori era stato distribuito un libric-
cino del professor Alessandro Pizzorusso, insigne costitu-
zionalista, a sua volta ex membro del Csm su designazione
comunista. Pizzorusso aveva dedicato il suo studio alla de-
molizione della legge di riforma dell'ordinamento giudiziario che il governo sta studiando, a una critica pesantissima
della posizione processuale del presidente del Consiglio,
padrone di un «partito-azienda» del quale sarebbero sostanzialmente dipendenti-servitori gli stessi membri laici
del Csm indicati dal centrodestra. Un minuto dopo aver ricevuto le dimissioni di Di Federico e l'annuncio di «sciopero bianco» dei suoi colleghi, Ciampi ha espresso la sua
«ferma deplorazione» per quanto scritto da Pizzorusso e
l'incidente è rientrato. Un «incidente» che «non è un incidente» ha scritto il 6 novembre Angelo Panebianco sul
«Corriere della Sera» ricordando che l'iniziativa non fa altro che confermare lo storico collegamento tra la sinistra ex
comunista e la magistratura militante. Finché i corrispondenti stranieri non avranno spiegato ai loro lettori che cosa
è accaduto in Italia nel decennio giudiziario 1993-2003,

ogni giudizio su leggi, lodi e immunità sarà necessariamente falsato.

Quando ricordo al Cavaliere che alcuni commentatori gli suggeriscono di liberarsi dell'ossessione giudiziaria, egli risponde: «Penso che molti commentatori dovrebbero liberarsi dell'ossessione Berlusconi. La persecuzione giudiziaria contro di me, i miei collaboratori e il mio gruppo viene fuori dai numeri. Dal 1994 a oggi: 87 procedimenti penali relativi alle società del gruppo Fininvest e a 98 tra suoi manager, dipendenti e collaboratori. 35 arresti a carico di 26 persone, ma in 13 casi non è stato nemmeno disposto il rinvio a giudizio, mentre a oggi – 3 novembre 2003 – risultano assolti 54 soggetti e archiviate e prosciolte 104 posizioni. 470 accessi della polizia giudiziaria e tributaria presso il solo gruppo Fininvest per perquisizioni, sequestri e acquisizioni documentali, nel corso dei quali è stata asportata o esaminata una quantità enorme di documenti aziendali, stimabile in oltre 1.000.000 di pagine. C'è chi è entrato con i mitra spianati in casa dei miei manager, all'alba e davanti ai bambini. Marcello Dell'Utri imputato in un processo che dura da non so quanti anni per un reato, il concorso esterno in associazione mafiosa, che non è neppure previsto dal diritto positivo. Nella riforma del codice di procedura penale vedremo di eliminare questa stortura inaccettabile in uno Stato di diritto».

Alcuni commentatori osservano: fino a quando si tratta della Procura di Milano, bene; ma è possibile che anche i giudici di tribunale ce l'abbiano con lui? «La sinistra, tramite Magistratura democratica, ha infiltrato suoi uomini in tutta la magistratura, anche in quella giudicante. Il virus politico sotto le toghe ha fatto sì che la legge che dovrebbe essere uguale per tutti, per qualcuno lo fosse di più.»

La Lega chiede l'elezione popolare dei pubblici ministeri, un po' come negli Stati Uniti. Non le pare eccessivo? «Non credo che faremo questo. In ogni caso, verrà attuata la separazione della magistratura inquirente da quella giudicante, come in tutti i paesi occidentali.»

C'è un altro punto che nello scorcio finale del 2003 ha destato nuove perplessità e suscitato nuove polemiche: la ratifica della norma sul mandato d'arresto europeo e sul congelamento dei beni. «La storia» mi racconta il ministro della Giustizia Roberto Castelli «comincia nell'autunno del 2001. Il Belgio presiedeva l'Unione europea e, sotto lo choc della tragedia dell'11 settembre, il mio collega belga propose il mandato d'arresto europeo. La proposta all'inizio lasciò perplessi molti paesi. Io mi dichiarai contrario con una riflessione che mi parve ragionevole. La norma avrebbe determinato una fortissima cessione di sovranità e, in ogni caso, avrebbe investito i cardini della nostra Costituzione. Feci l'esempio del trattato bilaterale italo-spagnolo, che prevede l'arresto soltanto per sette gravissimi reati. Nel mandato d'arresto europeo siamo arrivati a trentadue, alcuni dei quali peraltro non trovano neppure un riscontro puntuale nel nostro codice penale. Dunque, un giudice straniero può arrestare un cittadino italiano contestandogli un reato che in Italia non è considerato tale. È un fatto sconvolgente dal punto di vista costituzionale.

«Rimasi anche perplesso» continua Castelli «della corsa che si fece a Bruxelles. Si è discusso per tre anni sulla responsabilità parentale e sull'affidamento dei figli, mentre qui si risolse tutto in tre sedute. In quella decisiva, novembre 2001, siamo rimasti soltanto in due o tre contrari.» L'Austria chiese e ottenne di applicare la norma soltanto nel 2008 per provvedere ai necessari aggiustamenti costituzionali. L'Italia, no. Il 6 dicembre l'articolato del provvedimento venne approvato da quattordici ministri su quindici. Castelli votò contro. Sulla spinta delle consuete polemiche nazionali, la settimana successiva Berlusconi disse al primo ministro belga Guy Verhofstadt che anche l'Italia avrebbe accettato la nuova norma, ma fu chiarito fin da allora che, al momento dell'adozione formale della decisione – avvenuta poi il 13 giugno 2002 –, si prendesse atto della volontà del governo italiano di «avviare le procedure di diritto interno per rendere la decisione stessa compatibile con i principi supremi dell'ordinamento costituzionale in tema di diritti fondamentali e per avvicinare il suo sistema giudiziario e ordinamentale ai modelli europei».

L'11 dicembre 2001, rispondendo alla richiesta di un parere rivolta loro dalla presidenza del Consiglio, due presidenti emeriti della Corte costituzionale, Vincenzo Caianiello e Giuliano Vassalli, dichiararono che il mandato d'arresto europeo era incostituzionale. Ma nei due anni successivi – al di là delle dichiarazioni delle opposte tifoserie (Lega e Forza Italia contrarie, An e Udc favorevoli) – il problema non è mai stato affrontato seriamente in nessuno degli innumerevoli vertici della Casa delle Libertà. In altre sedi, se ne è discusso nel modo sbagliato: chi è favorevole si sente più europeista di chi è contrario. Ma qui l'europeismo non c'entra niente. È così arrivato al pettine il nodo fondamentale della giustizia italiana: siamo il solo paese, tra i quindici della vecchia Europa e tra i venticinque della nuova, in cui il pubblico ministero non risponde al governo. Un magistrato italiano può ordinare l'arresto della signora Blair o della signora Aznar senza che il nostro governo lo sappia. E fin qui sono problemi di Blair e di Aznar. Ma un magistrato, poniamo, danese può arrestare un cittadino italiano con il sostanziale consenso del proprio governo. E qui siamo totalmente al di fuori della nostra Costituzione.

Nell'autunno del 2003 Castelli si è trovato in mezzo al guado. Come leghista ha addosso Bossi che considera la ratifica della legge un crimine, come Guardasigilli ha il dovere di farla approvare entro il 31 dicembre 2003, data prevista dagli accordi europei. Arrampicandosi sugli specchi, una commissione al lavoro dall'estate scorsa ha cercato di tamponare i difetti di costituzionalità. All'inizio di novembre, Bossi ha detto che il governo non avrebbe mai approvato la ratifica, e l'agguato dei franchi tiratori che – come abbiamo visto – ha bocciato la nuova legge sui minori ha reso ufficiale la dichiarazione di guerra della Lega. Finirà

all'italiana: come altri Stati, approveremo la norma, mettendo dei paletti che, di fatto, ne rinvieranno la concreta
applicazione a quando l'intero assetto costituzionale europeo sarà completato.

Un discorso ancor più delicato è quello relativo al congelamento e alla confisca dei beni. Ammettiamo che un'industria strategica italiana abbia stabilimenti o sedi in un altro
paese europeo, e ammettiamo che questa industria dia noia
a un concorrente di quel paese: potrebbe paradossalmente
accadere, in via del tutto ipotetica, che il governo di tale
paese promuova un'azione di congelamento dei beni non
solo sul proprio territorio, ma anche su quello italiano. Anche qui alcuni Stati sono insorti, e anche qui l'Italia, mi dice
Castelli, «esige che la nostra legge di recepimento faccia salvi i diritti dei nostri cittadini». Come finirà?

Negli ultimi giorni di ottobre il presidente del Senato
Pera ha rinnovato i dubbi di costituzionalità del mandato
di arresto europeo e il capo dello Stato ne ha raccomandato la collocazione all'interno del nostro ordinamento
costituzionale. Berlusconi, a quanto mi confida, sembra
volerne tener conto: «Il presidente della commissione
Giustizia della Camera, Pecorella, ha posto problemi di
costituzionalità, e io sono d'accordo. Lo stesso presidente
del Senato ha espresso forti perplessità. È vero che il 22 ottobre a Strasburgo ho detto che l'Italia manterrà i suoi impegni, ma ho osservato che dovremo adeguare la nostra
Costituzione al nuovo modello e garantire i diritti dei nostri cittadini».

Dopo sessantuno anni, il Consiglio dei ministri ha approvato venerdì 24 ottobre 2003 il nuovo codice di procedura civile. «Tutta la fase istruttoria del processo viene lasciata all'interlocuzione delle parti» mi spiega Castelli.
«La causa viene iscritta a ruolo soltanto quando una delle
parti decide di promuoverla e non dal momento della prima istanza, come avviene adesso, con il risultato di scara-
ventare addosso ai nostri tribunali civili 1.700.000 nuove
cause all'anno.» Si sta valutando anche la proposta di ele-

vare la competenza del giudice di pace a 25.000 euro, cinquanta milioni di vecchie lire: in questo modo verrebbe enormemente accelerata la metà di tutte le cause civili, ma tale riforma costa e, probabilmente, si dovrà aspettare. Ed è in atto anche la riforma del tribunale dei minori, che renderà ai giudici più difficile togliere i figli a entrambi i genitori. Bocciata il 5 novembre alla Camera, è stata immediatamente ripresentata al Senato.

Ma la riforma delle riforme è quella dell'ordinamento giudiziario, in corso di elaborazione. Qui si è trovato un compromesso: niente separazione delle carriere, come accade nel resto d'Europa e come vorrebbe Berlusconi, niente procuratori eletti dai cittadini, come accade negli Stati Uniti e come vorrebbe Bossi, ma distinzione delle funzioni. Ci saranno concorsi separati per pubblici ministeri e magistrati giudicanti, e un percorso complicato per passare da una carriera all'altra. Il Consiglio superiore della magistratura, che resta unico, ha dato il proprio assenso al doppio concorso «dopo che l'Associazione magistrati aveva indetto uno sciopero per impedirlo» mi dice il ministro della Giustizia, e precisa: «Se la proposta è nostra, siamo dei criminali, ma se alla fine il Csm la fa sua, allora va bene».

Castelli festeggia «la fine del sei politico, cioè la fine della carriera automatica che porta anche il meno dotato dei giudici ad avere la possibilità di arrivare in Cassazione. Si crea una scuola permanente per magistrati e si filtra l'accesso ai concorsi che diventano di secondo livello: per parteciparvi occorre essere già avvocati o aver vinto un altro concorso pubblico. Sarà inoltre impedito ai figli di magistrati di esercitare l'avvocatura dove i genitori svolgono le loro funzioni o avere un fratello procuratore della Repubblica e uno presidente del tribunale. Anche oggi in teoria sarebbe vietato, ma il Consiglio superiore della magistratura concede le deroghe. Sarà infine tipizzata l'azione disciplinare: le sentenze "creative" non dovrebbero essere più possibili».

Altro è il discorso sul conflitto d'interessi, la cui lettura definitiva è prevista al Senato per la fine del 2003, dopo che il Consiglio dei ministri avrà approvato la nuova legge sulle Authority. Come aveva promesso lo stesso presidente del Consiglio, il governo avrebbe dovuto chiudere la questione all'inizio della legislatura in maniera decorosa. Berlusconi si chiama fuori dai ritardi: «Sostengono che non l'avrei risolto nei primi cento giorni di governo? Per quel che mi riguarda, il governo ha varato il relativo disegno di legge al quarantacinquesimo giorno della sua attività. I calendari parlamentari non sono competenza del governo».

I ritardi, come vedremo, non sono frutto di distrazione parlamentare, e se la spinosissima diatriba si è trascinata per quasi dieci anni, anche il centrosinistra ha le sue responsabilità. La figura di un presidente del Consiglio proprietario del principale gruppo televisivo privato e, al tempo stesso, editore della Rai attraverso il ministero del Tesoro è palesemente inaccettabile senza una rigorosa normativa che ne regoli i poteri. Il Cavaliere si propose di risolvere il problema già nel 1994, subito dopo la prima vittoria elettorale. Affidò il compito di stendere un progetto a tre «saggi»: due, gli ex presidenti della Corte costituzionale, Antonio La Pergola, e del Consiglio di Stato, Giorgio Crisci, erano *super partes*; il terzo, Agostino Gambino, era un prestigioso avvocato che aveva avuto rapporti professionali con Fininvest.

I tre proposero di introdurre in Italia il sistema americano del «blind trust», cioè del gestore «cieco», che si occupa del patrimonio affidatogli con il solo obbligo del rendiconto finale, ma tale proposta si arenò per varie ragioni. La prima e più sostanziale fu il ribaltone della Lega, la seconda era che il blind trust funziona quando bisogna amministrare un grosso patrimonio azionario, non quando si tratta di gestire un impero televisivo e editoriale: sarebbe stato infatti grottesco immaginare che il proprietario non venisse a conoscenza delle iniziative imprenditoriali più importanti del suo gruppo.

Nel luglio 1995 fu invece approvato dal Senato – c'era ormai una nuova maggioranza – un progetto di legge presentato dal senatore ds Stefano Passigli (il più fiero e documentato avversario di Berlusconi in questo campo) che di fatto obbligava il Cavaliere, qualora fosse tornato a palazzo Chigi, a vendere le sue televisioni. Il centrodestra denunciò l'incostituzionalità del provvedimento, che però fu bloccato più che dalla fine anticipata della legislatura (si tornò di nuovo a votare nella primavera del 1996), da un ripensamento del centrosinistra. Spiegherà nel 2001 Passigli, in un libro-intervista con Renzo Cassigoli dedicato al conflitto d'interessi: «Approssimandosi le elezioni, molti nel centrosinistra – e, ahimè, lo stesso Pds – temevano che una legge che ponesse Berlusconi nell'obbligo di vendere Mediaset lo avrebbe trasformato in un martire, finendo con il favorirlo elettoralmente».

La sinistra aveva infatti tentato di risolvere il problema alla radice nel 1995 con uno sfortunato referendum che, tagliando drasticamente la pubblicità televisiva di Mediaset, avrebbe scardinato l'impero di Berlusconi. «Non si interrompe un'emozione» fu lo slogan coniato da Walter Veltroni per sostenere l'eliminazione della pubblicità durante la messa in onda dei film. Nonostante l'assedio condotto da un fronte che andava dalla Lega a Rifondazione, il quesito referendario fu bocciato. E Fausto Bertinotti restò di sasso scoprendo che molti dei suoi elettori avevano votato in favore delle televisioni del Cavaliere. Nel suo libro *Un paese normale*, Massimo D'Alema fece una profonda autocritica: «Siamo stati risospinti dentro il vecchio sistema culturale di una sinistra pedagogico-oscurantista, limitatrice delle opportunità, che toglie e non dà, che limita le libertà e non le esalta». Per fare ammenda, nella campagna elettorale del 1996 l'allora segretario dei Ds andò a trovare i lavoratori Mediaset e parlò della loro azienda come di un'importante risorsa per il paese.

La sinistra italiana, peraltro, ha sempre temuto che Berlusconi vendesse le sue televisioni a Rupert Murdoch. Quando, nel 1998, il Cavaliere aveva concordato con il magnate australiano i termini della cessione – poi saltata per la ferma opposizione del management interno e, soprattutto, dei figli di Berlusconi Pier Silvio e Marina –, un brivido di terrore percorse molte schiene progressiste, interne ed esterne all'azienda. In vent'anni il Cavaliere non ha mai licenziato nessuno e con il buon Fedele Confalonieri un'intesa è sempre possibile: non a caso, molti posti chiave dell'azienda, anche nell'informazione, sono stati sempre appannaggio di uomini di sinistra. Con un vecchio squalo come Murdoch, forse la musica sarebbe cambiata, anche se lui, di animo conservatore, probabilmente non sarebbe ostile a un governo di sinistra qualora l'Ulivo dovesse vincere le elezioni («Se sarete pluralisti, andremo d'accordo» ha detto Piero Fassino al rappresentante italiano di Murdoch alla partenza di Sky News nell'autunno del 2003).

Dall'inciucio alla mannaia

Il 22 aprile dello stesso anno accadde un miracolo, frutto del clima di «inciucio» della Bicamerale presieduta da D'Alema. La Camera approvò all'unanimità (un solo astenuto) una proposta di legge che sposava a sorpresa il blind trust, guardato con sospetto quattro anni prima. Il gestore, scelto anche tra soggetti stranieri, avrebbe dovuto agire nella «massima indipendenza» rispetto a chi gli avrebbe affidato le proprie sostanze, ogni tre mesi avrebbe dovuto presentargli il rendiconto e, ogni sei, versargli eventuali dividendi fino a 1 miliardo di lire. L'Autorità garante (antitrust) avrebbe dovuto vigilare sulla correttezza delle procedure.

La legge avrebbe riguardato tutti i titolari di cariche politiche fino al livello di sottosegretario e gli amministratori di società pubbliche. Tuttavia, poiché il vero destinatario era Silvio Berlusconi, il nocciolo della questione (e quindi del provvedimento) era quello di riconoscere la separazione della proprietà dell'impero televisivo del Cavaliere dalla titolarità della licenza di trasmissione concessa dallo Stato, che faceva e fa capo al presidente di Mediaset, Fedele Confalonieri.

Maggioranza e opposizione si congratularono a vicenda per il risultato raggiunto. Scrisse Jean-Marie Del Bo sul «Sole-24 Ore»: «Elio Veltri (ds) [*tra i più accaniti avversari del Cavaliere*], uno dei firmatari delle proposte originarie, ha sottolineato come quella votata "non ha nulla a che vedere con il testo originario di Berlusconi". Mentre Franco Frattini (FI) ha parlato di "risposta di trasparenza di questa classe politica che secondo alcuni non è in grado di darsi regole". Tesi condivisa dal capogruppo dei Democratici della sinistra alla Camera, Fabio Mussi, per il quale la legge "è un passo avanti verso un paese trasparente e pulito"».

Meno di due anni dopo, mentre il testo approvato alla Camera dormiva nei cassetti del Senato, il clima era radicalmente mutato. Annotava Antonio Padellaro sull'«Espresso» il 24 febbraio 2000: «"Quel testo era inadeguato a regolare efficacemente il conflitto d'interessi" scrive sul "Corriere della Sera" il senatore della Quercia Stefano Passigli, promotore di importanti emendamenti, studiati per dare una risposta al problema non in una forma "edulcorata e truffaldina". "Quelle norme sono troppo blande" assicura Vincenzo Vita, sottosegretario diessino alla Comunicazione. "Andremo avanti senza farci intimidire" annuncia Claudio Burlando, vicepresidente dei deputati ds. Cosa sia successo per giustificare tanto clamoroso ripensamento, lo spiega onestamente Passigli: "Quel testo fu approvato mentre Berlusconi faceva balenare la minaccia di far saltare le riforme istituzionali, come poi ha comunque fatto in Bicamerale sul tema della giustizia"». *Sinistra di bastone e di carota* era il titolo dell'articolo apparso sull'«Espresso», e qualche commentatore indipendente osservò nello stesso periodo che la sinistra dava l'impressione di voler tenere il Cavaliere al guinzaglio.

Quando nel 2001, dopo la vittoria elettorale della Casa

delle Libertà, sottoposi questa opinione al giudizio di Massimo D'Alema, presidente e regista supremo della Bicamerale, lui difese a spada tratta sia l'impianto della commissione riformatrice sia le ricadute delle riforme sul conflitto d'interessi: «Berlusconi aveva aggirato la norma sull'ineleggibilità alla guida del governo per i titolari di concessioni pubbliche attribuendo a Fedele Confalonieri la titolarità della licenza televisiva. Ma la Corte costituzionale avrebbe dichiarato l'incompatibilità di Berlusconi a ricoprire il suo incarico perché quello che conta è l'azionista di riferimento. Oggi il presidente del Consiglio opera violando apertamente la legge esistente. Quando cadde il progetto Bicamerale, la legge approvata dalla Camera apparve insufficiente. Ne approvammo allora al Senato una nuova versione, molto più stringente, che avrebbe posto Berlusconi in condizioni di eguaglianza con gli altri cittadini».

L'obiettivo di D'Alema era davvero quello di rendere ineleggibile Berlusconi? «Solo un partito o un gruppo di partiti votati al suicidio» aveva scritto Stefano Folli sul «Corriere della Sera» il 22 luglio 2000 «potrebbero pensare di stabilire per legge – quando mancano pochi mesi alle elezioni – che il capo dell'opposizione non è candidabile.» Folli sollecitava la maggioranza di centrosinistra ad approvare definitivamente la legge passata alla Camera. Ma sullo stesso giornale Giovanni Sartori sosteneva che soltanto la vendita delle aziende del Cavaliere avrebbe risolto il problema: «Il "blind trust" che fu sprovvedutamente approvato dalla Camera è soltanto una foglia di fico».

Il 27 febbraio 2001 – due mesi e mezzo prima delle elezioni politiche – dopo una lotta furibonda durata una settimana il Senato approvò la nuova legge, definita da D'Alema «molto più stringente» della precedente. Il centrosinistra non seguì la proposta del presidente ds di stabilire formalmente l'ineleggibilità di Berlusconi, ma rese molto più severa la normativa in tre punti chiave: il gestore sarebbe stato scelto non dall'interessato ma dall'Antitrust, il regime fiscale sarebbe stato assai meno favorevole del precedente e, soprattutto, in caso di violazione della legge Mediaset (perché di questo si trattava) avrebbe potuto essere condannata a pagare multe equivalenti a metà del proprio fatturato o a vedersi ritirare le licenze di trasmissione.

E al Senato apparve il fantasma della Zanicchi

Berlusconi definì questa legge «liberticida» e promise che, nei primi cento giorni di governo, ne avrebbe fatto approvare una nuova. Ma non mantenne la promessa, mentre si concretizzavano i timori paventati da Folli nel 2000. Il commentatore del «Corriere» aveva attribuito al centrosinistra la tentazione di «usare il conflitto d'interessi come arma impropria contro Berlusconi, per indebolirlo prima e soprattutto dopo le elezioni, quando la mancata soluzione del problema minerebbe la credibilità internazionale dell'eventuale governo di centrodestra: in Europa non meno che negli Stati Uniti».

Il 28 febbraio 2002 la Camera approvava una proposta di legge governativa che seppelliva, una volta per tutte, il blind trust e stabiliva un controllo ex post dell'Autorità antitrust sul comportamento dell'intero governo. Se un ministro (e soprattutto il presidente del Consiglio) si fosse comportato male, l'Autorità avrebbe segnalato il caso alle Camere, che avrebbero deciso la sanzione. La «mera proprietà» di un'azienda non costituiva conflitto d'interessi. All'opposizione che parlava di «legge senza artigli» e di «barzelletta», Franco Frattini, che ne era ancora una volta il padrino, rispose che la censura più pesante sarebbe stata quella politica. Comunque, fu subito evidente a tutti che la norma era troppo blanda.

Al Senato, infatti, la legge venne migliorata: la stessa Casa delle Libertà propose cinquantanove modifiche. Fu eliminata la norma sulla «mera proprietà» in quanto ininfluente, fu respinta ancora una volta l'ipotesi di ineleggibilità del Cavaliere, e alla poco efficace sanzione politica dell'Antitrust attraverso il Parlamento si affiancò, per le aziende editoriali, la possibilità di comminare a chi avesse violato la legge una multa pari al vantaggio economico ricevuto. Era giovedì 5 luglio 2002 e i cauti apprezzamenti, anche nell'Ulivo, di chi considerava la legge migliore della precedente furono travolti dalle reciproche ragioni di propaganda. Molti deputati del centrosinistra sventolarono il tricolore, molti parlamentari della maggioranza risposero intonando *Bandiera rossa*. Tra i banchi dell'opposizione, qualcuno agitò lo spettro di un referendum, ma, come annotò sul «Corriere della Sera» Gian Antonio Stella, fu spazzato via da un fantasma più forte, quello di Iva Zanicchi. D'Alema non ha mai dimenticato la formidabile campagna d'opinione con la quale il Cavaliere aveva affondato il referendum «ammazzafininvest» del 1995 e che aveva avuto nella cantante emiliana la Dolores Ibarruri, la Pasionaria del centrodestra.

La legge dormì alla Camera per un anno e martedì 22 luglio 2003 fu approvata in terza lettura. Si stabilì che il conflitto d'interessi sorge quando il titolare di una carica di governo (dal presidente del Consiglio ai sottosegretari e ai commissari straordinari) partecipa alla delibera di un atto che incide sul proprio patrimonio, o su quello del coniuge o dei parenti fino al secondo grado e delle imprese controllate dagli stessi. È vietata la gestione diretta di un'impresa di cui, comunque, può mantenersi la proprietà. L'Antitrust segnala al Parlamento violazioni passibili di sanzioni politiche e il garante delle Comunicazioni stabilisce quelle pecuniarie. Questo è il testo definitivo trasmesso al Senato per l'ultima ratifica.

Sulla «Repubblica» Sebastiano Messina definì il 22 luglio 2003 il «Berlusconi Day»: mentre la Camera approvava quasi in sordina il conflitto d'interessi (l'opposizione aveva abbandonato l'aula), il Senato varava infatti il provvedimento sul riassetto delle telecomunicazioni in un clima assai più tempestoso. Era la famosa «Gasparri», la quarta legge di sistema in diciannove anni.

Per capire quali sono i progenitori di questa legge, occorre tornare al 1978 allorché il più giovane cavaliere del Lavoro d'Italia, Silvio Berlusconi (lo era diventato a quarantuno anni nel 1977 per meriti edilizi), cominciò a trasmettere via etere i programmi di Telemilano, che aveva comprato nel 1974. Il decennio successivo consacrò il Cavaliere come il solo concorrente della Rai, fino a quel momento inattaccabile. Trasformò Telemilano in Canale 5 (1980, anno di nascita di Publitalia, la cassaforte pubblicitaria del gruppo), acquistò il primo pacchetto di trecento film dalla Titanus, sfilò per la prima volta alla Rai i diritti della nazionale di calcio assicurandosi quelli del «Mundialito», un importante torneo internazionale. Per ricomprarseli, la Rai dovette sborsare un mucchio di soldi. La legge vietava a Canale 5 di trasmettere le partite di calcio e gli altri programmi in diretta, ma il Cavaliere aggirò l'ostacolo spedendo in tutta Italia cassette registrate che venivano trasmesse dai ripetitori locali. Mentre Berlusconi metteva a segno il suo primo colpo nell'intrattenimento soffiando alla Rai Mike Bongiorno, due grandi editori – Mondadori e Rusconi – provarono a fargli la guerra. Ma fallirono. Il Cavaliere aveva già conquistato, senza diretta, il 20 per cento degli ascolti nazionali e aveva sedotto il mondo della pubblicità, offrendo al mercato condizioni assai più vantaggiose di quelle della Rai, ingessata dal monopolio e costretta a far pagare agli inserzionisti tangenti pubblicitarie, legittime ma pesanti, ai giornali di partito: dal «Popolo» all'«Unità», dalla «Voce repubblicana» all'«Umanità» socialdemocratica, rappresentati dalla Sipra. Vuoi uno spot alle otto e mezzo di sera? Compra una pagina pubblicitaria su questi giornali.

Nel 1983 Berlusconi rilevò da Rusconi Italia 1 e l'anno successivo Mario Formenton, in lacrime, gli cedette Retequattro, il cui disavanzo stava facendo saltare in aria l'intera Mondadori (il Pci, amico di Formenton, fu lieto del salvataggio). Nel 1984 Berlusconi era fortissimo. Così, quando tre pretori (Torino, Roma e Pescara) gli sigillarono i ripetitori contestando il giochetto delle cassette registrate, Bettino Craxi, allora presidente del Consiglio, firmò un decreto legge per salvarlo. Fu un provvedimento molto criticato politicamente, ma al tempo stesso assai popolare perché il pubblico aveva preso gusto a poter scegliere tra canali diversi. Alla fine del 1984 fu varata una legge rivoluzionaria che riconosceva per la prima volta ai privati il diritto di trasmettere via etere, stabilendo un limite pubblicitario del 5 per cento per la Rai e del 20 per le televisioni commerciali. La legge stabiliva, inoltre, che ogni persona o società potesse avere una sola licenza di trasmissione. Ma poiché il suo impero si era ampliato, il Cavaliere premeva per regolarizzarlo. Dovette aspettare sei anni. All'inizio il mondo politico sembrava orientato a concedergli la proprietà di sole due reti. Noi della Rai facevamo pressioni perché il potere del concorrente fosse arginato. (Eravamo iscritti al partito «*Chillo ha da murì*», guidato dal direttore generale Biagio Agnes, dove «*Chillo*» è facilmente identificabile.) Quando un giorno chiesi al ministro delle Poste Oscar Mammì se davvero Berlusconi avrebbe avuto due reti, egli mi rispose: «Se non facciamo in fretta, alla fine dovremo dargliene tre». E così fu.

Per rendere più digeribile a Craxi il ridimensionamento del Cavaliere, Mammì aveva suggerito che Raitre non potesse trasmettere pubblicità. Lo impedì il Pci, che ne aveva assunto il pieno controllo nel 1987, bilanciando in parte il potere democristiano sulla prima rete e quello socialista sulla seconda. «Si opposero Angelo Guglielmi e Walter Veltroni» ha ricordato Mammì ad Attilio Giordano («Venerdì di Repubblica», 4 luglio 2003), osservando peraltro come Berlusconi fu costretto a cedere le sue tre pay-tv, a passare al fratello Paolo la proprietà del «Giornale» e a restituire a De Benedetti il gruppo Repubblica-L'Espresso. Nel 1990 presidente del Consiglio era Giulio Andreotti, il quale, quando la sinistra democristiana fece dimettere cinque ministri per protesta contro la concessione delle tre reti a Berlusconi, li sostituì in cinque minuti senza batter ciglio.

Da allora Berlusconi ha sempre lottato per consolidare il suo impero. Come ben ricorda Gianni Letta, che di quelle ovattate trattative fu l'abilissimo tessitore, fin dai primi anni Novanta l'obiettivo Fininvest fu di mantenere sempre una condizione di parità, almeno commerciale, con la Rai. Superato lo scoglio del disastroso referendum anti-Fininvest del 1995, si cominciò a parlare di «disarmo bilanciato»: se mai Mediaset avesse dovuto perdere una rete, la Rai avrebbe dovuto rinunciare alla pubblicità su Raitre. Questo problema si pose in modo concreto dopo una sentenza della Corte costituzionale che, nel 1994, bocciò la legge Mammì là dove consentiva a uno stesso soggetto (Mediaset) di controllare tre reti sulle dodici che hanno titolo per trasmettere in campo nazionale. La minaccia di oscuramento di Retequattro fu scongiurata dal governo Prodi subito dopo le elezioni del 1996 e ulteriormente ritardata dalle legge firmata il 31 luglio 1997 da Antonio Maccanico, ministro delle Poste dello stesso governo (anche questa, di fatto, consacrava il «disarmo bilanciato»). Una nuova sentenza della Consulta stabilì nel 2002 che, visto il progresso tecnologico, il pluralismo deve essere garantito dal «pluralismo delle fonti»: non può reggere – questo è il succo del provvedimento – un sistema congelato su due soli grandi competitori, occorre aprire a nuovi canali di approvvigionamento come quelli digitali. Ma anche questa sentenza della Corte costituzionale ricorda nella sostanza che a un eventuale trasferimento di Retequattro sul satellite dovrebbe corrispondere l'eliminazione della pubblicità su Raitre. E qui sta la forza di Mediaset.

E sulla Rai Follini vinse frugando nel portafoglio Mediaset

Raitre fattura 400 miliardi di lire, senza i quali la Rai affonderebbe o, comunque, diventerebbe un'azienda fuori mercato. Per evitarlo – e, soprattutto, per salvare Retequattro – è arrivata la legge Gasparri, che rivoluziona l'intero mondo dei media e apre la televisione al digitale.

La legge è stata approvata al Senato, tra furibonde polemiche, il 22 luglio 2003, in ottobre è passata alla Camera con due correzioni marginali e in novembre è stata riproposta al Senato per il varo definitivo. Una prima proposta, esaminata alla Camera all'inizio della primavera, era stata affondata il 2 aprile a causa di un emendamento del deputato ds Giuseppe Giulietti, passato con il voto di diciassette franchi tiratori, che vietava a ogni operatore il possesso di più di due reti, costringendo la maggioranza a ricominciare tutto da capo.

Per la prima volta, nella legge viene stabilita la privatizzazione della Rai, immaginata come una public company, il cui controllo sarebbe stato in ogni caso conservato dallo Stato, nella quale nessun azionista può detenere più dell'1 per cento del capitale e nessun patto di sindacato può superare il 2 per cento. Sono comunque in pochi a immaginare una reale apertura della Rai al mercato già dall'inizio del 2004.

Ma la novità della legge, quella che ha fatto più rumore, è l'individuazione del Sic, il sistema integrato delle comunicazioni, dove confluiscono tutti i ricavi del settore, dalla pubblicità al canone Rai, dalle telepromozioni alla vendita di libri e giornali, dalla produzione di film a quella di dischi. Ogni operatore del settore non potrà avere ricavi superiori al 20 per cento del Sic e non potrà essere titolare di autorizzazioni per la diffusione di più del 20 per cento dei programmi radiotelevisivi in ambito nazionale. In realtà, dietro queste poche righe si nasconde una delle più colossali battaglie degli ultimi anni.

Il punto cruciale, infatti, è il calcolo del Sic: a quanto ammonta? «Il Sole-24 Ore» (4 agosto 2003) lo ha calcolato in 32 miliardi di euro, 60.000 miliardi di vecchie lire, una cifra da capogiro. La metà è costituita dalla pubblicità classica; 5000 milioni di euro da cinema, musica, home video, utili di Sky Italia; 500 da produzioni cinematografiche e televisive; 1500 da canone Rai e convenzioni pubbliche; 3000 dalla vendita di giornali; 1200 dalle Pagine gialle; 4000 dall'editoria libraria e dalle agenzie di informazione; circa 800 dai ricavi delle televendite. Secondo il quotidiano economico, rispetto ai limiti attuali la Rai potrebbe crescere di 3 miliardi di euro e il gruppo Fininvest di 2.

L'opposizione parlò di un gigantesco regalo fatto a Berlusconi, e la maggioranza di garanzia di rafforzamento per la Rai, ma durante la discussione della legge il Cavaliere dovette difendersi in particolare dall'Udc. Per comprendere pienamente le riserve di Casini e di Follini, occorre partire dalla loro ferma convinzione che il rafforzarsi di Fininvest garantisce l'imprenditore Berlusconi, ma non la sua maggioranza politica. Il loro timore è che, se il centrodestra dovesse perdere le elezioni politiche del 2006, un minuto dopo le televisioni di Mediaset stringerebbero un accordo con il centrosinistra – da quel momento anche editore di riferimento della Rai – e gli alleati del Cavaliere si troverebbero in braghe di tela. Le diffidenze sono dure da smantellare e la sottile battaglia sulla Gasparri ha incrinato i rapporti personali tra Berlusconi e Follini. «Con Casini il Cavaliere non riesce a litigare più di tanto» dicono gli uomini dell'Udc. «È il vecchio amico della lunga traversata del deserto. Follini gli è più estraneo, non sa da che parte afferrarlo, e Marco dice gelido: non riesce né a comprarmi né a sedurmi.»

Fatto sta che, mentre in luglio la legge era in discussione al Senato, Follini fece presentare a un deputato di Avezzano, Rodolfo De Laurentiis, un emendamento che proponeva di far rientrare le telepromozioni nei limiti di affollamento pubblicitario, il che, tradotto, significa sfilare alcune centinaia di miliardi dal portafoglio del Cavaliere. E non è tutto. Poiché la nuova legge, nei limiti sopra esposti, consente alle aziende televisive di svilupparsi nel settore della carta stampata e viceversa, l'Udc proponeva una norma che avrebbe vietato a Mediaset di entrare nel mondo dei quotidiani fino a quando la Tv digitale non avesse davvero raggiunto le case di tutti gli italiani, assicurando quel pluralismo di fonti raccomandato sia dalla

Corte costituzionale sia dal presidente Ciampi nel suo messaggio del 23 luglio 2002. (Il capo dello Stato, sollecitando una nuova legge di sistema, aveva difeso la centralità della Rai affermando: «Non c'è democrazia senza pluralismo e imparzialità nell'informazione. Le posizioni dominanti sono ostacoli oggettivi all'effettivo esplicarsi del pluralismo».)

Ma il vero obiettivo dell'Udc era la Rai. Casini e Follini si sentivano espropriati di una quota consistente di controllo sull'azienda da quando Marco Staderini si era dimesso dal consiglio d'amministrazione presieduto da Antonio Baldassarre, poi decaduto. Terzo consigliere segnalato dal centrodestra (gli altri due, Luigi Zanda e Carmine Donzelli, erano stati personalmente indicati da Rutelli e Fassino), Staderini fungeva da ago della bilancia e aveva fatto pesare con grande abilità il suo voto decisivo. Nel nuovo consiglio presieduto da Lucia Annunziata, l'area cattolica è rappresentata da un illustre intellettuale lombardo, Giorgio Rumi, certo meno sensibile al richiamo della politica. Casini e Follini hanno imposto perciò una scadenza all'attuale consiglio d'amministrazione della Rai (28 febbraio 2004) e la sua sostituzione con un consiglio composto da nove membri, contro i cinque attuali: sette nominati dalla commissione parlamentare di vigilanza (quattro di maggioranza, tre di opposizione) e due dal ministro dell'Economia, azionista della Rai, uno dei quali assumerà la presidenza dopo un voto «bipartisan» a maggioranza dei due terzi della commissione. La Annunziata ha fatto immediatamente sapere che non avrebbe aspettato la scadenza e avrebbe lasciato l'incarico un minuto dopo la firma della nuova legge da parte del capo dello Stato. In novembre, il coordinatore nazionale di An, Ignazio La Russa, l'ha invitata a restare anche con il nuovo consiglio.

La decadenza dell'attuale consiglio Rai non è piaciuta infatti ad An, che ha grande stima – come del resto Berlusconi – dell'attuale direttore generale Flavio Cattaneo, la cui posizione si è notevolmente rafforzata grazie agli eccellenti risultati d'ascolto ottenuti dall'azienda nell'autunno del 2003. Per la prima volta dopo sette anni «Domenica in» ha battuto «Buona domenica», la fiction e l'intrattenimento del sabato sera hanno riaffermato la loro leadership e, soprattutto, per la prima volta un programma condotto dalla *new entry* Paolo Bonolis ha sconfitto una corazzata storicamente inaffondabile come «Striscia la notizia», pareggiando i rapporti di forza pubblicitaria con Mediaset in quella che, fino all'estate del 2003, era la Fossa delle Marianne degli ascolti Rai.

Alla fine, come previsto, l'Udc ha ritirato l'emendamento sulle telepromozioni, ma ha tenuto ferma la scadenza del consiglio Rai e ha impedito alla Mondadori, che stava studiando il progetto di un nuovo grande quotidiano, di mandarlo in edicola prima del 2009. Così l'azienda di Segrate diretta da Maurizio Costa è stata l'unica a essere penalizzata dal conflitto d'interessi del suo proprietario. Insoddisfatto, alla fine, anche Follini: «Imputo a me stesso poco coraggio e poca incisività sulle regole e sui princìpi. Non reputo particolarmente gloriosa la battaglia sul consiglio d'amministrazione, anche se mi pare di buon senso e perfino ovvio che a regole nuove corrispondano nomi nuovi. Giuro che tra i due argomenti (telepromozioni e consiglio Rai) non c'è stato scambio, ma ammetto che noi come partito, e io come segretario, abbiamo fatto una bruttissima figura. E la cosa, onestamente, mi brucia».

Berlusconi: «La Gasparri non favorisce Mediaset»

Il «Corriere della Sera» sparò a zero contro la legge Gasparri. Il 23 luglio 2003, commentandone a caldo l'approvazione al Senato, Salvatore Bragantini scrisse: «La legge ignora i più elementari princìpi liberali in materia di mezzi di comunicazione, confermando una posizione d'assoluto favore conquistata da un operatore grazie a una incredibile serie di circostanze, posizione che non ha uguali nel mondo occidentale». E nei giorni successivi il quotidiano di via Solferino continuò a martellare. Perché tanta durezza?

Il 31 luglio «Il Riformista» scrisse che Cesare Romiti, azionista da tre anni di Raisat, avrebbe partecipato volentieri alla privatizzazione della Rai (anche perché, nel giro di qualche anno, Mondadori avrebbe potuto avere un grande quotidiano), ma le quote stabilite non erano interessanti. A questa ragione di malessere, ne va aggiunta almeno un'altra. Il gruppo Rizzoli, com'è perfettamente legittimo, vuole crescere, ma glielo impedisce il tetto del 20 per cento sul complesso della tiratura nazionale dei quotidiani, stabilito dalla legge Mammì nel 1990 (già allora Rizzoli dovette cedere «Il Mattino» di Napoli). Ha esercitato pressioni perché venisse portato al 25, o almeno fosse «sterilizzata» la tiratura dei quotidiani sportivi, cioè, nel suo caso, della «Gazzetta dello Sport». Ma Francesco Gaetano Caltagirone, editore del «Messaggero» e del «Mattino», si è messo di traverso. Anche lui vuole crescere e quindi ha interesse a che i principali concorrenti restino fermi, sicché le reciproche lobby parlamentari si sono neutralizzate a vicenda. La federazione degli editori ha anche cercato di abbattere i limiti di pubblicità televisiva attraverso la «sterilizzazione» delle telepromozioni, sostenendo che la stampa ne soffre. I pubblicitari sono di avviso opposto: la maggior parte delle grandi campagne non partirebbe nemmeno se non potessero contare sulla televisione. (Nel mese di ottobre gli stessi giornali trascurarono di dare notizia di un «congruo risarcimento» agli editori approvato dal governo: 90 milioni di euro come contributo all'acquisto della carta.)

Il 2 ottobre la legge Gasparri passò alla Camera dopo una durissima battaglia. La maggioranza, sottoposta al martellamento di 111 votazioni a scrutinio segreto, fu battuta due volte su emendamenti marginali: il primo impediva che i minori di 14 anni comparissero negli spot televisivi, suscitando l'ira dei pubblicitari che reclamarono un provvedimento correttivo e incassarono una promessa governativa in questo senso; il secondo sulle autorizzazioni per l'esercizio della radiodiffusione digitale. Colpì che nella maggioranza fosse presente un gruppo compatto di franchi tiratori (trentasei, soprattutto annidati nelle file di An e dell'Udc) che voleva dare a Berlusconi un segnale politico.

La maggioranza decise allora di «blindare» il provvedimento al Senato per la votazione definitiva di novembre. L'opposizione criticò severamente l'ampiezza del Sic, e quindi della possibile crescita pubblicitaria di Mediaset. Maurizio Gasparri, in un'intervista concessa al «Corriere della Sera» pubblicata il 26 settembre, ha sostenuto che il sistema integrato delle comunicazioni era già stato introdotto dal ministro Maccanico, il quale però ha replicato («Corriere della Sera», 3 ottobre 2003) che i suoi margini erano assai più stretti e che il nuovo limite fissato da Gasparri «è come l'albero di Bertoldo», impossibile da trovare per impiccarvisi.

Da politico, Gasparri va al sodo. «Il centrosinistra ha tenuto in piedi le telepromozioni e ha lasciato Retequattro nell'etere» mi dice. «È curioso pretendere da me che risolva il conflitto d'interessi al contrario, abolendo le prime e chiudendo la seconda.» (In segno di gratitudine da parte di Mediaset, la sera di mercoledì 5 novembre Gasparri e la sua legge hanno subìto una spettacolare aggressione da parte di Beppe Grillo, ospite di «Striscia la notizia». Nove milioni di spettatori. Mai Fassino e Rutelli riusciranno ad avvicinarsi a tale risultato, né in termini di ascolto né tantomeno di efficacia mediatica. Evidentemente, il controllo di Berlusconi sulle proprie televisioni non deve essere asfissiante.)

Per garantire il pluralismo adattandolo alle nuove tecnologie, la legge affianca ai normali canali analogici (quelli attuali di Rai e di Mediaset) nuovi canali digitali terrestri: quelli che a giudizio di Alessio Butti, responsabile di An per l'informazione, portano «alla fine dei palinsesti statici e all'avvio di quelli dinamici» («Il Secolo d'Italia», 3 ottobre 2003). «Per rientrare nel calcolo» mi dice Gasparri «una rete digitale deve servire almeno il 50 per cento della popolazione. La legge prevede che nessuno possa controllare più del 20 per cento delle reti televisive. Se alle undici reti analogiche in esercizio ne aggiungiamo quattro digitali, si arriva a quindici. Il 20 per cento di quindici è tre, quindi Retequattro è salva. Ma se alla fine del 2004 l'Autorità per le comunicazioni dovesse verificare che da gennaio dello stesso anno il 50 per cento degli italiani non è servito, Retequattro dovrà andare sul satellite. Si aggiunga che il 40 per cento delle reti digitali di Rai e Mediaset vanno cedute ad altri soggetti.»

Dopo l'approvazione della legge, i giornali di sinistra – «la Repubblica» in testa – hanno annunciato che Ciampi non l'avrebbe mai firmata. A palazzo Chigi, però, non temono che questo avvenga. Per la legge Gasparri, infatti, Gianni Letta ha seguito lo stesso percorso imboccato per la Cirami, tenendo informato il Quirinale passo passo sugli sviluppi dell'iter parlamentare e, naturalmente, sul merito del provvedimento. Il capo dello Stato ha raccomandato che il salvataggio di Retequattro avvenisse nella piena legittimità costituzionale, alla luce della sentenza emessa dalla Corte nel 2002. È stata perciò prestata grande attenzione al digitale, a come raggiungere un'effettiva distribuzione del segnale sul territorio nazionale, a far sì che l'aggiornamento tecnologico del sistema fosse reale e non virtuale. Non si è mai discusso, invece, della controversa cifra corrispondente al Sic e alle conseguenti possibilità di sviluppo delle aziende.

Non c'è dubbio che la legge Gasparri consenta a Mediaset (e alla stessa Rai, se saprà approfittarne) grandi margini di espansione. Se ripensiamo a quel che disse D'Alema ai dipendenti di Berlusconi prima delle elezioni del 1996 («Questa azienda è una grande risorsa per il paese»), dobbiamo rallegrarcene. Il problema, irrisolto, è che questa azienda appartiene al presidente del Consiglio. Ma quando parlo a Berlusconi di «generosità» della Gasparri per il suo gruppo, lui si ribella: «Questa legge non ha attribuito a Mediaset un euro in più. Ha invece aperto il sistema televisivo a Telecom e Sky, due colossi che realizzano utili superiori al fatturato di Mediaset e Rai. Le cose stanno dunque in maniera esattamente contraria a quanto proclamano la sinistra e i giornali asserviti alla sinistra».

Mediaset avrà comunque la possibilità di crescere all'interno di un mercato più largo definito dalla legge. «Mediaset ha la possibilità di crescere soltanto grazie alla convenienza che i clienti pubblicitari attribuiscono e trovano negli spot televisivi» risponde il Cavaliere. «Dovrà piuttosto attivarsi per affrontare una fortissima concorrenza. Telecom ha due reti televisive e Sky è un gigante del sistema satellitare.»

VIII

Il semestre italiano da Schulz a Putin

E il Cavaliere disse: «Quando mai tanto successo?»

«In politica estera abbiamo conseguito i migliori risultati degli ultimi cinquant'anni. Mai la presenza dell'Italia è stata così incisiva e riconosciuta, mai siamo stati interlocutori così intimi e ascoltati dalle più importanti potenze internazionali. Abbiamo, fra l'altro, lavorato per il miglioramento dei rapporti tra Bush e Putin, avvicinando la Russia alla Nato nel memorabile vertice di Pratica di Mare, che ha sancito l'appartenenza della Federazione russa all'Occidente. Quando mai era accaduto qualcosa di simile sotto il patrocinio italiano?»

Ogniqualvolta parla di politica estera, Silvio Berlusconi s'illumina. È stato invitato da George Bush nel suo ranch in Texas, unico primo ministro italiano dopo De Gasperi a essere ammesso in una residenza privata del presidente degli Stati Uniti. A fine agosto 2003 ha avuto ospite nella sua villa in Sardegna Vladimir Putin e lo ha accolto trionfalmente a Roma in visita di Stato il 5 e 6 novembre. («Molto positiva la presidenza italiana dell'Unione europea» ha detto al suo arrivo il premier russo.) Quando questo libro viene dato alle stampe (metà novembre 2003), il semestre italiano sta concludendosi piuttosto bene: negli incontri con i loro colleghi europei tutti i ministri hanno ottenuto buoni risultati, e a fine ottobre il titolare della Farnesina Franco Frattini è stato assai apprezzato a Bruxelles (anche da Romano Prodi). Berlusconi è pienamente soddisfatto: «Nel semestre di presidenza italiana il lavoro è stato certamente stressante: dodici vertici internazionali bilaterali, quindici incontri di lavoro con Stati diversi, quarantadue incontri con rappresentanti dei governi comunitari e dei paesi candidati all'ingresso nell'Unione europea. Nei primi quattro mesi abbiamo presieduto ottocento riunioni di gruppi di lavoro, ventinove riunioni dei consigli ministeriali, otto consigli di associazione e cooperazione. Abbiamo concluso o parafato sette accordi internazionali, approvato diciassette regolamenti e direttive, concluso con il Parlamento europeo tre procedure di conciliazione che si trascinavano da anni. [*I dati sono aggiornati all'11 novembre 2003.*] Abbiamo stabilito rapporti di grande amicizia con tutti i paesi a est dell'Italia, dalla Turchia ai Balcani, dall'Ucraina alla Federazione russa, le cui porte si sono spalancate ai prodotti e agli imprenditori italiani. D'altra parte, per la prima volta abbiamo trasformato le nostre ambasciate e i nostri consolati in basi di sostegno alle nostre imprese e ai prodotti "made in Italy"».

Anche Prodi, prima del malinteso dell'8 novembre sulla Cecenia, riconosce il grande sforzo italiano durante questo semestre: «Abbiamo lavorato benissimo. Il supporto fornito dalla Commissione è andato ben al di là del semplice rapporto burocratico. Il successo italiano del semestre è anche il successo della Commissione. E per quanto riguarda la Costituzione europea, tutti hanno fatto il loro mestiere e la presidenza italiana ha fatto il suo». Il discorso cambia, però, se si guarda alla considerazione di cui gode l'Italia nel mondo. «Il peso politico internazionale del nostro paese è senza dubbio diminuito» mi dice il Professore. «I rapporti personali di Berlusconi saranno pure ottimi, ma la perdita di peso reale è indiscutibile. In politica estera contano i risultati, e la politica estera italiana si fa in Europa. La politica commerciale consiste nell'aumentare quote di mercato italiane nel mondo, e le nostre quote stanno diminuendo. Il messaggio protezionistico che arriva ogni giorno qui a Bruxelles ha sconvolto la fiducia nel nostro paese.»

«Contesto che la politica estera sia il campo in cui il

governo si muove meglio» conferma Piero Fassino. «Berlusconi ha cambiato la collocazione politica dell'Italia, fondata per cinquant'anni sul rapporto complementare tra integrazione europea e alleanza atlantica. Questo rapporto è stato spezzato in favore di una subordinazione gerarchica agli Stati Uniti.» «Non confondiamo la politica estera con le pubbliche relazioni di un facoltoso imprenditore» aggiunge con perfidia D'Alema.

A cavallo tra ottobre e novembre Berlusconi e Prodi sono stati insieme in Cina. Poco prima di partire, durante il nostro incontro a Bruxelles, mi dice il Professore: «La Cina adotta alcuni comportamenti scorretti che, se è il caso, devono essere biasimati e condannati. Dobbiamo attaccare e biasimare, dobbiamo indurla a rispettare le regole del Wto, ma ricordiamoci che i cinesi stanno aumentando oggi le importazioni molto più delle esportazioni. Se sapremo produrre bene, la Cina può diventare per noi il mercato più spettacolare del mondo. I cinesi sanno di essere diventati forti e importanti. E sanno quindi che non è nel loro interesse creare squilibri nel commercio mondiale. La Cina sta diventando una grande potenza commerciale e si rende perfettamente conto delle proprie responsabilità e delle conseguenze da prendere».

A parte la sgradevolissima dimenticanza di estendere a Prodi l'invito per il concerto di gala della Fenice di Venezia a Pechino (ma la responsabilità è dell'ambasciatore italiano, dicono a palazzo Chigi), sia l'incontro comunitario sia quello bilaterale sono andati molto bene. Con questa differenza, però: Prodi è convinto che il ritardo dell'Italia ad approfittare del «miracolo cinese» sia colpa anche dell'attuale governo, mentre Berlusconi ritiene che sia frutto del ritardo storico della nostra diplomazia a «tuffarsi» negli affari.

«Ho sempre temuto l'impresa militare in Iraq»

La contestazione della politica estera di Berlusconi esplose al momento della guerra in Iraq. Anche se ogni giorno morti americani e iracheni ci ricordano ciò che sta ancora accadendo laggiù, l'opinione pubblica sembra aver completamente rimosso un conflitto che si è aperto e concluso nella primavera del 2003. Eppure, su di esso il nostro paese si spaccò in modo traumatico. Berlusconi non voleva la guerra, ma fu additato come il più cinico dei guerrafondai. (Quando, poco prima dell'intervento americano, alcuni manifestanti esposero all'Altare della patria un enorme striscione pacifista che raffigurava il Cavaliere con l'elmetto, lui ci restò malissimo.) Fin dall'inizio disse a Bush che l'Italia, pur non negando il proprio incondizionato consenso all'iniziativa americana, non avrebbe inviato uomini. Era convinto che il conflitto sarebbe stato breve e risolutivo per l'abbattimento del regime di Saddam Hussein, anche se nessuno immaginava un dopoguerra così lungo e devastante.

«Ho sempre temuto l'impresa militare in Iraq» mi dice Berlusconi. «In due successivi colloqui con il presidente Bush ho espresso queste riserve, cercando di convincerlo a non intraprendere l'azione militare. Gli avevo anche suggerito di subordinarla a una risoluzione del Consiglio di sicurezza dell'Onu. A un certo punto, però, ho dovuto prendere atto che la decisione sulla guerra era già stata assunta, e non era modificabile. Con realismo politico ho quindi scelto l'unico atteggiamento possibile per un alleato leale che deve agli Stati Uniti una assoluta riconoscenza per averci liberato dal fascismo, dal nazismo e dal comunismo al prezzo di molte giovani vite, e per averci poi aiutato a uscire dalla povertà e a entrare nel benessere con gli aiuti del Piano Marshall. Tutto questo ha determinato il nostro immediato sostegno politico e l'invio delle nostre truppe nell'Iraq meridionale subito dopo la fine della guerra. Ho difeso questa posizione in tutte le occasioni. E non può non dispiacermi che l'opposizione si sia dimostrata sorda all'interesse nazionale. La guerra totale che ci fa la sinistra si spiega con la nostra colpa di averla spodestata da quel potere che aveva raggiunto dopo cinquant'anni di attesa.»

Quest'ultima frase tradisce amarezza più che dispetto. Il

centrodestra ha fornito appoggi decisivi al governo di centrosinistra all'epoca delle missioni militari in Albania e in Kosovo, e per Berlusconi l'atteggiamento dell'Ulivo a proposito del conflitto iracheno si spiega unicamente con un incancellabile pregiudizio nei suoi confronti. «Eppure resto convinto che la scelta dell'Italia fu sbagliata» mi dice Francesco Rutelli. «I giudizi complessivi si potranno dare solo al termine di un ciclo storico, anche se il crollo del regime di Saddam Hussein è senza dubbio un'acquisizione positiva per il mondo. Ma le incognite restano grandissime.»

Il rimprovero che da sinistra viene mosso a Berlusconi è di aver allontanato l'Italia dall'asse franco-tedesco, che per cinquant'anni ha rappresentato la nostra bussola. Chirac e Schroeder si sono opposti alla guerra in Iraq con un documento contrario all'intervento americano, mentre l'Italia si è schierata su una posizione opposta insieme ad altri sette paesi, tra cui l'Inghilterra e la Spagna. Quando chiedo al presidente del Consiglio se ci siano stati dissensi con il Quirinale a proposito di questa scelta, lui risponde: «Le ricordo che il documento franco-tedesco fu firmato e diffuso senza aver preventivamente informato gli altri paesi. Quella degli otto fu soltanto una risposta perfettamente in linea con i nostri rapporti transatlantici. E per fortuna c'è stata quella firma, altrimenti la spaccatura tra gli Stati Uniti e l'Europa sarebbe potuta essere davvero irreparabile».

Il presidente Ciampi e il suo consigliere diplomatico Antonio Puri Purini hanno sempre insistito perché il rapporto con Francia e Germania tornasse a farsi stretto, un processo oggettivamente ostacolato dall'antica antipatia tra il Cavaliere e Chirac e dalla formalità che ha sempre contraddistinto il suo rapporto personale con Schroeder. (Furono proprio questi due statisti ad accogliere con maggiore freddezza l'arrivo di Berlusconi a palazzo Chigi.) Eppure, come presidente di turno dell'Unione europea, il primo ministro italiano si è adoperato perché i rapporti della Francia e della Germania con gli Stati Uniti migliorassero.

«Santità, vedo che sta proprio bene.» E Letta arrossì

Sempre a proposito della guerra in Iraq, un'altra opinione assai diffusa è che la Chiesa abbia censurato il comportamento del governo italiano. Le cose, però, non stanno così. Angelo Sodano, segretario di Stato della Santa Sede, e Camillo Ruini, presidente della Conferenza episcopale italiana, venivano costantemente aggiornati da Gianni Letta sui contatti fra Berlusconi e Bush. Se fino all'ultimo chiesero di insistere per convincere Bush a evitare il conflitto, non hanno mai suggerito al nostro governo di cambiare posizione. Il cardinale Pio Laghi, vecchio amico di George Bush senior, fu inviato dal papa dall'attuale presidente degli Stati Uniti. La missione fallì e al suo rientro il cardinale riferì pubblicamente che né George W. Bush né, soprattutto, Condoleezza Rice gli avevano fatto una buona impressione. Ebbe la sensazione che il fondamentalismo religioso del presidente americano fosse la causa dei suoi atteggiamenti poco moderati. Ai vertici della gerarchia vaticana, però, non tutti condivisero l'atteggiamento di Laghi. Sui temi etici, infatti, la Chiesa è enormemente più vicina a Bush che a Clinton, e non ha mai inteso incrinare i rapporti con la Casa Bianca.

Alla vigilia della partenza del cardinale per gli Stati Uniti, il papa ricevette Berlusconi in Vaticano e lo invitò a pranzare con lui. Qualche giornale riferì di un incontro gelido e raccontò che, quasi a voler sottolineare il proprio dissenso nei confronti della posizione del governo, il papa avrebbe battuto un pugno sul tavolo. Avendo assistito a una scena analoga nel novembre 1977, durante una cena con l'allora cardinale di Cracovia a Roma, allorché il collega che mi accompagnava lo provocò sulla scuola cattolica, non avrei difficoltà a credere che questo sia potuto accadere. Il fatto è che, con Berlusconi, il pranzo fu assai sereno. Quando lesse del particolare del pugno, Gianni Letta, che era presente, andò su tutte le furie, il portavoce del Vaticano Navarro-Valls smentì, e nessuno osò ribattere.

Il Santo Padre sedette da solo su un lato del tavolo da pranzo rettangolare. Di fronte a lui, Berlusconi prese posto tra Letta e il cardinale Sodano, mentre il segretario del pontefice, monsignor Stanislao Dziwisz, si sistemò sul lato corto del tavolo. Giovanni Paolo II raccomandò di fare tutto il possibile per evitare la guerra e il presidente del Consiglio gli illustrò i suoi tentativi in questa direzione, disse che avrebbe continuato a prodigarsi fino all'ultimo, ma aggiunse di non poter affatto escludere che il conflitto si verificasse. La conversazione si estese poi alla Russia, al Medio Oriente, alla situazione economica italiana. Il papa ascoltò con attenzione e rispettò le parole del suo interlocutore, senza interferire sulle posizioni del governo italiano. Furono serviti prosciutto e melone, cannelloni, roast-beef con verdure, fragole con gelato. Agli ospiti fu versato vino bianco, mentre il pontefice accompagnò il pasto con del tè leggerissimo. Il clima divenne a poco a poco sempre più familiare e al dessert, visto che il papa aveva mangiato di buon appetito, Berlusconi gli disse: «Santità, vedo che sta proprio bene». Letta arrossì visibilmente, Giovanni Paolo II sorrise.

(Quattro mesi dopo, il 29 luglio, il presidente del Consiglio approfittò di un viaggio a Mosca per una missione riservata alla quale il Vaticano teneva molto. È noto che il papa da tempo vorrebbe andare in Russia ed è altrettanto noto che la Chiesa ortodossa non lo consente, temendo il proselitismo cattolico. Giovanni Paolo II aveva fatto sapere al patriarca Alessio II che avrebbe voluto incontrarlo per restituire alla Chiesa ortodossa una preziosa icona della Vergine del Kazan, ma poi non se n'era fatto niente e il viaggio del pontefice in Mongolia, fissato per la fine di agosto, era stato annullato. Berlusconi, dunque, chiese a Putin di invitare a colazione con loro Alessio II e il presidente russo accettò. Gli chiese anche, al momento del caffè, se si sarebbe potuto presentare il nunzio apostolico a Mosca, monsignor Antonio Pennini, e Putin acconsentì.

Sarebbe stata una magnifica occasione per sondare il terreno, all'ultimo momento però Alessio II fu colpito da una leggera ischemia, e il progetto di Berlusconi fallì. Ma ancora il 5 novembre Putin ha confermato al papa il suo impegno a superare le difficoltà.)

Mamma Gianni pettinò Silvio...

A fine giugno 2003 Silvio Berlusconi si era preparato al debutto europeo di Strasburgo con la stessa cura con cui da bambino aveva studiato il catechismo, presso gli amati salesiani, per prepararsi a ricevere insieme prima comunione e cresima, come usava un tempo. La differenza rispetto ad allora era che mentre il vescovo lo aveva incoraggiato a superare le incertezze e l'emozione, al Parlamento europeo di Strasburgo l'accoglienza si prospettava di tutt'altro tipo.

Per questo i catechisti degli Esteri si erano mossi per tempo, inviando in via del Plebiscito – il vero luogo di lavoro del Cavaliere – dossier, suggerimenti e una primissima bozza del discorso inaugurale. Quando il presidente del Consiglio deve preparare interventi programmatici per le Nazioni Unite, per il Parlamento europeo o per lo stesso Parlamento nazionale, i vari direttori generali degli Esteri inviano i loro appunti, ognuno a seconda delle rispettive competenze. In questo caso, la stesura degli appunti venne coordinata dal direttore generale degli affari politici della Farnesina, Giancarlo Aragona, già ambasciatore d'Italia a Mosca. Poi passarono sul tavolo di Cesare Ragaglini, l'efficientissimo capo di gabinetto di Franco Frattini, già consigliere diplomatico aggiunto di Berlusconi.

Arrivato alla presidenza del Consiglio, il prezioso elaborato fu rivisto dal consigliere diplomatico Gianni Castellaneta e dal suo assistente Bruno Arachi, giovane e brillante consigliere d'ambasciata. Fu passato, infine, a Valentino Valentini, assistente poliglotta e oggi capo ufficio del presidente del Consiglio, che ne modificò qualche passaggio conformandolo allo stile e al linguaggio del premier. E questi, come sempre, rivide, toccò e ritoccò il testo mille volte. I discorsi provenienti dalla Farnesina, scritti a più mani, sono fatalmente freddi, ministeriali e inevitabilmente burocratici. L'opposto, nel bene e nel male, del modo di essere e di porsi del Cavaliere. Berlusconi, dunque, «scaldò» il testo adattandolo, oltre che al proprio modo di esprimersi (anche se più di tanto non era possibile), a quella che riteneva fosse la condizione psicologica degli ascoltatori di Strasburgo. Poi il discorso d'insediamento giunse finalmente sul tavolo di Gianni Letta.

Letta, come è noto, si occupa di tutto quanto riguarda, anche marginalmente, il governo: dalla nomina di un sovrintendente di teatro lirico a un'emergenza della protezione civile, alla riforma costituzionale dello Stato. Come usava nelle famiglie aristocratiche di un tempo, il giorno della prima comunione il bambino si lavava e si vestiva con l'assistenza della servitù, ma l'ultimo ritocco alla pettinatura, il controllo che la giacca fosse ben stirata, le calze immacolate e le scarpe lucidate a dovere spettava alla mamma. Che dava la sua benedizione al piccino annodandogli la cravatta e baciandolo sulla fronte. Ora, Letta è – politicamente – la mamma di Berlusconi, anche se alla fine del 1993, insieme con Fedele Confalonieri, lo scongiurò disperatamente di non entrare in politica. È l'unico autorizzato a fargli le raccomandazioni più pressanti e a sgridarlo con severità. Spesso Silvio fa di testa sua e mamma Letta si dispera: conoscendo il suo pargolo meglio di chiunque altro, capisce all'istante se l'ha fatta grossa e cerca di nasconderlo. Quando nasconderlo è impossibile, Silvio comincia a preparare Gianni al peggio prendendo le cose alla lontana e raccontandogli brandelli di verità, ma soltanto il diluvio delle agenzie di stampa rende consapevole l'angosciata genitrice dell'entità della tragedia.

Su Strasburgo, però, mamma Letta non era preoccupata più del solito. Il discorso d'insediamento era perfetto: i toni calibrati, i temi trattati con scrupolo e prudenza di statista. «Mi raccomando, Silvio» lo congedò. E se non lo baciò sulla fronte fu soltanto perché alla loro età non usa più.

... e la zia Paolo lo incoraggiò

Se, politicamente, Letta è la mamma di Berlusconi, il suo sottosegretario e portavoce Paolo Bonaiuti è la zia. Una zia affettuosa e brontolona, incaricata dalla mamma di accompagnare sempre il suo ragazzo al cinema, di controllare che non faccia boccacce alle signore antipatiche, che non racconti ad alta voce barzellette sconvenienti e non mangi troppi dolci. Incaricata, soprattutto, di far sì che l'immagine del ragazzaccio, quando ne combina una delle sue (e le combina, oh se le combina), non ne venga incrinata più di tanto. Perché Silvio, in realtà, è educatissimo, è un vero signore, che accompagna alla porta anche il meno illustre dei suoi visitatori e fa sentire ogni donna una Sharon Stone a cui il bisturi ha tolto dieci anni. Quando però la pancia prende il sopravvento sul cervello, che cosa non è capace di combinare...

Zia Paolo, dunque, stette in clausura in via del Plebiscito l'intero lunedì 30 giugno a pesare ogni parola del discorso d'insediamento, per valutarne le conseguenze mediatiche. Aveva spedito fin dal giorno prima due emissari a Strasburgo perché sondassero gli umori della stampa internazionale, e le prime reazioni erano tutt'altro che negative. Certo, nessuno si aspettava che Berlusconi trovasse ad attenderlo un tappeto di fiori. Tuttavia, se Bonaiuti era prudentemente ottimista, Valentini era prudentemente pessimista. Era rimasto colpito dai pregiudizi sulla presidenza italiana emersi sabato 28 giugno, quando il Cavaliere aveva ricevuto a palazzo Chigi e poi trattenuto a cena a villa Madama il presidente del Parlamento europeo, il liberale irlandese Pat Cox, e i capi dei gruppi parlamentari a Strasburgo. Quel giorno il liberale inglese Graham R. Watson l'aveva sparata grossa: «Se l'Italia non facesse parte dell'Unione europea, in questo momento non potrebbe entrarvi». Watson non è un parlamentare qualsiasi, è il capogruppo di quel manipolo eterogeneo che a Strasburgo raccoglie gli esponenti non democristiani della Margherita, a cominciare da Francesco Rutelli, e di altre formazioni che non si riconoscono nei gruppi popolare e socialista (come Antonio Di Pietro).

Quando Valentini gli mostrò il dispaccio d'agenzia che ne riportava le parole, Berlusconi represse un moto d'indignazione e si dispose di buon animo a spiegare ai suoi ospiti le proprie opinioni. Il clima era franco, e non particolarmente sgradevole. Ci fu chi gli disse di non condividere l'atteggiamento esageratamente amichevole dell'Italia verso gli Stati Uniti e la Russia, e il Cavaliere raccolse pareri e suggerimenti (qualcuno di questi finì addirittura nel suo discorso d'insediamento). Poi Berlusconi difese la Convenzione europea affermando che avrebbe portato l'Europa oltre i limiti e i veti dei vertici di Nizza e della stessa Maastricht, e cercò di ingraziarsi l'uditorio assicurando che avrebbe fatto di tutto perché la nuova Costituzione europea non esautorasse il Parlamento di Strasburgo. Anzi, egli lo avrebbe coinvolto fin dalla conferenza intergovernativa che si sarebbe svolta in autunno a Roma. Insomma, ce la mise tutta per piacere.

«Vedrai che ce la faremo»: con queste parole, martedì pomeriggio 1° luglio, zia Bonaiuti rassicurò il nipotino che le sedeva accanto sulle comode poltrone dell'airbus presidenziale in volo verso Strasburgo. «Mi raccomando, Silvio» gli disse qualche ora più tardi il presidente della Camera Pier Ferdinando Casini incontrandolo brevemente in albergo. «Mi raccomando» gli fece eco Gianfranco Fini, che il giorno seguente gli sarebbe stato accanto nel banco presidenziale del Parlamento europeo e che trascorse con lui la serata a parlare dei problemi di politica interna che agitavano il suo partito. (L'indomani il leader di An avrebbe dato ai suoi il permesso di votare contro il governo per bloccare la vendita degli appartamenti demaniali in uso ai militari.) «Non accetti provocazioni» gli dissero Pat Cox e Umberto Vattani, il nostro ambasciatore presso l'Unione europea. «Possiamo farcela tranquillamente» gli ripeterono tutti.

Berlusconi nella fossa dei leoni

Alle nove del mattino di mercoledì 2 luglio, l'aula del Parlamento europeo era gremita. Fini, arrivato come Prodi con qualche minuto di ritardo, andò a salutare Walter Veltroni e Giorgio Napolitano, mentre Bonaiuti scambiava battute amichevoli con Fausto Bertinotti.

Entrando in sala, Berlusconi capì subito di trovarsi al Colosseo. Gli bastò un colpo d'occhio per capire che i leoni erano parecchi, e affamati. Mentre i parlamentari europei si mettevano le cuffie per ascoltare la traduzione simultanea nelle undici lingue riconosciute a Strasburgo, il benvenuto al nostro presidente del Consiglio venne dato da un gruppo di Verdi che esibivano cartelli in più lingue con la scritta: «La legge è uguale per tutti». Marco Pannella iniziò a protestare vivacemente, ma fu zittito dal presidente Cox: «C'è un presidente, signor Pannella. Mi occupo io della questione». E tra gli applausi della sola destra invitò i Verdi a ritirare i loro cartelli e ad ascoltare «con rispetto il messaggio della presidenza italiana». (Dal resoconto stenografico della seduta risulta che la maggior parte degli interventi della sinistra sono stati applauditi dall'intera assemblea, mentre tutti gli interventi della destra hanno ricevuto l'apprezzamento unicamente di questa parte politica.)

Berlusconi lesse un discorso equilibrato e prudente, come riconobbero in privato anche alcuni dei suoi avversari politici. In altre circostanze avrebbe parlato a braccio, come aveva fatto persino davanti al tribunale «nemico» di Milano, ma qui era in gioco il buon nome dell'Italia, perciò si adattò a una lettura attenta, e nemmeno troppo brillante, per evitare che qualcuno potesse rimproverargli di aver deragliato da binari tanto scrupolosamente tracciati. Ed ebbe una buona parola per tutti: per la Convenzione di Giscard d'Estaing e per la Commissione di Romano Prodi, per gli Stati Uniti e per la Russia, per gli Stati nuovi membri dell'Unione e per il Parlamento europeo. «Io chiederò al Consiglio europeo di associare in via permanente il presidente del Parlamento europeo ai lavori dei primi ministri e capi di governo.» Ma anche qui, come alla fine del suo discorso, raccolse applausi soltanto dai banchi della destra.

Tra le priorità indicò gli investimenti per le grandi opere pubbliche internazionali, la verifica della sostenibilità dei regimi previdenziali e pensionistici europei, il sostegno alle piccole e alle medie imprese. Promise grande impegno per il rilancio dell'Est europeo, per la soluzione della questione mediorientale, per la lotta al terrorismo. E concluse: «La mia aspirazione è che, nel corso della presidenza italiana e in vista di quella irlandese, si riesca, con la cooperazione di tutti i soggetti interessati e con lo speciale aiuto dei nuovi paesi membri, a restituire a questo nostro gigante istituzionale qualcosa della sua leggerezza e del suo slancio originario».

Dopo di lui, anche Romano Prodi pronunciò un discorso attento e pacato, che fu però applaudito dall'intera assemblea. E questo, insieme ai cartelli dei Verdi, fu per il Cavaliere la prova che stava giocando fuori casa. Un'ulteriore conferma la ebbe dalle parole di Enrique Barón Crespo, capogruppo socialista, che lo attaccò dicendo: «Quando sentiamo parlare d'Europa da Ciampi siamo tranquilli, quando ne sentiamo parlare da lei siamo preoccupati». Per Barón Crespo, il sogno di un'Unione europea allargata alla Russia e perfino a Israele era una bestemmia. Sebbene fosse evidente che Berlusconi non gli piaceva affatto, il leader parlamentare dei socialisti mantenne il suo discorso nei limiti, più che legittimi, del dissenso politico.

A un certo punto si alzò un libraio tedesco

Il pasticcio, però, avvenne poco dopo, quando si alzò il capo della delegazione socialista tedesca Martin Schulz, quarantotto anni, barba e occhiali, libraio di Hehlrath, Renania settentrionale-Vestfalia. Come avrebbe ammesso in seguito con l'inviato della «Stampa» Emanuele Novizio, sostenendo peraltro che il suo dissenso era essenzialmente politico, Schulz voleva provocare Berlusconi. Ma le sue parole si rivelarono un pesante attacco alla persona di Berlusconi. La sua vicinanza al banco della presidenza (non più di qualche metro), la durezza della voce e della lingua tedesca, gli ampi gesti quasi minacciosi, amplificarono enormemente l'impatto «fisico» dell'aggressione verbale. Prima l'attacco a Bossi: «Ogni sua minima dichiarazione è ben peggiore di quelle che hanno indotto il Parlamento europeo a muovere censure contro l'Austria e a opporsi alla partecipazione del partito liberale austriaco [*il partito di Haider*] al governo di questo paese». Poi la sberla congiunta a Berlusconi e a Bossi: «Lei non è responsabile del quoziente intellettivo dei suoi ministri, signor presidente in carica del Consiglio, tuttavia lei è chiamato a rispondere di quello che dicono. Le asserzioni di Bossi, il ministro del suo governo che si occupa di politica di immigrazione, che è uno dei temi che lei ha affrontato nel suo discorso, sono del tutto incompatibili con la Carta dei diritti fondamentali dell'Unione europea. In qualità di presidente in carica del Consiglio, lei ha il dovere di difendere i valori in essa sanciti, pertanto dovrà difenderli contro il suo stesso ministro».

Poi, due stilettate al presidente del Consiglio sul conflitto d'interessi e sulla giustizia: «Il virus del conflitto di interessi non dovrebbe diffondersi anche a livello europeo». E ancora: «Cosa intende fare per accelerare l'introduzione del mandato di arresto europeo? ... Se lei attuasse tali riforme nel suo stesso paese, il mandato di arresto europeo potrebbe entrare in vigore più rapidamente».

Ma l'affondo finale fu, in assoluto, il più pesante: «Nonostante tutto, sono lieto che oggi lei sia presente in questa sede e di poter discutere con lei. Di questo dobbiamo ringraziare non da ultimo Nicole Fontaine, in quanto lei non godrebbe più dell'immunità di cui ha bisogno se Nicole Fontaine non fosse riuscita con tanta abilità a rinviare così a lungo la procedura relativa alla richiesta di revoca dell'immunità parlamentare sua, presidente Berlusconi, e di Dell'Utri, il suo assistente, che oggi in via del tutto eccezionale una volta tanto è presente in aula. Anche questa è una verità che oggi dev'essere detta».

Nell'aula del Parlamento europeo, durante il dibattito sull'insediamento di un nuovo presidente, non si erano mai udite parole così aggressive nei confronti della sua persona. (Ineccepibili invece, al pari dell'intervento di Barón Crespo, quelli di Giorgio Napolitano, di Rutelli e di Veltroni.) Colpì, fra l'altro, la grossolanità di merito di alcune osservazioni del parlamentare tedesco. Il riferimento a Bossi-Haider, per esempio, è storicamente impreciso. Jörg Haider, leader del Partito liberalnazionale austriaco, fu censurato per le sue simpatie naziste, che nel 2000 procurarono motivati problemi al governo austriaco. Ora, di Umberto Bossi si può dire tutto, ma chi lo conosce sa che è da sempre un risoluto antifascista. (Semmai ha avuto qualche simpatia per Pim Fortuyn, il leader gay e antimusulmano della destra olandese ucciso durante la campagna elettorale della primavera 2002.)

Il mandato d'arresto europeo è un problema di gigantesca portata che sta impegnando i costituzionalisti e i Parlamenti di tutta Europa, perché pone fine alla tradizione della doppia valutazione giuridica del reato. Fino a oggi, infatti, se un cittadino tedesco commette in Italia un reato che da noi è perseguibile con l'arresto e nel suo paese no, una volta tornato in patria non potrà essere estradato. Con il mandato d'arresto europeo accadrà il contrario, e ciò – come abbiamo visto nel capitolo precedente – richiede un'armonizzazione tra i vari ordinamenti giuridici molto complessa e tuttora in corso. (La Costituzione austriaca, per esempio, vieta l'estradizione di propri cittadini, qualunque reato abbiano commesso all'estero, sicché l'Unione europea ha concesso all'Austria cinque anni per introdurre le opportune modifiche costituzionali.)

Come quasi tutti i politici europei, Schulz ignora probabilmente che da noi il pubblico ministero, al contrario di quanto accade negli altri paesi, è del tutto indipendente. E ignora quindi che i pubblici ministeri avranno la stessa libertà di manovra quando entreranno in vigore il mandato d'arresto e il congelamento dei beni, senza che il governo italiano ne sappia nulla.

Sull'immunità di Berlusconi, rispose subito Nicole Fontaine, oggi ministro francese dell'Industria, che era stata chiamata in causa dal parlamentare tedesco come ex presidente del Parlamento europeo. E, per farlo, si richiamò a quanto scritto nel suo libro *Le mie battaglie alla presidenza del Parlamento europeo*. In breve, la revoca dell'immunità a Berlusconi e Dell'Utri era legata all'inchiesta di Baltasar Garzón, il Di Pietro spagnolo, che indagava su Telecinco, rete televisiva di cui Fininvest è azionista di maggioranza. La magistratura spagnola trasmise al Parlamento europeo la richiesta di revoca nel luglio 2000, ma, secondo la prassi, deve essere il governo del paese richiedente ad avanzare la domanda. «Perché in questo caso esso fu scavalcato dai magistrati?» si chiese la Fontaine. «Negligenza o intenzione?» La presidente interpellò allora il governo spagnolo, che contestò la richiesta della magistratura, e quindi l'immunità non fu mai revocata.

Nonostante Berlusconi avesse invitato a gesti, ancorché invano, Schulz ad abbassare il tono di voce, al momento della replica il confronto con lo schieramento di sinistra del Parlamento diventò durissimo. E se fino a quel momento il Cavaliere aveva seguito il consiglio di mantenere toni equilibrati, non raccogliendo le provocazioni che anche nei giorni immediatamente precedenti non erano certo mancate, stavolta egli volle ribattere punto su punto (Bonaiuti e gli altri collaboratori gli avevano portato via via la sintesi scritta delle obiezioni, ora garbate ora pesanti, che i diversi oratori avevano avanzato durante il dibattito), cavalcando le critiche e ironizzando su chi le aveva fatte.

La risposta a Barón Crespo, pronunciata con la massima calma, fu per tre quarti politica. Ma poiché il capogruppo dei socialisti europei gli aveva inferto, seppure con garbo, una micidiale stilettata: «Io spero che l'attitudine italiana del signor Berlusconi a fare leggi soltanto per casi concreti, magari in qualche modo a lui vicini, non si estenda all'ambito europeo», nella sua replica il Cavaliere, un po' piccato, dopo aver ricordato che il suo governo in meno di due anni aveva raggiunto il record di 350 tra disegni di legge e decreti legge, di cui 200 approvati dal Parlamento, aveva aggiunto: «Quindi, se non concedo [*che abbia fatto leggi per mio interesse personale*] posso aprirmi [*all'ipotesi che*] quei tre disegni di legge [*siano*] stati la risposta, con gli strumenti della democrazia, con un voto parlamentare, a chi invece profitta del suo ruolo di funzionario della giustizia per attaccare con la giustizia dei nemici politici, se credo che questo è stato fatto, è stato fatto soltanto in 3 casi su 350: l'uno per cento, signor Crespo».

L'ala sinistra dell'assemblea cominciava a scaldarsi. E si scaldò ancor di più quando Berlusconi, rispondendo al liberale Graham Watson e ai Verdi Monica Frassoni e Francis Wurtz, definì «caricaturale» il ritratto che avevano fatto dell'Italia invitandoli a venire nel nostro paese per godere di quei monumenti e di quelle bellezze (ne aveva dato un minuzioso elenco suddividendoli per categorie) «che non siamo riusciti a distruggere in questi due anni».

Gli europarlamentari di sinistra risposero a tali parole, come a molte altre pronunciate da Berlusconi, con rumorose contestazioni, rese ancora più efficaci dal battito ritmato delle loro mani aperte sui banchi. Fra tutti, Schulz parve il più determinato nella contestazione, ed essendo seduto a pochissima distanza da Berlusconi, i suoi colpi arrivavano ancora più forti alle orecchie del Cavaliere. Questi lo guardò fisso, poi lasciò scivolare quella sciagurata e ormai notissima frase che voleva essere innocentemente ironica e invece ebbe l'effetto di annullare in un sol colpo tutto ciò che di buono (e non era poco) c'era nel discorso d'insediamento: «Signor Schulz, so che in Italia c'è un produttore che sta montando un film sui campi di concentramento nazisti: la suggerirò per il ruolo di kapò. Lei è perfetto!». (L'indomani il «Corriere della Sera» scrisse che forse il Cavaliere si riferiva al film sull'olocausto *Il servo ungherese* di Massimo Piesco e Giorgio Molteni, la cui sceneggiatura era stata premiata dalla presidenza del Consiglio. In realtà, ai suoi più stretti collaboratori Berlusconi confidò che il deputato tedesco gli aveva ricordato «Gli eroi di Hogan», un serial televisivo degli anni Sessanta ambientato in un campo di concentramento tedesco e in cui il «sergente Schultz» era, diciamo così, il meno intelligente della compagnia.)

E Follini restò con il piccione a mezz'aria

Fini, che sedeva accanto a Berlusconi, sbiancò e gli strattonò invano la giacca. A questo punto, come annota puntualmente il verbale della seduta, le risate si mescolarono alle proteste, ma le seconde furono più robuste delle prime. E non era finita. Dopo aver respinto le accuse di «assoggettamento» agli Stati Uniti, il Cavaliere si difese dall'accusa di «dominare» le televisioni italiane. «Non avete mai acceso una televisione italiana» disse il «President-in-Office» dell'Unione europea. E dopo aver ricordato che «ogni giornalista ha come massima sua preoccupazione quella di apparire indipendente nei confronti dei suoi colleghi. E questa indipendenza lo porta a essere ogni giorno critico nei confronti di colui che considera il padrone», concluse con un altro sfortunato affondo: «Se questa è la forma di democrazia che intendete usare per chiudere la bocca al presidente del Consiglio europeo, vi posso dire che dovreste venire come turisti in Italia, perché qui sembrate turisti della democrazia».

Fu allora che le «proteste» della sinistra, come annotarono gli stenografi ufficiali del Parlamento europeo, si trasformarono in «tumulti». Ma Berlusconi non se ne diede per inteso: «Sono stato sei anni capo dell'opposizione in Italia, non mi fanno paura questi interventi, ho l'abitudine a essere contraddetto». E concluse parlando di immigrazione e augurando buon lavoro a tutti. La destra applaudì, ma i tumulti della sinistra non si chetarono. E anche se il verbale non lo annota, alcuni testimoni giurano di aver sentito – come era successo dopo l'affondo contro Schulz – qualcuno gridare «Mafioso!».

Il Cavaliere era convinto di aver risposto per le rime a una provocazione sicché, quando Barón Crespo gli chiese di scusarsi con Schulz, non volle saperne. «Il signor Schulz mi ha offeso gravemente sul piano personale» replicò. «Non ritiro quanto ho detto con ironia, se il signor Schulz non ritira le offese personali che mi ha rivolto. Io l'ho detto con ironia, lui l'ha fatto con cattiveria!»

Era furioso e convintissimo che l'offesa ricevuta fosse di gran lunga più grave della sua «ironica battuta». Tuttavia, specchiandosi nel viso dei suoi collaboratori, comprese fino in fondo la gravità dell'incidente. Fini era una statua di sale e, come tale, lo seguì nella conferenza stampa, dove accanto a Berlusconi era seduta un'altra statua di sale, Romano Prodi. Né Fini né Prodi aprirono bocca, mentre il Cavaliere ribadiva ai giornalisti che «Schulz è perfetto per quella parte». Renato Pera, inviato del «Giornale», lo sentì aggiungere alla fine dell'incontro: «Non si può sempre prenderle, a volte bisogna anche darle. Stavolta ci voleva».

Al pranzo ufficiale molte sedie rimasero vuote. Quando si va a tavola dopo un funerale, si chiacchiera per distrarre i parenti del defunto e lenirne la mestizia. A Strasburgo il lutto fu generale e strettissimo. L'assenza più vistosa fu quella del nostro vicepresidente del Consiglio, che piantò in asso Berlusconi e corse a telefonare a Marco Follini: era preoccupato che il suo lunghissimo e delicato cammino verso la piena legittimazione internazionale – conquistata peraltro sul campo nella Convenzione europea – fosse intralciato dalla frase del Cavaliere sul «kapò». La sua telefo-

nata trovò il segretario dell'Udc seduto tra le preziose *boi-
series* e i raffinati tessuti del più esclusivo ristorante di Strasburgo, Au Crocodile, che ha l'unico cruccio di poter esibi-
re soltanto due stelle nella Guida Michelin contro le tre del
concorrente Buerehiesel. Follini non mangia pesce, quindi
non si era potuto deliziare con le specialità del locale: lucio-
perca (un felice connubio di luccio e pesce persico) e latte
di carpa. In alternativa, però, gli furono offerti porri alla
contadina, piccione dei Vosgi arrosto e, per finire, una
sinfonia ai tre cioccolati. Era stato invitato al Crocodile dal
sottosegretario agli Esteri Mario Baccini, suo compagno di
partito e artefice di un importante convegno sul venticinquesimo anno di pontificato di Giovanni Paolo II. Al convegno e al raffinato pranzo erano presenti il vescovo di Milano Dionigi Tettamanzi, Lamberto Dini e il responsabile
esteri dei Ds Umberto Ranieri, ai quali nei lavori pomeri-
diani si sarebbe unito Gianfranco Fini.

Non fu tuttavia il vicepresidente del Consiglio ad avvertire per primo Follini della tempesta di quel mattino. Gli
aveva già telefonato sconvolto Raffaele Lombardo, un eu-
rodeputato siciliano dell'Udc che si disse indignato per
l'accaduto, così indignato che se ne tornò subito a casa con
un aereo di linea senza nemmeno aspettare un passaggio su
uno dei voli di Stato in partenza più tardi. Erano i giorni in
cui gli ex democristiani avevano con il Cavaliere un rapporto non molto migliore di quello che con lui aveva Martin
Schulz. E il catanese Lombardo – baffi foltissimi e neri, lau-
rea in medicina, specializzazione in psichiatria forense –
aveva fatto la somma dei sentimenti e aveva lasciato lo stu-
pefatto Follini con un'ala di piccione dei Vosgi a mezz'aria.

Fini trovò dunque un terreno fertile al suo disappunto.
«Non si può andare avanti in questo modo» disse all'amico, che non ebbe difficoltà a dargli ragione. Nacquero così
le due dichiarazioni gemelle che fecero infuriare il Cavaliere almeno quanto lo aveva fatto il «libraio» tedesco.
«Capisco, ma non condivido» dettò Fini alle agenzie di
stampa. «Non condivido e faccio fatica a capire» rincarò

Follini. «Basta con questi sepolcri imbiancati» commentò il Cavaliere. Ufficialmente si riferiva agli eurodeputati più accesi nella polemica, ma in realtà Follini si identificò subito nel gruppo.

Quando il vicepresidente del Consiglio e il segretario dell'Udc arrivarono all'aeroporto di Strasburgo, videro che sulla pista era pronto al decollo l'Airbus presidenziale di Berlusconi. Ma, per evitare lo scontro immediato, a nessuno dei due venne in mente di alzare una mano per chiedere un passaggio, né del resto il Cavaliere – se li vide – ordinò al comandante di sospendere il rullaggio. I due preferirono aspettare il volo di Stato successivo: a bordo c'era anche Franco Frattini, e questo ridusse di molto l'asperità dello sfogo e dei commenti.

Stefani e i «rutti» di Schulz

I tedeschi chiesero le scuse, Berlusconi ritenne di non doversi scusare. «Non la considero assolutamente una gaffe» mi dice il presidente del Consiglio quattro mesi più tardi. «C'è stata una strumentalizzazione a posteriori di una battuta che voleva solo essere ironica e che aveva fatto divertire tutto il Parlamento. Ho poi potuto chiarire tutto con il cancelliere Schroeder, e i rapporti tra Italia e Germania sono più solidi di prima.»

L'ambasciatore a Berlino, Silvio Fagiolo, cominciò a concordare con Castellaneta e Valentini una traccia di comunicato congiunto per chiudere la questione. La cancelleria tedesca ne propose uno di tono molto secco: Berlusconi si scusa, ma palazzo Chigi lo respinse. I due staff restarono su posizioni diverse per tutta la giornata del 3 luglio, in cui era prevista una telefonata chiarificatrice tra il presidente del Consiglio e il cancelliere. Fissata per mezzogiorno, slittò alle sette di sera senza che le due parti avessero trovato un accordo. Berlusconi chiamò Schroeder da palazzo Grazioli, dove si era trattenuto per un altro appuntamento. Aveva davanti agli occhi il comunicato concordato con i suoi, ma, com'è nel suo carattere, non volle fermarsi a uno scambio di dichiarazioni formali. Ripeté invece al cancelliere tedesco quel che aveva detto ai colleghi del Partito popolare europeo a Bruxelles. Valentini, che gli stava accanto, sentì che il traduttore tedesco del Cancelliere usava il termine «*Bedauern*», rincrescimento. Se avesse voluto tradurre le parole di Berlusconi in «scuse», avrebbe dovuto usare il vocabolo «*Entschuldigung*», dove «*Schuld*» significa colpa.

Schroeder coglie ogni sfumatura al volo, è «tedesco nei modi, italiano nella velocità di comprensione» afferma chi lo conosce bene. A Berlusconi rispose: la vicenda di Schulz non mi interessa, tu ti sei rammaricato di quanto è accaduto, per me è sufficiente, il caso è chiuso. Ciampi si disse contento di come si erano sistemate le cose, e la cena al Quirinale di quel giovedì sera fu abbastanza distesa. Le agenzie di stampa scrissero: Berlusconi non si scusa, la stampa di sinistra sostenne il contrario. Tuttavia la storia si sarebbe chiusa con le solite polemiche che seguono qualunque atteggiamento di Berlusconi, giusto o sbagliato che sia, se venerdì 4 luglio «la Padania», quotidiano della Lega, non avesse pubblicato a pagina 3 un micidiale corsivo di Stefano Stefani, sottosegretario al turismo intitolato: *Stereotipi e nazionalismi. Li conosciamo bene i tedeschi*. Stefani parlava di «stereotipati biondi dall'orgoglio ipernazionalista, indottrinati da sempre a sentirsi a ogni costo i primi della classe. E come ogni "primo della classe" che si rispetti, non perdono occasione di assumere atteggiamenti protervi». Martin Schulz era descritto come «cresciuto magari a roboanti gare di rutti dopo pantagrueliche bevute di birra e scorpacciate di *Kartoffel* fritte» e provvisto di «occhi da topo». La Germania, d'altra parte, è un «paese ubriaco di tronfie certezze».

Per un esponente del governo con la delega a un settore come il turismo, vitale per l'economia nazionale e da sempre basato in gran parte sull'afflusso di visitatori tedeschi, era francamente troppo. L'indomani il «Corriere della Sera» rilanciò la storia e il 7 luglio Schroeder, che aveva prenotato le vacanze in provincia di Pesaro, annunciò l'intenzione di annullare il viaggio in Italia. Aspettò per altri due giorni che accadesse qualcosa, poi formalizzò la rinuncia. Se Berlusconi avesse rimosso Stefani in cinque minuti, probabilmente l'incidente sarebbe stato arginato, ma – come avrebbe ricordato a Schroeder nell'incontro di Verona a fine agosto – al presidente del Consiglio italiano la legge non consente di rimuovere d'autorità nemmeno un usciere. Tuttavia, commentò d'istinto la decisione del cancelliere con una frase indelicata – «Peggio per lui» –, e poi dovette correre ai ripari.

Stefani non è un militante leghista qualsiasi, è il presidente federale della Lega Nord. È vero che in quel partito conta soltanto Bossi, ma tale carica – per quanto onorifica sia – ha pur sempre un certo peso simbolico. Importante industriale orafo, dopo una lunga carriera cominciata dalla gavetta, e presidente degli orafi vicentini, Stefani è parlamentare dal 1994 ma leghista da molto prima. La sua fedeltà al Senatùr è più che assoluta. Subito dopo il ribaltone che fece cadere il primo governo Berlusconi, al congresso del partito del febbraio 1995 – quello in cui D'Alema, in un discorso interrotto da trentaquattro applausi, disse a Bossi: «Grazie di esserci, Umberto» e definì la Lega «costola della sinistra» – Stefani gridò dal palco, prima dell'arrivo del Senatùr: «Umberto, mi senti? Al momento dell'attacco, quando usciremo dalla trincea, io sarò subito dietro di te». (Da quel congresso, Roberto Maroni – contrario alla rottura con il Cavaliere – uscì distrutto. Lo raccolsi in lacrime nel retropalco insieme con la moglie. E quando Bossi, che ha sempre stimato l'attuale ministro del Welfare, si disse pronto a riammetterlo, Stefani sostenne che avrebbe dovuto ripresentare le dimissioni.) A fine estate del 1996, dopo il largo successo elettorale di quell'anno, Stefani fu il grande organizzatore delle otto feste che accompagnarono Bossi dalle sorgenti del Po a Venezia, dove in piazza dei Sette Martiri, la domenica pomeriggio del 15 settembre, il Senatùr annunciò l'indipendenza della Padania: «Noi, popoli della

Padania, solennemente proclamiamo: la Padania è una repubblica federale indipendente e sovrana».

Fu a Stefani che Bossi telefonò per secondo (dopo Maroni) alle quattro del mattino di venerdì 9 maggio 1997 quando, in una delle sue consuete notti d'insonnia ghibellina, lesse sul televideo che i Serenissimi avevano occupato il campanile di San Marco a Venezia. E fu lui, poco tempo dopo, ad accompagnarlo ad Arcore negli incontri segreti con Berlusconi (paralleli a quelli con D'Alema) all'epoca della Bicamerale, quando il Senatùr temette che volessero farlo fuori con una nuova legge elettorale.

Dunque, l'industriale vicentino non era un leghista qualunque. Eppure Berlusconi dovette chiedere a Bossi la testa dell'amico, anche su pressione di Fini, che anticipò le dimissioni di Stefani con una frase sferzante: «Uno stupido è sempre uno stupido. Non è normale che resti al suo posto». Il sottosegretario della Lega non accettò di buon grado l'ordine di andarsene, e in un comizio, come avrebbe riferito Daria Gorodisky sul «Corriere della Sera», gridò: «Nessuno della Lega è attaccato alla cadrega. Non ce ne frega un cazzo delle sedie. Ed è per questo che ora tornerò a essere un semplice militante. Certo, è curioso che venga colpevolizzato l'unico che ha usato la propria voce per lavare un oltraggio fatto al nostro paese».

Il miele sulle labbra di Berlusconi e Schroeder

Sabato 23 agosto 2003, in una splendida mattina di sole, Berlusconi chiuse definitivamente l'incidente con Schroeder a Verona. In realtà, il cancelliere tedesco avrebbe dovuto incontrare soltanto Prodi, che era andato a trovarlo il 18 luglio e lo aveva invitato in Italia. La bella Verona, cuore dell'area più «tedesca» d'Italia, era la sede giusta per un incontro pacificatore. «Perché non vieni a vedere un'opera in Arena?» gli aveva proposto il presidente della Commissione europea. Detto, fatto. Appuntamento per il 22 agosto, per la rappresentazione della *Carmen* di Bizet con la regia di Franco Zeffirelli. A fine luglio Paolo Zanotto, sindaco della città scaligera, pensò di invitare per l'occasione anche Berlusconi, ma era incerto sul da farsi. Il presidente del Consiglio avrebbe accettato? Si sarebbe irritato Prodi, costretto a condividere con il Cavaliere il palco reale dell'Arena? Zanotto è un mite e garbato esponente dell'Ulivo, trovatosi sulla poltrona comunale per le bizze del centrodestra che, nel 2002, ebbe la bella idea di far «scontrare» due suoi candidati dopo aver distrutto la locale dirigenza di Forza Italia. Parlò di questo suo progetto durante una cena e chiese a uno dei commensali di sondare nell'entourage del Cavaliere. Il sondaggio ebbe esito positivo e Berlusconi accettò di assistere alla *Carmen* con Prodi e Schroeder la sera del 22 agosto. Lo avrebbe accompagnato anche sua moglie Veronica, grande appassionata di musica lirica.

Due ore prima dello spettacolo, però, Berlusconi diede forfait. Il sindaco la prese malissimo e, nel saluto agli ospiti pronunciato nel primo intervallo dell'opera, disse che il Cavaliere era stato mal consigliato. Ascoltai la frase accanto a Castellaneta, che formò immediatamente il numero di cellulare di Letta. Durante il secondo intervallo Castellaneta fu autorizzato a informare il sindaco di Verona che l'indomani il Cavaliere – atteso per l'incontro bilaterale con Schroeder – sarebbe passato a salutarlo. (Cosa che avvenne, sia pure in ritardo rispetto al programma, nonostante i maggiorenti veneti di Forza Italia non fossero entusiasti dell'idea che Berlusconi andasse dal «nemico».)

«Se fossi venuto ieri sera, la *Carmen* non sarebbe andata in scena» mi disse d'un fiato il presidente del Consiglio la mattina del 23 agosto appena giunto allo storico hotel Due Torri. I servizi di sicurezza lo avevano informato che qualche centinaio di dimostranti, muniti di fischietti, avrebbero fatto un tale baccano da ritardare la rappresentazione e guastare seriamente la serata. Si seppe anche che il palco reale era quanto di meno sicuro si potesse immaginare, essendo stato sistemato accanto alle gradinate del pubblico. Resta il fatto che quella sera Berlusconi avrebbe fatto bene a intervenire, anche a costo di essere fischiato.

Schroeder, dopo l'opera, fece le ore piccole nella hall del Due Torri, bevendo e chiacchierando con i suoi uomini e con qualche giornalista tedesco. L'incontro dell'indomani con Berlusconi andò benissimo. Dopo aver liquidato con un sorriso e con una battuta le inevitabili richieste di chiarimento sull'incidente di Strasburgo («Si sono spalmati il miele sulle labbra» scrisse la «Sueddeutsche Zeitung»), affrontarono i problemi veri. Entrambi erano favorevoli a lasciare pressoché immutato il testo della nuova Costituzione europea stilato dalla Convenzione, inoltre l'amicizia tra Berlusconi e Bush era utile a Schroeder per la ripresa dei rapporti con gli Stati Uniti, un campo in cui la Germania era in netto vantaggio sulla Francia.

Jogging con Bush, tuffi con Putin

L'incontro con il cancelliere tedesco avvenne tra la visita di fine luglio di Berlusconi in Texas e a Mosca e quella di fine agosto di Putin in Sardegna. Saranno pure pubbliche relazioni di un «facoltoso imprenditore», come dice D'Alema, ma in una politica estera molto centrata sui leader come quella odierna i rapporti personali sono decisivi. Il ranch di Bush a Crawford è esattamente come quelli dei film western. Il presidente ama sedersi nel patio e guardare in silenzio la prateria e il laghetto dove va a pescare. La proprietà è alquanto estesa ed è solcata da canyon e piccoli fiumi. L'edificio principale è in pietra del Texas e le porte in legno del Texas. La casa è molto bella, ma non sfarzosa. Bush vi riceve soltanto gli amici, quindi non esiste alcun protocollo. Il Cavaliere è andato a spasso sulla jeep condotta da Bush, che aveva accanto la moglie Laura. Ha fatto jogging con il presidente, Valentini e Condoleezza Rice (Bonaiuti è rimasto prudentemente a riposo). Ed è stato colpito dal cielo incredibilmente stellato e dall'abbagliante luce diurna. A tavola, il suo posto era tra Laura Bush e Condoleezza, quello di Bush tra Bonaiuti e la moglie del governatore del Texas, un giovane pilota che ha prestato servizio anche in Italia. Le altre sedie erano occupate dagli ambasciatori Mel Sembler, Sergio Vento e Castellaneta, da Valentini e dal braccio destro di Bush, il capo di gabinetto Andrew Card jr. Mangiando gamberoni del Golfo del Messico, Berlusconi ha parlato dello stato d'avanzamento del contratto con gli italiani mostrato a «Porta a porta» e delle difficoltà della nostra economia. Il governatore del Texas gli ha spiegato che nel suo Stato il bilancio deve essere sempre in pareggio: aveva quindi dovuto tagliare le spese, ma questo non aveva inciso apprezzabilmente sulla politica sociale. Anche la California, che prima dell'avvento di Arnold Schwarzenegger aveva un governatore democratico, aveva fatto la stessa cosa, ragion per cui non c'era stata opposizione.

Quando si parlò dell'Iraq e dell'Iran, Bonaiuti capì quanto fosse ancora vivo nella coscienza americana lo choc dell'11 settembre: «Quella gente che si lanciava dalle Twin Towers, quella folla coperta di polvere bianca che entrava nelle case di tutti gli americani hanno lasciato il segno. Se l'Europa non lo capisce fino in fondo, sarà un guaio».

«La grande cordialità con Bush» mi dice Berlusconi «è diventata amicizia e stima. Anche qui, come ho affermato parlando a Wall Street, le imprese americane guardano all'Italia come a un paese sempre più amico. Gli investimenti stanno arrivando. Anche con Putin c'è un solido rapporto umano. Anche con lui la cordialità è diventata amicizia sincera. E il risultato è che la Federazione russa è sempre più legata all'Europa e all'Occidente, e sempre meno potenza orientale. La Russia si è aperta ai cambiamenti per diventare una vera economia di libero mercato ed è fortemente disponibile a incrementare i rapporti con l'Italia sul piano culturale e commerciale. Può essere una grande opportunità per i nostri prodotti e le nostre imprese.»

Putin ha un carattere diverso da Bush, è un uomo più freddo, che viene da lontano. Per questo stupisce la sintonia e la familiarità con Berlusconi, che nei primi due anni di governo è stato sei volte in Russia. *Zio Silvio è atteso a Mosca* titolò il 28 luglio 2003 la «Vremja Novostej». Durante la visita in Sardegna il presidente russo ha alternato le canzoni di Andrea Bocelli a quelle di Mariano Apicella, tuffi in piscina a passeggiate nel parco dei cactus e gite in barca. Il Cavaliere ha così degnamente ricambiato il magnifico pranzo offerto da Putin alla fine di maggio agli ospiti convenuti in Russia per i festeggiamenti di San Pietroburgo: sul veliero *Fruscio d'argento* furono serviti caviale e salmone siberiano, antipasti della tradizione russa, lepre arrosto in crema di funghi, gallo cedrone ai frutti di bosco, frutta con gelatina di limone e panna montata, dolci della tradizione pietroburghese. L'ospite fece una sola gaffe involontaria: lo champagne era un Bollinger millesimato del 1996, l'anno in cui il Cavaliere perse le elezioni. Ma nessuno se ne accorse.

Quando in Sardegna si parlò di Iraq, Berlusconi propose a Putin di coinvolgere l'Onu nell'indomabile crisi irachena. Putin accettò, senza contestare che il comando militare sarebbe rimasto agli Stati Uniti. I due chiamarono Bush al telefono e il Cavaliere è convinto che, se in ottobre il Consiglio di sicurezza dell'Onu ha approvato all'unanimità la risoluzione favorevole all'intervento delle Nazioni Unite, il merito è anche suo. (Detto per inciso, questa risoluzione riuscì a dividere ancora una volta il centrosinistra italiano.)

IX

Forza Italia, dieci anni e un suicidio

Chi trama contro Galba?

Opportunos magnis conatibus transitus rerum... «Le fasi di passaggio dei poteri sono favorevoli ai grandi disegni e bisogna agire senza indugio quando la calma sia più pericolosa dell'audacia.» A chi è legittimo dedicare – nel passaggio più difficile del governo dopo la vittoria elettorale del 2001 – questa osservazione di Tacito (*Historiae*, I, 21,2) che introduce la complessa congiura di Otone ai danni del vecchio imperatore Galba? Nella tarda primavera, nell'estate e nell'autunno 2003, congiure ai danni del nuovo principe Berlusconi non se ne videro, almeno a occhio nudo. Anche se qualche lingua velenosa soffiò nell'orecchio del Cavaliere la calunnia che Marcello Pera, il presidente del Senato (la seconda carica dello Stato, eletto nelle liste di Forza Italia), fosse pronto a guidare un governo istituzionale, procurando dapprima incredulità e poi profonda amarezza nel gentiluomo lucchese, che mai ha immaginato – e mai avrebbe comunque accettato – un'ipotesi del genere. Altri giurarono che analoga aspirazione fosse segretamente riposta nell'animo del presidente della Camera, Pier Ferdinando Casini. Ma si trattava di cinici giochi di società.

Tuttavia, nell'intero secondo semestre del 2003, vi fu per la prima volta nella Casa delle Libertà una profonda e tormentata discussione sulla distribuzione del potere all'interno della coalizione e nel governo. Gianfranco Fini e Marco Follini misero in piedi una specie di «subgoverno», come lo chiamò «il Riformista», con l'obiettivo di ridimensionare il potere di Umberto Bossi, esercitato soprattutto attraverso un patto di ferro con il ministro dell'Economia, Giulio Tremonti. E chi immaginava che il Senatùr si sarebbe accontentato dopo il varo formale del suo progetto di «devoluzione» nel nuovo Stato federale, dovette ricredersi. Ci fu tra gli alleati un continuo gioco al rialzo, in nome dell'identità di partito. Un gioco iniziato dopo le piccole elezioni di primavera, che segnarono la sconfitta del centrodestra e – all'interno di esso – soprattutto di Alleanza nazionale. Cominciamo dunque da qui.

Un dossier per Berlusconi

Silvio Berlusconi ama i dossier brevi e chiari. Così, martedì 27 maggio 2003, Claudio Scajola, responsabile elettorale di Forza Italia, gli trasmise un resoconto di poche paginette sul primo turno delle piccole elezioni amministrative di primavera, importanti per capire chi, tra i partiti, avesse vinto o avesse perso.

L'attenzione del presidente del Consiglio si concentrò sulla pagina 4 del rapporto, ventisei righe scritte da Scajola per negare che Forza Italia avesse subìto un rovescio, come sostenevano i giornali. Eccone, in sintesi, il contenuto.

Alle provinciali, Forza Italia guadagna il 2,28 per cento (la crescita più significativa è a Foggia, in Sicilia, soprattutto a Catania, e a Roma); Alleanza nazionale perde il 3,49 per cento (il calo è distribuito proporzionalmente su tutto il territorio nazionale); l'Udc guadagna l'1,25 per cento (da segnalare che, contrariamente a quanto si pensa, la forte crescita non si registra in Sicilia, dove anzi perde lo 0,7 per cento, ma a Roma e a Foggia); i Ds perdono l'1,2 per cento (distribuito in modo omogeneo su tutto il territorio nazionale); la Margherita perde l'1,79 per cento (le flessioni più forti sono registrate in Sicilia e nel Veneto, mentre cresce a Roma e a Massa).

Nei comuni capoluogo, Forza Italia guadagna l'1,95 per

cento (la crescita più forte è in Veneto, in Abruzzo e in Sicilia; in calo, invece, in Lombardia e Toscana); Alleanza nazionale perde l'1,04 per cento (in controtendenza la Sicilia, dove guadagna il 2,97 per cento); l'Udc perde lo 0,58 per cento (anche qui si rileva una flessione in Sicilia e un significativo incremento in Veneto e a Pescara); la Lega Nord perde lo 0,68 per cento (forte flessione in Lombardia, più contenuta in Veneto); i Ds guadagnano il 2,93 per cento (la crescita è concentrata quasi esclusivamente a Brescia, mentre si registrano flessioni in Veneto, in Abruzzo e in Sicilia); la Margherita guadagna il 2,29 per cento (rispetto ai voti riportati nelle elezioni precedenti da Ppi, Democratici e Lista Dini, si hanno forti incrementi in Veneto, Lombardia e Toscana, e lievi flessioni in Sicilia).

Complessivamente, annotava Scajola, alle provinciali il centrodestra conservava i suoi 170 seggi, il centrosinistra i suoi 148, mentre Forza Italia ne guadagnava 2; nei 93 comuni principali, il centrodestra guadagnava 37 seggi (passando da 483 a 520) e altrettanti ne perdeva il centrosinistra (da 597 a 560), mentre Forza Italia ne guadagnava 21.

Due settimane più tardi, dopo il ballottaggio dell'8 giugno e le elezioni regionali in Friuli-Venezia Giulia, il responsabile elettorale azzurro diramava un comunicato stampa in cui, prendendo atto del risultato «non favorevole» al centrodestra nei ballottaggi e nelle elezioni friulane, ammetteva che «l'elettorato della Casa delle Libertà non capisce e penalizza le divisioni», ma ricordava altresì che «complessivamente il centrodestra ha ottenuto 3.400.000 voti e il centrosinistra 3.000.000, e che su 489 comuni al voto il centrodestra ne governa 45 in più e il centrosinistra 45 in meno».

Tutto bene, dunque? Il Cavaliere si sarebbe dovuto consolare? Assolutamente no. Scajola aveva fatto al meglio il suo mestiere, i numeri erano quelli, ma il dato politico generale era largamente negativo se «il Giornale», il quotidiano più vicino al centrodestra, decideva di titolare in prima pagina nel modo più duro ed efficace: *Il Polo c'è riuscito: ha perso.* Aveva 7 province su 12 e adesso erano scese a 6: la differenza, tutt'altro che trascurabile, l'aveva fatta Roma. Aveva il Friuli-Venezia Giulia e l'ha perso. E in altre città, dal Nord (Brescia e Treviso), al Centro (Pescara), al Sud (Siracusa e Trapani), aveva mostrato, al di là degli alterni risultati ottenuti, una divisione pericolosa e inaccettabile.

Roma e il Friuli-Venezia Giulia erano i test politicamente più significativi e, in entrambi i casi, il centrodestra aveva perso. A Roma era stata umiliata Alleanza nazionale, per le ragioni che vedremo nel capitolo XI. In Friuli-Venezia Giulia il centrodestra si era suicidato, seguendo lo stesso percorso psicologico e usando la stessa arma con cui nel 2002 aveva fatto harakiri al comune di Verona. Poiché anche Udine e Trieste, come la città veneta, sono strutturalmente aree di centrodestra, per esservi sconfitti occorre appunto suicidarsi: in entrambe la Casa delle Libertà l'ha fatto presentando candidati sbagliati e disorientando il proprio elettorato con una lotta fratricida per nulla edificante.

Storia di un suicidio: il Friuli-Venezia Giulia

Per capire il percorso suicida del centrodestra in Friuli-Venezia Giulia occorre tornare indietro di due anni, quando il presidente della regione Roberto Antonione venne chiamato da Berlusconi in Parlamento e all'incarico di sottosegretario agli Esteri aggiunse quello di coordinatore nazionale di Forza Italia. Il centrodestra aveva vinto le elezioni regionali nel luglio 1998 e, da dicembre, la Lega aveva assicurato il proprio appoggio esterno. Uscito di scena Antonione, il partito di Bossi avanzò la candidatura di Alessandra Guerra, una dirigente leghista che era già stata alla guida della regione. Ma Forza Italia, che godeva di una larga maggioranza, impose Renzo Tondo, assessore alla Sanità. Dovendo cedere sulla presidenza, il segretario regionale leghista Beppino Zoppolato pretese – e ottenne   che il Friuli-Venezia Giulia varasse una legge che aboliva l'elezione diretta del presidente, come invece è contemplato nel sistema elettorale delle altre regioni. («Fu un errore» riconosce oggi Antonione. «Abbiamo dato una grossa mano a Illy» conferma Scajola. «Durante la campagna referendaria gli abbiamo offerto l'opportunità di andare nelle piazze a dire agli elettori: come potete accettare che vi si tolga il diritto di scegliervi il vostro presidente, come accade in tutte le altre regioni italiane?»)

Antonione fece il giro delle sette chiese (Berlusconi, Fini, il leghista Roberto Calderoli) avvertendo che Riccardo Illy, già allora candidato in pectore del centrosinistra, avrebbe raccolto le firme per un referendum che, abrogando la nuova legge, avrebbe equiparato il Friuli-Venezia Giulia alle altre regioni. Ma la Lega fu irremovibile e minacciò una crisi di giunta. Nessuno se la sentì di rischiare e le cose andarono esattamente come previsto: fatta la legge, Illy vinse il referendum per abrogarla.

A questo punto, poiché il presidente sarebbe stato eletto direttamente, il centrodestra doveva trovare un candidato forte. E Tondo, pur essendo un'ottima persona e pur venendo difeso a spada tratta dall'ex presidente Antonione, non lo era. La Lega propose Alessandra Guerra. Bossi non l'ha mai amata, come del resto non amava il segretario regionale Zoppolato, ma era l'unico candidato leghista che aveva titolo per correre (ci sarebbe stato, in verità, anche il sindaco di Udine, Sergio Cecotti, che non amava la Guerra, ma che, a sua volta, era amato da Bossi ancor meno di lei). Una situazione bloccata, dunque. Inoltre, Aldo Brancher, storica figura di collegamento tra Bossi e il Cavaliere, e Giulio Tremonti, che politicamente per il Senatùr è più di un fratello, sostenevano la Guerra.

Poiché a Brescia, dove il sindaco uscente Paolo Corsini era molto forte, il plenipotenziario di An per la Lombardia Ignazio La Russa aveva imposto come candidato del centrodestra Viviana Beccalossi, vicepresidente di Roberto Formigoni alla regione Lombardia, la richiesta della Lega di presentare in Friuli-Venezia Giulia un proprio candidato si rafforzava. Antonione comunque, sostenuto da Ferruccio Saro, coordinatore di Forza Italia a Udine, e da Ettore Romoli, coordinatore regionale del partito, cercava in ogni modo di contrastare la candidatura della Guerra. Poiché quella di Renzo Tondo stava perdendo quota, ottenne la garanzia che, qualora fosse stato sacrificato, l'amico sarebbe stato comunque coinvolto nella scelta del successore. (Era il luglio 2002 e si dava per scontato che, in autunno, Illy avrebbe vinto il referendum per ripristinare l'elezione diretta del presidente della regione.) Così prese il coraggio a due mani e chiamò Tondo.

«Caro Renzo,» disse Antonione «io non voglio mandarti al suicidio. I sondaggi non sono buoni. O recuperi subito, o cerchiamo insieme un altro candidato.» Tondo capì e cercò un imprenditore di successo da opporre all'imprenditore di successo Riccardo Illy, il quale peraltro aveva bene operato anche come sindaco di Trieste. Chiamò Edi Snaidero, uno dei leader mondiali nella fabbricazione di cucine: «Sono lusingato, ma non posso» fu la sua risposta. Berlusconi telefonò personalmente ad Andrea Pittini, titolare di un colosso della siderurgia, ma anche qui la risposta, cortesissima, fu «no, grazie». Si pensò a Gigi De Puppi, ex amministratore delegato di Benetton e attuale amministratore delegato di Friuladria, e a Giandomenico Picco, altro friulano doc, ex vicesegretario generale dell'Onu. Niente da fare.

In ottobre, visto che le liti si stavano estendendo in tutta Italia, il Cavaliere affidò a Claudio Scajola il compito di guidare il comitato elettorale di Forza Italia. L'ex ministro dell'Interno confermò ad Antonione che la Lega insisteva per la Guerra, spalleggiata anche dall'asse Tremonti-Brancher e con una sponda in Alleanza nazionale. «La Guerra sfonda in televisione» dicevano i suoi sostenitori. Verissimo, ma non basta in una regione in cui la Lega è una forza tutto sommato minoritaria.

Sabato 22 febbraio 2003 arrivarono in zona Calderoli e

Brancher. Insistettero sulla Guerra, ma si affacciò anche il nome di Pietro Fontanini, deputato leghista di Basaldella di Campoformido, nei pressi di Udine. Poiché gli industriali friulani più influenti non erano convinti delle candidature, spuntò pure il nome di un outsider, Enrico Bertossi, democristiano di lungo corso (era stato consigliere comunale del capoluogo friulano dal 1980 al 1993, e vicesindaco dal 1990 al 1992), dal 1998 presidente della Camera di commercio di Udine, e ora vicino a Forza Italia. Bertossi avrebbe garantito l'elettorato cattolico, ma la sua era soprattutto una candidatura istituzionale che avrebbe inviato un segnale di attenzione al mondo dell'economia. Antonione, Saro e Romoli si dichiararono risolutamente d'accordo.

Spuntò il terzo uomo. Anzi, no

Due giorni dopo, il 24 febbraio, Berlusconi ricevette Bossi ad Arcore nella tradizionale cena del lunedì. I due presero atto che Renzo Tondo e Alessandra Guerra si elidevano a vicenda e che Bertossi avrebbe messo d'accordo le due parti. L'indomani, il presidente del Consiglio partecipò al Quirinale alla cerimonia per la consegna della medaglia d'oro ai sindaci friulani che si erano distinti nell'opera di soccorso e di ricostruzione dopo il terremoto del 1976. Incrociò Antonione, Saro e Romoli, e disse loro di aver raggiunto un accordo con Bossi sul nome di Bertossi. Renzo Tondo, che era lì vicino, accettò di ritirarsi in favore del nuovo candidato. Poco dopo Berlusconi comunicò anche ad Alessandra Guerra che si era deciso di cambiare cavallo.

Appena la notizia fu di dominio pubblico, Alleanza nazionale – che non era stata informata dell'accordo – si mosse per farlo saltare. Secondo gli uomini di Forza Italia, particolarmente attivi furono il deputato triestino Roberto Menia, segretario regionale di An, e il senatore triestino di Forza Italia Giulio Camber, che non ha mai amato Antonione. Ho girato questa tesi a Gianfranco Fini, amico di vecchia data di Menia, e la sua risposta è stata: «Non mi risulta. E soprattutto non mi risulta che Bossi avrebbe davvero accettato un candidato diverso dalla Guerra. Alla fine la Lega avrebbe corso da sola, come ha fatto negli altri comuni importanti del Nord in cui si è votato. La Lega ha combattuto la sua battaglia facendo prevalere i propri interessi rispetto a quelli della coalizione. Ha sempre sostenuto, in maniera apparentemente credibile, di aver diritto alla presidenza di una regione del Nord. In realtà s'illudeva di vincere o, in alternativa, di fare il pieno dei voti. Ha mancato entrambi gli obiettivi».

Menia e Camber fecero dunque sbarramento contro il nome di Bertossi con tre argomentazioni: la prima espressa, le altre due ufficiose e rilanciate dopo le elezioni dagli uomini di Antonione. La motivazione ufficiale era questa: il centrodestra vince comunque. Alle elezioni politiche del 2001 ha ottenuto dieci punti percentuali di vantaggio sull'Ulivo, Illy può mangiarsene cinque, ma gli altri cinque bastano a vincere. La seconda e la terza argomentazione riguardano i giochi politici interni. Non c'è dubbio che la vittoria della linea Antonione-Romoli-Saro avrebbe reso marginali le altre componenti della coalizione. Per di più Bertossi non era completamente organico al centrodestra, dunque – se eletto – sarebbe stato molto autonomo.

Nel frattempo Camber lavorava a un'altra buona candidatura di mediazione – Massimo Paniccia, presidente della Solari di Udine e della Fondazione Cassa di Risparmio di Trieste –, ma non ebbe successo. A cena in casa di Berlusconi (presenti Antonione, Fabrizio Cicchitto e Sandro Bondi), Brancher avvertì il Cavaliere: «Se la Lega accetta un candidato di mediazione, si riserva di correre da sola dappertutto». Berlusconi si irritò: «Che mediazione sarebbe allora? Se andiamo a un candidato né nostro né loro, dobbiamo correre insieme dappertutto». E Brancher, che conosce Bossi meglio della moglie, replicò: «Non avete capito, la Lega vuole avere le mani libere».

Adesso riavvolgiamo la pellicola e ascoltiamo la versione di Umberto Bossi, del tutto diversa da quella, frutto di molte testimonianze dirette, che abbiamo appena riferito. Gli faccio notare che la Guerra è una donna in gamba, ma era probabilmente il candidato sbagliato in Friuli-Venezia Giulia. Mi aspetto una valanga di contumelie, invece il capo della Lega concorda: «Certo che era sbagliata». E allora chi l'ha messa in campo? «Berlusconi fece l'errore di non essere chiaro. Quando gli proposi la candidatura della Guerra, in dicembre, lui disse di sì, poi disse di no. Io insistetti: chiarisci la tua posizione. E lui disse di nuovo sì. Era la metà di gennaio. Ma appena comparve la candidatura della Guerra, in Forza Italia scoppiò un casino e ci fu la rivolta contro di lei. Allora io le consigliai: lascia perdere, ti massacrano sui giornali, se insisti ti distruggono. Quelli di Forza Italia dicevano: o uno dei nostri o nessuno. Suggerii alla Guerra di ritirarsi. Non so come e non so dove, fatto sta che Alessandra comparve da Berlusconi a Roma e me la ritrovai candidata ufficiale ma non gradita [*Non osiamo immaginare le reazioni del Cavaliere quando leggerà questo passaggio*]». Su un punto il Senatùr dà ragione a Fini: «Non è vero che avevo raggiunto con Berlusconi un accordo sul nome di Bertossi. Lui me ne parlò, ma io dissi: chi non viene dalla politica non venga a far politica. Faccio il chirurgo, io? E allora? Quando Berlusconi mi fece quel nome, io risposi: non mettiamo gente di Confindustria che fa danni a più non posso e trasforma tutto in interessi. La politica la facciano gli eletti dal popolo».

La Guerra, dunque, ricomparve e Berlusconi – torniamo alla prima versione dei fatti – dichiarò che si sarebbe rassegnato ad accettarla a patto che Bossi avesse presentato candidati nelle liste comuni della Casa delle Libertà alle elezioni di Brescia, Treviso, Vicenza e Udine. La prima frattura tra Polo e Lega si ebbe al comune di Udine, retto da un geniale fisico teorico, Sergio Cecotti, che si era presentato nel 1998 con una propria lista, appoggiata dalla Lega, contro il candidato del Polo e aveva liquidato l'avversario al primo turno con 60 punti contro 40. Poi aveva formato una giunta trasversale, anche con uomini del centrosinistra. Capito per tempo che le cose si sarebbero messe male, Ferruccio Saro aveva provato a candidare proprio Cecotti alla presidenza della regione, ma Bossi naturalmente non aveva accettato. Furioso per la candidatura della Guerra, Cecotti fece sapere che avrebbe ripresentato una propria lista al comune di Udine e chiese al centrodestra se intendeva appoggiarla. La Lega rifiutò e gli contrappose un suo candidato, il Polo fece altrettanto. Il centrosinistra non presentò candidature e fece eleggere Cecotti al primo turno con la propria benedizione.

Forza Italia, commissariata, si disintegrò

La mattina dell'8 marzo Berlusconi ricevette Antonione nella sua abitazione romana: «Dobbiamo accettare la Guerra» gli disse «ma la Lega ci sosterrà nelle elezioni comunali». «L'avevo capito» rispose Antonione, che poi incontrò Scajola in via dell'Umiltà, nella sede di Forza Italia, e gli espresse il proprio rammarico per quella decisione. Il giovedì successivo, 13 marzo, mentre andava all'aeroporto di Ciampino per accompagnare il presidente del Consiglio in una visita di Stato a Brema, Antonione seppe che Saro e Romoli si erano dimessi dagli incarichi di responsabili di Forza Italia a Udine e nella regione. L'incontro bilaterale con i tedeschi fu breve e, salendo in auto dopo la conferenza stampa, il sottosegretario agli Esteri fu informato al telefono che Scajola aveva commissariato gli uffici regionali friulani di Forza Italia con il deputato piemontese Roberto Rosso e quello della provincia di Udine con il deputato napoletano Paolo Russo. Sull'aereo che li riportava a Roma, chiese a Berlusconi: «Che roba è questa, presidente? Non ne so niente. Passi per la Guerra, ma commissariare casa mia senza dirmelo…». Il Cavaliere obiettò: «Ma Scajola non ti aveva avvertito?». E Scajola, interpellato, rispose: «Pensavo che ne avreste parlato voi due in aereo».

Due giorni più tardi, un sabato sera, Antonione era in casa a godersi la prima, desideratissima figlia, Roberta, di appena nove mesi, quando fu raggiunto dalla telefonata di un cronista dell'Ansa che gli chiedeva un commento sulle dichiarazioni rilasciate da Scajola a Savona. L'ex ministro dell'Interno era tornato sul commissariamento del Friuli e aveva detto che Antonione doveva farsene una ragione, anche se ne comprendeva l'amarezza perché, in fondo, si era andati a mettere i piedi in casa sua. Sono i classici casi in cui si dovrebbe ingoiare la lingua. «Feci invece una dichiarazione articolata» ricorda Antonione «ma, come al solito, restò soltanto una frase.» E la frase era tremenda: «Uno come Scajola non rispetta i morti, figuriamoci i vivi...». Un colpo basso per ricordare la sciagurata frase pronunciata a Cipro su Marco Biagi «rompicoglioni», che era costata a Scajola nientemeno che il posto di ministro.

Finì così: in Friuli Forza Italia si disintegrò, Saro per protesta si presentò da solo guadagnandosi l'inevitabile espulsione dal partito, Illy vinse con uno scarto di dieci punti percentuali sulla Guerra, e Bertossi è diventato superassessore alle Attività produttive, al turismo e alla cooperazione della giunta regionale di centrosinistra e sogna la riaggregazione democristiana.

Bossi: «Alle comunali sempre da soli»

Politicamente, l'aspetto rilevante delle elezioni comunali fu che la Lega si presentò da sola, costringendo Berlusconi ad ammettere, in privato e a denti stretti, che per la prima volta dal patto del 1999 Bossi era venuto meno alle promesse. E questo nonostante il fatto che Giulio Tremonti si fosse trasferito per un mese in Friuli-Venezia Giulia con Aldo Brancher per la campagna elettorale, dando al capo della Lega una prova d'amore degna di quella di Romeo a Giulietta.

A Brescia, nel ballottaggio con Paolo Corsini, Viviana Beccalossi perse per sei punti percentuali. Quando, fissandola nei bellissimi occhi blu, le chiesi se in coscienza non si fosse sentita anche lei la candidata sbagliata in una città che non era ancora pronta a farsi guidare da un'ex missina, mi rispose allo stesso modo del suo patrono Ignazio La Russa: «No. Corsini era convinto di farcela al primo turno. Arrivare al ballottaggio è stato un successo, e se all'inizio la Lega non se ne fosse andata da sola...». Insomma, qui lo slogan di Bossi «marciare divisi per colpire uniti» non ha avuto molto successo. A Treviso, se la Lega avesse corso con il centrodestra fin dal primo turno, il suo candidato Gian Paolo Gobbo avrebbe stravinto (ha vinto bene al secondo). Un'alleanza con il Polo, però, avrebbe ridimensionato l'assoluto dominio leghista in una città dove a portare la fascia tricolore è Gobbo, ma chi comanda è il suo vice Giancarlo Gentilini, già sindaco per due mandati. E a Vicenza Enrico Hüllweck avrebbe vinto senza aspettare il ballottaggio.

Quando riferisco a Bossi l'accusa di non aver rispettato i patti, la respinge nettamente: «Non è vero. L'accordo stretto nel 1999 con Berlusconi era limitato alle elezioni regionali e alle politiche. Sull'alleanza nei comuni si discute di volta in volta. E meno male che nel 2003 siamo andati da soli. Così è andata bene. Quando andiamo con gli altri, ce le suonano. Come accadde nel 2001 ad Alessandria. Berlusconi disse: il candidato comune è della Lega. Poi si presentò uno di Forza Italia dicendo di rappresentare la Casa delle Libertà. Alla fine andammo con due candidati e perdemmo. E nel 2002 a Pavia. Il candidato era nostro. Gli alleati gli fecero una guerra bestiale e perdemmo. È possibile che questi candidati non fossero sempre all'altezza del compito, ma è un fatto che a livello locale Forza Italia preferisce far vincere uno di sinistra piuttosto che uno della Lega». E allora nel 2004, quando si voterà per 4500 comuni? «Andremo da soli.» E così perderete. «Dove perderemo, dall'opposizione faremo il culo a tutti. Comunque, meglio soli che male accompagnati.» E Berlusconi? «Sarà l'uomo dell'Italia del Sud.»

La litigiosità ha creato problemi al centrodestra in molte altre città. A Trapani c'è stato il rischio che le liste di Forza

Italia fossero due. A Pescara il sindaco azzurro uscente, non più rieleggibile dopo due mandati, è risultato quinto dei non eletti, e una terribile faida tra il partito di Berlusconi e quello di Fini ha consegnato il comune al forte candidato del centrosinistra Luciano D'Alfonso, democristiano della Margherita, che in ottobre avrebbe trascinato la giunta – Rifondazione inclusa – in ritiro al santuario abruzzese del Volto Santo. A Siracusa, il candidato presidente alla provincia Vincenzo Vinciullo, di An, non ha vinto per pochi voti al primo turno ed è stato stracciato al ballottaggio da Bruno Marziano del centrosinistra (61,5 contro 38,5).

«*Tutti Berlusconi? Ma no, sono berluschini...*»

Mentre il mondo intero era in angoscia per la polmonite atipica denominata Sars, la Casa delle Libertà è stata azzoppata dal Dop (delirio d'onnipotenza). «La crescita così rapida ed esplosiva di Forza Italia» riconosce il mite Antonione «ha fatto sì che una parte dei nuovi arrivati desse per scontato che la strada fosse tutta in discesa. E invece siamo tutti miracolati, a cominciare da me che facevo il dentista a Trieste e sono pronto a tornarci. Abbiamo perso il senso della misura. È mancata l'esperienza: la politica non si esaurisce nel risultato elettorale. È confronto, ricerca costante del consenso. Si sono sentiti tutti dei piccoli Berlusconi. Ma di Berlusconi ce n'è uno...»

«Giusto, di Berlusconi ce ne è uno» concorda Claudio Scajola «invece sono tanti i berluschini di periferia che abbiamo visto. Per qualcuno l'autonomia invocata sul territorio si è trasformata in libertà di fare quello che vuole. Si sono allentati il controllo e la verifica sui risultati da parte del potere centrale. Non possiamo concedere il marchio di Forza Italia a chiunque e per qualunque uso.»

Scajola condivide le preoccupazioni manifestate in agosto da Berlusconi per i prossimi appuntamenti elettorali, a cominciare da quelli del 2004: tutti gli occhi sono puntati sulle elezioni europee, ma si voterà anche per il rinnovo di

4500 consigli comunali e di 63 consigli provinciali («Abbiamo avuto un maremoto nel 2003 con le elezioni in meno di 500 comuni e 12 province» ha commentato il Cavaliere. «Se non ci muoviamo subito, nel 2004 avremo bisogno dell'arca di Noè…»). Dice Scajola: «Se nelle "piccole" elezioni amministrative del 2003 da qualche parte si è registrata una perdita di consensi del 30 per cento rispetto al voto delle politiche, significa che veramente c'è qualcosa che non va. Continuando così, abituando l'elettore a non votarci nelle elezioni locali, corriamo il rischio che alla fine non ci voti nemmeno alle politiche…».

Per Scajola, la riforma di Forza Italia comincerà dal secondo congresso del partito, fissato per la primavera del 2004, a sei anni (un lasso di tempo lunghissimo) dal primo congresso del 1998: «Allora costruimmo un forte partito di opposizione che doveva prepararsi alle vittorie elettorali. Oggi dobbiamo adeguare Forza Italia alle necessità di governo. Le riforme promesse agli elettori, una coalizione unita, un partito solido sono le condizioni per ripetere l'exploit elettorale che ci accompagnò dal 1999 al 2001». Dall'estate del 2003 una commissione sta lavorando all'elaborazione del nuovo statuto, studiato per scoraggiare i «signori delle tessere» (alla fine del 2003 gli iscritti a Forza Italia sono 300.000).

«Vogliamo stabilire un maggiore equilibrio fra iscritti ed eletti» dice Scajola. «Finora nei nostri congressi hanno votato gli iscritti e gli eletti non pesavano come avrebbero dovuto. Dal prossimo congresso, il peso degli iscritti e quello degli eletti sarà più o meno paritario. Naturalmente, l'eletto nel Parlamento nazionale peserà proporzionalmente di più dell'eletto in un piccolo consiglio comunale.» E i circoli culturali fondati da Marcello Dell'Utri? «Hanno avvicinato persone che non accettano un rapporto organico con la politica. Ma per evitare che possano sentirsi fuori del partito o addirittura contrapporvisi, il nuovo statuto prevede che partecipino anch'esse all'elezione della nostra nuova classe dirigente.»

Antonione resistette alla tentazione di dimettersi, ma in autunno lasciò il timone di coordinatore nazionale a Sandro Bondi, designato da Berlusconi il 16 settembre. Claudio Scajola, rientrato in estate nel governo come ministro per la Verifica dell'attuazione del programma (il posto fino allora occupato da Giuseppe Pisanu, diventato ministro dell'Interno), aveva avuto assicurazioni dal Cavaliere che sarebbe stato lui il coordinatore («Pensa per due giorni al governo, perché lì ci sono io, e negli altri cinque occupati di ricostruire il partito»). Poi, però, le consuete preoccupazioni interne sul fatto che avrebbe acquisito troppo potere hanno fatto pendere la bilancia in favore del più mite Bondi, legato a Marcello Dell'Utri, primo costruttore della macchina di Forza Italia e avversario storico di Scajola.

In realtà, Berlusconi non ha mai voluto che nel partito ci fosse un numero due e temette che Scajola vi si fosse candidato in una sera di fine giugno 2002, quando l'allora ministro dell'Interno fece un intervento all'assemblea dei deputati di Forza Italia che, il giorno dopo, ricevette una sessantina di fax di consenso. Avvertito immediatamente, il Cavaliere, in quel momento in Canada per il G8, svegliò alcuni deputati che non lo sentivano da mesi e si fece raccontare l'accaduto («Certe persone poco benevole nei miei confronti» mi confidò Scajola «riferirono quell'appassionato intervento come una mia candidatura alla successione. Forse qualcuno fu disturbato dal consenso che l'intervento riscosse»).

Ebbe così inizio all'interno del partito una guerra clandestina contro Scajola, con un'escalation politica nell'estate del 2003, conclusasi con la vittoria di Sandro Bondi e la nomina a vicecoordinatore di Fabrizio Cicchitto. Il primo era stato sindaco comunista di Fivizzano, provincia di Massa Carrara, il secondo un socialista lombardiano, cioè un militante dell'ala sinistra del partito. «Un ex comunista e un ex socialista insieme ai vertici di Forza Italia? Solo

Berlusconi poteva compiere un simile miracolo» commentò soavemente Bondi.

Gli amici di Scajola provarono a far saltare il ticket affermando che gli ex democristiani presenti in Forza Italia non avrebbero gradito un simile schiaffo e magari sarebbero rimasti ammaliati da Pier Ferdinando Casini che, come Circe con i compagni di Ulisse, mischiò al cibo «farmaci funesti perché dimenticassero del tutto la patria» (*Odissea*, X, 236). «Ragazzate» esclama Bondi con la sua aria ispirata da rettore di seminario. «Chi meglio di Pisanu interpreta la storia e l'anima della Dc? Quello che ha detto lui a fine estate...» E Pisanu, che non si può certo definire un sostenitore di Scajola, ha contribuito alla nomina di Bondi.

La spiegazione autentica, com'è ovvio, viene dal Cavaliere: «Claudio Scajola è ritornato a far parte di questo governo con il rango di ministro e con il compito importante di monitorare e sollecitare l'attuazione del nostro "piano di governo" e il rispetto degli impegni del "contratto con gli italiani": soltanto se saranno stati mantenuti quegli impegni mi ricandiderò alle prossime elezioni. Il suo è quindi un compito estremamente delicato, rilevante e incompatibile con il ruolo di coordinatore nazionale, che esige una dedizione a tempo pieno».

Forza Italia è dunque tornata alle origini? Partito leggero (movimento) invece di partito pesante come quelli tradizionali? «Forza Italia non è un partito tradizionale di potere e di clientela. È un partito di ideali e di programma, con una organizzazione funzionale alla conquista e al mantenimento del consenso dei cittadini. Non si tratta di scegliere tra partito leggero e partito pesante, ma tra partito aperto e partito chiuso. Questo comporta due conseguenze. La prima: l'immagine del partito deve essere rappresentata da una persona di ideali profondi, di assoluta onestà intellettuale, di grande entusiasmo, e Sandro Bondi possiede tutte queste doti. La seconda: il partito non deve chiudersi in se stesso. Deve aprirsi agli altri senza cristallizzazioni di singole persone nelle posizioni di potere. Non devono ripetersi in Forza Italia quei fenomeni negativi che si sono verificati in altre forze politiche. Il prossimo congresso del partito si terrà sicuramente prima delle elezioni europee.»

I dirigenti cattolici di Forza Italia hanno espresso riserve sulla nomina di due laici come Bondi e Cicchitto. «Io sono cattolico, laico, liberale. Forza Italia è la sintesi di queste tre culture. Bondi è accettato da tutti e tutti ne apprezzano spessore culturale, onestà intellettuale e trasparenza. Cicchitto ha una conoscenza approfondita del mondo politico e una riconosciuta cordialità di rapporti con gli alleati. È persona leale e diretta. Siamo anche in procinto di avvalerci della collaborazione di manager esperti in organizzazione per continuare il lavoro, avviato da me e da Scajola, finalizzato a realizzare una struttura di comunicazione con il compito di far conoscere ai cittadini il gran lavoro e i tanti risultati del nostro governo e della nostra maggioranza.»

È possibile che Forza Italia vada avanti senza la sua guida? «In questi anni si è formata una classe dirigente di alto livello. Non c'è ancora un mio successore designato, ma ci sono tanti giovani che possono aspirare a diventarlo.»

L'uomo che mi siede di fronte in un sobrio ufficio di via dell'Umiltà assomiglia, più che a un veterocomunista, a uno di quei democristiani veneti di cui s'è ormai persa la traccia: sguardo basso, voce sommessa, mani da monsignore, cultura solida ma mai ostentata, tratto curiale e apparentemente innocuo. Apparentemente, appunto, perché una mano, sfiorata dalle morbide labbra di uno di quei signori, anziché deliziata da un bacio può finire straziata da un morso. E in effetti, una volta nominato portavoce di Forza Italia, Bondi morse: «I comunisti non hanno le carte in regola neppure per quanto riguarda Marzabotto...», «Violante è legato agli episodi più oscuri della storia del paese. Per noi non è un interlocutore politico. È un orditore di trame eversive», «Che schifo vedere i principali esponenti della sinistra, specialmente quelli coinvolti nell'affare Telekom Serbia, atteggiarsi a persone di indiscussa moralità...». Non male, per uno che veniva chiamato «il trappista di Arcore». «Sono un umile frate elevato da Berlusconi a priore» mi disse un giorno Bondi. «Ho sempre vissuto con grande umiltà accanto al presidente. Mi ha fatto priore, ma sono pronto a tornare frate. Un povero frate...» E invece il Cavaliere l'ha nominato cardinale, confidando che Bondi abbia la stoffa del Celestino V, mentre Scajola ha quella del Bonifacio VIII.

E Bondi sospirò: «Berlusconi ha sempre ragione»

A Celestino V il Cavaliere affida un compito gravoso: rivitalizzare un partito disorientato, e in larga parte diviso, e ridurre la preoccupante differenza di voti raccolti da Forza Italia nelle elezioni politiche e in quelle amministrative. Mostro a Bondi un saggio di Ilvo Diamanti pubblicato dalla rivista «Il Mulino» e intitolato *Le debolezze di Forza Italia*. A proposito delle elezioni di maggio-giugno 2003, Diamanti scrive: «Forza Italia in questa consultazione ha aumentato di poco rispetto al risultato del 1998, il punto più basso della sua breve storia, salendo dal 14 al 16 per cento nelle elezioni provinciali. Ma rispetto alle elezioni politiche del 2001, la sua base elettorale appare dimezzata o quasi ... Forza Italia diventa competitiva alle elezioni tanto più quanto più ci si allontana dal contesto locale, tanto più quanto più l'arena elettorale si allarga e si allontana dalla realtà quotidiana e dal territorio».

Bondi sospira e mi allunga con orgoglio le otto cartelle stampate al computer del discorso da lui pronunciato il 29 agosto 2003 al meeting riminese di Comunione e Liberazione, nella cui parte introduttiva si sostiene, fra l'altro, che «dopo il fallimento di tutte le ideologie moderne è la sensibilità creativa della donna che sembra aiutarci a percorrere vie nuove» e che Aldo Moro fu «la vittima innocente dell'ideologia comunista, di quella bestia che aveva cercato di controllare, di comprendere e perfino di educare». Dopodiché Bondi scrive: «Forza Italia è un movimento politico che si fonda sul valore della coscienza, della persona, dell'umanità, della spiritualità e della libertà. Un movimento politico che concepisce la politica come strumento di elevazione umana, come strumento pronto a servire la vita. Un movimento politico che ama la vita e desidera giorni felici per tutti». Si potrebbe osservare che molti italiani miscredenti non hanno alcuna intenzione di essere resi felici da Berlusconi, che anzi, come abbiamo visto nel capitolo I, considerano un pericolo pubblico, ma qui ci interessa la conclusione del discorso di Bondi: «Per questo Forza Italia non può essere un partito! Chi la vuole partito nega la sua essenza...».

Siamo così arrivati al nocciolo della questione. Scajola voleva fare di Forza Italia un partito «pesante», solidamente organizzato e radicato nel territorio; Bondi vuole un partito «leggero», tanta mobilitazione e poche strutture. Ha vinto il secondo, che però respinge questa contrapposizione: «Figuriamoci se con la mia esperienza politica non so apprezzare il valore dell'organizzazione. Ma un'organizzazione senza un'anima ideale e culturale non significa nulla. Io concepisco l'organizzazione dentro Forza Italia soltanto in funzione delle campagne elettorali e della comunicazione, oltre che della formazione di un nuovo personale politico».

Questo è il punto. Se Forza Italia è debole alle elezioni amministrative, la ragione è dovuta al fatto che la media dei suoi candidati locali è meno radicata e rappresentativa di quelli del centrosinistra. «Vede,» replica Bondi «il cambiamento rivoluzionario introdotto da Silvio Berlusconi nella politica italiana sta nell'aver posto l'accento sulle persone e non sull'organizzazione, sulle istituzioni e non sui partiti, sui programmi e non sulle ideologie. Alle prossime elezioni amministrative, quanto più riusciremo a coinvolgere persone in linea con questi ideali, tanto più riusciremo a essere efficaci.»

Eppure, Forza Italia esiste da dieci anni. Non bastano a creare un terreno fertile? «Dieci anni sono pochi. Pensi alla Dc e al Pci: sono stati temprati da situazioni eccezionali come la guerra e il fascismo, la Dc era fiancheggiata nell'agricoltura dalla Coldiretti, nel mondo del lavoro dalla Cisl, nella società civile dalle Acli e dall'Azione cattolica, nell'università dalla Fuci... E pensi alla capillare struttura del Pci, al ruolo delle cooperative rosse. Noi siamo ancora in cammino, ma troveremo altre persone come Albertini e Guazzaloca, due sindaci autonomi dal mondo dei partiti e che sono stati scelti proprio per la novità che hanno introdotto nel modo di amministrare.»

La necessità di una tregua all'interno di Forza Italia ha suggerito a Berlusconi di far rinviare di un anno l'elezione dei nuovi coordinatori provinciali. Per ora ogni sforzo è concentrato sull'elezione dei delegati al congresso nazionale, che si terrà a ridosso delle elezioni europee. Tra gli obiettivi di Sandro Bondi spicca quello di fare del partito il soggetto di un'azione politica offensiva che lo trasformi da semplice fiancheggiatore del governo in protagonista della vita nazionale. «Una Forza Italia d'attacco» mi dice placido. Lo guardo stupito. È per questo che s'è fatto lupo da agnello che era? «L'immagine di un portavoce aggressivo è falsa. Mi sono semplicemente impegnato a respingere le insolenze e gli attacchi della sinistra contro Berlusconi. Legittima difesa.»

Senta, Bondi, che cosa rappresenta per lei Silvio Berlusconi? Amadeus e Gerry Scotti non potrebbero fare domanda più difficile ai loro concorrenti aspiranti miliardari. Lunghissima pausa. Bondi, occhi bassi e mani nervose, inizia a tormentare un post-it giallo. «È una risposta difficile...» Altra lunghissima pausa. Poi si tocca il naso e dice: «Mi viene una risposta banale... Silvio Berlusconi è un grande imprenditore e un grande statista, ma in questo momento quel che mi affascina di più è la sua umanità, il suo amore per la vita, la sua forza positiva ed espansiva...».

Si è appena sgravato da un peso che provvedo a caricargliene un altro: si è mai trovato in disaccordo con il Cavaliere? «Sì, diverse volte...» Trascrivo freneticamente le parole, sento scorrere dentro di me l'adrenalina: è il mio scoop dell'anno... Bondi, però, mi smonta subito: «... ma dentro di me sentivo che aveva sempre ragione lui». Anche quando gli scappava qualche enormità? «In effetti ci sono molti casi in cui uno sarebbe propenso a dire: be', questa frase era meglio evitarla...» Dunque? «... ma nel momento in cui la diceva bisognava convenire che, ancora una volta, aveva ragione lui.»

X

Dal trionfo di Manchester
alle pene della verifica

«Quando dovetti prendere il Milan...»

«Mio padre era milanista, e io sono milanista da sempre. Dovetti prendere la squadra a furor di popolo. Perché? Perché andava malissimo. Il presidente Farina era carico di debiti, doveva vendere Franco Baresi e Paolo Maldini, i gioielli di casa. Così si rivolsero a me. Ero l'imprenditore più conosciuto, avevo costruito Milano 2, creato una grande televisione commerciale. Dovevo prendere il Milan. Anche in memoria di mio padre. Era il 1986.»

La mattina di mercoledì 28 maggio 2003, festa di Sant'Emilio, Silvio Berlusconi era disteso e di buonumore. La sera precedente, come vedremo, gli alleati gli avevano mandato di traverso la prima «cena di verifica» dopo la sconfitta alle piccole elezioni amministrative di primavera, ma l'idea di andare a Manchester a vedere il «suo» Milan affrontare la Juventus nella finale di Champions League gli aveva restituito il sorriso. Seduto su una delle dieci poltrone di prima classe del Gulfstream C-5 della Fininvest (altre otto, più strette, erano occupate da assistenti e scorta), di cui è orgogliosissimo («È la Rolls-Royce dell'aria, un modello di stabilità»), dopo aver lasciato a Milano l'airbus di Stato («In Italia non posso viaggiare su aerei miei, ma all'estero uso il mio perché questa è una gita privata») e imbarcato la figlia Barbara e qualche amico, Fedele Confalonieri ed Emilio Fede, il presidente del Consiglio, in tuta blu e scarpe da riposo bianche, si lasciava andare ai ricordi delle stagioni più belle della sua squadra, che quella sera stessa, all'Old Trafford di Manchester, avrebbe conquistato la sua sesta Coppa dei Campioni.

«Comprai subito cinque giocatori: Galderisi, Galli, Massaro... Fedele, come si chiama quel centrale che prendemmo? Ah sì, Bonetti. E poi Donadoni, che strappammo all'avvocato Agnelli. Lui mi disse: Berlusconi, lo lasci perdere. Con tutto il rispetto, insistetti. E Donadoni fu nostro. Vialli sarebbe dovuto essere nostro, ma la Sampdoria non lo mollò.

«Cambiai completamente lo stile di vita della società, dalla gestione amministrativa al rapporto con allenatore e giocatori. Mi occupavo perfino delle diete. La stampa, naturalmente, prese tutto sul ridere. E invece nel 1988 vincemmo lo scudetto, che ci mancava da nove anni, nel 1989 e nel 1990 vincemmo la Champions League, la Supercoppa europea e la Coppa intercontinentale. Cominciò la grande avventura... Indimenticabile la vittoria della prima Coppa dei Campioni a Barcellona contro lo Steaua Bucarest: tutti con gli accendini accesi allo stadio e in giro per la città s'incontravano soltanto milanisti. E a Vienna con il Benfica? Fedele, ti ricordi il gol di Rijkaard?...

«Quali sono i giocatori del passato che ho amato di più? Baresi e Van Basten. Baresi aveva la grande capacità di fare squadra; Van Basten il fisico, la forza, l'eleganza, la grinta del grandissimo campione. Ero il confessore e il padre spirituale di tutti. Venivano nel mio ufficio di Milanello e ciascuno riceveva la ricetta giusta: tecnica e comportamentale. Come farsi benvolere dal pubblico, come farsi accettare dai compagni. Gli allenatori in imbarazzo? No, eravamo complementari. I più grandi nel nostro passato? Sacchi e Capello. Anche oggi darò a ciascuno il consiglio giusto...»

Gli schemi di gioco del Cavaliere

Il Milan era in ritiro a Mottram Hall, una splendida villa di campagna alla periferia di Manchester, costruita nel 1721 e da trent'anni utilizzata come albergo. Il parco era un paradiso terrestre. Nel piccolo lago, coppie di anatre avanzavano impettite e senza meta, come carabinieri in alta uniforme e in passeggiata di gala. Tra cipressi e rododendri si nascondevano magnifici aironi e sopra la villa volteggiavano migliaia di uccelli: passeri e storni, corvi neri e cornacchie.

Ai bordi di uno sterminato prato all'inglese – di quelli che solo gli inglesi sanno creare – Berlusconi confessava Carlo Ancelotti, l'allenatore del Milan. Tracciarono insieme gli schemi di gioco (che pubblichiamo in appendice), ma ciò che colpiva l'osservatore lontano era la totale assenza di quella febbrile eccitazione che precede e accompagna le grandi partite di calcio. Gli sguardi parevano avere la meglio sulle parole, quasi che al padre spirituale bastasse la propria magnetica presenza per sedare ogni legittimo tumulto dell'animo altrui. Si avvicinò per primo Clarence Seedorf, il centrocampista olandese di colore approdato alla corte di re Silvio dopo aver indossato la maglia di squadroni come Ajax, Real Madrid e Inter. Anche lui fu subito reso partecipe di quel silenzio operoso, interrotto solo da qualche parola, a quanto pare decisiva, del presidente. Poi, a turno, andarono a rapporto tutti gli altri.

(«Ho detto ad Ancelotti: abbia coraggio» mi avrebbe raccontato Berlusconi. «Faccia le sostituzioni senza esitare. Se non sfondiamo, non abbia paura di restare senza giocatori. E così fece. Abbiamo concordato tutti i cambi: fuori Costacurta dentro Roque Junior, fuori Pirlo dentro Serginho, fuori Rui Costa dentro Ambrosini... Ho detto a Shevchenko: è la partita che dovrà consacrarci campioni d'Europa, va dunque giocata secondo istinto e ragione. Ho detto a Rui Costa: sei un genio o no? Se sei un genio, fa anche le giocate difficili. Ho detto a Dida: in Brasile sei famoso per saper parare i rigori. Forza, dunque. E lui ha parato.»)

Poco distante, Paolo Bonaiuti misurava a grandi passi il prato all'inglese con l'orecchio incollato al cellulare, tramite il quale veniva informato dei singulti della maggioranza di governo. Ma il Cavaliere era tornato con il corpo e la mente al 1989, quando tutte le vele erano gonfie di vento e le grandi vittorie del Milan erano il simbolo di grandi vittorie in tutti i campi.

Berlusconi pranzò con i giocatori, ai quali ripeté le consuete parole di incitamento e di conforto. Poi prese posto nella tribuna d'onore dell'Old Trafford, che gli inglesi chiamano giustamente «Theatre of Football», salutò un gruppo di tifosi della Juventus («Votano Forza Italia») e cominciò a soffrire, come del resto facemmo anche noi juventini. Accanto a me, in tribuna, c'erano alcuni dei più alti dirigenti di Mediaset. Erano juventini pure loro e mi fecero due volte tenerezza: primo perché la nostra squadra giocò una delle peggiori partite degli ultimi tempi, secondo perché in casa loro dovevano sentirsi come i pretoriani di Nerone convertitisi segretamente al cristianesimo.

Il Milan, si sa, vinse all'ultimo rigore con un gol di «Sheva» («Non l'ho visto, mi sono coperto gli occhi» mi avrebbe confessato il Cavaliere). Negli spogliatoi Berlusconi fu portato in trionfo, si fece fotografare insieme a ciascun giocatore con la Coppa dei Campioni tra le mani, ascoltò la canzone *Un presidente* composta in suo onore e rientrò in Italia felice e contento, bevendo champagne Cristal per quasi tutta la durata del viaggio. Per una sera, al diavolo la dieta. A denti stretti dovetti fargli i complimenti: «Lei è un uomo doppiamente fortunato. Non solo ha vinto all'ultimo rigore una partita che la mia Juve ha comunque giocato malissimo, ma questo rigore è stato segnato alle 23.30, consentendo a Canale 5 di fare la più grossa raccolta pubblicitaria degli ultimi anni, visto che i tempi supplementari hanno prolungato di un'ora la prima serata. Meglio di così...». Berlusconi sorrise e non batté ciglio. Poche ore dopo, però, la ricreazione sarebbe finita.

Quel roast-beef andato di traverso

La sera di martedì 27 maggio 2003 il roast-beef di palazzo Grazioli, preparato come sempre magistralmente da Michele Persichini, andò di traverso a tutti gli illustri commensali. Per la Casa delle Libertà il primo turno elettorale non era andato bene e ora, nella grande sala da pranzo di via del Plebiscito, gli alleati cercavano di mettere insieme i cocci. In quell'occasione Berlusconi cedette il posto centrale della tavola, con le spalle rivolte alla finestra, a Gianfranco Fini, che si ritrovò seduto tra il Cavaliere e Gianni Letta. Marco Follini, arrivato puntualissimo, si era sistemato quasi dirimpetto al padrone di casa. Quando vengono invitati a cena, i ministri più importanti (Claudio Scajola, Giuseppe Pisanu, Antonio Marzano o Roberto Castelli) sono soliti prendere posto accanto a Letta; Giulio Tremonti preferisce il lato opposto, per fare spazio al direttore generale del Tesoro Domenico Siniscalco o al ragioniere generale dello Stato Vittorio Grilli. Ma quel 27 maggio, a essere serviti da Alfredo, erano soltanto i leader dei partiti della coalizione di centrodestra.

Parlò per primo Fini, con toni aspri e amari: «Siamo stati sconfitti e io sono il capo di una comunità politica che mi chiede conto di quel che è accaduto. Non è in discussione il rapporto personale con voi, ma non posso accettare che ci sia un partito come l'Udc che legittimamente ha una gamba dentro e una fuori della maggioranza, e un altro come la Lega che, un po' meno legittimamente, fa la stessa cosa. Io sono stato schiacciato in difesa della coalizione, a tutto danno del mio partito». E cominciò a recitare il lungo elenco delle doglianze, che vedremo in dettaglio nel prossimo capitolo, ma che per sommi capi comprendeva il trasferimento improvviso di Raidue a Milano, gli attacchi della Lega contro «Roma ladrona», il contratto del pubblico impiego firmato un anno e mezzo prima e mai attuato, il pasticcio della vendita degli alloggi dei militari. La conclusione drastica e inattesa – «O si cambia o esco dal governo» – trovò spazio sui giornali soltanto nelle settimane successive.

Berlusconi aveva sul tavolo il piccolo dossier preparatogli da Scajola, di cui abbiamo dato conto all'inizio del precedente capitolo. Tralasciò i dati di pagina 4 con i pessimi risultati ottenuti da An e minimizzò la sconfitta elettorale. «Forza Italia è andata bene, la coalizione è andata bene...» provò a dire, ma era il primo a non crederci, anche se – come abbiamo visto – i dati in sé, estrapolati dal contesto politico in cui erano maturati, non erano disastrosi.

Follini intervenne con la sua voce tagliente come un bisturi. La coalizione è andata male, replicò, mentre l'Udc è andata bene. Anche lui aveva un foglietto fresco di computer preparatogli da Mauro Cutrufo: soltanto due righe, una dedicata alla maggioranza e l'altra all'opposizione. Si riferivano alla distribuzione dei 4.500.000 voti validi per le elezioni provinciali: Forza Italia 16,1 per cento, An 13,3, Udc 12,3; Ds 16,2 per cento (6000 voti più di Forza Italia), Margherita 9,8, Rifondazione comunista 4,1, Comunisti italiani 2. «Fate tutti i confronti che volete» disse gelido il leader dell'Udc «ma i numeri delle provinciali sono questi.» Follini sapeva che erano molto influenzati dalla Sicilia, roccaforte del suo partito, ma poiché si era votato anche nell'enorme provincia di Roma, gli altri dovettero incassare.

Fu a questo punto che Alfredo introdusse Bossi. «Siediti, Umberto» gli disse Berlusconi. La sedia libera era di fronte a Letta e accanto a Follini, le due persone che in quell'agape tutt'altro che fraterna lo amavano meno. «Due democristianoni» dovette pensare il Senatùr accomodandosi. Da consumato animale politico, Bossi tenne a mente la lezione di Tacito: «Nelle guerre civili nulla è più sicuro della tempestività, non appena vi sia più bisogno di agire che di discutere» (*Historiae*, I, 62, 1). Dunque, il sistema migliore per non essere attaccati è attaccare per primi. L'avrebbe fatto l'indomani sui giornali e provò a farlo anche quella sera. Incrociò lo sguardo glaciale di Fini: «Tu dovevi fare il partito della destra dura e pura, il partito della legge e dell'ordine. Invece di scegliere Bologna come sede del tuo congresso, dovevi farlo a Reggio Calabria. Così ti intestavi il Sud come io mi intesto il Nord...». Quelle parole scivolarono sul tavolo d'epoca di palazzo Grazioli come gocce sul marmo. Il Senatùr, che è un uomo intelligente, capì l'antifona e ammutolì.

A questo punto Letta recitò il ruolo che gli è più congeniale, quello dell'istitutrice garbata, ma inflessibile, di
Berlusconi. Sappiamo che in altri momenti egli assomiglia
di più a una mamma aristocratica e severa, ma quella sera
rivestì i panni della «signorina» che ha sacrificato lontani
e misteriosi amori alla formazione del ragazzo affidatole.
Se la pagella è brutta, non si può far finta che sia bella perché c'è un otto in educazione fisica. «Caro Silvio,» disse
Letta enfatizzando i toni acuti come gli capita quando
vuole rafforzare una tesi «come fai a difendere questi risultati? Guarda Roma, la città del governo, in una provincia e in una regione governate da noi. Se qui perdono sia
Forza Italia sia An, c'è davvero qualcosa che non va.» Berlusconi dissentì ancora, ma capì che Fini non scherzava.

Appena due giorni dopo, il 29 maggio, Gianni Letta – il
«Cuccia della politica», come lo definisce Giuliano Ferrara –
diede un saggio di autorevolezza, abilità ed equilibrio
pronunciando un discorso dinanzi al capo dello Stato in
occasione della cerimonia di premiazione dei cavalieri di
Gran Croce: «Le divisioni e le contrapposizioni esasperate
rischiano di lambire se non lacerare lo stesso tessuto nazionale». «Ce l'ha con la maggioranza» commentarono a
sinistra. «Ce l'ha con l'opposizione» replicarono a destra.
Ma tutti convennero che un pur brevissimo intervento
pubblico del dottor Letta fosse di per sé un terremoto.
(Qualcuno ricordò che l'ultimo intervento pubblico del
sottosegretario era di due anni prima. Altri lo facevano risalire assai più indietro nel tempo, fino a perderne le tracce.) L'interessato si guardò bene dal chiarire il significato
delle sue parole. Come la Sibilla Cumana, aveva messo in
ordine le foglie con i suoi responsi, che il vento però aveva disperso rendendone impossibile l'interpretazione
(*Eneide*, III, 441-452).

Quando, tre mesi dopo, gli chiesi di commentare per
questo libro i dieci anni di Forza Italia, la Sibilla dettò a
verbale: «Non faccio vita di partito né vita politica. Non
mi sono presentato alle elezioni: mi considero un giornali-

sta prestato alle istituzioni, che svolge il suo ruolo in maniera rigorosamente istituzionale a fianco del presidente del Consiglio. Dunque, non rilascio interviste, né faccio dichiarazioni, discorsi, comizi».

Anche i suoi interventi privati seguono la stessa linea. La sera del 26 giugno Maria Angiolillo diede una cena in suo onore. E quando anche *le fromage de chèvre au miel* e *la bombe d'orange norvégienne* impreziosita da una *sauce au Grand Marnier*, accompagnati da uno Château d'Yquem '89, ebbero lasciato le preziose porcellane di casa, il presidente del Senato Marcello Pera pronunciò una vigorosa *laudatio* in onore del dottor Letta, il quale rispose con una mirabile *laudatio* istituzionale. Chi scrive si meravigliò meno di altri di tanta forbita eleganza, ripensando a un'analoga – benché assai più modesta – circostanza di ormai trentaquattro anni fa, quando l'allora capo del servizio province del «Tempo» riunì alle Tre Marie dell'Aquila la redazione locale per salutare, a nome del direttore Renato Angiolillo, un giovane che lasciava il nido per andarsene al telegiornale a Roma. Ma fin da allora quell'abilità oratoria e quell'«equilibrio istituzionale» lasciavano il segno. Nello splendido Villino Giulia, alla Rampa Mignanelli, Letta era cresciuto nei decenni oltre ogni aspettativa e ora Maria lo festeggiava con amici vecchi e nuovi nell'inedito, provvidenziale ruolo di «moderatore di Palazzo».

«Non resterei in un governo senza la Lega»

La «verifica» – così ormai si chiamava, resuscitando un termine che non aveva portato bene ai governi della Prima Repubblica – proseguì la sera del 5 giugno a Bruxelles. Nella hall del Jolly Hotel Sablon, Fini e Follini parlarono per tre ore di Bossi con Tremonti, costantemente riforniti di grappa e biscottini. Il ministro dell'Economia avvertì gli alleati che Bossi rischiava di uscire dal governo perché non era stato accontentato sulla devoluzione. Fini e Follini replicarono che i loro partiti si attendevano da Berlusconi una correzione in senso esattamente opposto. Tremonti rilanciò dicendo che la Lega viveva male gli equivoci su politica europea e interesse nazionale, al che il vicepresidente del Consiglio rispose a muso duro: «State attenti, la situazione è esplosiva». Il ministro non arretrò, confermando che lui e Bossi sono due corpi e un'anima sola: «Non resterei in un governo senza la Lega».

Fini aveva ormai reso pubblica la sua intenzione di andarsene qualora non fosse stato accontentato, e i suoi colonnelli dicevano che l'avrebbero seguito. Così Berlusconi aveva indossato le vesti da sirena che tanto gli piacciono e convocato alcuni uomini di governo di Alleanza nazionale, a cominciare da Maurizio Gasparri – quello a lui più vicino – e da Adolfo Urso, raccomandando a tutti di stare vicini al loro leader ma, soprattutto, di ricondurlo alla ragione.

Tre giorni dopo questo incontro, la Casa delle Libertà perse le elezioni in Friuli e alcuni delicati ballottaggi comunali. Bossi cercò immediatamente di passare da accusato ad accusatore. Approfittando di massicci sbarchi di clandestini in Sicilia, sparò a palle incatenate contro il ministro dell'Interno Giuseppe Pisanu. «Delegittimò così» mi dice Fini «anche la legge sull'immigrazione che firmammo insieme. E francamente era il primo caso di un leader di partito che attacca una legge che porta il proprio nome.» Com'era prevedibile, l'opposizione si scatenò, la Chiesa si irritò per i toni apocalittici usati dal Senatùr e il povero Pisanu si trovò a dover fronteggiare un insidiosissimo fuoco amico. La sera in cui Bossi ne disse una più del dovuto («Bisogna respingere gli immigrati a cannonate»), il ministro dell'Interno mi confidò che lui e Gianni Letta avevano ricevuto telefonate di allarme da parte dell'intera gerarchia ecclesiastica, con la sola eccezione del papa.

Fini non si lasciò impressionare e rilanciò i due temi della verifica che gli stavano a cuore. «Il primo» mi dice «era relativo allo squilibrio tra il consenso reale di cui gode la Lega e la sua pretesa di dettare i contenuti e i tempi dell'azione di governo. Da sinistra venivamo accusati di essere ostaggi di Bossi e, in tutta onestà, devo ammettere che l'atteggiamento leghista subito dopo le elezioni confortava l'accusa di chi obiettava che in un governo di coalizione ciascuno dovrebbe pesare per i voti che ha, mentre la nostra azione era condizionata da quello che diceva Bossi al mattino. La seconda questione era la necessità di assumere in modo rigorosamente collegiale le decisioni sulle questioni economiche e sociali. Rispetto al 2002, la crisi economica aveva trasformato la politica economica nella politica stessa del governo. Ho posto a Berlusconi in modo netto questi due temi e lui alla fine si è convinto che facevamo sul serio.»

Al Cavaliere, Fini non perdonava le cene del lunedì sera ad Arcore con Bossi. Nei suoi articoli, chi scrive aveva da tempo messo in guardia il Cavaliere: prima o poi quelle cene gli sarebbero andate politicamente di traverso, se ogni tanto non le avesse fatte seguire da una cena romana del martedì con Fini e Follini. Ma tant'è. Da che mondo è mondo l'amore per il figliol prodigo è di gran lunga più forte di quello per il figlio operoso e fedele. («Tuo fratello era morto ed è tornato in vita, era perduto ed è stato ritrovato»: *Luca* 15,32.) E così il Cavaliere ha sempre considerato Bossi il valore aggiunto che ha consentito alla Casa delle Libertà di vincere le elezioni. Questa volta, però, gli era difficile negare al figlio-Fini la sua parte di legittima eredità. Sicché, quando il leader di Alleanza nazionale gli chiese uno strumento per concordare la politica economica del governo, Berlusconi gli rispose: va nella stalla, scegli il vitello che più ti piace e fa festa con i tuoi amici. Fini andò nella stalla, scelse il vitello che più gli piaceva, ma dopo alcuni giorni scoprì che non poteva far festa con i suoi amici. Vediamo perché.

«Quel che è mio è tuo» disse il Cavaliere. Ma Fini...

I primi ministri italiani hanno sempre avuto un consigliere economico, che, in alcuni casi, ha avuto un ruolo determinante nelle scelte dei vari governi: si pensi a Luigi

Cappugi per Giulio Andreotti, a Paolo Onofri per Romano Prodi, a Nicola Rossi per Massimo D'Alema. Il consigliere tiene i rapporti tra il premier e il dipartimento economico di palazzo Chigi, che fornisce al presidente del Consiglio – e, quando esiste, al vicepresidente – tutti gli elementi utili per dialogare con le parti sociali e gli stessi ministri economici. Che un tempo erano tre (Tesoro, Bilancio, Finanze), ma sono stati ridotti a uno (Economia) dalla legge di riforma varata durante i governi di centrosinistra dal ministro per la Funzione pubblica Franco Bassanini.

D'Alema aveva notevolmente valorizzato il dipartimento economico. Ne aveva confermato il direttore – il professor Efisio Espa –, scelto da Walter Veltroni quando era vicepresidente del Consiglio di Prodi, e aveva innestato sul vecchio ceppo burocratico di palazzo Chigi una schiera di giovani scelti fra le migliori teste uscite dalle università italiane. Un giorno, quando era presidente del Consiglio, D'Alema mi mostrò con orgoglio la grande sala che aveva fatto preparare per loro, vicinissima al suo studio.

Quando Berlusconi vinse le elezioni, Gianni Letta gli disse che doveva scegliersi un consigliere economico e un nuovo capo del dipartimento economico di palazzo Chigi, in sostituzione di Espa. Furono contattati alcuni nomi illustri, tra cui il notissimo economista Alberto Quadrio Curzio, nessuno dei quali però incontrava il gradimento del ministro dell'Economia, Giulio Tremonti. Il Cavaliere considera quest'ultimo un uomo geniale, e si sa che questo genere di persone sono molto esigenti e talvolta – dice chi non le ama – financo capricciose. Così, via via che tutti i candidati venivano scartati, a Letta, appassionato frequentatore di teatri di prosa, venne in mente la famosa commedia di Eduardo De Filippo *Natale in casa Cupiello*, nella quale al figlio del protagonista il presepe, comunque fosse fatto, non piaceva. Finché il Cavaliere capì che Tremonti non voleva che avesse un consigliere economico. Intanto, per il primo anno di governo, anche il dipartimento economico di palazzo Chigi restò acefalo.

Letta tempestava il presidente del Consiglio perché nominasse almeno il capo del dipartimento economico: «Silvio, prima o poi dovrai nominare qualcuno. Non utilizzare il dipartimento è uno spreco di risorse». Finalmente al sottosegretario alla presidenza venne in mente un nome che Tremonti non poteva rifiutare: Gianfranco Polillo, che il ministro dell'Economia aveva preso dalla Camera dei deputati, dov'era capo dell'ufficio studi, per farlo lavorare nel proprio staff.

Quando Domenico Siniscalco aveva sostituito Mario Draghi alla direzione generale del Tesoro, Tremonti aveva progressivamente trascurato Polillo, che dunque non aveva più molto da fare nel prestigioso palazzo di via XX Settembre. Così Letta disse al ministro dell'Economia: «Caro Giulio, Polillo è una persona scelta da te, è l'unica che puoi accettare senza problemi. Mandalo da noi e ci aiuterai a rivitalizzare una struttura che dobbiamo poter usare». Tremonti accettò, ma tra il ministero dell'Economia e il dipartimento economico di palazzo Chigi non ci fu mai collaborazione.

Quando Fini chiese di poter disporre di uno strumento che gli consentisse di dialogare con il ministro dell'Economia, Berlusconi gli disse: «Tu sei sempre con me e tutto ciò che è mio è tuo» (*Luca* 15,31). Lo strumento c'è, è il dipartimento economico di palazzo Chigi, usalo anche tu. Ma Tremonti si oppose: «Non posso accettare che il dipartimento economico di palazzo Chigi faccia da contraltare al ministro». Temeva che Fini valorizzasse l'ufficio di Polillo oltre limiti strettamente tecnici e non consentì che nascesse un luogo per la verifica politica delle sue proposte. Poiché Fini insisteva, Tremonti ribadì che non avrebbe accettato di farsi commissariare e mise sul piatto le proprie dimissioni. Era mercoledì 18 giugno, festa di San Calogero, e per il centrodestra fu una giornata nera. A Follini i giornalisti chiesero: «Volete decapitare Tremonti?». E lui rispose: «No, vogliamo tenergli compagnia». Il ministro non apprezzò e ritirò le dimissioni – che sui giornali ap-

parvero unicamente come una minaccia e invece furono
reali – solo quando Berlusconi gli ebbe garantito nei giorni successivi che la pienezza dei suoi poteri non sarebbe
stata intaccata.

La «cabina di regia» nacque il 4 luglio...

Si arrivò così alla sera di martedì 1° luglio. L'indomani
Berlusconi avrebbe preso formalmente possesso del suo
incarico di presidente di turno dell'Unione europea, e poche ore prima si incontrò in una suite dell'Hilton di Strasburgo con Fini in un tesissimo faccia a faccia alla cui fase
finale partecipò anche Casini, arrivato nella città francese
per un altro impegno. Il Cavaliere ammonì i due alleati sul
rischio di spezzare il rapporto con la Lega, gli altri non fecero un passo indietro rispetto alle legittime attese dei rispettivi partiti, e la serata si concluse in un clima di grande
e generale sconforto sulle sorti della coalizione. (La dura
reazione di Fini e Follini alla gaffe di Berlusconi su Schulz
di mercoledì 2 luglio, di cui abbiamo ampiamente parlato
nel capitolo VIII, si spiega anche con le tensioni accumula-
te la sera precedente.)

Si dovettero attendere due giorni per una prima soluzione della crisi. La sera del 3 luglio il Cavaliere partecipò
alla cena offerta da Ciampi al Quirinale per festeggiare la
presidenza italiana dell'Unione europea. In quell'occasione il capo dello Stato prese da parte Fini e lo esortò a lasciar perdere ogni ipotesi di dimissioni: c'è il semestre di
presidenza, non facciamo scherzi. C'è chi giura che in
cuor suo il vicepremier non abbia mai pensato davvero di
lasciare il governo, ma la situazione era tale da poter oggettivamente sfuggire di mano a chiunque, e le calde parole di Ciampi fecero comunque piacere a Fini.

Dopo cena, Berlusconi convocò per mezzanotte una
riunione a palazzo Grazioli. Vi parteciparono Fini, Bossi,
Tremonti, Letta e, all'ultimo momento, fu invitato Buttiglione, in modo che l'incontro avesse tutti i caratteri di un

vertice di governo, sia pure informale. Fu allora che Tremonti formalizzò l'offerta a Fini di una «cabina di regia»
della politica economica.

I due si erano già visti e il ministro dell'Economia aveva
fatto questo discorso: «Io non posso essere commissariato
e diventare costante oggetto di verifica. Ma sono disponibile a portare in una sede politica i miei dati e le mie opzioni, e a dire quello che a mio giudizio si può e non si
può fare. Si può decidere che questa sede sia un vertice
dei segretari politici o un incontro del presidente del Consiglio con i ministri rappresentativi della coalizione. Sarà
comunque una sede alla quale io potrò sottoporre le mie
opzioni e dalla quale potrò accettare un'indicazione politica. E tu, Gianfranco, puoi essere il coordinatore dell'organismo che si andrà a creare».

Da un punto di vista politico-costituzionale, il nuovo
organismo rappresentava un *vulnus* delle prerogative del
presidente del Consiglio, che sarebbe stato sostituito dal
suo vice in una fase decisiva dei processi decisionali. «Ma
se questo è il modo per assicurare collegialità alle scelte
del governo» disse Berlusconi «ben venga.»

La notte del 4 luglio tale proposta, accettata da Fini, fu
formalizzata in una frase del documento di una paginetta
e mezza che avrebbe dovuto riportare pace e chiarezza tra
gli alleati. Quella che i giornali chiamarono «cabina di regia» fu definita più elegantemente Consiglio di coalizione. «Per garantire la collegialità nell'azione di governo»
recitava il testo «è istituito il Consiglio di coalizione. Al vicepresidente Gianfranco Fini viene attribuito l'incarico
per il coordinamento e l'integrazione delle politiche sociali, produttive ed economiche.» Seguivano sette punti di
programma da inserire nella legge finanziaria per il 2004:
«il rilancio dell'economia in tutto il territorio nazionale
con investimenti pubblici, ricerca e politiche per la competitività [*così erano contenti Confindustria e, per la ricerca,
l'Udc*]; il rilancio del dialogo sociale mirato alla verifica
del raggiungimento degli obiettivi del Patto per l'Italia

[*segnale di fumo in direzione della Cisl di Pezzotta e della Uil di Angeletti*]; maggiori investimenti per la sicurezza e contro l'immigrazione clandestina [*temi cari ad An e alla Lega*]; garanzia e protezione sociale [*An e Udc*], inclusa una riforma del sistema previdenziale [*Tremonti*] volta a sostenere la famiglia [*tema caro all'intera coalizione*] e la sanità pubblica; riforma delle Authority a tutela del pluralismo dell'informazione e a garanzia del consumatore e del risparmiatore; graduale avvio della riforma della scuola; realizzazione delle "grandi opere" e del sistema delle infrastrutture». Gli ultimi tre temi erano tradizionalmente cari a Forza Italia, che del resto – con maggiore o minore attenzione – si riconosceva anche in tutti gli altri, essendo il partito interclassista e trasversale per definizione e, in questo senso, quello più simile per certi aspetti alla Dc nei momenti di massima espansione sociale.

... e morì immediatamente nella culla

Un passaggio successivo chiariva che questo impegnativo programma sarebbe stato approvato entro l'anno «in forme rispettose delle prerogative parlamentari, ma insieme coerenti con la necessaria incisività dell'azione dell'esecutivo». Traduzione: smettiamola di far finta di essere d'accordo tra noi e poi di massacrare in Parlamento i nostri stessi provvedimenti con un fiume di emendamenti.

La seconda parte del documento assicurava che entro l'anno sarebbe stato «presentato e votato in Parlamento un disegno di legge di modifica costituzionale che, nel rispetto dei princìpi fondamentali di unitarietà dell'ordinamento giuridico della nazione, avrebbe compreso: Senato delle regioni, Corte costituzionale federale, devoluzione, rafforzamento della forma di governo [*e cioè l'elezione diretta del primo ministro e l'attribuzione a lui di poteri pari a quelli esercitati nei maggiori paesi occidentali. Oggi il nostro presidente del Consiglio non può rimuovere nemmeno un sottosegretario*]». Fini ottenne l'inserimento della frase su quella che in gergo politico si chiama «unità nazionale» e l'accordo si chiuse. Anzi no, perché Buttiglione prima di firmare volle consultarsi con Follini che, l'indomani, diede il suo benestare. In quell'occasione Berlusconi anticipò agli alleati che Claudio Scajola sarebbe rientrato nel governo e chiese a Follini se volesse entrarvi anche lui. Il segretario dell'Udc, temendo che la propria azione politica ne venisse svigorita, rispose: no, grazie.

Fini, che aveva preso sul serio l'incarico di coordinatore della politica economica del governo, svegliò immediatamente dal forzato letargo Gianfranco Polillo, ora capo del dipartimento economico di palazzo Chigi (e per questo, si sarebbe scoperto a fine ottobre, nel mirino delle nuove Br): «Mi dai un po' di carte?».

Fu l'errore fatale, come quello commesso da Orfeo quando non seppe resistere e volse il capo verso Euridice. Fini era riuscito a vincere con il suo canto la sirena Tremonti, ma contravvenne all'ordine di non guardare la moglie perduta («Così essa dovette tornare giù»: Apollodoro, *Biblioteca*, I, 3, 2). Appena seppe che il vicepresidente del Consiglio avrebbe usato l'ufficio proibito, il ministro dell'Economia, d'accordo con la Lega, decise infatti che la «cabina di regia» non avrebbe mai funzionato. Fini convocò il nuovo organismo per il 9 luglio, ma il giorno precedente Tremonti gli fece sapere che la sua partecipazione non era certa e che Maroni gli aveva detto che non avrebbe partecipato ai lavori.

La sera della vigilia, nell'ufficio di Pier Ferdinando Casini alla Camera si tenne una riunione riservata dello stato maggiore dell'Udc: c'erano Follini, i ministri Buttiglione e Giovanardi, i capigruppo D'Onofrio e Volontè, il vicesegretario del partito Sergio D'Antoni, il sottosegretario Mario Baccini. Era in corso una disputa interna su chi avrebbe dovuto rappresentare l'Udc nella cabina di regia: Buttiglione o Giovanardi? Buttiglione, presidente del partito, avrebbe avuto un ruolo politico, Giovanardi un ruolo più tecnico. Ma Follini tagliò la testa al toro. «Fini è in difficoltà per le resistenze di Tremonti e della Lega» disse agli amici. «Perché dobbiamo intestarci una quota di politica economica che si annuncia straordinariamente impopolare e le cui leve di comando, in ogni caso, sono azionate da altri? Non è meglio tenersi le mani libere?» Buttiglione, che fu designato a rappresentare l'Udc nel nuovo e delicato organismo, all'inizio resistette un po', ma alla fine convenne con tutti gli altri che era meglio far saltare il tavolo.

L'indomani Follini chiamò Fini per comunicargli la decisione del suo partito e lo sentì «liberato da una trappola». Quello stesso giorno, infatti, sui giornali fu fatto filtrare il contenuto del documento di politica economica e finanziaria che avrebbe dovuto essere discusso proprio dalla «cabina di regia». Era una scorrettezza, anche se Tremonti assicurò al vicepresidente del Consiglio di non esserne il responsabile.

Fu a quel punto che Fini decise di uscire allo scoperto e l'11 luglio il «Corriere della Sera» titolò così una sua intervista a Francesco Verderami: «*Il problema è Bossi, ricordi che ha il tre per cento.*» Fini: «*Berlusconi lo metta in riga, è fuori da ogni logica politica che con pochi voti pretenda di imporre le scelte*». Ci furono nuove tensioni e il rischio di un'altra rottura. Ma intervenne il Cavaliere e alla fine Tremonti accettò di discutere il documento finanziario, prima che fosse portato in Consiglio dei ministri, con Buttiglione e con Alemanno, nominato da Fini «cane da guardia» del ministro dell'Economia. Come segno concreto di pacificazione, il Tesoro sbloccò il denaro per finanziare il nuovo contratto degli statali e la Lega accettò di mettere in agenda per l'autunno la riforma delle pensioni d'anzianità, che interessa soprattutto i lavoratori del Nord.

Il 16 luglio il documento fu approvato: era in larga parte fumo, l'arrosto – scarso, vista la penuria di denaro – non sarebbe arrivato nemmeno in autunno.

E Bossi sparò: «Dc da fucilare»

La sera del 29 settembre 2003, poco prima che il Consiglio dei ministri approvasse la legge finanziaria, la Casa delle Libertà rischiò di saltare di nuovo. Ancora una volta fu Umberto Bossi ad accendere la miccia. Dalle 11 alle 12.20 di giovedì 25 settembre, dai microfoni di Radio Padania, il leader della Lega scaricò ogni tipo di anatema contro i «comunisti» (e, fin qui, siamo al gioco delle parti) e contro gli «alleati infidi» (e questo invece, tanto per cambiare, era un problema). Disse che Roma è marcia, ma visto che purtroppo occorre mantenervi la capitale, un ragionevole antidoto sarebbe stato il trasferimento a Milano del Senato federale (non c'è forse, nel cuore del capoluogo lombardo, una bella strada che si chiama via Senato con annesso nobile palazzo?). A Milano, in ogni caso, sarebbe dovuta andare la seconda rete della televisione di Stato. Pur se dirompenti, queste posizioni di Bossi erano note. Il Senatùr intese perciò arricchire il campionario con qualcosa di inedito. Dopo aver censurato «chi votava i democristiani e i socialisti e continua a votarli invece di spazzarli via a calci in culo», aggiunse una proposta umanitaria: «Quei partiti, quella gente che ha fatto fallire il paese, erano da tirare giù, da portare in piazza e fucilare...».

Vista la rilevanza del messaggio, il direttore di Radio Padania, Matteo Salvini, ne dispose la replica alle sei di sera, ma, a scatenare l'inferno, era bastata l'edizione del mattino. Invano, alle tre del pomeriggio, quell'anima santa di Fedele Confalonieri – come riferirono sul «Corriere della Sera» Francesco Alberti e Claudio Del Frate – nel cimitero di Comerio, dinanzi alla salma del vecchio genitore defunto, tentò di fare leva sui sentimenti di Berlusconi e di Bossi, entrambi presenti e commossi: «Giurate, adesso, che non litigherete». Il Cavaliere provò a spiegare agli alleati che il Senatùr è fatto così, dice enormità perché ha paura di perdere voti, ma in fondo è il più fedele della compagnia. Tutto inutile.

Quando le agenzie cominciarono a battere gli anatemi di Bossi, Follini era in aereo: stava rientrando da Genova, dove aveva presieduto un convegno di partito, e si era messo in viaggio per poter essere presente al vertice serale convocato da Berlusconi per gli ultimi ritocchi alla legge finanziaria.

Appena sbarcato, il suo cellulare squillò. Era Fini. «Hai sentito quello che ha detto Bossi?» Poiché non ne sapeva nulla, il leader di An gli lesse le notizie d'agenzia sulla storia della fucilazione. Follini, già segretario del movimento giovanile democristiano e amico di Bisaglia, Gava e De Mita, pur apprendendo di essere sfuggito al plotone d'esecuzione, non ebbe per il Senatùr parole di gratitudine perché gli aveva risparmiato la vita. «Non andiamo al vertice» propose a Fini, il quale chiese un po' di tempo: «Ci sentiamo dopo». Follini fece un giro di telefonate fra i colleghi di partito guadagnando consensi alla sua proposta e fece filtrare la notizia che avrebbe disertato il vertice della Casa delle Libertà. Informò Letta della decisione e, per scongiurare eventuali rappresaglie, disse: «Bossi è Bossi, ma la legge finanziaria è al riparo dalle nostre polemiche».

Poco dopo ricevette una telefonata di Berlusconi, di ritorno dai funerali del padre di Confalonieri: «Hai ragione, Marco, ma ti prego di non far saltare il vertice. Se non vuoi venire tu, manda qualcun altro». Follini tenne duro e di lì a poco ricevette l'attesa chiamata da Fini: «Ho due strade. O vado al vertice e dico che non sono d'accordo con questa impostazione, o dico che non si può fare un vertice senza un partito, e salta tutto». Prevalse la seconda opzione, e il vertice fu rinviato.

Quella sera stessa Fini ebbe un franco colloquio con Berlusconi e riferì a Follini che il Cavaliere era più arrabbiato con loro che avevano fatto saltare il vertice che con Bossi. L'indomani il segretario dell'Udc ricevette una telefonata da Letta: «Sei disposto a incontrare Berlusconi?». «Certo, a patto però che non ci sia Bossi.» Follini disse che non sarebbe andato a palazzo Grazioli: meglio vedersi a palazzo Chigi, sede che il Cavaliere non ama, ma che da allora è stato costretto a frequentare sempre più spesso. Fini e il segretario dell'Udc presero questo accordo: il primo sarebbe arrivato in anticipo all'appuntamento, il secondo dieci minuti dopo. E così avvenne. Al colloquio si unirono successivamente Tremonti e Buttiglione. Fu un confronto ruvido. Fini e Follini ebbero parole dure per il leader del Carroccio: «Così non si può andare avanti, il problema della Lega è serio, la maggioranza è in caduta libera, i nostri partiti sono all'esasperazione, la parola che viene sempre più spesso affiancata al comportamento di Bossi è "disgusto"».

«Sugli interessi si può mediare» disse Follini «sui princìpi molto meno. Noi ci siamo alleati con la Lega partendo dal presupposto che, dopo la campagna secessionista, sarebbe rientrata nei binari della legalità costituzionale. Ma sta riemergendo sempre di più una visione del mondo diversa dalla nostra.» Fini e Tremonti ebbero uno scontro a due all'interno di quello più generale. Quando il vicepresidente del Consiglio disse che non è possibile che Bossi abbia la *golden share* del governo, mettendo così sotto accusa l'asse tra il Senatùr e il ministro dell'Economia, quest'ultimo minacciò le dimissioni e Fini replicò gelido: «Bene, così abbiamo risolto un problema».

Berlusconi, come al solito, cercò di mediare, invitando gli alleati a capire le posizioni di Bossi. «Escludo di fare un governo senza la Lega» spiegò molto chiaramente. «Con Bossi si vince, come è avvenuto nel 1994 e nel 2001. Senza si perde, come ci è capitato nel 1996. E poi, ditemi: quali leggi ci ha costretto ad approvare? Di quali ha impedito l'approvazione? Sulle responsabilità di democristiani e socialisti sul debito pubblico, in fondo, qualche ragione ce l'ha?...»

«Dillo a Cirino Pomicino» lo interruppe Follini, con gelida ironia. «Io l'ho estromesso dagli organi dirigenti del mio partito, tu invece lo coccoli...» Il Cavaliere glissò, andando al sodo: «Ho fatto l'ultima campagna elettorale accusando la sinistra di aver violato il patto con gli elettori dopo la caduta di Prodi e il cambio di maggioranza. Con quale faccia mi presenterei se scaricassimo la Lega?». «Sono cambiate molte cose dal 2001, purtroppo» ribatté Follini. «Molte condizioni politiche. Anche De Gasperi, quando nel 1947 ruppe con il Pci, era circondato da democristiani tremebondi che gli dicevano: attento, Alcide, il tuo è un azzardo, rischiamo di finire in minoranza. E invece...»

«Berlusconi ha ragione quando dice che noi abbiamo sempre garantito agli elettori che non avremmo cambiato maggioranze parlamentari» mi fa notare Fini «ma il problema è che la maggioranza uscita dalle urne non si sente più rappresentata dalla nostra coalizione. E al novanta per cento questo accade per colpa di Bossi. Berlusconi stenta a capire che mentre nel Nord i nostri, pur soffrendo, hanno metabolizzato il leghismo e non si meravigliano più di tanto, dal Po in giù non capiscono la ragione per la quale dobbiamo convivere con un soggetto misterioso, di cui è noto soltanto l'aspetto negativo.»

Una cena all'inizio di ottobre in casa di Pier Ferdinando Casini sulla collina Fleming, un quartiere residenziale di Roma nord, non fece migliorare il clima generale. Berlusconi, Fini, Follini e Letta apprezzarono la pasta ai pomodori di Pachino, il roast-beef e, soprattutto, il millefoglie. Il Cavaliere incoraggiò gli alleati, insistendo perché Follini entrasse nel governo (proposta garbatamente rifiutata) e sostenendo che i sondaggi indicavano una crescita di An e Udc. Ribadì che Bossi era innocuo, ma gli altri commensali gli fecero notare che il protagonismo della Lega conteneva in sé una carica esplosiva che, se non fosse stata disinnescata, avrebbe potuto avere conseguenze imprevedibili.

Lista unica, sì. Anzi, no

Per molto tempo, quando voleva prendersela con un alleato, a Berlusconi veniva istintivamente sulla punta della lingua il nome di Pier Ferdinando Casini. Ora il presidente della Camera era stato sorpassato da Follini. Il Cavaliere non perdeva occasione per lamentarsene, anche con gli amici del segretario dell'Udc. Lo fece con lo stesso Casini e con il presidente della Regione siciliana, Totò Cuffaro: «Follini mi ha criticato ventitré volte...».

Uno degli elementi costanti di contrasto era la contrarietà dell'Udc alla presentazione di una lista unica del centrodestra alle elezioni europee del 2004. A Berlusconi l'idea era venuta ben prima dell'intervista di Romano Prodi al «Corriere della Sera» del 18 luglio. La rimuginava da tempo e ne aveva parlato con Fini e Casini la sera del 1° luglio a Strasburgo, poche ore prima del debutto al Parlamento europeo come presidente di turno dell'Unione. «Le loro reazioni furono positive» mi dice il presidente del Consiglio «e lo sono ancora oggi. Fini, in particolare, è assolutamente favorevole. Esiste, dunque, una buona possibilità in tale direzione, nonostante il voto contrario espresso dal consiglio nazionale dell'Udc.»

Il consiglio nazionale si tenne a fine settembre. «La mia fu una relazione di basso profilo» mi racconta Follini «ma quando respinsi l'idea della lista unica, ci furono applausi da stadio.» Perché? «Non si tratta di contarsi, ma di affermarsi.»

«In realtà i nostri vogliono anche contarsi» mi dice Buttiglione. «Vogliono che emerga l'ideale democristiano di rappresentanza degli interessi popolari. Non vogliamo nasconderci nel listone. Ci sentiamo giovani e forti.» Perché Casini insiste sull'opportunità di presentarvi insieme? «Lui e il consiglio nazionale partono da due presupposti diversi» risponde Buttiglione. «Il consiglio nazionale crede che la sinistra non faccia la lista unica, che non cambi la legge elettorale per le europee e che quindi ci siano le condizioni per contarsi. Casini, invece, è convinto che la lista unica della sinistra si faccia e che Prodi e Berlusconi si mettano d'accordo per una nuova legge elettorale che renda praticamente impossibile il successo di un piccolo partito.» E infatti, ancora nell'autunno del 2003, Casini osservava: se il centrosinistra fa la lista unica, difficilmente il centrodestra potrà compiere una scelta diversa.

«Stiamo in effetti discutendo della possibilità di una nuova legge elettorale» conferma il presidente del Consiglio. «Io sono favorevole a un adeguamento del nostro sistema a quello degli altri maggiori paesi europei.» (Nel resto d'Europa si vota con il sistema proporzionale, senza indicazione della preferenza. A questa ipotesi sono favorevoli i maggiori partiti della Casa delle Libertà e dell'Ulivo, «ma si oppongono fermamente i partiti più piccoli dei due schieramenti» mi dice Follini «che, come noi dell'Udc, la Lega, i Verdi e così via, puntano sulla mobilitazione dei candidati per raccogliere il maggior numero dei voti».)

«La nostra coalizione» aggiunge Berlusconi «si mostrerebbe per quello che è nella realtà, solida e compatta. Perché la verità è che, sulle cose importanti, siamo sempre stati uniti. C'è inoltre una seconda ragione: se per caso uno dei partiti della coalizione, presentandoci separati, fosse penalizzato dal risultato del voto con il sistema proporzionale, non subiremmo le conseguenze che abbiamo subìto dopo l'ultimo voto amministrativo. Io credo che nel maggioritario non valga più la regola secondo cui, quando più partiti si presentano insieme, due più due fa tre.»

Già, ma la Lega resterebbe comunque fuori da una lista unica. Molti elettori della Casa delle Libertà rimproverano a Bossi bizze troppo frequenti, che finiscono con il condizionare l'intera attività di governo. «Abbiamo ereditato un sistema elettorale in cui ogni partito, anche il più piccolo, è indispensabile e fa valere fino in fondo il proprio peso. Così accade che all'interno della nostra coalizione un partito conta come l'altro, indipendentemente dal suo peso elettorale. Il 29,8 per cento di Forza Italia vale quanto il 3,2 per cento dell'Udc.»

Pensa dunque a una riforma elettorale prima delle elezioni politiche? «La riforma elettorale è una necessità conseguente alla nuova architettura istituzionale dello Stato che stiamo progettando. Il Senato federale dovrà essere necessariamente eletto con il sistema proporzionale. È impensabile che si voti alla Camera con un sistema elettorale diverso.»

E Fini scagliò gli immigrati contro Bossi

L'autunno del 2003 ha trovato Fini più freddo sulla lista unica a causa delle fibrillazioni della maggioranza. «Se Berlusconi capisce che deve garantire l'equilibrio nella Casa delle Libertà» mi dice il vicepresidente del Consiglio «resto dell'idea che un tentativo possa essere fatto. Ma se continua a manifestarsi uno squilibrio a favore della Lega, le possibilità si riducono.»

Il 7 ottobre Fini ritenne di riequilibrare gli eccessi di autonomia programmatica della Lega con una proposta che mise a rumore l'intero mondo politico. «Sono maturi i tempi per discutere sull'opportunità del diritto di voto amministrativo agli immigrati» affermò al Consiglio nazionale dell'economia e del lavoro. E aggiunse: «Non escludiamo affatto in un prossimo futuro, che può essere tra qualche mese, di fare a meno del meccanismo delle quote d'ingresso». Fu un'autentica svolta, che il presidente di An aveva meditato con attenzione. «L'idea mi frullava da tempo nella testa» mi racconta «e la misi a fuoco in settembre alla cerimonia organizzata all'Altare della patria da Mirko Tremaglia per premiare gli italiani che avevano fatto fortuna all'estero. La madrina era Sophia Loren. Vedendo sfilare quelle persone con patrimoni ormai di miliardi di dollari, oppure con posizioni influenti in politica – ed erano emigranti di prima o, più spesso, di seconda generazione –, pensai che fra trent'anni una cerimonia analoga avrebbe potuto coinvolgere i figli degli immigrati che vivono in Italia da tempo e che allora saranno pienamente inseriti nella nostra società. Mi convinsi ancor di più dell'opportunità della proposta riflettendo sul fatto che dal 1° maggio entreranno nell'Unione europea tutti gli Stati del nostro continente – con la sola eccezione di albanesi, serbi, montenegrini, croati e svizzeri –, a cui si aggiungeranno, dal 2007, Turchia e Romania. Quindi...»
Follini si affrettò ad apprezzare: «La legge Bossi-Fini è sempre più Fini e meno Bossi». E il presidente di An se ne

compiacque. («La convergenza con l'Udc è ormai strategica» mi dice.)

Ma Berlusconi, che si trovava in visita a Jalta, la prese male, e Bossi peggio. («Bossi sostiene che bisogna essere politicamente scorretti? Bene...» esclama Fini.) Il capo della Lega avvertì il Cavaliere che, se la proposta fosse arrivata in Parlamento e fosse passata con il voto della sinistra, la Lega sarebbe uscita dal governo e si sarebbe andati alle elezioni anticipate.

A metà ottobre, Alleanza nazionale depositò la proposta di legge costituzionale in Parlamento, e la mossa servì a chiarire a Berlusconi che Bossi non avrebbe potuto avere campo libero senza che la stessa licenza fosse concessa agli altri. Il ragionamento del vicepresidente del Consiglio era questo: il Cavaliere dice che il Senatùr va capito perché «parla ai suoi»? Ebbene, anch'io parlo direttamente al mio elettorato. Fini sapeva bene di aver compiuto uno strappo nei confronti delle stesse tradizioni della destra (e l'immediato sconcerto del suo partito glielo confermò), ma spiazzò persino l'opposizione e si conquistò di colpo le simpatie del mondo cattolico. E il 29 ottobre, dagli studi di «Porta a porta», Bossi gli fece sapere che il cammino della proposta sarebbe stato ritardato: «Altrimenti si va alle elezioni anticipate...».

A brigante, brigante e mezzo. Su questo spettacolare (e preoccupante) scambio di colpi tra componenti della maggioranza governativa è andato concludendosi il semestre italiano di presidenza dell'Unione europea, rimandando all'anno nuovo ogni definitivo chiarimento. Il clima di tensione si ripercosse anche sulla discussione parlamentare sulla legge finanziaria.

«Una volta stabilito che la legge si sarebbe mantenuta su una linea di galleggiamento» mi dice Follini «nessuno ha ottenuto quasi nulla.» Eppure, per quel «nulla» gli alleati si azzannarono. Visti i buoni risultati raggiunti sulla riforma costituzionale dai «quattro di Lorenzago», Tremonti avrebbe voluto portare sulle Dolomiti anche Maroni, Buttiglione, Alemanno e il sottosegretario all'Economia Mario Baldassarri, delegati dai partiti a discutere del bilancio dello Stato. Ma siccome Buttiglione rifiutò un trasferimento così lontano, allora il piccolo gruppo si riunì in gran segreto a villa Spada, sulla via Salaria, alla periferia di Roma, presso il centro sportivo della Guardia di finanza. Tremonti si trovò protagonista di un dialogo fra sordi: gli altri giocavano coppe e lui rispondeva bastoni. Alla fine il ministro dell'Economia, che avrebbe voluto incassare 16.000 euro senza sborsarne uno, ne scucì 5000.

Si assistette così alla malinconica scena di un padre indigente che distribuisce una magrissima paghetta ai quattro figli. L'Udc ottenne un po' di soldi per la famiglia e la ricerca e, soprattutto, il mantenimento degli incentivi per il Mezzogiorno. An il sostegno agli imprenditori impegnati nella difesa sempre più difficile del made in Italy e un piccolo fondo per alimentare la vecchia battaglia missina in favore della partecipazione dei lavoratori al capitale delle imprese. (Venne considerato inoltre un successo aver «ricondotto il condono edilizio nei limiti della decenza», come mi dice Alemanno, riducendone l'incasso da 3 miliardi di euro a 2.) Maroni difese gli «ammortizzatori sociali» e incassò qualcosa per sostenere chi non ha alcun reddito. Forza Italia portò a casa gli incentivi per gli investimenti al Sud chiesti dal ministro Marzano e la «Tecnotremonti», cioè finanziamenti alle imprese che investono in ricerca e sviluppo per far rientrare i cervelli italiani emigrati. (Il ministro dell'Economia pensò anche alla creazione di un Collegio d'Italia, un organo consultivo di altissimo livello che desse vita a una specie di Massachusetts Institute of Technology italiano. Il Collegio d'Italia è molto simile all'Accademia d'Italia di mussoliniana memoria, sicché quando Tremonti, con visibile malizia, propose come sede palazzo Venezia, Fini gli suggerì di lasciar perdere.)

XI

Alleanza nazionale:
dalla caduta alla svolta sugli immigrati

Quel lunedì Fini non andò in ufficio

La sera di lunedì 26 maggio 2003, festa di San Filippo Neri, Gianfranco Fini non andò in ufficio. («Adesso ne ho due. A cinquant'anni mi tocca fare il doppio lavoro» mi dice sorridendo.) Nessuno lo vide attraversare il piccolo salotto verde acqua di palazzo Chigi che introduce al suo studio di vicepresidente del Consiglio, né aggirarsi nelle stanze più sobrie di via della Scrofa, dove ha conservato l'ufficio di presidente di Alleanza nazionale.

Come gli studenti che temono di essere stati bocciati, Fini incaricò gli amici di verificare l'esito dell'esame. L'aveva già fatto in altre due circostanze, quelle per lui più tristi degli ultimi anni. Alle elezioni politiche del 1996 era andato, con moglie e figlia, a cena ad Anzio da Romolo al Porto. Alle europee del 1999 era rimasto solo a caricarsi della furia d'Orlando che poi, il 18 giugno, rovesciò addosso ai suoi in una memorabile e drammatica direzione del partito all'hotel Plaza: attaccò a testa bassa Silvio Berlusconi («Il colpo d'arresto alla nostra strategia è arrivato da lui, non da altri, con il fallimento della Bicamerale»), non si risparmiò l'autocritica per aver annacquato l'identità di An alleandosi con l'Elefantino di Mario Segni («Abbiamo giocato a calcio con le regole del basket») e impose ai militanti del partito un massacrante tour de force estivo per raccogliere, «entro il 31 agosto», le 650.000 firme necessarie per indire un referendum sull'abolizione della quota proporzionale nelle elezioni politiche, obiettivo mancato per un soffio.

Quattro anni più tardi il clima generale era completamente mutato. Nel 2000, infatti, Alleanza nazionale aveva insediato propri uomini alla guida delle regioni Lazio e Abruzzo, nel quadro di una clamorosa vittoria elettorale della Casa delle Libertà, e nel 2001 era salita con il proprio presidente al vertice del governo. I rapporti di Fini con Berlusconi erano buoni, anzi negli ultimi mesi era stato lui il leader più moderato e responsabile della coalizione. Eppure, quel lunedì pomeriggio in cui si chiudevano le urne del primo turno delle piccole elezioni amministrative di primavera, il vicepresidente del Consiglio sentiva sulla pelle le ustioni della bocciatura e incaricò altri di guardare in faccia la realtà.

Gli «altri» erano i suoi più stretti collaboratori, quelli di sempre. Donato Lamorte, appassionato numismatico e collezionista filatelico, giunto in età non più verdissima agli onori del seggio parlamentare, capo della segreteria politica del partito e, ora, anche dell'organizzazione. Rita Marino, segretaria storica di Gianfranco Fini, che non si era fatta tentare dal prestigioso salto a palazzo Chigi ed era rimasta a presidiare la stanza dei bottoni in via della Scrofa. E Salvatore Sottile, capo ufficio stampa, fermo (forse) solo durante il sonno e, quel pomeriggio, impegnatissimo a valutare l'entità della sconfitta, passando da una proiezione a un exit-poll e tempestando di telefonate direttori di giornale e notisti politici amici.

La bocciatura giunse puntuale, e fu più netta del previsto. «Non me l'aspettavo in quella misura» mi dice Fini alcuni mesi dopo. «C'erano state delle avvisaglie, ma non era possibile addebitare il risultato a circostanze locali poco favorevoli o a qualche candidato sbagliato.» Nelle dodici province in cui si era votato, Alleanza nazionale aveva perso il 3,5 per cento rispetto alle elezioni provinciali precedenti (scendendo da 17,75 a 14,26). E aveva perso circa un punto alle comunali, un risultato pressoché uniforme su tutto il territorio nazionale, fatta eccezione per la Sicilia, dove aveva guadagnato circa il 3 per cento.

Si erano avuti forti segnali già a Roma, dove il partito di Fini aveva perso in un colpo solo la coccarda di primo partito della città e la guida dell'amministrazione provinciale, fino a quel momento nelle mani di Silvano Moffa. Alla manifestazione d'apertura della campagna elettorale, tenutasi il 29 aprile in piazza Santi Apostoli, aveva partecipato poca gente. Quelli di An s'erano allarmati e avevano subito invocato l'intervento personale del Cavaliere. Ma Antonio Tajani, capogruppo di Forza Italia al Parlamento europeo e plenipotenziario del suo partito a Roma, aveva detto a Rita Marino: «Che viene a fare? Tanto qui si perde...». Da via della Scrofa si erano lanciate contro Forza Italia accuse di disimpegno («Hanno attaccato i manifesti negli ultimi quindici giorni, giusto per salvare la faccia»), provocando indignate reazioni da parte degli uomini di Tajani, che smentivano categoricamente qualunque pessimismo disfattista. E anche se Berlusconi andò a salutare Moffa il 23 maggio, prendendo a pretesto la visita a una bella mostra su Mario Sironi allestita dall'amministrazione del presidente uscente, la Casa delle Libertà non riuscì nemmeno a organizzare il comizio finale dei leader della coalizione.

Ma tant'è.

«Se Bossi insulta Roma, qualche conseguenza c'è»

La sconfitta fu interpretata come una disfatta quando la mattina di martedì 27 maggio Fini riunì in via della Scrofa quello che in gergo viene chiamato l'«esecutivo piccolo»: Ignazio La Russa, Maurizio Gasparri, Altero Matteoli, Adolfo Urso, Francesco Storace, Gianni Alemanno, Mario Landolfi, Donato Lamorte.

Emersero, in dettaglio, risultati allarmanti per lo stato di salute del partito. A Roma, dove Alleanza nazionale è sempre stata fortissima, si registravano flessioni nelle zone che fino al giorno prima erano state i suoi punti di forza. Alla Balduina, al Salario, sulla Cassia, al quartiere Trieste l'astensionismo degli elettori di An aveva garantito il successo alla lista di centrosinistra guidata da Enrico Gasbarra, il vicesindaco della Margherita che ora prendeva il posto di Moffa a palazzo Valentini. Ai Parioli il partito di Fini aveva subìto l'affronto di essere sconfitto da Giovanna Melandri, detta «Giovannina Settebellezze», la quale, pur non essendo una Thatcher, aveva sedotto con il suo sorriso un elettorato che fino a pochi mesi prima l'avrebbe semplicemente ignorata. Nel quartiere residenziale dell'Olgiata, a Roma Nord, i consensi erano scesi dall'80 per cento al 35.

Ai risultati generali si aggiungevano piccole ma significative tragedie personali. Marco Clarke, uno dei migliori assessori uscenti, non veniva rieletto nel suo collegio alla Balduina, mentre nel collegio principe Trieste-Parioli il presidente del Consiglio provinciale, Alberto Pascucci di Forza Italia (provenienza Msi), veniva lasciato a casa. Un terremoto, insomma.

Le spiegazioni fornite dai maggiorenti del partito in larga misura convergono. «Abbiamo perso per ragioni politiche, non organizzative» mi dice Adolfo Urso, mettendo le mani avanti per delimitare il campo di operazione all'interno del partito, affidato a fine luglio, come vedremo, a Ignazio La Russa. «Non è stata sufficientemente chiarita la politica sociale del governo» aggiunge il ministro Matteoli. «Se diciamo di essere favorevoli alla riforma delle pensioni, dobbiamo spiegare meglio a che cosa alludiamo. Il nostro elettorato è fatto in gran parte di persone che vivono di reddito fisso. È gente che si spaventa.» Il ministro Alemanno rincara la dose: «Gli elementi che ci hanno penalizzato sono tre: l'unità nazionale non è stata sufficientemente difesa; gli imprenditori hanno visto poca spinta negli investimenti per lo sviluppo; i lavoratori dipendenti, operai e ceto medio impiegatizio non hanno certo guardato con favore a iniziative come quelle sull'articolo 18. Quando Maroni portò la delega in Consiglio dei ministri, gli dissi: qui scoppia un casino. Lui assicurò che erano tutti d'accordo, e invece il casino è scoppiato ugualmente. Fini è stato il mediatore all'interno del governo e noi abbiamo pagato il prezzo della mediazione». Osserva il ministro Gasparri: «Le aspettative erano forti e il ciclo economico sfavorevole si è rivelato più lungo del previsto. E poi abbiamo pagato un prezzo maggiore di altri per aver condotto battaglie, come quella sulla giustizia, di cui siamo profondamente convinti, ma che la nostra gente sente meno».

Ignazio La Russa è meno pessimista: «Non siamo un partito con la schiena bassa di fronte a Berlusconi. A Milano, per esempio, si dice che An pesi troppo rispetto al suo 12 per cento. La sconfitta di Roma? Come numero di voti, non è andata peggio delle politiche del 2001 e delle comunali in cui ha vinto Veltroni. I risultati si vedranno alla fine dei cinque anni di governo. Per ora abbiamo dimostrato di avere una classe dirigente credibile in Italia e all'estero, cinque ministri che lavorano ottimamente. Abbiamo puntato sulla moderazione e abbiamo fatto bene».

Gianfranco Fini non sottovaluta affatto la sconfitta. «È stato un segnale di delusione e disaffezione» mi dice, e va subito alle ragioni politiche: «Per la prima volta si è invertita la tendenza che vedeva la Casa delle Libertà unita nel cercare consensi oltre il suo bacino naturale, come raccomandava sempre Pinuccio Tatarella, e l'Ulivo eternamente diviso e litigioso. Stavolta i litigiosi siamo stati noi, mentre l'Ulivo riannodava i rapporti con Di Pietro e Bertinotti». Poi aggiunge: «Come in ogni sconfitta c'è un mixage di ragioni diverse. Cominciamo dal governo e prendiamo il contratto del pubblico impiego, per il quale mi ero adoperato di persona. Lo si può lasciare nel cassetto per un anno e mezzo? Passiamo alla cartolarizzazione degli immobili del demanio, un provvedimento sciagurato, concepito male e scritto peggio, sulla vendita degli alloggi di servizio per i militari che, non solo in una città come Roma, si è rivelato un micidiale "combinato disposto" se associato alla vendita in

blocco degli appartamenti di proprietà degli enti previdenziali. Così, in una parte considerevole del nostro elettorato
si è creato un senso di confusione e di sbandamento, certamente inatteso con un governo amico». E la Lega? «Non si
può insultare Roma tutte le volte che, dalla Val Camonica
alla Val Brembana, se ne presenta l'occasione. Se lo fa un nostro alleato come Bossi, qualche conseguenza è inevitabile.
L'elettore ragiona in base a sentimenti.»

Si può perdere per eccesso di equilibrio?

Alleanza nazionale si è dimostrata, nell'anno che ha
preceduto le elezioni, il partito più moderato ed equilibrato della Casa delle Libertà. In passato Fini ha compiuto
più di un errore strategico. Nel 1995, insieme con Pier Ferdinando Casini, impedì la formazione del governo Maccanico, spianando la strada l'anno successivo alla vittoria
di Prodi. Nel 1997 sottovalutò il pericolo che il suo accordo diretto con Massimo D'Alema nella Bicamerale avrebbe indotto Berlusconi a sentirsi tradito e a far saltare il tavolo negoziale. Nel 1999 l'alleanza con Mario Segni alle
elezioni europee fu un disastro. Da quando è al governo,
però, Fini ha dato una lezione di stile a tutti. Ha ceduto alla Lega la destra della coalizione e ne ha conteso il centro
a Forza Italia, cercando di ricucire i rapporti fra Berlusconi, Casini e Follini, e trovando in più d'una occasione l'accordo anche con Bossi. In un letto a tre piazze, in cui bene
o male Berlusconi, Follini e Bossi sono riusciti a coprirsi,
Fini è rimasto generosamente con i piedi scoperti e s'è
preso un forte raffreddore. I suoi lo accusano di eccessivo
moderatismo. È un difetto?

«Non sono per nulla pentito di ciò che abbiamo fatto negli ultimi due anni» mi risponde l'interessato. «A lunga scadenza, non saranno premiati quelli che gridano. Certo, ci
siamo interrogati se An si sia appiattita sulle posizioni di
Forza Italia e se il ruolo della destra nel governo si sia affie-
volito. Purtroppo non è stata colta l'importanza del serio la-

voro quotidiano di ricucitura che abbiamo svolto. Al contrario, basta strillare in un comizio per guadagnarsi un titolo sui giornali.» Eppure... «Eppure, qualche volta le critiche nei nostri confronti erano giuste. In alcuni casi, agire con senso di responsabilità ci ha fatto apparire agli occhi del nostro elettorato come dei perdenti.» Esempi? «Se giochi con l'idea di nazione, se non sei chiaro sui temi della legalità, tocchi corde assai sensibili della nostra gente. Dopo le elezioni, appena abbiamo alzato la voce e dato l'altolà alla Lega, proprio quegli ambienti che prima ci rimproveravano sono stati i più solleciti nei riconoscimenti.» E le responsabilità del partito? «Abbiamo perso anche perché ci siamo seduti. Non me la prendo con i "colonnelli": al congresso di Bologna del 2002 avevo ratificato io stesso la logica delle correnti, convinto che il partito si potesse gestire in modo ordinato, visto che l'intera classe dirigente è andata al governo. Abbiamo tuttavia constatato che, invece di gestirlo, le correnti lo hanno paralizzato. Di qui il mio diritto-dovere di scegliere un coordinatore unico.»

Già nel primo anno di governo avevo avuto modo di notare che alcuni importanti dirigenti, soprattutto periferici, di Forza Italia e di Alleanza nazionale avevano perso pericolosamente il contatto con la realtà, e nel 2002 verificai che pochi se ne erano avveduti. Nel 2003 la scossa è stata ancora più forte. «Una certa perdita di contatto con la base c'è» ammette Fini. «Ho l'abitudine di leggere la posta e di rispondere a chi mi scrive. E molta gente mi dice: è più facile avere una risposta da lei che da quell'assessore... Il campanello d'allarme suonato per noi alle amministrative del 2003 è stato salutare proprio perché si stava replicando un film che abbiamo già visto interpretato dal centrosinistra.» Poi, un tuffo nel passato, a circa trent'anni fa: «Nel 1974 avevo ventidue anni ed ero dirigente del movimento giovanile del Msi. Quando in una riunione dei più alti dirigenti sentii che la discussione si impantanava nell'analisi dei massimi sistemi, mi alzai con due amici e proposi un ordine del giorno. Oggetto: contatto con la realtà. Almirante mi fece una memorabile lavata di capo, ma oggi quell'ordine del giorno mi ritorna in mente...».

Aiuto, mi si è scolorito il partito...

La mattina del 27 maggio Fini ascoltò pazientemente le opinioni di tutti i suoi collaboratori. La sconfitta in Friuli era ancora di là da venire, ma quella di Roma bruciava. Nessuno se la sentì di dire (come faceva qualcuno in Forza Italia) che la candidatura di Silvano Moffa era debole, ma furono molti gli occhi puntati su Francesco Storace. Moffa era un suo uomo e lui, pur avendo lasciato la guida della federazione romana del partito da quando era diventato presidente della regione Lazio, a ogni successo ottenuto dall'amministrazione provinciale della capitale gonfiava il petto. Capita l'antifona, per evitare che qualcuno glielo bucasse come un palloncino, questa volta Fini attaccò per primo. E cominciò a sparare su Bossi.

«La città era piena di manifesti in cui i Ds scrivevano che la destra è contro Roma» mi dice Storace. «Ti alzavi la mattina e scoprivi che avevano trasferito Raidue a Milano, al pomeriggio arrivavano gli insulti di Speroni ad Alberto Sordi, la sera usciva la proposta della Lega di istituire le vicecapitali, la notte ti dicevano che per mille allevatori del Nord bisognava chiedere la fiducia per il decreto sulle quote latte. In queste condizioni, nemmeno santa Maria Goretti [*il cui culto nel Lazio è assai diffuso*] avrebbe vinto le elezioni...»

Gli obietto che mi sembra una fuga troppo smaccata dalle responsabilità di partito, e lui ammette: «Certo, la campagna della Lega è stata solo una delle cause della nostra sconfitta. Aggiungo il nostro rapporto con il mondo cattolico: drammatico. La sottovalutazione di alcune posizioni ha prodotto effetti devastanti. Dissi a Gasparri: non puoi definire "dissennata" la scelta dell'indulto, perché questo atteggiamento ferisce una comunità intera, visto che è stato il papa in persona a chiederlo». (Risponde l'eterno avversario di Storace: «Questo è vero. Ma è altret-

tanto vero che noi abbiamo fasce di elettorato che vogliono una politica della sicurezza improntata alla massima
fermezza e non condividono questo genere di iniziative. E
poi Storace sbagliò nell'attribuire subito a Bossi la colpa
della sconfitta romana. Avrebbe fatto meglio a guardarsi
in casa, visto che avevamo il governo della regione e della provincia». In ogni caso, negli ultimi giorni di luglio An
votò contro l'«indultino», che fino a ottobre avrebbe fatto
uscire dal carcere 1400 detenuti, ma non ne impedì l'approvazione prima delle ferie.) «Sulla guerra» prosegue
Storace «era più difficile per il governo dare ragione alla
Chiesa, ma in certi atteggiamenti ci fu un inutile tasso di
cattiveria.»

C'è stata un'ubriacatura da potere? «Siamo riusciti a con-
traddire Andreotti: il potere logora chi ce l'ha e lo esercita
male. Anch'io mi sono interrogato sui miei errori. Dove ho
sbagliato? Di che cosa non mi sono accorto? Ubriacatura da
potere: ho letto la stessa espressione nei documenti dei Ds
dopo la loro sconfitta nelle elezioni regionali del 2000. Vogliamo usare termini più dolci e parlare di "rilassatezza
istituzionale"?» A questo punto Storace smette di cliccare
sul computer portatile tramite il quale, mentre parla, continua a ricevere messaggi a cui risponde in tempo reale. «Nel
2000 un elettore membro di un'associazione che opera in
campo sociale mi confidò: sapete perché questa volta voto
per voi? Perché un giorno Rutelli mi disse: mi hai rotto i co-
glioni. Mi domando: a quanta gente abbiamo risposto così
una volta raggiunto il potere?»

La sconfitta ebbe l'effetto di scatenare una quantità
esorbitante di mal di pancia a lungo sopiti. Mentre molti
intellettuali e uomini di spettacolo largamente beneficati
da Alleanza nazionale, inseguiti dai giornalisti per le consuete inchieste di mezza estate, per giustificare il rifiuto di
concedere interviste affermarono di trovarsi a quaranta
metri di profondità in mare o a quattromila metri di altezza, altri intellettuali più coraggiosi e garbatamente frondi-
sti come Marcello Veneziani e Giano Accame non ebbero

invece difficoltà a dichiarare al «Foglio» del 1° luglio che «ormai An si è ridotta a essere un partito "evanescente"». «Meglio essere combattuti che accettati, perché ci si scolorisce» rincarava la dose Pierfrancesco Pingitore, patron del Bagaglino e padre della satira televisiva di destra. «Si è buttato nella varechina qualsiasi tipo di indumento, e quindi d'identità, che ora la classe dirigente di An sente perduta ma che è molto difficile recuperare.» Titolo dell'articolo: *Alleanza nazionale si sente logorata dal potere che ha, ma che non usa.* La chiave del pezzo era in questa frase: «Nell'onda recriminatoria di corridoio qualcuno arriva a riassumere che il vero problema di An non sia far dimenticare il proprio passato, bensì non riuscire a essere all'altezza del proprio passato».

Ascesa e caduta dei triunviri

Nei giorni successivi al primo turno elettorale si convenne che la presenza di Fini al governo richiedeva con urgenza che qualcuno mettesse mano al partito. E poiché il partito è letteralmente congelato in tre correnti, la prima idea – per non scontentare nessuno – fu quella del triunvirato: il capogruppo alla Camera Ignazio La Russa avrebbe rappresentato Destra protagonista, la corrente di maggioranza relativa; il capogruppo al Senato Domenico Nania, Nuova alleanza (Matteoli-Urso); Pasquale Viespoli, sindaco di Benevento dal 1993 al 2001, anno in cui era stato contemporaneamente proiettato in Parlamento e al governo come sottosegretario al Lavoro, Destra sociale (Alemanno-Storace). Tuttavia, Fini capì che tre teste, invece di snellire il lavoro del partito, ne avrebbero provocato il passaggio dal congelamento alla surgelazione. E Donato Lamorte, che è più vecchio degli altri e qualche reminiscenza storica ce l'ha per riflesso condizionato, rammentò che Emilio De Bono e Cesare Maria De Vecchi, i due quadrunviri superstiti del regime fascista (Italo Balbo e Michele Bianchi erano morti anzitempo), non avevano portato bene a Mussolini la famosa sera del 25 luglio, di cui di lì a poco ricorreva il sessantesimo anniversario...

Si decise così di aspettare il secondo turno di domenica 8 giugno, e mai giorno di Pentecoste fu più amaro per An e per la Casa delle Libertà: quest'ultima perse il Friuli e il partito di Fini uscì a pezzi dal ballottaggio della provincia di Siracusa, e si rinfocolò la polemica interna sui «candidati sbagliati». «Se il nostro candidato a Siracusa» sbotta Altero Matteoli «ha vinto al primo turno per oltre tremila voti, riportando il 49,4 per cento, ed è stato massacrato al secondo per 38,5 contro 61,5, vuol dire che all'inizio i partiti della coalizione hanno avuto il giusto sostegno e che alla fine è emerso che il candidato era sbagliato.»

Martedì 10 giugno si celebrava la festa della Marina, in memoria della celebre impresa di Premuda, l'isoletta della Croazia al largo della quale, ottantacinque anni prima, Luigi Rizzo affondò la corazzata austriaca *Santo Stefano*. Ma lo stato maggiore di Alleanza nazionale aveva altro per la testa. Appena prima della riunione del comitato esecutivo, che era stato convocato nuovamente, Fini incontrò a quattr'occhi La Russa e gli propose di fare il coordinatore unico del partito e di lasciare l'incarico di capogruppo alla Camera. Lusingato dalla prima proposta, La Russa nicchiò sulla seconda. «Vedi, Gianfranco,» disse «io spendo un mucchio di soldi per tenere aperto a Milano il mio studio con dieci avvocati, che per me è una valvola di sfogo irrinunciabile. So che in qualunque momento dovessi decidere di abbandonare la politica, ho un posto dove andare.» Fini intuì quale sarebbe stato l'epilogo del discorso. «Per la stessa ragione, sarei un coordinatore più forte se accettassi l'incarico fino alle elezioni europee del 2004 e al tempo stesso mantenessi la guida del gruppo parlamentare, nominando un vicario.»

Fini gli ricordò che aveva sempre pensato al ruolo di coordinatore come a una funzione da esercitare a tempo pieno, ma, secondo La Russa, la propria disponibilità a cedere tutti i poteri operativi nella guida del gruppo parla-

mentare alla Camera a un vicario concordato con le altre
correnti indusse il presidente di An a una riflessione positiva. Infatti, la bella deputata milanese Daniela Santanché,
che incontrò La Russa nelle ore successive, ebbe da lui la
netta sensazione che questa proposta fosse stata accettata.
Essa morì invece sul nascere perché Fini aveva posto
un'ovvia premessa: lo scioglimento delle correnti.

Le correnti sopravvissero ai Due ladroni

Nella riunione dell'esecutivo che si svolse subito dopo
l'incontro a quattr'occhi con La Russa, il leader di An non
accennò minimamente al ruolo del coordinatore unico. Si
parlò del rilancio del partito e di una sua maggiore visibilità nel governo: nacque l'idea della «cabina di regia» per la
politica economica. E, per la prima volta, Fini non escluse
una svolta traumatica all'interno della coalizione. «Se la verifica va bene» disse ai capicorrente «resto a palazzo Chigi e
nomino un coordinatore per il partito. Se va male, mi dimetto e torno io qui, in via della Scrofa.»

Dei sei capicorrente, tre erano ministri e uno vicemini-
stro. Capirono che erano impensabili le dimissioni del solo
Fini e in cuor loro non gradirono affatto l'ipotesi di dover
lasciare all'improvviso, nel bel mezzo di una legislatura
tecnicamente inaffondabile, un posto inseguito per cinquant'anni. La Russa suggerì: «Bene, Gianfranco, aspettiamo e vediamo se devi essere tu stesso a riprendere in mano
il partito». Ma l'idea che il posto di coordinatore unico si
stesse allontanando – pur con i rischi e i disagi che tale ruolo comportava – non gli faceva molto piacere. Il solo a non
avere nulla da perdere e tutto da guadagnare dall'operazione era Francesco Storace, che non a caso insisteva pubblicamente perché Fini lasciasse il governo e tornasse alla
guida del partito: un modo netto per dare una scossa alla
coalizione, per far tornare An quel partito di lotta e di governo a lui congeniale e, non ultimo, per evitare che La Russa diventasse coordinatore unico. «Quando gli ho suggeri-

to di lasciare il governo» racconta Storace «Gianfranco mi ha risposto: ma come si fa? C'è la Convenzione europea da portare avanti. Da allora ho cominciato a chiamarla la Convenzione di Ginevra e mi sono dichiarato prigioniero politico. Capisco la partita di Fini: sta accreditandosi come statista in campo internazionale. Ma non dimentichiamo che lo stesso percorso è stato compiuto da D'Alema, e alla fine è andato a casa.»

Quando la riunione si sciolse, Lamorte entrò nella stanza del capo. «Non ci credo» esclamò ridendo. «Non credo che lascerai il governo per tornare qui.» Fini gli rispose con una di quelle frasi brevi e secche che più di altre fanno riemergere l'originaria inflessione emiliana: «Pensaci bene, Donato, e vedrai». Nelle stanze del Palazzo nessuno credette che Fini avrebbe abbandonato davvero l'ufficio proprio mentre lo faceva tinteggiare. Che governo sarebbe stato, quello di Berlusconi, senza il leader del secondo partito della coalizione?

Subito dopo la riunione di vertice fu affrontato, sia pure in modo informale, il problema dello scioglimento delle correnti. La Russa, Storace, Alemanno e Gasparri andarono a cena ai Due ladroni, il ristorante di piazza Nicosia frequentatissimo dai politici, che ha mantenuto orgogliosamente inalterato il proprio nome anche durante la bufera di Tangentopoli. «Constatammo» mi dice Gasparri «che alcuni temi chiave vengono da noi interpretati in maniera disorganica rispetto agli schieramenti di corrente. Prendiamo le pensioni. Io sono più moderato di Alemanno, che è molto più deciso di Storace.» Circa lo scioglimento delle correnti, però, non si combinò nulla. La Russa ritenne che Urso non fosse completamente contrario e che perfino Alemanno si mostrasse possibilista, ma l'opposizione di Storace troncò il discorso (il presidente del Lazio sapeva benissimo che lo scioglimento delle correnti avrebbe fatalmente accresciuto il peso di La Russa e di Gasparri).

Nei giorni successivi, Matteoli, Urso, Alemanno e Gasparri cominciarono a poco a poco a rassegnarsi all'idea che La Russa diventasse coordinatore unico e spostarono il fronte di guerra su chi dovesse sostituirlo come capogruppo alla Camera. La Russa insisteva nel dire che il suo nuovo incarico non costituiva un beneficio per la propria corrente, ma gli altri ovviamente non cambiarono idea. Per non dimettersi da capogruppo, allora offrì il ruolo di vicario a un uomo della Destra sociale: Carmelo Briguglio, giornalista messinese di Furci Siculo, che collabora con il padre nell'azienda famigliare per la lavorazione degli agrumi e dei prodotti della pesca. Ma la proposta cadde, e La Russa temette che Urso, in particolare, volesse opporgli un capogruppo di «rottura», uno, cioè, che interpretasse un ruolo antagonista rispetto al suo. Fu avanzato il nome di un altro dirigente della Destra sociale, Pasquale Viespoli, assai apprezzato da Fini per le capacità dimostrate come sindaco di Benevento. Ma La Russa osteggiò la candidatura dicendo che la sua designazione sarebbe stata uno schiaffo al gruppo parlamentare: Viespoli, oltre a essere – come Briguglio – un deputato di prima legislatura, non si era seduto sui banchi della Camera nemmeno per un giorno, essendo passato direttamente a quelli del governo.

Fu così che si arrivò alla direzione nazionale di fine luglio senza alcun accordo. Nel frattempo gli uomini di La Russa e Gasparri andavano dicendo senza mezzi termini che le cene congiunte di Nuova alleanza e Destra sociale, programmate alla vigilia di quell'appuntamento, erano la copia della riunione all'hotel Bernini di Roma pochi giorni prima del Natale 1989, alla quale avevano partecipato tutte le correnti contrarie a Fini per ordire la congiura che avrebbe portato Pino Rauti alla segreteria del partito. «Urso c'era anche allora. Il suo capo era Domenico Mennitti...»

La Russa entrò sorridente e inatteso

Quando, nei saloni del ristorante Al Vicario, videro entrare Ignazio La Russa, sorridente e inatteso, Adolfo Urso e Domenico Nania avevano appena ordinato l'antipasto di salmone con tagliata di polpo. Era la sera di lunedì 28 luglio 2003 e si sa che, il lunedì sera, i parlamentari sono dappertutto fuorché a Roma. A dire il vero, d'inverno nella capitale, il lunedì sera restano i romani, ma alla fine di un luglio torrido come quello del 2003 – quaranta gradi di media, con i meteorologi che litigavano su quanti secoli fossero passati dall'ultima volta che aveva fatto così caldo – s'erano trattenuti tutti con le famiglie al mare, ai monti o fuori porta. Tutti, tranne gli esponenti di Alleanza nazionale. L'indomani mattina, infatti, Gianfranco Fini avrebbe incoronato Ignazio La Russa coordinatore unico del partito, cioè suo vice. Anzi, di più, perché in genere un vice è vice di qualcuno che fa le cose e si fa solo aiutare dall'altro. Fini, invece, era vicepresidente del Consiglio e aveva ben altro di cui occuparsi che non delle beghe di partito. Alleanza nazionale aveva bevuto un bicchiere di potere di troppo, come del resto Forza Italia e la Lega (anche quelli dell'Udc l'avevano bevuto ma, da vecchi marpioni democristiani, senza raccontarlo a nessuno). In tutta Italia si segnalavano incidenti allarmanti, scontri interni al partito e con i compagni di coalizione, con il rischio che all'intera Casa delle Libertà venisse ritirata la patente di governo.

Dunque, Fini aveva altro da fare e La Russa – sia pure sotto l'alta sorveglianza del presidente di Alleanza nazionale – avrebbe avuto il compito di condurre il gioco nel partito. Ora, finché tale ruolo era stato affidato al compianto Pinuccio Tatarella, il Richelieu di Cerignola, il Gran Consigliere del Capo, uomo di saldi trascorsi missini ma di felpate abitudini dorotee, pazienza. Ma, morto Pinuccio, Fini era sempre stato attentissimo a non designare nessun altro «numero due». Per un brevissimo periodo aveva provato a sparigliare i giochi interni nominando coordinatori del comitato esecutivo (e non di tutti gli organi del partito, come sarebbe avvenuto con La Russa) due giovani dirigenti, Alfredo Mantovano e Manlio Contento, ma l'iniziativa non aveva avuto sviluppi. Fini aveva seguito scrupolosamente il consiglio di Tatarella: nessuna

corrente sia troppo più forte delle altre e il presidente re-
gni su tutte. (Tatarella era stato talmente diabolico da far
nascere, poco prima di morire, addirittura una nuova corrente pilotando una scissione della propria.)

Per capire la genesi di una mossa così ardita, occorre però
risalire alla notte dei tempi, quando il Msi era il Msi e nemmeno il più intemerato dei suoi iscritti osava sperare che un
giorno il partito sarebbe andato al governo. Nel congresso
di Sorrento del 1987, che aveva eletto per la prima volta
Gianfranco Fini segretario, e in quello di Rimini del 1990,
che l'aveva deposto in favore di Rauti, la corrente più forte
si chiamava Destra protagonista ed era capeggiata dal pu-
gliese Pinuccio Tatarella, dal romano Maurizio Gasparri,
dal siculo-milanese Ignazio La Russa e dal piemontese Ugo
Martinat.

Fini era stato designato alla guida del Msi da Giorgio
Almirante con una mossa a sorpresa. E, com'è ovvio, la
cosa non era stata particolarmente gradita né dai vecchi
del partito (per ragioni d'orgoglio), né dai giovani (per ragioni di gelosia). Fu così proclamata una guerra di liberazione dal giovanotto, che vide coalizzarsi forze assai ete-
rogenee. In favore di Rauti, che agli occhi dell'opinione
pubblica rappresentava l'estrema destra del partito ma in
realtà era l'erede del fascismo di sinistra (non va dimenticato che Mussolini nacque socialista), si pronunciarono
uomini della più diversa estrazione, da Franco Servello a
Raffaele Valensise, da Mirko Tremaglia a Pino Romualdi,
da Franco Franchi a Domenico Mennitti, a Enzo Tripodi.
(Della compagnia facevano parte anche Altero Matteoli e
il giovanissimo Adolfo Urso.) Ma la segreteria di Rauti
durò pochissimo, tanto che nel 1991 Fini era già tornato in
sella, rimessovi da Tatarella, La Russa, Gasparri e Martinat. Quanto a Urso e Matteoli, si pentirono della scelta
rautiana e bussarono alla porta di Pinuccio, che li accolse
di buon grado (era il Gianni Letta della destra e non ha
mai detto di no a nessuno), ma constatò che Destra protagonista era diventata troppo grande – più che una corren-

te, era ormai un partito –, al punto da meritarsi il soprannome di «Area vasta».

E l'*Area vasta si restrinse*

«Troppo vasta» disse il diabolico Pinuccio Tatarella. «Così larga che i nostri inevitabili dissensi interni procurano ogni giorno una fetta di consenso in più a quei due furbacchioni di Storace e Alemanno.» Intanto, nel 1994, c'era stato il Big Bang del primo governo Berlusconi, con la partecipazione del Msi (quello, pensate, con tanto di fiamma tricolore), e poi, nel gennaio 1995 a Fiuggi, la nascita di Alleanza nazionale. Il nome fu inventato da un illustre docente universitario, Domenico Fisichella, in alternativa all'ormai defunta, ma allora in gran voga, Alleanza democratica di Ferdinando Adornato. Quest'ultima morì nella culla e il padre cominciò un travagliato percorso che dalle braccia di Eugenio Scalfari lo avrebbe portato in quelle di Silvio Berlusconi. Alleanza nazionale, invece, ebbe successo e Fisichella, che pure vota ormai rarissimamente con i suoi compagni di partito e viene portato in palmo di mano da Massimo D'Alema per la lucidità critica (nei confronti della destra) del suo ultimo libro, se ne tiene ben stretti i diritti d'autore, come quelle vedove di scrittori illustri che, per antipatia verso l'editore delle opere del caro estinto, vorrebbero proibirne la ristampa.

A Fiuggi, Rauti se n'era andato dal partito tra le lacrime di chi intonava l'*Inno a Roma* («Sole che sorgi / libero e giocondo»). Suo genero, Gianni Alemanno, pur tra grandi tormenti, era rimasto, entrando nella Destra sociale di Francesco Storace, che ama Fini come un fratello (ne è stato l'eccellente portavoce) ma dissente da quasi tutto quello che fa. Alemanno, che ha conteso a Gasparri il ruolo di erede di Fini come leader dell'organizzazione giovanile del partito, è tuttora molto forte in questo ambiente, di cui riscuote, insieme a Destra protagonista, i maggiori consensi.

Per impedire a Storace e Alemanno di lucrare più del dovuto sui dissensi interni ad Area vasta, Tatarella pensò di proporre la costituzione di una «cupola» al di fuori delle correnti, che ne regolasse il corso. «Io mi metto in cima alla "cupola"» disse Tatarella. «La Russa e Italo Bocchino [*il giovane e brillante figlioccio politico di Tatarella*] mi danno una mano e gli altri fanno due o tre correnti. Al momento delle decisioni, io tiro le fila della discussione e decidiamo insieme.» Storace e Alemanno si chiusero in un bunker e cominciarono a contare le munizioni, ma la guerra fratricida non ci fu perché Gasparri disse per primo che l'operazione non gli pareva credibile. «Come faccio a staccarmi da Ignazio?» protestò. Infatti, come sa chi ha letto i miei libri, Gasparri e La Russa sono legati dallo stesso rapporto che univa Castore e Polluce, e non si sa mai chi sta nell'Ade e chi sull'Olimpo, giacché i Dioscuri di An, al pari dei loro predecessori mitologici, possono scambiarsi perfettamente le parti.

Così, alla fine del 1998, i maggiorenti del partito si trovarono prima a cena in casa di Italo Bocchino, poi nello studio di Giulio Maceratini, l'allora presidente dei senatori di An, per decidere a tavolino come si dovesse scomporre l'Area vasta. (Le abitudini cambiano: quando si scomposero i dorotei, che erano l'Area larga della Dc, il Tevere s'arrossò di sangue. Qui, al contrario, tutto si svolse nel clima ovattato di un ufficio di palazzo Madama: non per nulla Tatarella veniva chiamato «ministro dell'Armonia».)

Urso propose di mischiare le carte: io sto con La Russa e Matteoli va con Gasparri. Ma Castore e Polluce, sentendo aria di fregatura – sempre incombente quando, in un doppio di tennis, è qualcun altro a formare per primo le coppie –, dissero che Giove non avrebbe consentito una stranezza del genere. Perciò le cose furono sistemate secondo natura: La Russa se ne tornò con Gasparri e Urso andò con Matteoli. La corrente dei primi si chiamò Destra protagonista, quella dei secondi Nuova alleanza. Restava fuori Domenico Nania: venendo dal gruppone di Destra in movimento, non se la sentiva di andare con Urso e Matteoli, e quando incontra Gasparri è come se lo accarezzasse una medusa. Se ne stette allora per conto proprio e fondò una corrente piccolissima, ma molto orgogliosa: Destra plurale. Ora, però, le correnti di An da troppo poche rischiavano di diventare troppe.

Pinuccio Tatarella, purtroppo, era morto per i postumi di un intervento chirurgico e non poteva dispensare i suoi consigli. Prima del congresso di Bologna del 2002 Nania sciolse però la sua corrente e andò con il plenipotenziario abruzzese Nino Sospiri a rinforzare quella di Urso e Matteoli. L'iniziativa fu caldeggiata da Fini in persona, fedele al vecchio proposito suo e di Tatarella di mantenere un certo equilibrio tra le componenti del partito. A Nuova alleanza aderirono anche personalità che si erano mantenute fuori dai giochi di schieramento.

Poiché il congresso di Bologna si svolse in uno spirito unitario, il dosaggio finale delle correnti avvenne a tavolino, sotto la giurisdizione di Matteoli, uomo allora fidatissimo di Fini in quanto capo dell'organizzazione del partito dal 1985 al 2001, allorché diventò ministro dell'Ambiente. In una saletta dell'hotel Baglioni, Matteoli tirò fuori un foglietto con le percentuali e lo mostrò a Gasparri e Storace. Alla fine si convenne che Gasparri-La Russa controllassero il 41 per cento del partito, Matteoli-Urso il 32 e Alemanno-Storace il 27. («Noi di Destra protagonista» precisa comunque La Russa «abbiamo la maggioranza assoluta dei segretari di federazione.»)

Queste erano dunque le forze in campo quando la sera di lunedì 28 luglio 2003 Urso e Nania furono sorpresi da Ignazio La Russa mentre ordinavano l'antipasto al ristorante Al Vicario, nel cuore della Roma politica.

Tre cene in una notte

Quella sera, ciascuna delle tre correnti del partito era riunita a cena in ristoranti diversi. Gli uomini di Destra protagonista avevano preparato le cose in grande, prenotando per un centinaio di persone da Jeff Blind ai Parioli, ma La Russa bocciò il loro progetto. Da coordinatore, disse ai suoi, dovrò adoperarmi per il superamento delle correnti, e una cena così imponente darebbe un segnale esattamente contrario. Si ripiegò dunque su qualcosa di meno appariscente: una quarantina di persone al Boccon di vino, vicino a Montecitorio. Ma poiché l'aria condizionata non funzionava, La Russa entrava e usciva dal ristorante, lasciando Gasparri a tenere la posizione.

Poco prima di uscire dall'ufficio al terzo piano del palazzo dei gruppi parlamentari, il presidente dei deputati di An (un incarico che avrebbe mantenuto fino all'autunno) aveva telefonato a Gianni Alemanno per motivi personali. Alla fine della breve conversazione, quasi incidentalmente gli disse: «Gianni, sto andando a trovare quelli di Nuova alleanza. So che anche voi della Destra sociale vi vedrete a cena. Posso passare a salutarvi? Un conto sono le decisioni politiche, un altro i rapporti personali». («L'ho fatto per svelenire il clima» spiegò poi agli amici.)

La Russa ebbe la netta sensazione che dall'altro capo del filo il suo interlocutore – il quale, nonostante abbia ormai quarantacinque anni e sia uno dei ministri più attivi e rispettati del governo Berlusconi, ha mantenuto il viso e l'espressione di un ragazzino – stesse arrossendo, proprio come avrebbe fatto in gioventù se qualcuno avesse origliato una sua telefonata galante. «Devo chiedere a Storace» rispose infine Alemanno, chiaramente imbarazzato. «Dove v'incontrate?» chiese La Russa. Da quando Fiorello si è fatto carico di curare il restyling della sua immagine, Ignazio La Russa ha visto il proprio volto dai tratti mefistofelici trasformarsi come per incanto nell'effigie di un simpatico ex compagno d'università che si è lasciato crescere barba e baffi in quel modo curioso per saldare una scommessa goliardica, e che poi ci ha preso gusto e se li è tenuti. Tuttavia, quando sentì l'autorevole collega chiedergli in quale ristorante si sarebbe riunita la corrente Destra sociale, ad Alemanno tornarono in mente i versi del *Faust* di Goethe in cui il diavolo la fa da padrone. Così, il ministro delle Politiche agricole e forestali fece finta di non sentire. La Russa, che conosceva perfettamente nome e indirizzo del ristorante, non insistette. «Ti richiamo» concluse Alemanno. Non lo fece, e La Russa non andò.

Non fu scortesia, quella di Alemanno, nei confronti dell'ormai designato coordinatore unico. Il problema era che lui e il suo amico e sodale Storace avevano anche un altro impegno: avrebbero cenato da Edoardo, in via Lucullo, vicino alla storica sede del ministero dell'Agricoltura, quindi avrebbero atteso che gli amici di Nuova alleanza concludessero il loro non lieve desinare per poi incontrarli riservatamente.

La cena di Urso andò per le lunghe. Oltre a Nania e a Sospiri, c'erano diversi dirigenti, tra cui le parlamentari europee Adriana Poli Bortone e Cristiana Muscardini. Altero Matteoli, ospite della Versiliana a Forte dei Marmi, si mantenne in costante contatto telefonico con i promotori dell'iniziativa frondista che sarebbe nata quella notte. Al suo arrivo, Urso accolse calorosamente La Russa, e il deputato fiorentino Riccardo Migliori gli cedette il posto. L'incontro fu breve e cordiale, ma politicamente non servì a cavare un ragno dal buco. Congedato l'ospite, i camerieri del Vicario poterono far seguire al salmone con tagliata di polpo la pasta con i calamari, un pesce in bianco, un budino di fragola e una crostata di frutta fresca, accompagnati da vino rosso, secondo le irrituali abitudini enologiche dell'estate 2003.

A questo punto Urso e Nania introdussero gli argomenti di discussione e, quando si aprì il dibattito, per nulla addolcito dalle delizie culinarie servite, emerse chiaramente che i parlamentari di Nuova alleanza erano molto inquieti per la piega che stavano prendendo le cose. I punti critici erano due. La designazione di La Russa come coordinatore non era stata contestualmente affiancata dalla nomina di un capogruppo gradito alle altre due correnti. E poi, notò qualcuno, Ignazio è stato molto parziale nella conduzione del gruppo parlamentare, e se da coordinatore mostra la stessa parzialità, noi siamo fritti. («Nessuno ha mai avuto il coraggio di dirmi in faccia una cosa del genere» commentò La Russa quando gli furono riferiti i dettagli della conversazione. «L'unico momento di frizione si è verificato con Alemanno allorché dovetti sostituire un suo uomo, Edmondo Cirielli, già maggiore dei carabinieri, che io stesso avevo nominato capogruppo della commissione Giustizia al posto di Enzo Fragalà, perché aveva un pessimo rapporto con Gasparri, e quelli di Nuova alleanza ne lamentavano l'eccessiva durezza.») Lamentela dopo lamentela, quando l'ultima fetta di crostata scomparve dai piatti dei commensali, s'era fatta l'una, ma l'attività degli anti-La Russa ferveva come fosse mezzogiorno.

Poi Urso e Giovanni Collino, coordinatore della corrente, raggiunsero Alemanno e Storace, ed ebbe luogo un'altra lunga discussione. Alle due e mezzo del mattino – mentre gli ultimi tiratardi di quell'estate opprimente cominciavano ad avviarsi sulla strada di casa lasciando che la Roma rinascimentale e barocca risplendesse nella solitudine notturna – Urso propose che le due correnti presentassero sulla questione del coordinatore unico un ordine del giorno, che non volevano però venisse messo ai voti per non andare a una conta e, soprattutto, per non mettere in difficoltà Fini, che aveva designato La Russa. Ma un po' di rumore con le agenzie di stampa ci sarebbe stato comunque.

Quella notte Urso dormì solo quattro ore. Alle otto aveva già steso una bozza di testo e alle nove, dopo aver sentito Nania e Sospiri, si incontrò con Alemanno e Storace al caffè Rosati in piazza del Popolo, distante duecento metri dal Residence Ripetta dove, di lì a un'ora esatta, Fini avrebbe aperto i lavori della direzione nazionale. Il testo di Urso fu ulteriormente analizzato ed emendato dai colleghi e, poco prima che il presidente di An iniziasse a parlare, fu consegnato agli uomini di Altero Matteoli, il meno giovane e il più autorevole dei dissenzienti, perché lo presentasse al momento opportuno.

E Fini, quasi sottovoce, citò La Russa

«È noto che il mio orientamento per il ruolo di coordinatore del partito è sul capogruppo alla Camera Ignazio La Russa...» Erano le 11.17 di quel martedì 29 luglio quando Fini, dopo settanta minuti esatti di relazione, fece il nome da tutti atteso. Non ci fu un applauso e lui, deliberatamente, non lo cercò: citò La Russa in un inciso, quasi sottovoce. Sapeva che la maggioranza assoluta di Alleanza nazionale era favorevole alla sua decisione, ma non voleva frizioni nel partito proprio nel momento in cui lo chiamava alla massima unità e alla massima mobilitazione («La scelta» disse «è largamente condivisa, anche se non unitaria», e del resto, quella stessa mattina, 60 deputati su 99 sottoscrissero un appello a La Russa perché non lasciasse la guida del gruppo parlamentare: la vera risposta del nuovo coordinatore unico agli estensori dell'ordine del giorno Urso-Matteoli-Alemanno-Storace, una prova di forza da parte di chi accettava la sfida). Così evocò «lo spirito del congresso di Bologna come confronto alto di idee e non come tutela di piccole posizioni sul territorio». E poi tagliò corto verso la conclusione: «Abbiamo chiesto i voti promettendo che saremmo stati capaci di governare. Adesso dobbiamo dimostrarlo». Con queste parole guadagnò il primo applauso dopo settantacinque minuti di relazione, mentre il secondo scattò a una battuta che da sola dimostrava quanto grande fosse il disagio all'interno di An: «Vi pare possibile che non si riesca a convocare il congresso giovanile?». E poi concluse: «Il campanello d'allarme c'è stato, nella coalizione e nel partito. Lo abbiamo sentito suonare. Sta a noi capire il segnale».

Nessuno dei capicorrente, per scelta deliberata, era seduto accanto al presidente del partito, che alla sua destra aveva i due eredi più illustri della tradizione missina, Mirko Tremaglia e Franco Servello, e alla sua sinistra il segretario organizzativo Donato Lamorte, il portavoce Mario Landolfi e il segretario amministrativo Francesco Pontone. Gli uomini più influenti del partito erano in platea.

Fini ricevette soltanto due applausi perché non li cercò: il suo non era un comizio e nemmeno un discorso tradizionale, ma una pacata riflessione ad alta voce. E le riflessioni – soprattutto se amare, come questa – sono dirette al cervello, non al cuore.

Nel suo discorso riconobbe che il recente risultato elettorale non era stato «gratificante», bensì «deludente», e identificò in due punti il malessere di cui soffriva la Casa delle Libertà. Innanzitutto «lo squilibrio esistente tra il peso elettorale della Lega e la sua pretesa di essere il crocevia delle iniziative del governo. Se questo squilibrio si protraesse, gli elettori avrebbero una visione della Casa delle Libertà diversa da quella per cui l'hanno votata». E poi «la scarsa collegialità. In una crisi internazionale come quella che stiamo vivendo, la politica economica è la politica stessa del governo. Diventa perciò rischioso assumere senza una consultazione collegiale alcune decisioni economiche con forti ricadute sociali». Rassicurò l'uditorio sulla svolta che era cominciata con la «verifica» e sarebbe proseguita con la legge finanziaria d'autunno, si dichiarò ottimista sulle possibilità di ripresa della coalizione, ma sulle condizioni del partito fu molto duro.

In quei giorni di mezza estate, in cui i settimanali pullulavano di rigogliose fanciulle seminude accompagnate da attori e calciatori senza un filo di grasso, Fini, da sportivo prestante, si chiese: «Siamo in grado di affrontare queste sfide con il partito nella forma fisica attuale? La mia risposta è no. Il partito si è seduto... La nostra base soffre di una crisi d'identità e qualche volta rischia di non capire quanta destra c'è nel governo». Quindi passò a disegnare l'identikit del coordinatore unico e a ribadire la pienezza della delega, temutissima dalle correnti di minoranza: «Egli non può fare quello che lo statuto assegna al presidente. È un numero due? È un numero due. Avrà libertà d'azione, anche se il presidente del partito non rinuncia a essere tale e a esercitare le proprie prerogative». Infine, fece il nome di Ignazio La Russa.

Non ci furono né applausi, né feste. La tensione in sala era palpabile e si riversò negli interventi dei capicorrente. Ma la scena madre non si recitava sul podio. Appena il leader di An ebbe finito di parlare, Sospiri entrò nella sala grande del Residence Ripetta dall'ingresso di sinistra e allungò un foglietto a Matteoli, seduto quasi al centro della platea. Il ministro lo scorse, si alzò e si diresse verso Fini. La mossa non sfuggì a La Russa, che stava accanto a Gasparri. Abbiamo già detto che i due leader di Destra protagonista sono inseparabili come i Dioscuri: pur essendo figli di padri diversi (come Polluce, figlio di Zeus, e Castore, figlio di Tindaro), si muovono all'unisono. Appena vide Matteoli con il pericoloso foglietto in mano, Polluce-La Russa spedì Castore-Gasparri al tavolo della presidenza, replicando la famosa caccia dei Dioscuri al cinghiale di Calidone. «Va' a controllare» lo esortò. «Va' a fare il capocorrente.» Intanto, attorno a Fini si assieparono anche gli altri maggiorenti.

Il presidente lesse in silenzio le sedici righe dell'ordine del giorno firmato da dodici parlamentari di Nuova alleanza e della Destra sociale. Era un testo che La Russa avrebbe potuto tranquillamente sottoscrivere quanto al contenuto – una sommaria analisi del rilancio politico del partito –, ma non per le ultime righe in cui si chiedeva a settembre una riunione degli Stati generali di An, sia per discutere della legge finanziaria sia, soprattutto, per nominare il nuovo capogruppo alla Camera. E furono proprio quelle righe che Fini cancellò con la sua Mont-Blanc nera, per la semplice ragione che egli stesso aveva annunciato la riunione autunnale. L'ordine del giorno non fu messo ai voti, ma per l'intera rovente estate del 2003 restò tra le carte del partito a testimoniare il malessere delle minoranze. Quell'inedita unione tra la destra e la sinistra del partito fu salutata dal «Riformista» del 12 agosto come la nascita del nuovo «correntone» di Alleanza nazionale.

Il «correntone» nacque, in effetti, a Fiuggi nell'ultimo weekend di settembre, dopo una serie di mosse fatte dalle due correnti minoritarie per contrastare il potere di La Russa. Nelle settimane precedenti il nuovo coordinatore s'era sfogato con gli amici, a cominciare da Gasparri, lamentandosi per il peso del suo nuovo incarico, per aver dovuto rinunciare al ruolo di capogruppo e per tutte le incomprensioni nel partito. Gasparri, che temeva l'arrivo di Urso al posto di coordinatore, aveva a suo tempo affettuosamente costretto l'amico ad accettare l'incarico, anche se La Russa ricorda, nei suoi frequenti sprazzi di buonumore, che la spinta decisiva gliela diede un altro amico, il deputato lombardo Marco Airaghi, il quale, nel momento della grande indecisione, gli espose un corollario della legge di Murphy (ispirata a un pilota americano divenuto celebre nel 1947 per aver teorizzato che «se qualcosa può andar male, lo farà»): 1) Non puoi vincere; 2) Non puoi pareggiare; 3) Non puoi abbandonare. E lui si rassegnò al proprio destino.

Nelle pagine precedenti abbiamo visto come Alemanno e Storace avessero cercato di neutralizzare la nomina di La Russa proponendo come presidente del gruppo parlamentare di An Pasquale Viespoli o Carmelo Briguglio. Il secondo era troppo amico di Storace perché Fini lo accettasse, mentre il primo fu liquidato da un avvertimento di La Russa: se optate per lui, io lo voto, ma mi dimetto da coordinatore. Sapeva, infatti, di non poter fare il nome di Italo Bocchino, troppo legato a lui («Anche se avrebbe avuto i voti per vincere»). Quanto a Fini, teneva sempre pronto per quell'incarico il nome del portavoce Mario Landolfi. Fin dal mese di luglio Matteoli aveva invece dato riservatamente il *placet* a uno dei suoi uomini, Gianfranco Anedda, un anziano avvocato sardo alla sua quarta legislatura, che stava bene anche a La Russa. Poco prima della riunione di Fiuggi il nome di Anedda rischiò però di essere bruciato da un'indiscrezione della «Repubblica», che ne attribuiva la candidatura al coordinatore unico. Per paura di cadere in una trappola, Matteoli si raffreddò: il suo risentimento per la nomina di La Russa era tale che un candidato di rottura lo avrebbe parzialmente placato.

I tori del «correntone» alla stanga

Come abbiamo detto, il «correntone» nacque a Fiuggi il 26-27 settembre, o meglio nacque in spirito, perché non portò a una reale unificazione di Nuova alleanza (Matteo-li-Urso-Nania) con Destra sociale (Alemanno-Storace). Gli uomini di La Russa dicono che il «correntone» non è nato perché avrebbe subìto l'immediata scissione di un terzo dei componenti. Vera o falsa che sia questa previsione, non poteva nascere per il semplice fatto che avrebbe «materializzato» una sostanziale rivolta contro Fini. Cosa che, per riconoscimento unanime, in Alleanza nazionale oggi non è pensabile.

In ogni caso, Fini si era premurato di attutire i colpi che sarebbero venuti dalla riunione di Fiuggi. Venerdì 26 settembre, poche ore prima che il seminario si aprisse, il suo segretario particolare, Francesco Proietti Cosimi detto «Checchino», aveva fatto un giro di telefonate tra i maggiorenti del partito pregandoli di passare a palazzo Chigi per le undici e mezzo. Umberto Bossi aveva appena sferrato una nuova serie di attacchi contro «Roma ladrona» e rilanciato Milano come «vera capitale d'Italia», oltre a proporre la fucilazione di tutti i democristiani responsabili dell'attuale disavanzo pubblico.

Gli uomini di An, convocati urgentemente, sembravano un branco di tori chiusi in un recinto, davanti al quale un'anima maliziosa agitava un gigantesco drappo rosso. E la loro inquietudine continuava ad aumentare perché Fini tardava a presentarsi. Finalmente la porta dell'ufficio appena restaurato si aprì e comparve il vicepresidente del Consiglio scortato dal primo ministro in persona. Fini aveva voluto trascinare Berlusconi nel recinto perché si rendesse conto di persona degli umori del branco. Che non erano affatto rassicuranti. (Ah, ci fosse stato Ernest Hemingway a raccontare la scena!) La Russa e Gasparri, accusati sottovoce dai compagni di essere «berluscones», si ritirarono nella *querencia*, il luogo dell'arena in cui il to-

ro si sente più sicuro. Urso, Alemanno, Matteoli ricorda-
vano il ritratto del toro combattente di *Morte nel pomeriggio*: «La gobba di muscolo sulla nuca si aderge a cresta ...
Nessuno può arrivare oltre le corna con la spada».

Il senso dell'«assalto» che seguì fu in sostanza questo: il
nostro elettorato non ne può più della Lega, e tu, caro Silvio, devi farti garante del comportamento di Bossi, se non
vuoi che la situazione ci sfugga di mano. A quel punto si
affacciarono anche Letta e Tremonti, e il cielo da variabile
si rabbuiò, perché Alemanno subì una straordinaria meta-
morfosi mitologica: ritornò infatti il pitbull (detto più elegantemente, bull terrier) delegato da Fini a mordere i gar-
retti del ministro dell'Economia, cominciò ad abbaiare e
non ci fu verso di metterlo a cuccia.

Così tutti arrivarono tardi a Fiuggi, dove i maggiorenti
del «correntone» trovarono nel piatto una base unitaria di
discussione preparata nei giorni precedenti da tre «teste
d'uovo» delle correnti, direttori di altrettanti giornali: Urso e Matteoli erano rappresentati da Gennaro Malgieri,
giovane e brillante direttore del «Secolo d'Italia», e da Federico Eichberg, direttore di «Charta minuta»; Alemanno
e Storace da Marcello De Angelis, direttore di «Area», rivista della Destra sociale.

Matteoli non ebbe la medaglia

Naturalmente la scelta della località di Fiuggi era evo-
cativa: vicino alla celebre fonte nacque nel gennaio 1995
Alleanza nazionale, ed era da lì che i convenuti volevano
ripartire. Urso si chiese perché, a quasi dieci anni dalla nascita del Polo, «la maggioranza sociale del paese è ancora
a destra, mentre la maggioranza culturale è nettamente a
sinistra. Dove abbiamo sbagliato?». (Obiezione: bastano
dieci anni affannosi, controversi e talvolta contraddittori a
invertire una tendenza consolidatasi dal dopoguerra?) In-
vocò anche il passaggio «dalla destra di governo al governo di destra», uno slogan che, in parole povere, significa il

passaggio a una seconda fase operativa in cui sia più riconoscibile l'identità di Alleanza nazionale (e in cui lui faccia il ministro, dicono i più maliziosi tra i suoi avversari). «Proprio in nome dell'identità» mi spiega Urso «è stato possibile mettere d'accordo due componenti che tradizionalmente si collocano ai poli opposti del partito. Noi di Nuova alleanza siamo la destra modernizzatrice, attenta ai ceti produttivi e alle responsabilità istituzionali. La Destra sociale guarda con maggiore attenzione ai ceti più svantaggiati e ai problemi della solidarietà. Ma entrambe le componenti, pur nella lealtà a Berlusconi, concordano nella difesa delle prerogative di autonomia e di identità di Alleanza nazionale.»

«L'autonomia di An è stata troppo compromessa dalle mediazioni» mi dice Alemanno, che invoca come tutti un chiarimento all'inizio del 2004. «Occorre maggiore coerenza progettuale in un governo messo in crisi dall'atteggiamento della Lega.» Già, la Lega. Nania propose seccamente di farne a meno, e Gasparri si permise di obiettare (da lontano) che l'alternativa non è se stare o no al governo con la Lega, ma se stare o no al governo. «Dinanzi alla furia di Matteoli, Urso e Nania» mi confida sardonico Storace «io e Alemanno ci trovammo inopinatamente a rivestire il ruolo dei moderati. In ogni caso, il rapporto con la Lega è lo snodo decisivo. Non abbiamo nessuna ragione per credere che Bossi nel 2005 sarà con noi più gentile di quanto non lo sia ora. Allora, o cambia subito o è inutile tollerare che se ne vada solo al primo turno delle amministrative del 2004 per poi affondare la coalizione nel 2005.» Confortato dai sondaggi che lo vedono riconfermato alla guida della regione Lazio anche alle prossime elezioni, pur in presenza di avversari temibili come Francesco Rutelli e Giovanna Melandri, Storace si fece applaudire a Fiuggi per una delle sue micidiali battute: «Prima o poi arriveremo al governo dell'Italia».

Il più inquieto restò comunque Matteoli, silenzioso come sempre, ma appesantito da un sordo rancore per la nomina di La Russa a coordinatore unico. Fino al luglio 2003 il ministro dell'Ambiente era stato l'uomo di cui Fini si fidava di più. Aveva avuto per un tempo immemorabile la responsabilità dell'organizzazione del partito, prima del Msi, poi di An, e si sa che controllare l'organizzazione significa controllare tutto. Si sentiva dunque, sia pure negli angoli più riposti dell'animo, il candidato naturale al ruolo di coordinatore. Certo, sarebbe stato complicato lasciare il governo, ma quando Fini gli disse, quasi di sfuggita, «perché tu, Altero, non puoi dimetterti da ministro», lui si sarebbe aspettato un passaggio di consegne più formale e vistoso, una medaglia che tutti potessero ammirare e che invece il presidente del partito trascurò di appuntargli pubblicamente sul petto.

La Russa a Fiuggi come De Gasperi a Parigi

La Russa a Fiuggi si sentì come De Gasperi alla Conferenza di Parigi del 1946: «Sento che, al di là della vostra personale cortesia, tutto in quest'aula è contro di me». I giornali parlarono di fischi. In realtà egli ne contò soltanto due. Anzi, un fischio singolo ripetuto due volte all'inizio del suo intervento e un altro fischio singolo ripetuto tre volte alla fine. Vi furono, per la cronaca, anche tre tentativi di applauso abortiti e un applauso sincero quando il coordinatore unico dichiarò che non era più tollerabile che le correnti avessero addirittura la propria carta intestata. La Russa aveva cercato di mettere ordine nel partito fin dalle settimane precedenti. («Non voglio usare le norme disciplinari» precisa «ma ho chiesto alla commissione di disciplina di aiutarmi a scrivere alcune regole di comportamento per evitare che in periferia uno dei nostri parli male di un altro dei nostri sui giornali.»)

A Fiuggi, pur nella freddezza generale, cercò di accattivarsi l'uditorio facendo proprie in gran parte le tesi di Alemanno: ritrovare per An il punto di massima identità senza mettere a repentaglio la compattezza della maggioranza. «I

due anni e mezzo di posizione ragionevole al governo» disse «sono serviti a eliminare due pericolosi luoghi comuni:
Fini è bravo, ma non ha legittimazione europea; Fini è bravo, ma il suo partito è privo di una classe dirigente. Bene,
abbiamo dimostrato che a livello internazionale Fini è ormai più credibile di tanti altri e che i nostri ministri sono in
gamba.» («E se a Fiuggi la tesi prevalente sulla Lega è stata:
meglio che se ne vada» mi spiega La Russa «la mia posizione, e quella di Fini, è di lavorare perché rimanga al governo,
senza considerare obbligatoria la sua presenza.»)

Il coordinatore ebbe, tuttavia, la certezza di aver vinto
la sua battaglia quando giovedì 2 ottobre fu nominato
presidente dei deputati di An Gianfranco Anedda, membro – come abbiamo detto – della corrente di Urso e Matteoli, ma garantista e stimato dall'intero partito. Fu una
battaglia durissima, perché si svolse mentre alla Camera
un gruppo compatto di trentacinque franchi tiratori mandava in minoranza per ben due volte il governo sulla legge Gasparri. La Russa, com'è ovvio, tende a ridimensionare il contributo del suo partito all'agguato, ma riconosce
che la sostanza della polemica interna «si è giocata sui
"berluscones", sulla legge che si presumeva interessasse i
"berluscones", cioè il gruppo mio e di Gasparri». E mi
confida: «Questa non è stata un'operazione molto bella,
perché quando c'è da fermare Berlusconi su qualcosa che
non ci piace, dal Cavaliere non ci va nessuno di quelli che
dicono di non amarlo. Andiamo sempre io e Gasparri. Se
si tratta di andargli a dire che non vogliamo la separazione delle carriere dei magistrati, ci vado io. Sono io a litigare con Forza Italia a Milano per non farci mettere i piedi
sulla faccia, io a organizzare la manifestazione del 9 novembre 2003 a Milano sull'identità nazionale senza coinvolgere gli alleati. Gli uomini che più di tutti si battono
per sfatare il mito di una sudditanza che non c'è siamo io
e Gasparri».

La nomina di Anedda è stata per la «gestione» di La
Russa la classica ciambella riuscita con il buco perfetto,

anche se il capolavoro porta la firma di Gianfranco Fini. In luglio, come sappiamo, La Russa aveva cercato di mantenere il ruolo di capogruppo, sia pure depotenziato, e avrebbe accettato come vice con pieni poteri perfino lo storaciano Briguglio. Aveva addirittura proposto alle altre due correnti di mettergli contemporaneamente alle costole come vicecoordinatori due uomini di loro gradimento. Ma i suoi avversari all'interno del partito avevano rifiutato, puntando su un capogruppo di «contrapposizione». Un candidato di mediazione poteva essere Mario Landolfi, estraneo alle correnti, amico di Fini e già presidente della commissione parlamentare di vigilanza sulla Rai. Storace sarebbe stato pronto a votarlo («Se Fini ce lo chiede...»), ma Alemanno non gli perdonava di aver fatto alla direzione nazionale di fine luglio un discorso favorevole all'abolizione delle correnti e Matteoli sospettava che fosse troppo vicino a Destra protagonista, dalla quale peraltro era uscito due anni prima quando era stato nominato portavoce del partito.

A quel punto scattò l'operazione Anedda. La Russa, che vi aveva sempre puntato, fece circolare la voce che sarebbe stato eletto con 60 voti su 99 anche senza l'indicazione ufficiale di Nuova alleanza (Urso-Matteoli) a cui apparteneva: l'avvocato sardo avrebbe ottenuto i 44 voti di Destra protagonista (Gasparri-La Russa), quelli dei cinque parlamentari amici di Fini e non schierati (fra cui Donato Lamorte e Andrea Ronchi), e quelli di una dozzina di parlamentari di Nuova alleanza suoi amici personali. Matteoli rischiava così di veder eletto un proprio uomo senza averlo «battezzato», con una pericolosa spaccatura della propria corrente. Alemanno chiese invano di congelare per alcuni mesi la situazione, ma Fini volle dimostrare a tutti (anche a Berlusconi) di avere il partito saldamente in pugno e di potere con un sol gesto vanificare mesi di manovre. Sacrificò Landolfi (che pronunciò un magnifico discorso di rinuncia) e indicò Anedda, spiazzando Destra sociale. A quel punto l'avvocato fu eletto quasi all'unani-

mità (90 voti su 94 votanti). Storace non accettò che tutti e
tre i capigruppo (Camera, Senato, Parlamento europeo)
fossero appannaggio di Nuova alleanza e si dimise rumo-
rosamente dall'esecutivo di An. Non aggredì pubblicamente Fini per non rompere una vecchia e solida amicizia,
ma dall'indomani apparve in rete un sito (www.diqualco-
sadidestra.it) che si propone di stimolare dall'interno il rilancio dell'identità del partito.

«Ovunque ci sia una tana di femmina c'è lui»

La nomina di un capogruppo gradito a La Russa atte-
nuò i contrasti nel partito, nonostante la protesta di Storace. D'altra parte, è indubbio che il gioco delle correnti
avesse paralizzato Alleanza nazionale (Fini fu colpito dal
titolo a tutta pagina che «Il Tempo» aveva dedicato alla
direzione nazionale del 29 luglio: *An è già diventata una
piccola Dc*). Serviva quindi qualcuno che ne riprendesse in
mano le redini, e questo qualcuno poteva essere soltanto
La Russa (anche se Matteoli, come abbiamo visto, non ne
ha mai digerito la nomina), dato che Gasparri – a suo tempo numero tre del partito, dopo Fini e Tatarella – era ministro. «Sarebbe diventato (ugualmente) coordinatore di An
senza la popolarità regalatagli dal popolarissimo Fiorello?» si chiese maliziosamente Filippo Ceccarelli sulla
«Stampa» del 30 luglio. Certo, quel «digiamo», quello spar-
tire ogni parola tra i dialetti siculo e milanese, ne ha rinnovato l'immagine. In un mondo dominato dalla comunicazione televisiva, La Russa «buca» lo schermo. Non attacca
mai per primo l'avversario, ma appena si profila una
schermaglia vi si tuffa con barba e baffi («*A Bin Laden!*» lo
apostrofò un romanaccio all'uscita di un locale), come faceva una volta la sua femmina di cane lupo, evocata da
Ceccarelli perché negli anni duri delle botte tra neri e rossi
«aveva imparato da sola a reagire non appena sentiva la
parola "compagni" mettendosi subito a cercare e ad ac-
chiappare quelli con l'eskimo».

Per La Russa il giorno è fatica e la notte è vita. Non c'è locale alla moda in cui non abbia messo piede e «ovunque ci sia una tana di femmina c'è lui», come scrisse sul «Foglio» il suo brillante conterraneo Pietrangelo Buttafuoco. In autunno non ha cambiato abitudini, malgrado temesse che il nuovo incarico l'avrebbe sfiancato. I sondaggi, anche quelli custoditi gelosamente in un cassetto, lo premiano. Ha cominciato a lavorare per «restituire ad An un'identità più forte», convinto che «la maggiore velocità di An assicurerà maggiore velocità al governo, ora che il partito si è conquistato la credibilità per farne parte».

Lo stesso Urso, che pure ha cavalcato la rivolta d'autunno, non vede tutto nero: «Chi avrebbe detto tre anni fa che Alleanza nazionale sarebbe stata un partito di garanzia istituzionale? Fini ha conseguito la piena legittimazione europea. Adesso dobbiamo dimostrare la capacità di governare la politica economica».

E Storace, la «pancia» del partito? «Aspetto che nell'acqua di An tornino le bollicine» borbotta. «A chi mi chiede di incontrarmi per parlare del partito dopo la sconfitta rispondo: non venire tu da me, riunisci dieci amici e vengo io a trovarvi.» Poi tira fuori il rospo della débâcle romana: «Gasbarra ha preso nella città di Roma 660.000 voti, il 28 per cento degli elettori. Questo non toglie naturalmente legittimità alla sua elezione, ma dimostra che noi abbiamo un mare enorme da riattraversare. Altro che città rossa...». E conclude, sognando di conquistare il Campidoglio nel 2006: «Chissà che un giorno l'imbattibile Veltroni non possa essere battuto».

Torniamo da Fini, nel salotto d'angolo della bella stanza che da palazzo Chigi domina la gigantesca colonna fatta erigere da Marco Aurelio per celebrare la vittoria contro Marcomanni, Quadi e Sarmati, nel II secolo dopo Cristo. Nonostante le scaramucce estive, è convinto che la «verifica» abbia tenuto. «Tremonti ha accettato che per la prima volta ci fosse collegialità nella stesura del documento di programmazione economica e nella stessa legge finanziaria d'autunno. Ha accettato che Alemanno e Buttiglione lavorassero con lui. E si è ristabilito il principio che il dialogo con le parti sociali è una strada obbligata. Al tempo stesso, Berlusconi ha rassicurato Bossi che la maggioranza avrebbe rispettato i patti sulle riforme, ma gli ha fatto capire che cosa esse sono con esattezza, e che la Lega non ha il diritto di dettare l'agenda del governo. Bossi ha accettato il principio che la devoluzione vada collocata all'interno di un grande disegno comprendente l'elezione diretta del premier e relativi poteri, la Corte costituzionale federale, cioè allargata alle regioni, e il Senato delle regioni. Ora, se riscrivi da capo tutta la seconda parte della Costituzione, non importa in quale articolo venga inserita la tutela dell'interesse nazionale. Il rischio starebbe nel ridurre la devoluzione a tre righe, o lasciare in piedi il federalismo dell'Ulivo, che è molto peggiore di quello immaginato da Bossi. Sono andato a rivedermi i lavori della commissione Bicamerale per le riforme. La commissione aveva inserito il concetto di interesse nazionale nell'organizzazione del nuovo bicameralismo (Camera e Senato delle regioni), cioè in un luogo istituzionale. Benissimo.»

Voto agli immigrati, partito spiazzato

«Per chiudere: noi avevamo posto due problemi. La Lega ha il diritto di essere rispettata se rispetta gli altri alleati. Non deve minacciarci e, se decide di andarsene, nessuno la rincorrerà. Il governo deve operare nella collegialità, perché in questo periodo la politica economica *è* la politica. Da un punto di vista metodologico, abbiamo raggiunto entrambi i risultati.» Nonostante Bossi in autunno abbia ripreso a martellare gli alleati, la proposta avanzata in ottobre da Fini di concedere il diritto di voto amministrativo agli immigrati regolari che vivono e pagano le tasse in Italia – di cui abbiamo parlato nel capitolo X – ha dimostrato la volontà di Alleanza nazionale di riprendere la piena libertà d'iniziativa. «All'assemblea dei deputati che

ha eletto Anedda capogruppo» mi dice Fini «ho fatto mie
le preoccupazioni espresse nel seminario di Fiuggi. Siamo
tutti perfettamente consapevoli che ormai il rapporto con
la Lega investe il nostro stesso rapporto con Berlusconi e
con l'alleanza di governo.» E soprattutto al presidente del
Consiglio, come abbiamo visto, era diretta la proposta sul
voto agli immigrati: anche i massimi dirigenti di An restarono di sale e impiegarono alcune settimane per discutere, talora molto criticamente, sulla svolta compiuta dal loro leader in assoluta solitudine.

La soddisfazione dell'ultimo giorno

Il peso, ormai lontano, della sconfitta elettorale è stato
per Fini sensibilmente addolcito dall'eccellente risultato
personale ottenuto come rappresentante del governo italiano nella Convenzione europea incaricata di predisporre
la bozza della nuova Costituzione continentale, approda-
ta alla conferenza intergovernativa tenutasi a Roma nel-
l'ottobre 2003. Qualcuno ha visto nel naturale gradimento
espresso da Fini per i pubblici e calorosi apprezzamenti
rivoltigli da Giuliano Amato, vicepresidente della Convenzione, il ricorrente complesso di inferiorità – ieri della
Dc, oggi del centrodestra – nei confronti della sinistra. Chi
è appena uscito da una *conventio ad excludendum* durata
cinquant'anni, il figlio e l'erede diretto di una generazione
politica esclusa per mezzo secolo dal cosiddetto «arco costituzionale» della Prima Repubblica, non può non essere
orgoglioso di aver partecipato da protagonista alla stesura della nuova Costituzione europea e non può non essere
sensibile agli apprezzamenti del «nemico» di ieri.

Ma, oltre al fumo, Fini ha portato nella casa di Alleanza
nazionale un fior d'arrosto politico. «Per me» ammette «la
Convenzione è stata la pagina più bella di questi due anni
alla guida del paese. Rappresentare il governo italiano significava rappresentare una tradizione europeista a tutti
nota: tradizione che non è venuta meno e che abbiamo di-

feso, dimostrando quanto fossero arbitrarie le prevenzioni che più d'uno ha avuto sull'europeismo del centrodestra. I complimenti del presidente Giscard d'Estaing e del vicepresidente Amato non erano diretti alla mia persona, ma al governo italiano.»

E aggiunge: «Quando, nella prima bozza presentata da Giscard, il numero delle materie che non avrebbero più richiesto un voto unanime, come accade ora, ma la semplice maggioranza degli Stati membri era relativamente ridotto, gli interventi più convinti per allungare l'elenco sono venuti da parte italiana. Mi ha colpito che tutta la nostra squadra giocasse la stessa partita, indipendentemente dalle posizioni politiche: da Dini a Follini, da Spini a Tajani, dalla Muscardini alla Paciotti a Speroni. L'unico momento polemico fu quando feci accogliere un emendamento per sostituire l'aggettivo "comunitario" con l'aggettivo "federale". Non si trattava di una concessione a chi, come Bossi e Tremonti, temevano la nascita di un superstato europeo. Fin dall'inizio dei lavori della Convenzione fu infatti chiaro che non si trattava di costituire una confederazione di Stati, ma un'unione di Stati sovrani. Questa è storicamente la posizione inglese, e noi constatammo che i nuovi paesi membri dell'Unione, usciti dalla lunga stagione del comunismo, non volevano rimettere in discussione la loro ritrovata identità».

La soddisfazione maggiore, però, Fini l'ha avuta l'ultimo giorno. «Ricordo che, quando feci il mio primo intervento all'inizio della Convenzione, non volava una mosca. Tutti volevano capire come si muovesse la destra italiana. Sedici mesi più tardi Giscard ha chiesto che gli interventi finali fossero pronunciati in piedi per conferire alla conclusione dei lavori maggiore solennità. Parlai per ultimo. E l'applauso a scena aperta che ricevetti fu una straordinaria soddisfazione personale, ma soprattutto un grande successo per il governo che rappresentavo.»

All'inizio di ottobre, nei giorni della Convenzione, Fini ha incassato altri consensi. Dopo averlo incontrato, il vice primo ministro israeliano Ehud Olmert ha detto: «Fini verrà in Israele e sarà nostro gradito ospite». «È tutto a posto» mi conferma il presidente di An «ma con quel che sta accadendo in Medio Oriente la data del viaggio è legata a circostanze imprevedibili.»

C'è ancora un punto importante da toccare nella nostra conversazione con Fini: il caso Sofri, dopo la decisione del ministro Castelli di rifiutare un'iniziativa autonoma del Guardasigilli in favore del detenuto. «I soli che hanno il diritto costituzionale di intervenire su questa materia» mi dice il leader di An «sono il capo dello Stato e il ministro della Giustizia. È del tutto inutile premere in un senso o nell'altro su decisioni che fanno capo a loro. Non apprezzo l'azione incessante condotta da una certa lobby amica di Sofri, e non partecipo a gruppi di pressioni di segno diverso. Considero il mio personale giudizio ininfluente e vorrei che tutti si comportassero così.»

È circolata l'idea di accoppiare alla grazia a Sofri quella ai «terroristi neri» Francesca Mambro e Giusva Fioravanti. «È una clamorosa sciocchezza» obietta Fini. «Ci manca soltanto di lottizzare le grazie: uno di destra e uno di sinistra, un tangentista e un altoatesino. Dimenticando che la grazia è un provvedimento individuale.»

XII

Il Muro di Berlino tra Bossi e Follini

La Pentecoste di Lorenzago

Mercoledì 20 agosto 2003, centoventidue giorni dopo la Pasqua, la Casa delle Libertà ebbe la sua Pentecoste, inattesa e miracolosa come quella che colse nel Cenacolo gli apostoli e la Vergine quarantanove giorni dopo la resurrezione del Signore (*Atti degli Apostoli* 2,1-4). Le lingue di fuoco dello Spirito Santo si posarono sulla testa di quattro parlamentari di partiti diversi, provenienti da regioni diverse, e con storie politiche e personali diverse: Roberto Calderoli, bergamasco, chirurgo maxillofacciale, vicepresidente del Senato e uomo di fiducia di Umberto Bossi; Francesco D'Onofrio, salernitano, professore universitario di diritto costituzionale, presidente dei senatori dell'Udc; Domenico Nania, messinese di Barcellona Pozzo di Gotto, avvocato, presidente dei senatori di Alleanza nazionale; Andrea Pastore, pescarese di Caramanico Terme, notaio, senatore di Forza Italia e presidente della commissione Affari costituzionali del Senato.

Quando «furono tutti pieni di Spirito Santo», gli apostoli ebbero il dono di potersi esprimere in lingue diverse. Nella loro Pentecoste, i dirigenti della Casa delle Libertà furono beneficati da un prodigio di segno opposto, ma parimenti eccezionale: giunti nel luogo del ritrovo parlando lingue diverse, d'un tratto scoprirono di esprimersi nella stessa lingua. Dunque, si intesero perfettamente, e la CdL fu rischiarata da un inatteso quanto importantissimo raggio di luce, dopo un immemorabile periodo di tenebre in cui si udiva soltanto il doloroso stridor di denti del cavalier Silvio Berlusconi.

Come tutti i miracoli, anche questo avvenne in un posto tranquillo e modesto: una baita di Lorenzago di Cadore, il paese in provincia di Belluno scelto non a caso per molti anni da Giovanni Paolo II per trascorrervi le brevi vacanze estive e approvato da Umberto Bossi, che ogni tanto vi fa tappa durante le sue scorribande in bicicletta sulle Dolomiti.

Il primo a veder brillare sulla propria testa la fiamma divina fu Francesco D'Onofrio. Il professore è persona tutt'altro che noiosa, ma tiene moltissimo alla forma (non sappiamo che pigiami indossi per coricarsi, ma tutto lascia supporre che siano scuri e rigati). E, come tutti i professori, ama ascoltarsi. Così, quando inizia a parlare ci prende gusto, al punto che continuerebbe all'infinito in quel suo eloquio chiaro, forbito, fluente: un torrentello che diventa fiume, un fiume che esplode in un delta gigantesco, che fa tutt'uno con l'oceano. Eppure, allorché qualche eroico interlocutore si prova ad arrestare un flusso così impetuoso, il professor D'Onofrio si ferma di colpo, come quando cede il passo a una signora, e non s'adombra affatto. Perché il professore è mite, e da buon democristiano, cerca sempre la mediazione. (Anche se di questi tempi, essendo minoranza nella maggioranza, i democristiani della Casa delle Libertà possono finalmente prendersi qualche «boccata d'aria», e godersi i complimenti di quei comunisti che per cinquant'anni li avevano insultati.)

Quel 20 agosto il senatore professor Francesco D'Onofrio arrivò alla baita di Lorenzago indossando un gessato scuro. Rimirandolo dalla testa ai piedi in quell'abbigliamento così formale e così cittadino, valligiani e turisti dovettero pensare che quel signore dall'educata inflessione meridionale fosse giunto in Cadore per fare il testimone di nozze a qualcuno o per tributare l'estremo saluto a un amico scomparso. Infatti Calderoli, che da padano faceva gli onori di casa ai colleghi «terroni», lo accolse in braghe corte, mentre Nania e Pastore, senza cravatta e con una giacchetta sportiva, lo guardarono perplessi. «Come al solito, quelli dell'Udc vogliono distinguersi» si dissero, e temettero di aver compiuto un viaggio a vuoto.

Quel viaggio era stato di fatto imposto quasi un mese prima da Berlusconi in persona. «Incalzato da una richiesta di verifica politica che non voleva fare» mi spiega D'Onofrio «il Cavaliere scrisse una lettera ai segretari dei quattro partiti. Vi ricordo, diceva, che il programma di governo della Casa delle Libertà comprende la devoluzione, la sostituzione del Senato attuale con un Senato federale, la riforma della Corte costituzionale integrata da membri designati dalle regioni e il rafforzamento dei poteri del primo ministro eletto direttamente dai cittadini. Ritengo che il governo debba presentare a metà settembre proposte di legge su questi temi e vi prego di designare un rappresentante di ciascun partito perché venga trovato tempestivamente un accordo.»

Berlusconi diede a Bossi un foglietto

Berlusconi si era mosso soprattutto a causa delle pressioni di Bossi, il quale gli aveva detto di voler andare alle elezioni regionali del 2005 con la riforma costituzionale già attuata, e aveva stilato il seguente calendario: a metà settembre 2003 il Consiglio dei ministri avrebbe approvato la riforma «monoblocco» (cioè le quattro riforme insieme, senza lo «spezzatino» voluto dall'opposizione); entro la fine dell'anno essa sarebbe stata votata dal Senato, entro l'aprile 2004 dalla Camera, quindi di nuovo dal Senato in settembre e ancora dalla Camera per il voto definitivo prima di Natale (le leggi di riforma costituzionale, infatti, richiedono il doppio voto in ognuna delle Camere). Era a questo programma che faceva riferimento il foglietto firmato da Berlusconi (che pubblichiamo in appendice) con cui Bossi si presentò davanti alle telecamere.

I quattro rappresentanti designati da ciascun partito, dopo essersi incontrati un paio di volte a Roma nella sede del ministero per le Riforme, si trovarono – come abbiamo detto – il 20 agosto 2003 a Lorenzago in una baita invisibile dalla strada e difficilmente individuabile da chi non ne conoscesse l'esistenza. Dotata di lampade ad acetilene e di un piccolo gruppo elettrogeno, con un soffitto così basso che il solo Nania non aveva paura di battere la testa, era una piccola costruzione a due piani attrezzata perfettamente per i pasti (c'era una grande cucina dove Aldo Brancher, sottosegretario di Forza Italia, ma aiutante di campo del Senatùr, avrebbe preparato ogni giorno la polenta, sempre con farine diverse), ma priva di letti, sicché il gruppo era alloggiato nell'albergo Trieste, in paese. L'hotel era decoroso e forse avrebbe meritato una stella in più dell'unica di cui era accreditato. Quando D'Onofrio salì al secondo piano e constatò che nella sua stanza, la 210, il lavabo e la doccia erano forniti d'acqua calda, sapeva che qualcuno dei suoi colleghi era costretto a lavarsi con l'acqua fredda. Pensò che non fosse un caso: l'albergatore di Lorenzago – patria del laicissimo Giulio Tremonti (metà degli abitanti portano il suo cognome) e, come abbiamo visto, luogo approvato da Bossi, che non è certo un sacrestano, come sede dell'incontro dei quattro – era cattolico e, senza esporsi formalmente, aveva voluto lanciare al senatore dell'Udc un tacito segnale di solidarietà, come usava tra i cristiani al tempo di Nerone.

In paese arrivarono anche Bossi e Tremonti, ma tutti ricordano che la loro presenza fu assai discreta, come peraltro quella di Brancher. Erano presenti inoltre alcuni funzionari governativi, che svolsero egregiamente il compito tecnico di stesura dei documenti: il Senatùr aveva fatto arrivare dal suo ministero i fidatissimi Luigi Ciaurro e Claudio Tucciarelli.

Sarà stato per il gessato di D'Onofrio («classico rigato agrigentino stile Prima Repubblica» precisa l'interessato) di contro alle braghe corte di Calderoli, ma, come si è detto, all'arrivo del professore gli altri tre «saggi» – così vennero definiti dai giornali – non nascosero la loro perplessità («Ci manca solo il mafioso» chiosò acidamente qualcuno). Sarà il regista, si chiesero, o farà saltare il tavolo? D'Onofrio volle stupire tutti. Sapeva che alla Lega interessa la devoluzione, a Forza Italia il Senato federale, ad An un sistema di potere centrale che evochi in qualche modo il presidenzialismo e all'Udc il ritorno, sia pur parziale, al voto proporzionale. Se ciascuno avesse tirato la coperta dal proprio lato ignorando le esigenze degli altri, l'incontro di Lorenzago sarebbe fallito ancor prima di cominciare. Allora il professore, da vecchio democristiano, tirò fuori un «preambolo», analogo a quello inventato nel 1980 da Carlo Donat-Cattin per promuovere il cartello di correnti democristiane che portò Flaminio Piccoli alla segreteria del partito.

«Non sono disposto a passare all'esame di nessun tipo di articolato» disse il pomeriggio del 20 agosto «se siamo qui a rappresentare quattro partiti che si dividono, e non decidiamo invece, una volta per tutte, di restare insieme in un pieno clima di collaborazione per completare questa legislatura e, possibilmente, per vincere anche nella prossima.» D'Onofrio vide gli altri tre scambiarsi sguardi incuriositi e andò al sodo: «Per capirci, voglio sgomberare il campo dal sospetto che noi dell'Udc vogliamo cacciare la Lega dal governo e che Pier Ferdinando Casini stia guidando un'operazione per sganciare il nostro partito dalla maggioranza non per fare un ribaltone, ma magari per guadagnarsi un contributo del centrosinistra alle prossime elezioni del presidente della Repubblica». («Forzai oggettivamente i limiti del mio mandato» mi racconta D'Onofrio «ma era necessario un colpo d'ala.»)

«Anche se ci dovessimo ammazzare...»

«Noi non siamo i protagonisti del federalismo» chiarì il senatore dell'Udc «ma lo accettiamo in un'ottica solidaristica e, in ogni caso, vogliamo dimostrare che devoluzione e

interesse nazionale possono convivere. Noi non siamo pre-
sidenzialisti, ma ci rendiamo conto che il Parlamento così
com'è permette ai deputati e ai senatori, dopo le elezioni, di
muoversi come vogliono, mentre sarebbe giusto che il Parlamento fosse vincolato alle decisioni degli elettori. L'Udc è
pronta a fare tutti i passi necessari, a patto che le istituzioni
di garanzia costituzionale non vengano sopraffatte da una
maggioranza che diventi proprietaria di tutto, dalla magistratura alla Corte costituzionale.» Se Silvio Berlusconi a-
vesse ascoltato l'ultima parte di questo discorso, sarebbe
saltato sulla sedia. Egli è proprietario di molto e non gli di-
spiacerebbe affatto esserlo di tutto, ma sa bene che nessuna
riforma costituzionale riuscirebbe a fargli mettere le mani
su una magistratura che non gli è amica, per usare un eufemismo, e su una Corte costituzionale che, almeno nella
composizione attuale, non gli ha mai dato ragione.

Ascoltato il preambolo di D'Onofrio, gli altri convennero che le cose si mettevano meglio del previsto e decisero
di procedere speditamente. «A ogni buon conto» chiarì
Nania, esibendo la secolare diffidenza sicula, «anche se ci
dovessimo ammazzare, fuori di queste mura non dovrà
uscire una sola parola.» Tali buone intenzioni furono fa-
vorite dal fatto che all'interno della baita i cellulari non
funzionavano e non era stato difficile depistare i giornalisti. Così, tra una polenta di Brancher e un piatto di affetta-
ti e di formaggi alpini, i lavori di Lorenzago si svolsero in
maniera sorprendentemente fulminea.

I punti più delicati e controversi furono l'attuazione del
federalismo e la quantità di potere da attribuire al primo
ministro. Nania e Calderoli si scontrarono sulle commissioni permanenti del futuro Senato federale. La Lega chiedeva che fossero articolate non per materie, come accade
adesso, ma per aggregazioni territoriali, le famose «ma-
croregioni» di cui parlò per prima, molti anni fa, la Fondazione Agnelli. Il presidente dei senatori di An si oppose
fermamente. «E che facciamo?» sibilò al vicepresidente leghista del Senato «La Padania contro lo Stato pontificio e

il Regno delle Due Sicilie? Se una notizia di questo genere uscisse sui giornali, ci farebbe perdere un altro 10 per cento secco.» Nania si lasciò andare a questo sfogo all'aperto e tremò nel vedere che l'inviata del «Corriere della Sera», Monica Guerzoni, era riuscita a individuare la baita e s'aggirava nel bosco vicino.

Su questo punto D'Onofrio colse in contropiede i colleghi e soprattutto il senatore di An, offrendo a Bossi un appiglio costituzionale. «Nella Costituzione del 1947» disse «è previsto che le regioni possano unirsi in consorzio tra loro per formare organismi comuni. Quindi, nessuno scandalo se lo facciamo anche adesso.» («È un'ipotesi già prevista dalla revisione costituzionale fatta dal centrosinistra nel 2001 [*Articolo 117, penultimo comma: "La legge regionale ratifica le intese della Regione con altre Regioni per il migliore esercizio delle proprie funzioni, anche con individuazione di organi comuni"*]. «Non vedo niente di male» mi dice Calderoli «a che si costituiscano commissioni per i problemi del Mezzogiorno dove s'incontrino le regioni meridionali, o per quelli del bacino del Po che vedano insieme Piemonte, Lombardia e Veneto.» «Il problema» aggiunge D'Onofrio «è di garantire l'efficienza del sistema senza cadere nella frantumazione dello Stato. Se si tratta di unire le regioni per risolvere i problemi, per esempio, del bacino del Po, allora va bene. Ma se c'è il dubbio che una simile articolazione faccia rinascere la Padania sotto altre spoglie, allora non se ne fa niente.») L'ipotesi fu comunque votata da tutti tranne che da Nania (An pose una riserva formale), il quale però fu rassicurato da Tremonti sul fatto che Bossi non avrebbe insistito più di tanto su questo punto al momento della discussione parlamentare.

L'Udc andò invece in minoranza sui nuovi poteri da assegnare al presidente del Consiglio, eletto dai cittadini attraverso la designazione sulla scheda, come informalmente si è verificato nel 1996 per Prodi e nel 2001 per Berlusconi. Lo scontro tra i quattro di Lorenzago avvenne sul potere di scioglimento delle Camere, che in altri paesi è il vero punto di forza del primo ministro. La bozza di discussione preparata dal ministero per le Riforme (cioè da Bossi) prevedeva poteri forti, ma l'Udc si mise di traverso. La tesi di D'Onofrio era questa: «Se avessimo adottato il sistema di elezione diretta del solo capo del governo, egli sarebbe giustamente l'arbitro assoluto dello scioglimento delle Camere. Ma avendo preferito scegliere insieme il leader e la sua squadra di governo, lo scioglimento dovrebbe essere concordato tra il primo ministro e la sua maggioranza, onde evitare, per ipotesi, che il premier lo chieda per cambiare la maggioranza».

Il senatore dell'Udc temeva «uno sbandamento iperpresidenzialista», sicché suggerì di temperare la norma. «Attingendo a un'ipotesi avanzata dal professor Angelo Maria Petroni, consulente di Tremonti per gli affari istituzionali» mi dice «proposi che il primo ministro potesse chiedere di sciogliere le Camere solo se sostenuto dal 40 per cento dei parlamentari. A mio giudizio sarebbe stata la soluzione migliore.» Proprio sui poteri di scioglimento delle Camere, D'Onofrio immagina che si possa aprire un dialogo con l'opposizione, di cui non è stata invece presa in considerazione (nemmeno da parte dell'Udc) la richiesta di sottoporre al referendum confermativo previsto per la primavera del 2005 (in piena campagna elettorale per le regionali) i quattro capitoli della riforma costituzionale separati l'uno dall'altro.

«Se togliamo un po' di potere a Berlusconi...»

L'altra proposta di D'Onofrio – «Il premier chiede lo scioglimento delle Camere e il capo dello Stato decide» – fu invece abbandonata subito perché avrebbe ridotto eccessivamente i poteri del primo ministro. «Non è così» osserva il senatore «in quanto la situazione sarebbe nettamente diversa da quella odierna perché, nella mia ipotesi, il capo dello Stato sarebbe tenuto a sciogliere le Camere qualora vedesse che in Parlamento è maturata una maggioranza diversa da quella voluta dagli elettori. Oggi, invece, egli può decidere di non scioglierle: nella nuova ipotesi, il comportamento tenuto nel 1995 da Scalfaro, che fece oggettivamente da spalla a manovre parlamentari contro la maggioranza elettorale, sarebbe incostituzionale. Come lo sarebbe il governo D'Alema del 1998, perché fondato su un ribaltone [*nella maggioranza, Cossiga e Mastella sostituirono Bertinotti*], mentre non lo sarebbe il governo Amato.» Nania, rappresentante del partito più presidenzialista, tenne duro: «Vogliamo evitare che in futuro si ripetano scene come quelle della passata legislatura, quando il premier votato dai cittadini, cioè Prodi, fu mandato a casa e arrivò D'Alema, poi Amato, e alla fine scelsero Rutelli come nuovo candidato». E lamentò su questo punto un atteggiamento tiepido da parte del senatore Pastore di Forza Italia.

Ma Pastore cade dalle nuvole: «Tiepido io? Direi il contrario. Ho sostenuto a spada tratta il potere di scioglimento, che è il passaggio fondamentale per chiudere la stagione dei ribaltoni. L'elettore è chiamato a scegliere un programma, una maggioranza e un leader. Il governo dovrà essere sempre espressione di quella maggioranza. Il Parlamento può decidere il proprio scioglimento togliendo la fiducia al primo ministro, il premier può andare a casa insieme con il Parlamento se rompe con la propria maggioranza. In ogni caso, il capo dello Stato deve aderire alla richiesta di scioglimento che il primo ministro gli sottopone». Anche nel caso di impedimento o di passaggio spontaneo ad altro incarico (Prodi designato alla Commissione europea mentre, per ipotesi, fosse stato in carica a palazzo Chigi) si convenne che lo scioglimento sarebbe improprio.

In sostanza, Alleanza nazionale e Forza Italia rinunciarono all'elezione diretta del presidente della Repubblica come capo dell'esecutivo, sia pure nella formula temperata del semipresidenzialismo di tipo francese; l'Udc rinunciò alla formula tedesca del cancellierato e apprezzò i nuovi poteri accordati al presidente della Repubblica, che di fatto perde il potere di scioglimento delle Camere, ma nomina i presidenti di tutte le autorità di garanzia.

Poiché ogni discorso costituzionale che si fa nella Casa delle Libertà ha fatalmente come convitato di pietra Silvio Berlusconi, gli interlocutori di D'Onofrio capirono qual era in realtà il vero timore dell'Udc: con l'attuale sistema elettorale uninominale, un Berlusconi capo del governo che scioglie le Camere ha, in quanto capo della maggioranza, una fortissima influenza sulla formazione del nuovo Parlamento. Se, come è probabile, prima del 2006 venisse approvata una legge elettorale nazionale simile a quella in vigore nelle regioni con un premio di maggioranza, il potere dei partiti crescerebbe a svantaggio del potere di coalizione e l'Udc, che del Cavaliere si fida fino a un certo punto, si sentirebbe più tranquilla. Nella bozza iniziale arrivata a Lorenzago dal ministero per le Riforme (cioè da Bossi) era previsto che il primo ministro dimissionario potesse essere surrogato dal vice, ma il senatore dell'Udc, pensando a Fini, suggerì di accantonare la proposta.

Il punto più controverso – quello sulla tutela dell'«interesse nazionale» nell'ambito del nuovo Stato federale – fu risolto con sorprendente semplicità. Fini ne aveva fatto una questione di vita o di morte, Bossi temeva una trappola che avrebbe condotto la Corte costituzionale a impallinare tutte le leggi regionali importanti. E invece fu trovata subito la «quadra», come la chiama il Senatùr. Dice Nania: «Nella Costituzione del 1947 l'interesse nazionale c'era eccome [*Articolo 117, primo comma: "La Regione emana per le seguenti materie ... norme legislative nei limiti dei principi fondamentali stabiliti dalle leggi dello Stato, sempreché le norme stesse non siano in contrasto con l'interesse nazionale o con quello di altre Regioni"*]. La polpa restava allo Stato e, nonostante questo, era stabilito un argine ben preciso. Cambiando la Costituzione nel 2001, la sinistra ha rovesciato l'articolo 117, ha elencato le materie che rimangono allo Stato, lasciando tutto il resto alle regioni, ma ha indicato anche una serie di materie fondamentali (dalla scuola all'energia) in cui la competenza è sia dello Stato sia delle regioni in regime di legislazione concorrente, togliendo la salvaguardia dell'interesse nazionale. Il risultato è un'infinità di controversie davanti alla Corte costituzionale».

Così Nania si è inteso con Calderoli: «Guarda che noi non vogliamo una soluzione centralista in cui l'interesse nazionale funzioni da alibi perché la Corte costituzionale freni la legislazione regionale». Discuti e ridiscuti, l'accordo arrivò sull'attribuzione delle controversie a un organismo politico: il Senato federale, che sostituirà l'attuale Senato, approverà le leggi in materia concorrente tra Stato e regioni e, quando il governo dovesse rilevare che una legge regionale pregiudica l'interesse nazionale, inviterà la regione a provvedere. In caso di inadempienza, la legge verrà annullata. «Il Senato federale» mi spiega Calderoli «sarà un organo di valutazione politica. Dirà: cara Lombardia, questa tua legge danneggia le regioni meridionali. Devi quindi riscriverla in maniera diversa.»

Nell'accordo di Lorenzago è previsto che il Senato federale abbia soltanto 204 senatori (quattro eletti dai residenti all'estero) contro i 315 attuali. La Camera dei deputati, che manterrà le stesse prerogative attuali, vedrebbe ridotti i suoi membri da 630 a 408 (8 eletti all'estero). I due organismi avranno le nuove funzioni dal 2006, ma il numero dei parlamentari sarà ridotto solo dal 2011. «Non potevamo chiedere ai nostri colleghi di suicidarsi votando questa legge» spiega D'Onofrio. (In realtà, Berlusconi mi ha successivamente spiegato che la struttura del Senato federale, rappresentante degli enti locali, rende anomala la presenza di parlamentari eletti all'estero. I 204 senatori verranno ridotti con tutta probabilità a 200, mentre non è stato chiarito se la Camera avrà a questo punto 408 o 412 deputati.)

Dopo soli due giorni di lavoro, comunque, l'accordo di Lorenzago era fatto. Venerdì mattina, 22 agosto, i quattro lasciarono ai tecnici il compito della stesura finale e andarono in gita al Pian dei Buoi (1800 metri di quota) percorrendo in auto una strada che terrorizzò il povero D'Onofrio, la cui missione più pericolosa fino a quel momento era stata una passeggiata sulla spiaggia di Positano. La sera, nella cena di commiato che si tenne in un albergo di Calalzo, Bossi, che fin dall'inizio si era assunto l'incarico di tenersi buono il professore, gli regalò un paio di splendidi pantaloni di pelle tirolesi, i Lederhosen, che D'Onofrio indossò immediatamente sopra il gessato.

Il 28 agosto, a palazzo Chigi, i leader dei quattro partiti più importanti della Casa delle Libertà incassarono il consenso anche dei socialisti di De Michelis e dei repubblicani di La Malfa e Del Pennino, e nel pomeriggio di martedì 16 settembre 2003, come promesso, il Consiglio dei ministri varava il disegno di legge più impegnativo dei primi due anni di governo della Casa delle Libertà. Il solo vistoso cambiamento rispetto alla bozza di Lorenzago è stata l'inserimento di un articolo su Roma capitale.

Restano suscettibili di modifica in sede parlamentare alcuni punti, il più importante dei quali, come detto, riguarda i poteri di scioglimento del Parlamento attribuiti al primo ministro. «Il problema» mi spiega Marco Follini «è di stabilire con chiarezza a chi spetta l'ultima parola. Noi siamo per la doppia chiave: premier e capo dello Stato. Siamo d'accordo sul fatto che debba prevalere l'indicazione elettorale, ma restiamo pur sempre una Repubblica parlamentare. Temiamo un eccesso di forza del primo ministro rispetto al Parlamento.» L'altro punto delicato riguarda il Senato federale. Trattandosi di un argomento di interesse regionale, il testo approvato dal Consiglio dei ministri è stato analizzato tra la fine di settembre e la prima metà di ottobre dalla conferenza Stato-regioni. E qui è scoppiata la bagarre, perché i governatori – a cominciare da quelli delle grandi regioni amministrate dal centrodestra – hanno tentato di trasformare il nuovo istituto sul modello del Bundesrat tedesco, vale a dire un'emanazione diretta delle regioni. Così, però, sarebbe saltato l'intero impianto.

In ogni caso, il Consiglio dei ministri ha di nuovo approvato il provvedimento il 17 ottobre, concordando con Bossi quattro emendamenti che il ministro ha presentato il 23 ottobre all'avvio della discussione in commissione Affari costituzionali del Senato. Il primo riguarda le regioni a statuto speciale. Il secondo prevede l'elezione contestuale dei senatori di una regione e del Consiglio regionale. Il terzo stabilisce che i presidenti delle regioni siano senatori di diritto. Il quarto raccomanda un più incisivo coinvolgimento del Senato federale nell'approvazione delle leggi di bilancio dello Stato. Pur non ottenendo di trasformare il nuovo Senato in un Bundesrat, il Senatùr è riuscito a rafforzare sensibilmente i poteri delle regioni.

Bossi: «Scriveremo sui muri: obiettivo raggiunto»

La magnolia è cresciuta. Dieci anni fa, quando Umberto Bossi comperò per la Lega il palazzo in una stradina verde intitolata al patriota risorgimentale Carlo Bellerio, nella terz'ultima periferia a nord di Milano, in direzione Como, era un alberello e adesso ha raggiunto il quarto piano dello stabile. Non venivo qui dai giorni di «Roma ladrona» e della secessione annunciata, ma dal 1997 non è cambiato niente. L'unico riferimento all'attualità è il poster che ricorda la consueta adunata annuale di omaggio al dio Po, tenutasi il 21 settembre 2003 a Venezia. E anche qui il linguaggio è quello d'altri tempi: «Venezia. Festa nazionale di tutti i popoli padani».

La sala delle riunioni è dominata dal gigantesco manifesto del «giuramento dei popoli padani»: «Uno per tutti. Tutti per uno. 7 aprile 1167, 31 maggio 1998. Sono trascorsi 831 anni, ma è come se fosse un giorno. "Io lotterò fino alla completa libertà della Padania. Lo giuro!" Il presente attestato certifica che il detentore ha contribuito all'acquisto di metri quadri uno del terreno di Pontida, luogo sacro della libertà dei popoli padani».

Al centro del tavolo delle riunioni (verdino) c'è un Sole delle Alpi, una stella a sei petali: Bossi, Maroni, Gnutti, Calderoli, Borghezio, Pagliarini. I primi due e il quarto sono sulla cresta dell'onda. Gnutti, ministro del primo governo Berlusconi, è scomparso. Il suo collega Pagliarini, pur essendo ancora deputato, è uscito dal giro più importante. Borghezio è parlamentare europeo e vive per la felicità dei giornali d'opposizione, che ogni tanto vengono rallegrati dai suoi colpi di bombarda.

Qualche porta più in là c'è questa targa: «Procura della Padania. Il procuratore, on. avv. Matteo Brigandì. Avv. Luigi Pisoni». Brigandì, avvocato cinquantenne nato a Messina e residente in Piemonte, è stato parlamentare della Lega per una sola legislatura, quella iniziata nel 1994. Gli telefono. Scusi, di che cosa si occupa la Procura della Padania? «Be',» mi risponde lui «il nome è nato ai tempi della secessione ed era un po' provocatorio. Oggi la Procura è un ufficio della Lega per i problemi della giustizia e, insieme, una specie di ufficio legale del movimento. Sa, io difendo Bossi in tribunale...»

Nell'ufficio del Senatùr, sulle due ante dell'armadio dietro la scrivania sono attaccati vecchi autoadesivi: «Padano, eleggi i tuoi giudici», «Basta immigrazione». Sul tavolo al centro del salottino rosa salmone, accanto a una gondola gigantesca, giace un bastone nodosissimo: «I valtellinesi a Bossi per farne buon uso. 5.5.97». Da nessuna parte vedo un cenno alla vittoria elettorale che ha consentito a Umberto Bossi di diventare ministro della Repubblica italiana per le Riforme istituzionali e di parlare di federalismo dalla stanza dei bottoni. Il signor ministro arriva in T-shirt verde (un regalo dei giocatori della squadra di rugby Benetton di Treviso, la città più leghista d'Italia), perfetta per un fisico tornato asciutto. Quando gli dico che in quelle stanze non c'è nulla che faccia pensare al salto dalla Lega di lotta a quella di governo, Bossi resta spiazzato. Non si aspettava l'osservazione, o forse non s'era nemmeno accorto che lì tutto era rimasto uguale come ai tempi della secessione. Poi bofonchia: «Per noi il governo non è stato mai un traguardo: è un mezzo, non un fine. Starci ha senso soltanto se faremo le riforme, e abbiamo coscienza di quanto sia difficile. Quando arriveremo al federalismo, scriveremo sui muri: obiettivo raggiunto».

Perché vi siete massacrati per tre mesi nella Casa delle Libertà prima di raggiungere a fine agosto la pace nella baita di Lorenzago? «Perché abbiamo attraversato un campo minato. An diceva: o Roma o morte. D'altra parte è nella loro tradizione. L'Udc è abituata a considerare Roma il centro storico del potere. Loro sono più interessati alla gestione che alle riforme. Quindi...»

La pace di Lorenzago lo convince fino a un certo punto. Bossi tira fuori dal cassetto destro della scrivania il foglietto autografo di Berlusconi su carta intestata Villa San Martino di Arcore. Lo guarda: c'è l'impegno ad approvare la riforma costituzionale entro il 2004 per consentirgli di andare alla campagna elettorale del 2005 con il federalismo in tasca. Ma la strada è lunga e il Senatùr è diffidente. «Se non rispettano queste scadenze, si va alle elezioni» dice riponendo il foglietto. «An e Udc volevano sbatterci fuori dal governo» aggiunge «e hanno messo sotto tiro il povero Berlusconi, che io ho difeso strenuamente. Poi hanno fatto i loro conti e hanno visto che, se si continuava così, non si sarebbe fatto un passo verso il "ritorno" della Dc, ma saremmo andati alle elezioni e avrebbe vinto la sinistra. Perché senza la Lega si perde.»

Perché tutto questo? «Per la devoluzione» risponde Bossi, accendendo un mezzo toscano. «L'attacco è cominciato a marzo, quando la devoluzione è andata in aula. Si è visto che molti non volevano le riforme. E quando hanno constatato che Berlusconi era intenzionato a mantenere i patti, hanno cominciato ad attaccarlo.»

Ammettiamo per un momento che Casini e Follini vogliano il ritorno alla Dc. Ma An? Qui la nostalgia del passato mi pare più difficile... «An s'era intestardita sulla storia dell'interesse nazionale. Nella vecchia Costituzione l'articolo c'era. Poi, con la legge federalista del 2001, la sinistra ha riscritto il titolo quinto della Costituzione e l'ha tirato via.»

Un bel regalo a voi leghisti... «La sinistra da un lato ci faceva condannare nei tribunali, dall'altro ci strizzava l'occhio con il federalismo. A me il titolo quinto che hanno fatto loro andava bene.»

Nessuna riserva? «Ci sono troppe competenze concorrenti tra Stato e regioni. Dire che tutto quello che non è esclusiva dello Stato, o concorrente tra Stato e regioni, è delle regioni è troppo vago. Meglio indicare le materie con chiarezza.»

L'interesse nazionale intanto era volato via... «L'avrebbe tutelato il Parlamento, tagliando le unghie alla Corte costituzionale. A ogni modo, An voleva che fosse reinserito. Ma così si rischiava di dare di nuovo alla Corte costituzionale il potere di battere regolarmente le regioni. Allora l'abbiamo messo tra le norme sul Senato federale. Così abbiamo risolto il problema di "Roma padrona". E abbiamo rinviato quello su "Roma ladrona".»

Sarebbe? «L'articolo 119 del federalismo della sinistra. [*Nella Costituzione del 1947 era scritto: "Le Regioni hanno autonomia finanziaria nelle forme e nei limiti stabiliti da leggi della Repubblica che la coordinano con la finanza dello Stato, delle Province e dei Comuni". Il nuovo articolo approvato dalla maggioranza dell'Ulivo nel 2001 stabilisce: "I Comuni, le Province, le Città Metropolitane e le Regioni hanno autonomia finanziaria di entrata e di spesa". In entrambi i testi sono previsti interventi integrativi dello Stato in favore delle aree più deboli.*] Lì si dava la stura a interventi speciali di tutti i tipi. Altro che Cassa per il Mezzogiorno!»

Com'è nata la sua famosa battuta secondo cui «il federalismo fiscale porta alla secessione»? («Caro Bossi,» gli ha detto Nania a Lorenzago «se applichi un federalismo fiscale per cui ogni regione si prende quel che produce, lo Stato federale non gestisce più nulla. E tu non conti più niente. Forza Italia controlla la Lombardia, An il Lazio, la sinistra la Campania... Tu parli, parli, ma alla fine ti resta in mano un pugno di mosche.») «Oggi come oggi» risponde il ministro «applicare rigidamente il federalismo fiscale porta alla secessione. Se fossimo partiti di lì, non avremmo combinato niente. Allora siamo partiti dal federalismo costituzionale di "Roma padrona" sapendo che "Roma ladrona" è il fine ultimo. Se Roma diventa un po' meno "padrona", forse domani nel federalismo fiscale faremo passare la logica della responsabilità con il mutuo sostegno all'interno del sistema nazionale.»

Mai pensato di uscire dal governo, nei mesi più turbolenti? «Mai. Non gli faccio questo favore. Il governo crollerebbe subito, miseramente. Te lo vedi Berlusconi che finisce nelle mani di Mastella? Se non ci fossimo noi, chissà dove finirebbe il povero Cavaliere!»

E se la Lega fosse cacciata? «Fuori dal governo prendiamo più voti, ma non facciamo le riforme. Molti mi dicono: andiamo fuori dalle balle. Io non solletico affatto questa parte della Lega. Dal 1999, da quando ho fatto l'accordo con Berlusconi, stiamo vedendo se possiamo avviare democraticamente un processo di federalismo. E allora non posso dar retta a quella gente lì. Certo, la gente l'agganci con la passione. Tutto ciò che è passionale e irrazionale ha un peso enorme. Appena parli di secessione, la folla esplode subito. Ma la mia scelta l'ho fatta dopo che la sinistra aveva messo sul piatto la riforma del titolo quinto della Costituzione. Erano partiti prima con la proposta federalista. Poi l'hanno tenuta ferma visto che la Lega non si schierava. Nell'ultimo anno si sono spaventati e Rutelli ha spinto perché prima delle elezioni si facessero gli ultimi due passaggi alla Camera e al Senato... La mia scelta è stata di prendere quel che c'è di buono nel federalismo della sinistra e di perfezionarlo con il Senato federale, con la Corte costituzionale federalizzata [*l'accordo di Lorenzago parla di una Corte con 19 membri, di cui 6 scelti dal Senato federale, ma anche i partiti del centrodestra subiscono pressioni perché si mantenga il numero di 15*], l'inserimento di competenze esclusive per le regioni, i maggiori poteri al primo ministro che personalizzano ancor di più la politica.»

«Quote nordiste per magistrati e insegnanti»

Invito Bossi a riflettere su un punto. L'Italia è lunga, e il centrodestra ha vinto le elezioni prendendo molti voti in Padania, ma anche 61 deputati su 61 in Sicilia. Perché la Lega non si fa mai carico dei problemi degli altri? «La Lega deve pensare ai problemi del Nord, gli altri pensino al resto. Non posso mica togliere il pane di bocca a Forza Italia. Noi siamo Forza Nord. Però i nostri problemi dobbiamo risolverli. Non abbiamo un magistrato nostro, non abbiamo un insegnante nostro. Molti processi sono frutto di puro razzismo contro il Nord. Occorre mettere delle quote minime di gente del Nord nella magistratura, nella scuola, nel pubblico impiego.»

Delle quote? Ma questo squilibrio non è frutto di una congiura meridionale. Di chi è la colpa se al Nord i giovani sono attratti da lavori più redditizi e se, da sempre, il Sud alimenta il pubblico impiego perché ha meno alternative? «È un problema di soldi? Bene, troviamoli. Aumentiamo gli stipendi del 30-40 per cento e vedrai che arriveranno sia i magistrati sia gli insegnanti. E poi dobbiamo entrare nella logica della responsabilità. Se diamo 10.000 miliardi alle regioni che ne versano due, allora consentite al Nord un po' più di libertà, consentiteci di fare più cose in casa nostra. Il federalismo costituzionale serve a questo.»

Tirando le somme, la Lega non grida troppo? «No, noi siamo le vittime. Veniamo attaccati dagli altri nella convinzione generale che la colpa di tutto sia della Lega. Ma se non facciamo le riforme, addio governo»

Nania mi dice che Bossi sta trasformando la Lega da movimento in partito, chetando le anime più inquiete dei suoi, e che forse sta cominciando perfino a innamorarsi di Roma. Il Senatùr che incontro all'inizio dell'autunno mi sembra di tutt'altro avviso. La sua campagna di fine 2003 sull'immigrazione e i dazi doganali lo conferma in pieno. «All'inizio di settembre» mi racconta «ho chiesto al ministro dell'Interno i dati per verificare l'attuazione della legge sugli immigrati.» Si chiama Bossi-Fini, non vorrà per caso rinnegarla? «No, è una buona legge, anzi secondo Pisanu è la migliore d'Europa. Ma voglio sapere quanti clandestini abbiamo rimandato indietro per valutare se la normativa si può rivedere in qualche punto. [*In autunno il ministro dell'Interno fornì due dati: per un clandestino che entra, 4 vengono respinti, e sono stati regolarizzati 705.000 lavoratori immigrati.*] Voglio anche sapere quanti magistrati non hanno applicato la legge, muovendosi in modo anticostituzionale. Su questo riferirà Castelli. Non è possibile che i giudici che violano la Costituzione vengano coperti dal Consiglio superiore della magistratura.» (Tuttavia, in autunno l'inchiesta di Castelli dimostrò che non c'erano stati strappi vistosi all'applicazione della legge.)

Al di là del problema dei magistrati, è realistico immaginare che il Senatùr agiti di nuovo lo spettro dell'immigrazione per tenere alto il morale delle truppe, più scatenate di lui, senza aspettarsi risultati sconvolgenti. È vero che a fine ottobre il ministro Pisanu ha parlato di possibili aggiustamenti, ma è da escludere che l'aspetto umanitario della legge possa essere rivisto: nessuna pozione d'alchimista è stata preparata misurando con altrettanta cura la quantità dei diversi ingredienti. Gianni Letta, che ancora una volta indossò il camice bianco per controllare al microscopio le dosi, ricorda le preoccupazioni e i consigli che vennero dal cardinale Camillo Ruini e dall'ufficio ecclesiastico per i «migrantes» che, a suo giudizio, conosce i risvolti del problema come nessun altro e ha presentato il 28 ottobre un'aggiornatissima mappa del fenomeno.

Certo, l'accostamento tra «quote di immigrati e quote di merci da importare» che Bossi ha fatto a «Porta a porta» il 29 ottobre ha scatenato le reazioni della destra prima ancora di quelle della sinistra. «Ha scarsa considerazione della dignità della persona umana» sibilò Fini. «È un argomento che non appartiene né alla civiltà, né alla maggioranza, né a noi» aggiunse Follini.

Il Senatùr rilancia anche i timori estivi di Tremonti per

l'aggressività economica della Cina e, in genere, dei paesi orientali («Bisogna tenere chiusi i confini e ripristinare i dazi, come hanno fatto gli Stati Uniti»). E quando gli giro l'obiezione sollevata dai suoi stessi alleati di governo sull'impossibilità storica, prima ancora che economica, di ripristinare un sistema di vincoli doganali, risponde: «E gli americani? Saranno impazziti, gli americani? Io credo di no. Si proteggono dall'immigrazione e tutelano le loro imprese dall'aggressione esterna. La globalizzazione va democratizzata. Nel mondo d'oggi fanno quattrini soltanto le 350 grandi multinazionali che producono in Cina fuori di ogni regola sindacale, ambientale e umanitaria: pagano gli operai mille lire l'ora e poi vengono da noi e ammazzano i concorrenti. Le nostre imprese non ce la fanno più. Voglio vedere se, quando cominceranno a piovere i fallimenti, dovremo aprire o no l'ombrello. I globalizzatori hanno pensato che, se tutto diventa Occidente, i padroni dell'Occidente diventano i padroni del mondo. Ma non è così. Noi dobbiamo salvare il lavoro locale e le imprese locali».

Nella sua furia antiglobalizzatrice e anti-immigrazione, Bossi mischia ideologia e geografia: «I comunisti vogliono tutti alti un metro e sessantadue, con gli occhi a mandorla e con trentasette di piede. Gli immigrati hanno tolto spazio e diritti ai nostri operai lavorando in nero in fabbrica». E facendo lavori che i nostri giovani non vogliono più fare. «Questione di salario. Aumenta i salari e poi vedi se questi lavori i nostri non li fanno.»

Ma anche il sindacato riconosce che il costo del lavoro... «Il sindacato non conta più un cazzo. Non potendo più dare battaglia per aumentare i salari, spera di fare il banchiere gestendo i fondi pensione. Il sindacato ha tradito i lavoratori: ormai non esistono più contratti a tempo indeterminato. E così, grazie anche agli immigrati, i nostri giovani non hanno più la possibilità di avere un lavoro stabile. La responsabilità è della sinistra, che ha precarizzato i lavoratori alleandosi con i Grandi Interessi.»

Il leone si cheta, sorride (si fa per dire) e sibila, tra i

denti che stringono il mezzo toscano, il messaggio finale: «La Lega è saggia. Dice cose sgradevoli, ma è saggia. Noi non lecchiamo il culo a nessuno. Diciamo le cose come stanno».

Mentre Bossi mi accompagna nel giardino della magnolia, gli chiedo se la coalizione si comporterà in maniera virtuosa sino alla fine della legislatura. «Spero di sì. Meglio le riforme che andare a casa e tornare vent'anni dopo. Con altri uomini.»

Il portiere mi restituisce il bagaglio che gli avevo consegnato, al quale è stato allegato un opuscolo. È l'ultimo numero di «Triskel», «pubblicazione interna stampata in proprio dall'Associazione volontari verdi». Visto il luogo, non deve essere un gruppo ambientalista. In prima pagina, lo storico annuncio che risale al 6 luglio 1998: «Il governo della Padania annuncia l'istituzione di un'Associazione contro i clandestini. Arrivano i Volontari verdi. Borghezio: "Interveniamo subito per stroncare l'irregolarità"». Pagina due, articolo di Roberto Callegari: «La legge Bossi-Bossi (spiegateci cosa combina il segretario di An e ne riparleremo!) è *troppo* moderata ... Il nostro segretario federale ha proposto un commissario straordinario alla lotta ai clandestini e quale candidato c'è in giro con le idee chiare, la tempra giusta e il dovuto spessore politico se non Mario Borghezio?». Chi l'avrebbe detto che Umberto Bossi è il più moderato della compagnia?

«Le riforme sono deboli, ma sono circondato» s'è scusato con i suoi il 21 settembre alla grande adunata annuale di Venezia. «Ma senza riforme, Roma resta matrigna.» Sempre per tenere alto il morale delle truppe, negli ultimi tempi il Senatùr ogni settimana ne ha sparata una grossa, così grossa che nel solo mese di settembre Fini e Follini hanno fatto saltare due vertici di maggioranza. Il primo perché aveva detto che «i partiti di Roma ladrona vogliono i soldi del Nord». Il secondo perché aveva sostenuto che i vecchi dc sarebbero stati da fucilare per la loro conduzione dell'economia. «Bisogna capirlo, parla al suo elettorato» ha detto

Berlusconi agli alleati furiosi, che comunque cercano d'incontrare il meno possibile l'imprevedibile capo della Lega. Ma in ottobre, con la proposta di far votare gli immigrati, Fini gli ha restituito con gli interessi i colpi subiti.

Follini, l'altra metà del cielo

L'altra metà del cielo, nelle turbolenze del centrodestra, ha il viso giovane e lungo, la testa precocemente calva e porta gli occhiali: si chiama Marco Follini ed è il segretario dell'Udc. Per molti anni il suo vecchio amico Pier Ferdinando Casini l'ha tenuto sotto coperta. Da quando il bel Pier se n'è volato alla presidenza della Camera, pur mantenendo ben salde le redini della strategia del suo partito per il presente e soprattutto per il futuro, Marco è decollato oltre le previsioni. Così il Cavaliere si è trovato, oltre a Casini, un altro peso sullo stomaco.

La ragione è semplice. Alle politiche del 2001 Lega e Udc hanno preso insieme il 7 per cento dei voti. Se ci avventuriamo in un parallelo improprio con la Prima Repubblica e paragoniamo all'ingrosso il peso politico di Forza Italia a quello che aveva allora la Dc nel vecchio pentapartito e quello di Alleanza nazionale al Psi, Bossi vale lo Spadolini dei tempi migliori e Follini pesa un po' di più dei socialdemocratici e dei liberali degli ultimi anni. Ora, se è vero che i partiti minori hanno sempre avuto una certa influenza nella strategia democristiana (De Gasperi non volle intelligentemente farne a meno neppure quando avrebbe potuto), è altrettanto vero che essi non hanno mai condizionato così a lungo la politica di governo come hanno fatto, dopo le elezioni del 2001, Lega e Udc.

Nella Prima Repubblica, inoltre, il sistema proporzionale riduceva i seggi alla Camera dei tre partiti detti «laici minori» a un numero compreso tra un minimo di 9 (il Pli nel 1979) e un massimo di 29 (il Pri nel 1983). Oggi la Lega, pur avendo riportato nel sistema proporzionale il 3,9 per cento dei consensi, ha 30 seggi alla Camera e 17 al Senato, mentre l'Udc, che ha ottenuto il 3,2 per cento, ha 40 deputati e 31 senatori.

Tra i due partiti, Berlusconi preferisce la Lega. Abbiamo già visto nel capitolo X che la simpatia del Cavaliere per Bossi nasce dalla consapevolezza che, senza il suo appoggio, nel 2001 il Polo non avrebbe vinto (avrebbe ottenuto ugualmente una striminzita maggioranza, ma presentarsi alle elezioni nel Nord contro la Lega avrebbe fatto perdere probabilmente alla Casa delle Libertà qualche seggio determinante). Berlusconi sente di dovere a Bossi della gratitudine, mentre si sente in diritto di riceverne (e molta) da Casini e Follini. («Li ho raccolti dalla strada...» grida ogni tanto, facendo tremare le nobili pareti di palazzo Grazioli. Si riferisce all'ostracismo decretato dalla sinistra Dc, al momento di trasformarsi in Partito popolare, a quella che considerava la destra, sconfitta nei processi e, a suo giudizio, dalla storia: da Forlani ad Andreotti, da Casini a De Mita, che è stato l'ultimo leader della «sinistra di base» ma fu escluso dalle candidature del 1994 dalla furia moralizzatrice di Mario Segni, subita da Mino Martinazzoli. Casini era il giovane delfino di Forlani, Mastella quello di De Mita, mentre Follini stava a metà strada tra Gava e De Mita. Grande potere – per quanto può toccarne a tre giovani, e di cui comunque Mastella ebbe la quota maggiore – fino al 1993, quindi la prospettiva della completa emarginazione. Poi, all'inizio del 1994, arrivò il ciclone Silvio e si sa come è andata a finire.)

Berlusconi ha ragione quando si attribuisce il merito della fortuna politica dei tre, nonché di Gianfranco Fini («Senza di lui saremmo tutti a battere i denti nel freddo dell'opposizione» riconosce Follini nel bel libro *Intervista sui moderati*, scritto con Paolo Franchi e pubblicato nel novembre 2003 da Laterza), ma dimentica che il Ccd – come si chiamava allora – fu determinante per la coloritura moderata del Polo. Esso costituì una garanzia per un'enorme fetta di elettorato democristiano che l'avventura del Cavaliere aveva una base di serietà e, soprattutto, convinse a votare per il centrodestra milioni di persone che non erano pronte a imparentarsi politicamente con il Msi e con la Lega. «Forza Italia è il grande supermercato» dice Follini nel libro sopra citato «noi siamo il negozio artigianale: le due clientele non sono le stesse. Se ai nostri elettori, per pochi che siano stati in questi anni, avessimo proposto di confluire gioiosamente in Forza Italia, una parte di loro forse ci avrebbe seguito, un'altra parte avrebbe potuto non votare o votare per il centrosinistra.»

Dopo la vittoria elettorale nel 2001, Berlusconi era convinto che, in un ideale menu politico, An avrebbe fatto la parte dell'antipasto, Forza Italia quello del piatto principale, mentre a Udc e Lega sarebbe toccato il ruolo di contorno e di dessert. Scoprì invece a sue spese che Bossi e Follini avrebbero condizionato pesantemente l'ordine delle portate.

«Cossiga ha attraversato il confine, io non lo farò»

Se la presenza parlamentare è fortemente squilibrata in favore dell'Udc, la composizione del governo è fortemente squilibrata in favore della Lega. Si ricorderà che Marco Follini puntava a fare il ministro delle Comunicazioni e, alla luce di quanto è avvenuto sulla legge Gasparri, si capisce perché Berlusconi non glielo avrebbe mai consentito. Ma se allora la sua candidatura aveva un qualche fondamento, giacché si riteneva che Casini sarebbe potuto andare agli Esteri, la promozione del leader del Ccd alla presidenza della Camera ha ridotto a un ruolo simbolico la presenza del suo partito nel governo, nonostante l'unificazione con il Cdu di Rocco Buttiglione e con Democrazia europea di Sergio D'Antoni (i dicasteri Politiche comunitarie e Rapporti con il Parlamento, assegnati rispettivamente a Buttiglione e a Carlo Giovanardi, sono due sinecure di modestissimo peso), mentre la Lega ha di fatto assunto il controllo dell'esecutivo. Bossi è il ministro che sovrintende alla riforma dello Stato, Castelli è il ministro della Giustizia, Maroni ha accorpato le competenze su lavoro, pensioni, famiglia e quel che resta della politica sociale. Infine c'è Tremonti, che in tempi di crisi, avendo il portafoglio in mano, vale almeno quanto il resto del Consiglio dei ministri. Eletto nelle liste di Forza Italia e uomo di fiducia di Berlusconi, in realtà funge da capo della delegazione leghista al governo. Non è mai entrato in contrasto con Bossi, e questi non è mai entrato in contrasto con lui. Durante la «verifica» dell'estate 2003, Tremonti ha detto: non resto al governo senza la Lega. Gli ha fatto eco il Senatùr: non resto al governo senza Tremonti. Un amore simile non si ricordava da quando Edoardo VIII rinunciò al trono di San Giorgio per dividere la sua vita con Wallis Simpson.

Bossi ha il pieno diritto contrattuale di esigere la devoluzione, ma negli ultimi tempi ha tirato troppo la corda (anche se, come abbiamo visto, lo nega, anzi dice di essere in credito), costringendo per la prima volta Berlusconi a lamentarsene ripetutamente. Il Cavaliere è un moderato e non può accettare che il suo governo finisca per alienarsi le simpatie di una fascia importante di moderati a causa delle sparate del leader leghista. Inoltre, la repentina decisione di Bossi di correre da solo alle elezioni comunali del 2003, dopo aver imposto una candidatura leghista perdente in Friuli-Venezia Giulia, non gli è piaciuta per niente.

Oltretutto, benché in fondo sia Forza Italia il partito in prospettiva più a rischio per gli strappi del Senatùr (perché votare Berlusconi se non è in grado di frenare Bossi?), il presidente del Consiglio ha dovuto subire le pesantissime rimostranze di An e Udc. «La differenza tra me e Follini» mi dice Gianfranco Fini «è che io non sono disposto a seguire la Lega se lascia il governo, mentre Marco vorrebbe un governo senza Lega tout court.» Poiché questo atteggiamento ha procurato a Follini vistosi e ripetuti apprezzamenti dalla sinistra, gli chiedo se per caso non intenda ripercorrere la strada di Francesco Cossiga, che fece nascere il governo D'Alema per chiudere un'epoca e firmare una pace storica e duratura tra ex democristiani ed ex comunisti.

«No» risponde Follini, dettando come al solito a verbale le sue frasi brevi e asciutte che fanno felici i cronisti del telegiornale. «Noi siamo votati al culto del Dio Bipolare. Mi considero figlio della democrazia dell'alternanza. L'unica vera conquista di questi dieci anni è la possibilità per gli elettori di scegliere tra due campi politici e per quanto io urli, scalci e strepiti, il mio campo resta questo.» Follini aspetta che io finisca di scrivere, poi scandisce con una certa solennità: «Cossiga ha attraversato il confine, io non lo farò, anche se qualche volta vivo il confine come una prigione». Nemmeno nella prossima legislatura? «No.»

Differenze ideologiche tra Udc e Lega

Ed eccoci al cuore del problema: ormai la Lega sta al Polo come Rifondazione sta all'Ulivo. Anzi, peggio, visto che la maggioranza litiga in continuazione, mentre a sinistra i buoni risultati ottenuti nelle piccole elezioni amministrative di primavera hanno consolidato gli accordi. Follini non ha mai nascosto che la differenza tra l'Udc e la Lega è, a questo punto, «ideologica». Come finirà? «Occorre che la Lega abbia chiare le regole e la missione dell'alleanza.» Sarebbe? «Noi» mi spiega Follini «abbiamo incontrato la Lega lungo il percorso che conduceva dal secessionismo al federalismo. Bene, quel percorso va proseguito. Se la Lega rientra in un alveo di normalità costituzionale e di adesione ai princìpi fondamentali della Repubblica, l'alleanza resiste ed è utile. Se la Lega interrompe questo processo, dentro l'alleanza si forma una sorta di Muro di Berlino.»

Il capo dell'Udc sgrana il rosario delle eresie leghiste: «La battaglia contro la riaffermazione della tutela dell'interesse nazionale all'interno della devoluzione, l'euroscetticismo, la proposta di risolvere a cannonate il problema dell'immigrazione. Questa non è la direzione di marcia della politica italiana. O la Lega cambia strada, oppure diventa un problema per il centrodestra».

Già, ma Bossi temeva che voi, con la storia dell'interesse

nazionale, voleste di fatto fucilare la devoluzione armando il plotone d'esecuzione della Corte costituzionale di bocche da fuoco che sparassero sempre a favore dello Stato. «Non è così. Noi vogliamo semplicemente fissare un confine amichevole tra Stato e regioni, senza più competenze concorrenti: o decide l'uno o decidono le altre. Occorre individuare con chiarezza la ripartizione dei ruoli. La priorità dell'interesse nazionale dovrà essere ribadita nel Senato federale, come accade nella Costituzione tedesca. Occorre garantire, in breve, che ai cittadini vengano assicurate uguali condizioni sia a Torino sia a Lampedusa.»

Nel suo rimprovero alla Lega, Follini va oltre. «A più riprese il partito di Bossi è stato un fattore di blocco nelle decisioni del governo: dalla riforma delle pensioni di anzianità alla concessione della grazia a Adriano Sofri. Troppe volte il no della Lega ha prevalso sul sì degli altri. È un problema per noi, e per Berlusconi.»

La conseguenza di tutto questo? «Una coalizione che sembrava invincibile ed eterna si è scoperta fragile ed esposta al vento mutevole delle preferenze elettorali. Per quanto mi riguarda, tra maggio e giugno 2003 ho avuto la fortuna, a differenza di altri, di contare voti in più per il mio partito. L'Italia ha bisogno di maggiore moderazione, e la moderazione è una nostra esclusiva. Ma se fosse un valore comune al centrodestra, credo che la nostra coalizione avrebbe tutto da guadagnare.»

Follini è convinto che, nei primi due anni di legislatura, il governo abbia fatto poco. «C'è stato troppo interesse per la giustizia e per il mondo dell'informazione. Dove sono le riforme? Abbiamo rinnovato il sistema del lavoro e il diritto societario. E il resto dov'è? Abbiamo avuto il mandato di cambiare il paese, qualche volta lo abbiamo messo a soqquadro. Su questo punto il centrosinistra ha fatto ancor peggio di noi, ha concorso più di noi ad accendere gli animi. Ma il cambiamento dov'è? Loro non l'hanno realizzato nei primi sei anni di Ulivo, noi non l'abbiamo fatto nei primi due anni di legislatura.

«La riforma delle istituzioni» continua il segretario dell'Udc «ha bisogno di un'idea e di un disegno. Non può essere il vestito di Arlecchino. L'economia necessita di riforme vere, non si può continuare con la tecnica del *one off*, una botta e via. Nella finanziaria per il 2003 abbiamo inserito il condono fiscale, in quella per il 2004 il condono edilizio. Alla fine abbiamo approvato una riforma delle pensioni che evita di prendere il toro per le corna. Se nascono meno bambini e gli adulti vivono più a lungo, le prossime generazioni avranno un problema enorme. Non possiamo comportarci come quel deputato conservatore inglese che alla domanda sul destino dei posteri rispose: che cosa hanno fatto i posteri per me perché io mi debba occupare di loro?»

Casini al Quirinale, Fini a palazzo Chigi?

La carenza di fondo del nostro sistema, a giudizio di Follini, «è che manca tutto quanto serve a contrastare il rischio del declino. Ci vorrebbe maggiore innovazione. È il nostro punto debole e io, in casa mia, mi preoccupo di coloro che vivono il presente con infinita nostalgia per il passato».

Dunque ha ragione Bossi quando accusa i centristi di voler resuscitare la Dc, prendendo un po' a destra e un po' a sinistra, come ha fatto Follini con la proposta – abortita, ma significativa – di voler presentare alle elezioni europee del 2004 una lista comune di tutti gli aderenti al Partito popolare europeo, da Berlusconi a Castagnetti, da Casini a Mastella, a Rosy Bindi? Lei dice di essere bipolare, ma questa proposta non è la negazione del bipolarismo? «È il bipolarismo prossimo venturo» si difende Follini. «Gli ex democristiani che, in odio a Berlusconi, sono andati dall'altra parte o lasciano il Partito popolare europeo o debbono porsi il problema di costruire un'alternativa alla sinistra, se non vogliono restare per sempre i reggicoda di Fassino e Veltroni.»

Ecco il problema dei problemi: il dopo Berlusconi. «Sarebbe ipocrita far finta che il problema non esista. Nessuna coalizione si regge su un uomo solo. Il compito che abbiamo di fronte è costruire un centrodestra che finora è stato soltanto Berlusconi.» Che significa, in concreto? Affiancargli gente valida o sostituirlo? «Se l'alternativa è questa, occorre accompagnarlo meglio, allargare la cerchia delle persone che guidano questa tale politica.» Una forma morbida di congiura vecchio stile? «Nessuna congiura e nessuna trama. Soprattutto, nessun preavviso di sfratto.» Il candidato per le elezioni del 2006 sarà ancora lui? «Il 2006 è lontano.»

È realistico lo scenario di Casini al Quirinale e di Fini a palazzo Chigi? I due sono i candidati più naturali alla successione del Cavaliere: dovrebbero azzannarsi e invece vanno d'amore e d'accordo. Non sarà che idealmente si sono divisi i ruoli? Non sarà che i periodici segnali di fumo che il presidente della Camera manda alla sinistra, ricevendone in cambio un'alta considerazione, costituiscono l'inizio della campagna elettorale per il dopo Ciampi? Follini finge di non sentire la domanda: «Quella tra Fini e Casini è una sorta di affinità politica, umana e generazionale. I rapporti politici sono fatti anche di tanti momenti passati insieme».

Sino al 1994 Fini e Casini appartenevano a due costellazioni politiche diverse e incapaci di comunicare tra loro. Il primo cercava di salvare il Msi dall'estinzione, alla quale temeva l'avrebbe condannato il sistema elettorale maggioritario (quanti seggi avrebbe avuto correndo da solo?). Il secondo era destinato a un onorevole suicidio o, più probabilmente, a essere assassinato dai rivoltosi della Seconda Repubblica, come accadde ai centurioni rimasti fedeli al vecchio imperatore Galba allorché Vitellio marciò su Roma alla guida delle legioni germaniche ribelli. Fu Berlusconi a schierarli nella stessa squadra, ma il Cavaliere ha quindici anni più dei suoi alleati e, soprattutto, si è sempre vantato di non essere un politico di professione, laddove Fini e Casini – come del resto Massimo D'Alema – si sono sempre vantati del contrario. Quando il leader di An e il presidente della Camera parlano tra loro, il loro linguaggio (e ciò che dicono) è sensibilmente diverso da quello che usano quando discutono con Berlusconi. Quest'ultimo dichiara con orgoglio di capire meglio dei politici di professione quali sono i bisogni del paese, ma entrando nella stanza dei bottoni si è accorto, come Pietro Nenni quarant'anni prima, che molti sono guasti e che altri hanno un meccanismo di funzionamento estremamente più complesso di quanto possa immaginare un comune cittadino. Si pensi soltanto a come i vincoli legislativi e, in particolare, burocratici abbiano ritardato l'applicazione della «legge obiettivo» sulle grandi opere pubbliche... In quella stanza dei bottoni i politici di professione si muovono meglio, anche se spesso i loro tempi non sono compatibili con le aspettative di un corpo elettorale che vorrebbe l'Italia rivoltata come un calzino dall'oggi al domani, senza naturalmente perdere una sola oncia dei privilegi di cui ha goduto finora.

L'affinità etnica e la lunga «traversata del deserto» (1995-2001), alla quale sono sopravvissuti con il Cavaliere al di là di ogni ragionevole previsione, hanno indubbiamente rinsaldato il legame tra Fini e Casini. Dunque, Follini ha titolo per dire: «Non ho idea di quali saranno le persone che guideranno la prossima legislatura, ma penso che nel centrodestra ci sarà spazio per Fini, Casini e tanti altri. Il nostro problema è semmai quello di costruire una classe dirigente centrale e locale che corrisponda a un elettorato con una larga base sociale. Il centrosinistra è saturo di nomenklatura, noi dobbiamo costruire un sistema di rappresentanza che eviti il rischio di un centrodestra fatto di un leader e di un elettorato enorme, con il nulla in mezzo. Dal mio punto di vista, decisivi sono i partiti, le associazioni, i nuclei delle autonomie locali, insomma gli anelli di congiunzione tra la base e il vertice, il settore in cui il centrodestra è più sguarnito». La guerra continua e, da novembre, scorre più sangue.

XIII

Sorpresa. Andreotti non è un assassino...

Dieci anni, cinque mesi e diciassette giorni dopo

«La tranquillità della mia coscienza riposa sulla certezza che vi è un tribunale al di sopra di ogni contingenza e di ogni meschinità. È il tribunale di Dio.» Era giovedì 13 maggio 1993, un secolo fa. Giulio Andreotti chiudeva con queste parole le quattordici cartelle del suo discorso più drammatico pronunciato in quarantasette anni di vita parlamentare. Era solo, il partito di cui era stato per decenni il volto più conosciuto in Italia e all'estero l'aveva abbandonato al suo destino senza batter ciglio. Era il naufrago, colpito alla testa da un remo misterioso, al quale i suoi compagni non allungavano un braccio per il terrore di doverne condividere il destino.

Dieci anni, cinque mesi e diciassette giorni dopo, la sera del 30 ottobre 2003, Giulio Andreotti aspettò la rivincita solo, seduto alla piccola scrivania del suo studio di senatore a vita al secondo piano di palazzo Giustiniani. A tenergli compagnia, una vecchia foto con Alcide De Gasperi: chi avrebbe immaginato che quel giovanotto, dopo aver fatto per sette volte il presidente del Consiglio, sarebbe stato condannato a ventiquattro anni di carcere per l'omicidio di un giornalista?

A cinquecento metri di distanza, sulla riva opposta del Tevere, una giovane avvocatessa, Giulia Bongiorno, aspettava nel solenne palazzo umbertino dove ha sede la Cassazione, stringendo un foglietto piegato nella tasca dei

pantaloni neri rigati di rosso: la richiesta di arresti domiciliari per Andreotti. Poco dopo un'eventuale conferma della
condanna, infatti, i carabinieri si sarebbero dovuti presentare dal senatore per la traduzione in carcere. Per evitarlo, il
difensore avrebbe presentato immediatamente la richiesta
di fargli scontare la pena in casa, come prevede la legge per
gli ultraottantenni. Andreotti lo seppe soltanto il giorno dopo, restò turbato e, infine, si commosse. Caso straordinario,
quest'ultimo. D'altra parte, l'intera storia è straordinaria.

La sera del 30 ottobre il senatore aspettò, con il sostegno spirituale di De Gasperi, che l'incubo finisse. La richiesta del procuratore generale di annullare la condanna
senza rinvio a un nuovo processo d'appello lo confortava,
ma si sa che nelle aule di giustizia le sorprese sono sempre possibili...

La Bongiorno era nervosissima. Al contrario di quanto
accade normalmente, il presidente delle Sezioni unite penali della Cassazione, Nicola Marvulli, non aveva chiesto
il numero di telefono agli avvocati che rappresentavano le
parti per avvertirli, con qualche anticipo, dell'ora in cui
sarebbe stata letta la sentenza. Così la Bongiorno aveva attraversato di corsa il ponte sul Tevere, comunicato al senatore la notizia (non buona) di questa novità e, poi, s'era
piazzata davanti alla porta dell'aula d'udienza. Nei giorni
precedenti aveva comprato tre cellulari con le schede Tim,
Vodafone e Wind, perché nel palazzo della Cassazione la
linea si prende con difficoltà.

Alle 19.25, cinque ore dopo che era stata chiusa, la porta
dell'aula si aprì. La Bongiorno si catapultò all'interno come il primo della fila agli uffici di collocamento quando si
rispondeva alle chiamate «a giornata». Il primo nome a
essere pronunciato dal presidente della corte fu quello di
Andreotti Giulio. Visti gli articoli ... Cassazione senza rinvio... «Presidente, Cassazione senza rinvio!» gridò un
istante dopo la Bongiorno dopo aver costretto a forza uno
dei tre cellulari, tutti addormentati, a prendere la linea.

A quel punto Andreotti disse una cosa che non aveva

mai detto, una frase che chiunque di noi avrebbe pronunciato ma non lui, abituato da sempre ad archiviare con un monosillabo e senza batter ciglio qualunque notizia che gli fosse caduta addosso: «Giulia, dimmi che è vero». «È vero, presidente» rispose lei. «Quindi significa che è finita?» «È finita, presidente.» «Vieni immediatamente.»

Intanto si era risvegliato un altro cellulare, dov'era memorizzato il numero di Stefano, uno dei quattro figli del senatore, dirigente della Siemens, discreto oltre ogni misura. Stefano era in casa del padre, in cima a corso Vittorio, con la sorella Serena. E sentì quello che la Bongiorno gridava al senatore, sotto l'occhio delle telecamere. Squillò subito nell'appartamento anche il telefono fisso: rispose la signora Livia. «Il primo pensiero, com'è ovvio, è stato per la mia famiglia» mi avrebbe poi confidato il senatore.

Quando la Bongiorno arrivò a palazzo Giustiniani, Andreotti stava ricevendo i giornalisti che aspettavano lì sotto. Poi andò a casa, dove trovò le pizze comprate da Stefano. Ne mangiò soltanto due bocconi. «In televisione voglio andare leggero» disse congedandosi dai suoi. Pochi minuti dopo, a «Porta a porta», raccontò quello che si era tenuto dentro per dieci anni.

«Presidente, lei è stato condannato. Lei e Badalamenti»

«Meno sessanta, meno trentacinque, meno dieci, meno uno...» Giulia Bongiorno ha contato i mesi, le settimane e poi i giorni e le ore che mancavano alla pronuncia delle Sezioni unite penali della Cassazione, come fanno i militari di leva con il tempo che li separa dal ritorno alla vita civile. Ha cominciato a contare da quella drammatica sera del 17 novembre 2002. Era domenica e Andreotti, tranquillo sull'esito della sentenza della Corte d'appello di Perugia, se ne era andato alla presentazione di un libro. La Bongiorno, suo avvocato difensore insieme con Franco Coppi, l'aveva scongiurato di restare in casa al momento della lettura, prevista nella serata. Non si trattava di un normale processo di mafia – certo micidiale, ma dai contorni incerti e impalpabili –, bensì di stabilire se Andreotti avesse ordinato o no l'assassinio di un uomo, il giornalista Carmine (Mino) Pecorelli. Per questo la Bongiorno l'aveva pregato di farsi trovare in casa. E il senatore aveva ubbidito.

«Quando sentii il presidente della Corte pronunciare la parola "colpevole"» mi racconta l'avvocato «mi lasciai cadere sulla sedia. Passai alle spalle di Coppi, afferrai il cellulare e lo chiamai: presidente, lei è stato condannato. Andreotti mi chiese: soltanto io? Dovetti rispondergli la cosa più dura: lei e Badalamenti.» Ventiquattro anni di carcere per omicidio volontario premeditato all'uomo politico simbolo della storia repubblicana e l'ergastolo a uno dei grandi capi di Cosa Nostra.

Piange a dirotto Giulia Bongiorno mentre ricorda quei momenti. «Corremmo subito a Roma. Poi Coppi andò via, invece io mi fermai quella notte. Gli dissi: presidente, non so tra noi due chi stia peggio. E lui: "Giulia, pensi di esserlo tu. Ma sappi che al mio dolore s'aggiunge la consapevolezza che tu stai malissimo". E poi si parla di Andreotti come di un freddo. Io almeno un pianto me lo faccio, lui piange dentro. Quella notte mi è venuta la "malattia".» (È la celiachia, una malattia ereditaria da malassorbimento, piuttosto rara. «Sta lì e dorme» dice la Bongiorno. «Può esplodere o non esplodere. Può esplodere a causa dello stress. A me esplose quella sera.») Piange con i grandi occhi spalancati dietro le lenti, il giovane ed esile avvocato cresciuto dal grande penalista Coppi come un fiore raro del Foro, che associa alla perfetta conoscenza dei codici la passionalità meridionale.

Quella sera il mondo politico – tutto il mondo politico – si sollevò. Persino il presidente Carlo Azeglio Ciampi, che con i magistrati usa, com'è ovvio, molta cautela, espresse il suo «turbamento». In sessant'anni di vita politica, dissi un giorno a Livia Andreotti, suo marito non ha mai ricevuto tanta solidarietà e tanta simpatia come dopo essere stato condannato per omicidio.

Quella sera di novembre, per la prima volta, la vita del senatore cambiò sul serio. «Andreotti» mi dice la Bongiorno «aveva concepito la nascita dei due processi [*omicidio Pecorelli a Perugia, associazione mafiosa a Palermo*] come una manovra politica per eliminarlo dalla scena pubblica. E, in questo senso, aveva assorbito e metabolizzato il suo calvario decennale. Dunque, fin dall'inizio ha considerato la Procura di Palermo come un avversario politico. I giudici, mai. I giudici, mi ripeteva, mi assolveranno. In questi anni ha continuato a educarmi al rispetto assoluto delle istituzioni. Perciò, la condanna di Perugia è stata per lui un colpo tremendo. Ha rimesso in discussione tutta la sua vita e tutti i valori in cui ha sempre creduto.»

Malgrado la sentenza lo abbia indebolito anche nel fisico, a ottantaquattro anni Andreotti ha desiderato più d'ogni altra cosa arrivare per tempo a un'assoluzione. E nonostante tutto, nonostante considerasse il processo Pecorelli assolutamente trascurabile rispetto a quello di Palermo (qualcuno poteva pensare davvero che Andreotti avesse fatto uccidere il giornalista?), il senatore volle infondere una carica di ottimismo alla sua Giulia.

La Bongiorno ha aperto uno studio in piazza San Lorenzo in Lucina, a venti metri da quello storico del senatore («Passo con lui diverse ore al giorno, tutti i giorni»). E nella sala riunioni tiene esposta una bella coppa, il trofeo di una regata vinta proprio nel finale, dopo una splendida rimonta. Andreotti e la moglie gliela regalarono nel difficile Natale 2002: «Cara Giulia, Livia e io affidiamo a questo trofeo il nostro augurio. È un'autentica regata e, nelle regate, quel che conta è il finale. Con tanta riconoscenza e vivo affetto».

«La connessione sta in questa lettera...»

«La connessione tra i due processi sta qui.» Andreotti si sporge dalla poltrona e mi allunga la fotocopia di una lettera: la carta intestata è della commissione parlamentare d'inchiesta sulla mafia; la firma è del suo presidente dei primi anni Novanta, Luciano Violante; il destinatario è Roberto Scarpinato, sostituto procuratore distrettuale antimafia di Palermo. «Signor procuratore,» scrive Violante il 5 aprile 1993 «La informo che stamane alle ore 9.20 mi ha telefonato una persona, con accento che sembrava torinese, la quale mi ha detto che in via Tacito [*a Roma*], sede di "OP", ci sarebbe un tale Patrizio, braccio destro di Mino Pecorelli, il quale possiederebbe la copertina del numero di "OP" che non fu mai stampato a causa dell'omicidio del suo direttore. Sulla copertina ci sarebbero sei nomi leggendo i quali si comprenderebbe chi possiede oggi i documenti di Pecorelli, che sarebbero contenuti in una valigetta. La persona, che non ha voluto rivelarmi la propria identità, richiamerebbe la prossima settimana per darmi ulteriori notizie. Ho ritenuto opportuno informare Lei perché ho appreso che è titolare di indagini relative all'omicidio di Mino Pecorelli.»

Mino Pecorelli fu ucciso per strada a Roma, vicino a piazza Cavour, con quattro colpi di pistola, la sera del 20 marzo 1979, e sul delitto non fu mai fatta luce. Personaggio controverso, era accusato di usare la sua rivista per ricattare i potenti. Il 18 novembre 2002, all'indomani della condanna in appello di Andreotti, «La Stampa» titolò così un ritratto del giornalista firmato da Filippo Ceccarelli: *Il «gioco pesante» di «OP». Ai politici* [Pecorelli] *chiedeva abbonamenti, finanziamenti e regalie. A volte implorava, a volte pretendeva. In base alle risposte, cambiava linea.* Ma la famiglia lo ha sempre difeso come specchiato e scomodo professionista, a sua volta nel mirino del Palazzo.

Pecorelli aveva violentemente attaccato il presidente della Repubblica Giovanni Leone fino al giorno delle sue dimissioni, nel 1978. Ma uno dei suoi bersagli preferiti era Andreotti, fatto oggetto di accuse per storie di finanziamenti alla sua corrente, alle quali il senatore aveva sempre replicato puntigliosamente. C'erano stati anche attacchi in merito al caso Moro. «Ma noi abbiamo dimostrato» mi dice la Bongiorno «che dall'agosto 1978 tali attacchi erano in netta diminuzione.» Tuttavia, come vedremo, queste accuse relative al caso Moro risulteranno decisive ai fini processuali.

«Il giornalista» mi spiega l'avvocato «affermava che il memoriale dattiloscritto (49 cartelle) attribuito a Moro e trovato nel covo milanese delle Br in via Monte Nevoso non era completo e lasciava immaginare che quello autentico contenesse accuse contro Andreotti molto più gravi di quelle presenti nella copia dattiloscritta rinvenuta. L'accusa sostiene che Pecorelli era entrato in possesso della copia originale del memoriale attraverso Angelo Incandela, un maresciallo suo confidente, e che Andreotti ha fatto ammazzare il giornalista perché tale documento compromettente non venisse mai alla luce. Naturalmente, Incandela non ha mai consegnato a Pecorelli alcun manoscritto di Moro. Nel 1990, durante lavori di ristrutturazione effettuati nello stesso appartamento di via Monte Nevoso, saltò fuori il manoscritto originale (412 cartelle), e si scoprì che, invece di essere più duro della sintesi dattiloscritta delle Br, lo era assai meno.» La Bongiorno ha fatto trasferire su alcune gigantografie brani dei due testi per metterli a confronto. «I finanziamenti alla Dc, non solo a essa» scrive Moro di suo pugno. «I finanziamenti alla Dc, non solo adesso» trascrivono i brigatisti. «Un gesto doloso» ritiene l'avvocato «visto che i finanziamenti al partito sono la parte più importante del memoriale Moro. Un altro punto: l'accusa sostiene che Andreotti avesse favorito l'estradizione in Italia di Michele Sindona in virtù di un'amicizia privata. La sintesi dattiloscritta delle Br sembra avvalorare questa tesi parlando di "indebite amicizie di Andreotti e Sindona". Il manoscritto dice l'opposto: "Si trattava di vincoli pubblici e non privati", confermando quel che ha sempre sostenuto il senatore.»

L'accusa non ha tenuto conto di tutto ciò e ha sempre accusato Andreotti di essere il mandante dell'omicidio di Pecorelli, di essersi servito del suo amico Claudio Vitalone, ex magistrato e poi senatore della Dc, per contattare mafiosi e delinquenti della banda della Magliana attraverso Pippo Calò, e di aver commissionato il delitto a Tano Badalamenti e Stefano Bontade, deceduto nel 1981: il delitto sarebbe stato eseguito da un mafioso (Michelangelo La Barbera) e da un bandito della Magliana (Massimo Carminati). All'assoluzione generale in primo grado sarebbe seguita la condanna in appello dei soli Andreotti e Badalamenti. E vedremo perché.

Coiro dirotta Violante su Palermo

Le ragioni per cui Andreotti mi mostra la lettera dell'ex presidente della Camera sono due: il destinatario e la data. Scarpinato lavora a Palermo, Pecorelli è stato ucciso a Roma: quando fu scritta la lettera, era ancora la magistratura romana a occuparsi del delitto. Alcuni mesi dopo, allorché fu tirato in ballo Vitalone, l'inchiesta sarebbe stata trasferita a Perugia, sede dei due successivi processi. Perché, dunque, Violante ha scritto a Scarpinato? La data è il 5 aprile 1993. Nove giorni prima, il 27 marzo, il nuovo procuratore di Palermo, Giancarlo Caselli, aveva trasmesso al Senato la richiesta di autorizzazione a procedere contro Andreotti come altissimo e decisivo referente romano di Cosa Nostra.

Il 5 aprile 1993 non è una data qualsiasi. Il giorno successivo, 6 aprile, Caselli e Guido Lo Forte interrogarono a New York Tommaso Buscetta. Fu la deposizione decisiva per i processi che per dieci anni avrebbero tormentato il senatore. Don Masino fece allora, per la prima volta, il nome di Andreotti come protettore della cupola mafiosa e, per la prima volta, lo indicò anche come mandante dell'omicidio di Pecorelli. Confidenze ricevute tra il 1980 e il 1982 dai due capimafia Stefano Bontade e Gaetano Badalamenti lo inducevano a rivelare che «quello di Pecorelli fu un delitto politico voluto dai cugini Salvo [*potentissimi esattori di tributi, amici della Dc e in odore di mafia*] in quanto a loro richiesto dall'onorevole Andreotti». («*U' ficimo noaitri*» avrebbero detto.)

Violante disse di aver ricevuto la telefonata anonima il 5 aprile, scrisse a Scarpinato mentre Caselli e il suo procuratore aggiunto Lo Forte erano negli Stati Uniti, e ventiquattr'ore dopo Buscetta trascinava Andreotti anche dentro l'inchiesta per l'omicidio Pecorelli. Nell'agosto 2003 Andreotti confidò questa perplessità in un'intervista rilasciata a Stella Pende di «Panorama», provocando l'immediata replica di Violante in una lettera al settimanale. Il presidente dei deputati ds riconosce che il processo Pecorelli pendeva presso la magistratura romana e rivela di aver avvertito della telefonata anonima il procuratore della Repubblica di Roma, Michele Coiro, il quale, alla domanda di Violante se doveva trasmettergli un appunto scritto, avrebbe risposto «che non era necessario inviargli una nota scritta e che forse la notizia poteva interessare anche la Procura di Palermo». Osserva Andreotti: «Agli atti della Procura di Roma non c'è niente. E Coiro è defunto e non consultabile».

Pur non avendo alcuna ragione di dubitare della parola di Violante, ci chiediamo perché un magistrato prudentissimo e attento come Coiro avrebbe rifiutato un appunto scritto, di provenienza così autorevole, che avrebbe potuto allegare agli atti dell'inchiesta, e perché, essendone lui il titolare, avrebbe dovuto dirottare il presidente dell'Antimafia su Palermo.

Nella lettera a «Panorama» – confermata in una nota inviata a chi scrive – Violante fornisce una spiegazione. «Effettivamente un'agenzia del 28 marzo [*otto giorni prima della telefonata anonima*] aveva comunicato che anche quella Procura indagava sull'omicidio Pecorelli.» Di qui la telefonata a Scarpinato (Caselli era assente) il quale, al contrario di Coiro, chiese «l'invio di una nota scritta, cosa che feci immediatamente» afferma Violante. E aggiunge: «Non mi stupì la segnalazione del dottor Coiro, perché avevo letto l'agenzia».

L'agenzia citata da Violante è un'Ansa che in un dispaccio dà ampiamente conto della richiesta di autorizzazione a procedere contro Andreotti trasmessa al Senato il giorno prima dal procuratore Caselli. Il *take* ricorda, fra l'altro, che Andreotti nega di aver parlato, incontrando il generale Carlo Alberto Dalla Chiesa al momento della nomina a prefetto di Palermo, di Salvo Lima, del mafioso Giuseppe Inzerillo e del falso rapimento di Michele Sindona. «In questo contesto, sempre secondo indiscrezioni» aggiunge l'Ansa «nella richiesta di autorizzazione verrebbero recuperate alcune parti dell'inchiesta sull'uccisione del giornalista Mino Pecorelli e sulle campagne di "OP", sui rapporti tra Sindona, Inzerillo e Licio Gelli.»

«L'Ansa sapeva in anticipo di Buscetta»

In realtà, contrariamente a quanto sostiene il dispaccio dell'Ansa, nella richiesta di autorizzazione a procedere contro Andreotti inviata da Caselli al Senato il 27 marzo non si fa alcun cenno al caso Pecorelli. E Violante lo sapeva, visto che, come riferiremo tra poco, tale documento gli fu recapitato d'urgenza il 28. Come mai, allora, ha telefonato a Scarpinato pur sapendo che la Procura di Palermo non aveva menzionato l'omicidio Pecorelli nella pur ampia richiesta di autorizzazione a procedere?

Riferendosi allo «specifico contenuto della richiesta di autorizzazione a procedere nei confronti del senatore Andreotti», Violante mi scrive che «è bene sapere che la richiesta di autorizzazione a procedere richiedeva una certa consistenza probatoria, per evitare il sospetto del *fumus persecutionis*. Poteva essere accaduto che la richiesta non contenesse cenni a quell'omicidio, ma che la Procura resti interessata alle indagini. In ogni caso, se la magistratura si dichiarava interessata a una notizia era mio dovere fornirla, sulla base del principio costituzionale della leale collaborazione tra poteri dello Stato (Parlamento e magistratura). A questo principio mi attenni anche in questa circostanza».

Sotto il profilo istituzionale, la spiegazione è ineccepibile. Ma non si capisce dove sta il bandolo della matassa.

Coiro, che è competente sul delitto Pecorelli, si disinteressa della preziosa comunicazione di Violante e dirotta il presidente dell'Antimafia su Palermo, che non è competente, non ha fatto cenno all'omicidio nella richiesta di autorizzazione a procedere, eppure, nella persona di Scarpinato, si dimostra subito interessatissima alla telefonata anonima. Resta poi un mistero come l'Ansa abbia raccolto il 28 marzo indiscrezioni – evidentemente presso la Procura palermitana – su un collegamento Andreotti-Pecorelli-Palermo che ufficialmente non esiste. A meno che qualcuno non sapesse in anticipo che Buscetta avrebbe tirato in ballo il senatore per l'omicidio Pecorelli. È questa la tesi di Andreotti. «Nessun accenno a Pecorelli è contenuto nella richiesta di autorizzazione a procedere» mi dice il senatore. «L'informatore dell'Ansa sapeva qualche giorno prima che Buscetta avrebbe parlato di Andreotti e Pecorelli. Strana circostanza è la lettera di Violante a Scarpinato. La precisazione di Violante non smentisce il sospetto di una trama.»

Il primo a collegare il nome di Andreotti a quello di Pecorelli fu dunque don Masino, interrogato negli Stati Uniti il 6 aprile. Nei successivi interrogatori dinanzi alla Corte d'assise di Perugia, il pentito cambiò tuttavia versione: l'omicidio sarebbe avvenuto semplicemente su richiesta dei Salvo (nel frattempo Ignazio era stato ucciso e Nino era deceduto per cause naturali). «E Andreotti che c'entra?» gli chiese l'avvocato Coppi. «Una mia deduzione» rispose Buscetta, il quale aggiunse che la sua «deduzione» era «pratica di vita», visto che mai i Salvo si sarebbero mossi senza una richiesta di Andreotti. Su questa base si poteva mandare a giudizio, non dico l'uomo simbolo della Prima Repubblica, ma un cittadino qualsiasi? Eppure Andreotti, assolto in primo grado nel settembre 1999, tre anni più tardi in appello sarebbe stato condannato a ventiquattro anni di carcere. E questo nonostante il fatto che, dopo la prima assoluzione del senatore, Buscetta avesse detto candidamente al giornalista dell'«Unità» Saverio Lodato, che lo intervistava per il libro *La mafia ha vinto*: «Sono convinto che anche il mio racconto ha contribuito all'assoluzione di tutti gli imputati». Lodato dovette restare di sale. Lei non indicò mai in Andreotti il mandante di quell'omicidio?, gli chiese. E il padre di tutti i pentiti rispose: «Io ho raccontato ai giudici le cose che avevo saputo da Stefano Bontade e Tano Badalamenti sul delitto Pecorelli. Nessuno dei due mi aveva detto che Andreotti aveva ordinato l'omicidio del giornalista. E io questo non lo dissi mai».

Non lo dissi mai? E la confessione a Caselli del 6 aprile 1993, ventiquattr'ore dopo la segnalazione di Violante alla Procura di Palermo? Andreotti e i suoi avvocati non capiscono dove nasca quel delitto «richiesto» dal senatore. Buscetta nega di aver detto quella frase. Lo ha negato in dibattimento a Palermo, lo ha negato in dibattimento a Perugia, lo ha negato nell'intervista a Lodato, lo ha negato nel primo interrogatorio della magistratura romana per l'omicidio Pecorelli (il processo passò da Palermo a Roma e da Roma a Perugia). Eppure, nel verbale redatto il 6 aprile 1993 da Caselli e Lo Forte la frase c'è. Come mai? Il paradosso è che i giudici d'appello di Perugia hanno prestato fede alla ritrattazione di Buscetta. Dunque, Andreotti è innocente? No, avrebbe dato un tacito consenso al delitto. Ventiquattro anni di carcere per un tacito consenso? È stato questo il cavallo di battaglia della difesa dinanzi alle Sezioni unite della Cassazione.

«Sto ancora aspettando che mi chiamino...»

«Una spiegazione sulla competenza di Palermo per l'omicidio Pecorelli non c'è» mi dice Andreotti riferendosi alla lettera di Violante. «La *consecutio temporum* tra la segnalazione del presidente dell'Antimafia e le dichiarazioni di Buscetta sull'omicidio Pecorelli è troppo scoperta. Ma allora perché i procuratori di Palermo hanno inserito la lettera tra le carte processuali dove l'abbiamo trovata noi? Mi pare strano che sia finita lì per caso. Restano due ipotesi. La prima è che forse speravano che io abboccassi all'amo della persecuzione politica. E, per la verità, qualche ragione per immaginarlo c'era. Quando la commissione antimafia cominciò a occuparsi di Lima, Violante mi fece chiedere dal vicepresidente Paolo Cabras [*democristiano, poi passato direttamente alla direzione del Pds*] se gradivo essere interrogato all'inizio o alla fine dei lavori. Dissi che avrei preferito parlare alla fine, per poter dare eventualmente spiegazioni su tutto. Sto ancora aspettando che mi chiamino...»

Andreotti fa una pausa e ne approfitta per inzuppare un biscotto nel cappuccino. (I nostri incontri avvengono nel suo studio a palazzo Giustiniani alle otto del mattino e il senatore ne approfitta per fare la prima colazione.) «Oppure» riprende «hanno voluto lasciare una traccia sulla corresponsabilità di Violante nel caso questi li avesse mollati... Comunque sia, credo che abbiamo fatto bene a comportarci al processo come se fosse un processo normale.»

Un altro aspetto che sorprende Andreotti è aver trovato allegato alle carte processuali un documento che testimonia la fretta con cui Violante chiese che gli venissero trasmessi gli atti relativi alla richiesta di autorizzazione a procedere firmata dal procuratore Caselli. Il senatore mi porge un secondo foglietto. È la copia di una relazione di servizio scritta a mano da un capitano dei carabinieri e datata Torino 28 marzo 1993. (Come abbiamo detto, il giorno precedente, 27 marzo, Caselli aveva firmato la richiesta di autorizzazione a procedere contro Andreotti.)

«Violante ricevette la documentazione prima ancora che arrivasse in Senato» afferma il senatore. «Un capitano dei carabinieri prese l'aereo e andò a consegnargliela a Torino.» Nella nota è scritto: «Per ricevuta di busta sigillata contenente esemplare di richiesta di autorizzazione a procedere nei confronti di G. Andreotti redatta dalla D.D.A. [*Direzione distrettuale antimafia*] di Palermo in data 27 marzo 1993, da consegnare personalmente al Pres.te Comm. Parlam. Antimafia on. L. Violante, come richiesta dal medesimo e conseguente intesa col Proc. Rep. sottoscritto».

Chiedo al senatore se sia un caso che le inchieste di Palermo siano state aperte nei confronti dell'unico leader del Caf (l'asse politico tra Craxi, Forlani e Andreotti) uscito indenne da Tangentopoli. «Direi di no. È l'unica spiegazione che sono riuscito a darmi» risponde. «Nelle inchieste per corruzione, prima o poi occorre portare qualcosa che assomigli a una prova. Sulla mafia, no. Salvo Lima è morto, Lima era sospettato di essere legato alla mafia, Lima era amico mio, dunque anch'io ero legato alla mafia.» E Pecorelli? «Non ho mai creduto che si riuscisse davvero a farmi condannare come protettore e complice dei mafiosi. Per rafforzare l'impianto accusatorio, ecco allora nascere l'accusa di aver fatto ammazzare Pecorelli. La lettera di Violante è la connessione tra i due processi.» (Difendendosi il 5 novembre alla Camera, Violante ha detto di non aver lavorato «nell'incubatore infettivo del virus giustizialista». Ma l'indomani, al Senato, Andreotti lo ha accusato di nuovo: «Ha cercato di incastrarmi. Ha mandato la lettera a Scarpinato come titolare di un'indagine che non esisteva».)

Un giorno di fine marzo 1993

Il decennale calvario giudiziario di Andreotti cominciò un giorno di fine marzo 1993. «Mi telefonò Giovanni Spadolini, presidente del Senato: la Procura della Repubblica di Palermo aveva chiesto di poter procedere contro di me. Restai traumatizzato. Sapevo bene che la cosa era assurda e che si stava tessendo una manovra ai miei danni, ma restai traumatizzato e anche mortificato.» L'accusa era contenuta in un dossier di 246 pagine firmato da Giancarlo Caselli e da Guido Lo Forte, Roberto Scarpinato e Gioacchino Natoli. Il succo della richiesta di autorizzazione a procedere è nelle ultime due cartelle. «Il complesso sistema di relazioni che deve essere indagato» scrivevano i magistrati «si fonda su una logica di scambio e di alleanze, comportanti reciproci vantaggi per Cosa Nostra e il "referente romano" dell'on. Salvo Lima e della sua corrente politica [*cioè Andreotti*]. Per tale ragione, questo sistema comprende in sé quell'amplissimo ventaglio di interessi che, con linguaggio espressivo e sintetico, i collaboranti hanno definito "le necessità" della mafia siciliana (Messina) ovvero "tutte le esigenze di Cosa Nostra che comportano decisioni da adottare a Roma" (Mutolo). Si tratta dunque, intuitivamente, di interessi multiformi – di tipo amministrativo, economico, finanziario e perfino legislativo – il cui segno unificante era quello di richiedere, comunque e necessariamente, un intervento politico-istituzionale di vertice.» Si avanzava quindi la richiesta di procedere contro Andreotti «per aver [*egli*] contribuito alla tutela degli interessi e al raggiungimento degli scopi ... [*di*] Cosa Nostra, in particolare in relazione a processi giudiziari a carico di esponenti dell'organizzazione».

«Rimasi sconvolto per la gravità degli addebiti» mi confida il senatore «perché in effetti diventavo, ai fini della mafia, più importante di Totò Riina e di Bernardo Provenzano. La richiesta di autorizzazione a procedere era però mal fatta. Quell'accusa di aver provveduto alle necessità della mafia perfino in sede legislativa lanciata contro di me, che ero stato più e più volte ministro e sette volte presidente del Consiglio, significava che i procuratori palermitani si sarebbero dovuti spogliare del processo e trasmetterlo a Roma, al tribunale dei ministri. E infatti, quando se ne accorsero, fecero macchina indietro per poter mantenere la titolarità dell'inchiesta.»

Andreotti restò naturalmente senza fiato quando lesse la gragnuola di accuse scagliate da tanti illustri pentiti a lui perfettamente sconosciuti. Aveva cominciato il 13 agosto 1992 (poche settimane dopo la morte di Giovanni Falcone e Paolo Borsellino) Leonardo Messina, imputando il presidente della prima sezione penale della Cassazione Corrado Carnevale di essere amico della mafia perché annullava sentenze scomode (processato e assolto, Carnevale fu reintegrato nella Suprema Corte). Disse che andreottiani e craxiani non proteggevano abbastanza Carnevale, e che Salvo Lima, ucciso nel marzo dello stesso anno, non era mafioso, ma aveva «costituito il tramite tra esponenti di Cosa Nostra e l'onorevole Andreotti per le necessità della mafia siciliana». Messina, capofila di una schiera di ventisette pentiti, se ne stette zitto per cinque mesi e l'8 gennaio 1993 riferì che alcuni colleghi mafiosi avevano individuato in Lima e Andreotti «la loro sicurezza in Cassazione». A Messina si aggiunsero altri due pentiti, Gaspare Mutolo e Giuseppe Marchese, che all'inizio mossero peraltro al senatore accuse generiche. Tuttavia, due mesi di indagini furono sufficienti a Caselli e ai suoi per chiedere l'autorizzazione a procedere contro Andreotti.

Ripresosi dallo sgomento, il senatore cercò subito di capire quale potesse essere la matrice «politica» di quanto gli stava accadendo. E rammentò che, tempo prima, il suo amico Gerardo Chiaromonte, vecchio e autorevole dirigente comunista che aveva presieduto la commissione antimafia tra il 1988 e il 1992, subito prima di Violante, gli aveva confidato che qualcuno gli stava «preparando un cappotto». («Un cappotto politico, prima che giudiziario» mi dice Andreotti.)

Chiaromonte, oggi scomparso, lasciò traccia di un inquietante colloquio nel suo libro *I miei anni all'Antimafia: 1988-1992*: «Conobbi Falcone nell'estate del 1988, prima a casa di Giuseppe Ayala [*allora sostituto procuratore della Repubblica a Palermo, oggi parlamentare ds*] e poi a cena dal segretario della federazione palermitana del Pci, che era allora Michele Figurelli. Era presente, in questa seconda occasione, anche Leoluca Orlando. In quel periodo, Falcone passava per "amico" (alcuni dicevano "strumento") del Pci. Ma sin da quei primi incontri io capii che questa era veramente una colossale sciocchezza (e lo dissi subito ai dirigenti provinciali e regionali del Pci a Palermo). Ricordo la discussione che si svolse, a casa di Figurelli, fra lui e Leoluca Orlando su Giulio Andreotti. Orlando era implacabile. Il suo giudizio era durissimo e senza appello. Affermava che c'erano tutti gli elementi per agire contro di lui sul piano giudiziario. E Falcone si affaticava a spiegare che, per condannare o anche solo per incriminare una persona, un giudice non può basarsi sui "si dice" o sui "ragionamenti" politici. Deve avere le prove. E poi aggiungeva che, di Andreotti, non si poteva parlare solo per alcune sue amicizie, più o meno ambigue, ma per il complesso della sua personalità politica, per il prestigio di cui godeva fuori del nostro paese, eccetera. Io convenivo con lui. Quell'incontro fu per me rivelatore anche per il giudizio su Leoluca Orlando di cui, in quel momento, ritenevo assai utile, anche per il lavoro della commissione parlamentare antimafia, la sua attività e iniziativa come sindaco di Palermo».

«Falcone si inventò l'attentato dell'Addaura»

«Falcone» scrive Chiaromonte in un'altra pagina del suo libro «era assai cauto sul problema dei rapporti tra mafia e politica: certo non li negava, ma vedeva il rapporto esistente come capovolto rispetto al passato, nel senso che erano i mafiosi a "disporre" dei politici e degli amministratori (ai quali ricambiavano, anche con i voti, i "favori" ricevuti o da ricevere) e non viceversa. E in questo quadro egli metteva in dubbio l'esistenza di un "terzo livello" [*quello di un leader politico – nel nostro caso Andreotti – inserito a pieno titolo ai vertici di Cosa Nostra*]: e le sue dichiarazioni su questo punto provocarono l'ira funesta di Leoluca Orlando, dei suoi seguaci, e purtroppo anche di quegli esponenti del Pds che, in modo assai schematico, parlavano e sparlavano di cose di mafia.»

Per queste sue idee, Falcone era già sotto tiro. Nel gennaio 1988 il Consiglio superiore della magistratura gli aveva preferito Antonino Meli come capo dell'Ufficio istruzione del tribunale di Palermo. E quando la mafia tentò di ammazzarlo con lo spettacolare attentato nella villa che aveva affittato sulla spiaggia dell'Addaura, Orlando parlò a Chiaromonte di «attentato misterioso». «La cosa» scrive quest'ultimo «fu chiarita successivamente da alcuni seguaci di Orlando, i quali sostennero che era stato lo stesso Falcone a organizzare il tutto, prendendo ovviamente le dovute precauzioni, per farsi pubblicità e per rafforzare la sua candidatura a procuratore aggiunto di Palermo.» Poco dopo, Falcone si candidò a membro del Consiglio superiore della magistratura e, incredibilmente, non fu eletto.

A procurargli l'ostilità dei colleghi, come accade in tutti i mestieri di questo mondo, era la straordinaria popolarità che si era saputo guadagnare presso l'opinione pubblica italiana e internazionale come magistrato antimafia. Un magistrato che non usava i pentiti, ma sapeva pesarne l'attendibilità. E aveva il coraggio di smascherare gli imbroglioni, come fece nel 1989 con Giuseppe Pellegriti. Quest'ultimo, interrogato a Bologna dal sostituto procuratore Libero Mancuso, aveva rivelato che il mandante dell'assassinio del presidente della regione siciliana Piersanti Mattarella era stato Salvo Lima, capo della corrente andreottiana nell'isola. Scriverà Lino Jannuzzi sul «Giornale» del 3 maggio 2003, commentando l'assoluzione di Andreotti al processo d'appello di Palermo, che la rivelazione di Pellegriti costituisce il vero inizio del processo contro il senatore. Commentando le tesi del pubblico ministero Scarpinato, Jannuzzi osserva che senza l'intervento di Falcone e l'incriminazione per calunnia di Pellegriti, Andreotti sarebbe stato accusato di associazione mafiosa con tre anni di anticipo e inquisito perfino per l'assassinio di Mattarella.

Andreotti mi conferma di essere stato avvertito da Falcone dell'incriminazione di Pellegriti. «Mi telefonò a Cortina» dice, dove il senatore trascorreva le vacanze presso il collegio delle Orsoline. E me lo ripete, nonostante nel suo libro Chiaromonte sostenga che il giudice palermitano gli aveva smentito tale circostanza. A ogni modo, il caso Pellegriti isolò profondamente Falcone, che dovette subire l'umiliazione di un processo dinanzi al Csm per rispondere alle accuse di Orlando che gli contestava di aver «tenuto nascoste nei cassetti» le prove dei legami di esponenti delle istituzioni con la mafia.

Il verbale di quella seduta

Ho sott'occhio le 142 pagine del verbale di quella seduta della prima commissione del Csm (15 ottobre 1991). Rilette oggi, fanno gelare il sangue. Falcone lamentò che, dopo la pubblicazione del memoriale di Orlando e del professor Alfredo Galasso (difensore dei pentiti durante il processo Andreotti) che lo accusavano, «l'Unità», dandone notizia, scrisse: «Falcone preferì insabbiare tutto». Nel suo sfogo il magistrato citò una frase di Enzo Biagi: «Si può uccidere anche con la parola». Egli dovette rispondere pure a contestazioni riguardanti gli arresti dell'ex sindaco di Palermo Vito Ciancimino e del suo factotum, Romolo Vaselli, ordinati dall'ufficio di Falcone mentre Orlando era sindaco del capoluogo siciliano. Ciancimino fu poi scarcerato su ordine della Cassazione, e Galasso spiegò al Csm che le accuse erano fragili. Falcone replicò che «nonostante l'evolversi delle varie amministrazioni comunali, le indagini hanno dimostrato la sostanziale prosecuzione della titolarità delle varie imprese assegnatarie degli appalti ... Non si può dire che la materia [*degli appalti pubblici*] sia ancora trasparente». Il giudice citò la manutenzione della rete fognaria e il fatto che il titolare dell'impresa che gestiva l'illuminazione pubblica era stato vittima «sicuramente di un omicidio di mafia». Ricordò che Ciancimino era stato condannato per vicende relative agli appalti pubblici e ricambiò le accuse di Orlando, dicendo in sostanza: cambiano i sindaci, ma negli appalti comunali la mafia continua a essere fortissima.

Nella stessa seduta del Csm, Falcone si difese sul caso Pellegriti («Io l'avrei arrestato subito perché ha inventato una storia che non sta né in cielo né in terra, per arrivare, poi, a un mandante che non può essere quello»). E sui pentiti fece rivelazioni agghiaccianti: «Non si può consentire a queste persone di poter impunemente dire cose estremamente gravi. Io ricordo che un giorno due pentiti dicevano tra di loro chi dovesse assumersi la responsabilità di aver sparato. "Ho sparato io", "Ma no, ho sparato io", "Ah, va bene, hai sparato tu"». Raccontò che «prima di incontrare Pellegriti ci sono state tutta una serie di strane frequentazioni del personaggio, poi ci sono stati dei convegni carcerari in cui certe persone hanno incontrato Pellegriti e continuano ad alzare il polverone». Secondo Jannuzzi, l'allusione è «a un convegno nel carcere di Bologna al quale ha partecipato Carmine Mancuso, il seguace di Orlando». Il giornalista ricordò che nel luglio 1989 si sarebbe svolto a Mondello un convegno organizzato dal Coordinamento antimafia al quale, oltre al presidente Carmine Mancuso, avrebbero partecipato Luciano Violante, Leoluca Orlando, Alfredo Galasso, padre Ennio Pintacuda, il gesuita allora vicinissimo al sindaco di Palermo, e il magistrato bolognese Libero Mancuso (colui che raccolse la deposizione di Pellegriti, poi smontata da Falcone), e che un mese dopo, il 19 agosto, Violante scrisse sull'«Unità»: «Siamo vicini a una verità pericolosa che può squarciare il sipario che finora ha nascosto il livello politico delle stragi di Bologna e degli assassinii di Palermo». Il «livello politico» che avrebbe organizzato la strage del 2 agosto 1980 alla stazione di Bologna non è mai venuto alla luce, mentre quello degli assassinii di Palermo era probabilmente riconducibile alla connessione Pellegriti-Lima-Mattarella. Il brodo di coltura che sarebbe stato fatale ad Andreotti.

Per Falcone l'aria di Palermo era ormai diventata irrespirabile. «I sospetti sono stati lanciati e sono stati respinti» disse al Consiglio superiore della magistratura a proposito di Pellegriti. «Ma non si può andare avanti in questa maniera. Questo è un linciaggio morale continuo. Io sono in grado di resistere ... in una situazione estremamente demotivata e delegittimata ... altri colleghi un po' meno.» Chiamato a Roma dall'allora ministro socialista della Giustizia Claudio Martelli, il giudice Falcone si trasferì nella capitale dove assunse l'incarico di direttore generale degli Affari penali del ministero. Così, sommando il caso Pellegriti alla chiamata di Martelli, i suoi avversari dedussero che il campione dell'Antimafia si era venduto al nemico.

«*E quando Lima era fanfaniano?*»

Il 12 marzo 1992, in piena campagna elettorale per il rinnovo del Parlamento, venne ucciso Salvo Lima. Sulla base delle dichiarazioni di Buscetta, i procuratori di Palermo avrebbero detto che fu ammazzato perché non aveva rispettato gli impegni presi con la mafia. Nonostante questo e nonostante la crocifissione politico-giudiziaria di Lima come mafioso, stabilita – lo vedremo più avanti – dalla commissione parlamentare presieduta da Violante, ancora oggi Andreotti nutre dei dubbi sulla «mafiosità» del suo vecchio sodale: «Lima passò alla mia corrente nel 1968 quando si ruppe il gruppone fanfaniano guidato dal deputato Giovanni Gioia. Lima uscì per dissensi con quest'ultimo, ma era già stato sindaco di Palermo da fanfaniano. Al processo non ho insistito su questo punto per non chiamare in causa Fanfani, ma mi sembra singolare che i magistrati non gli abbiano mai fatto questa domanda: lei era il capo della corrente alla quale Lima aderiva quando era sindaco. Le ha mai chiesto niente in quegli anni?».

Così, quando sollecito Andreotti a interrogarsi se debba rimproverarsi amicizie, errori, frequentazioni imprudenti, lui risponde di no. «Con la Sicilia ho avuto sempre un rapporto marginale. Mai una vacanza, mai una mezza giornata di pausa tra un impegno e l'altro. E Lima non mi ha mai chiesto alcunché che potesse far pensare alla tutela di interessi mafiosi.»

Il senatore difende con fermezza la memoria dell'amico scomparso: «Mi dicono che non ha lasciato beni, soltanto un'assicurazione sulla vita. Nessuno ha mai affermato che abbia preso soldi per aver autorizzato la sopraelevazione di un palazzo. La verità è che i magistrati si sono voluti impicciare di una vicenda di partito che non conoscono».

Poi una citazione presa dall'archivio della memoria:

«Quando mi occupavo ancora dei gruppi giovanili, De Gasperi mi mandò in Sicilia a fare un comizio in favore di Bernardo Mattarella [*dirigente democristiano padre del presidente della regione siciliana Piersanti, ucciso dalla mafia nel giorno dell'Epifania del 1980, e dell'attuale dirigente della Margherita Sergio, ex ministro della Difesa nei governi dell'Ulivo*]. Era indignato perché gli davano del mafioso. Come possono dire una cosa simile, sosteneva De Gasperi, di un dirigente dell'Azione cattolica? Se dovessimo usare lo stesso criterio di valutazione usato per Lima, oggi dovremmo dire che il figlio di Bernardo è stato ammazzato perché ha smesso di fare favori alla mafia?».

Andreotti respinge con stupore, prima che con indignazione, l'accusa (confermata peraltro dalla motivazione dei giudici, che pure lo hanno assolto in appello a Palermo) di aver partecipato «a una riunione di mafiosi nella quale loro mi avrebbero spiegato le ragioni per cui avevano dovuto ammazzare Mattarella». E alla mia domanda se in certi anni il problema della mafia non fosse stato sottovalutato dal potere politico, risponde: «Forse si poteva stare più attenti. Ma nel gioco delle correnti era difficile capire chi fosse sospettato di mafia e chi non lo fosse. Per esempio, alle elezioni regionali del 1991 fu presentato un certo Raffaele Bevilacqua [*arrestato il 24 luglio 2003 nell'ambito di un'inchiesta che ha visto tra gli indagati anche il vicepresidente dell'assemblea regionale siciliana, il diessino Vladimiro Crisafulli*] che, secondo i procuratori, era indiziato di mafia, e che comunque non fu eletto. In ogni caso, quando da presidente del Consiglio ho cominciato a prendere provvedimenti antimafia che – questi, sì – erano ai margini della legalità costituzionale, né Lima né alcun altro dei politici siciliani della mia corrente mi ha mai detto: sta' attento, datti una calmata». Quel «forse si poteva stare più attenti» rivela la modesta tendenza all'autocritica di Andreotti, peraltro in questo simile a tutti i personaggi politici di spicco.

Poco più di due mesi dopo l'assassinio di Lima, ci fu la strage di Capaci: vennero uccisi Giovanni Falcone, sua moglie e gli uomini della scorta. Si disse che fu questa tragica vicenda a consigliare ad Andreotti il ritiro dalla corsa per il Quirinale, in quei giorni alle battute decisive. Il senatore mi fornisce una versione più sfumata e, in ogni caso, meno personalizzata dell'epilogo: «Si era creata una situazione di grave emergenza e si ritenne che il capo dello Stato dovesse essere eletto ormai senza indugi. Quello di Oscar Luigi Scalfaro, che era presidente della Camera, venne fuori come nome istituzionale». In quel periodo lei era presidente del Consiglio, non era un nome istituzionale anche il suo? Il senatore approfitta della domanda per fornire una prova, dice, dell'inesistenza del Caf: «Craxi non mi sostenne. Disse che il presidente del Consiglio non era una carica istituzionale... In realtà, a parte la leale collaborazione di governo, i vecchi pregiudizi tra noi non erano mai venuti meno. D'altra parte, quando Craxi incontrò Forlani nel famoso camper, io non c'ero. Non mi avevano nemmeno invitato...».

Molti anni dopo la morte di Falcone, le corti d'assise stabilirono che la strage di Capaci era stata organizzata e compiuta dalla mafia e ne condannarono i responsabili, a partire da Totò Riina. Ma Andreotti non esclude un'altra pista. «Falcone si occupava della vicenda dei fondi neri del Partito comunista sovietico, che si diceva fossero transitati in Italia dopo la caduta del Muro. Nella sua qualità di direttore generale degli Affari penali non aveva poteri d'indagine, ma è certo che si stesse interessando della questione. Dalle carte conosciute non risultava dove fosse avvenuto questo transito e quale fosse la destinazione del denaro. Un telegramma del ministero degli Esteri documenta che Falcone avrebbe dovuto incontrare il procuratore generale russo Valentin Stepankov, insieme al quale avrebbe fatto chiarezza sulla vicenda. Toccando tale tasto, ho sempre avuto la preoccupazione che mi si accusasse di voler distogliere i sospetti dalla mafia. Ma le modalità con le quali la strage è stata organizzata e attuata non impediscono di pensare che la mafia abbia agito insieme a qualcun altro. In ogni caso, questa è l'ultima storia di cui voglio occuparmi.» Si è più saputo niente di quei fondi del Pcus? «Credo di no. Quando venne in Parlamento una delegazione della Duma [*la Camera russa*], chiesi a che punto era l'indagine, ma mi rispose soltanto un giovane deputato che minimizzò la cosa. Si tratta di episodi piuttosto irrilevanti, mi disse.»

L'assassinio di Falcone impresse al caso Andreotti una svolta decisiva. «Senza il sangue di Falcone» avrebbe affermato un procuratore «non avremmo mai avuto la forza di processare il senatore.»

A Buscetta torna la memoria

Dopo la strage di Capaci, a Tommaso Buscetta, residente negli Stati Uniti, tornò improvvisamente la memoria. Quando, tra il 1989 e il 1991, Falcone era andato a interrogarlo, non aveva avuto il coraggio di tirare in ballo Andreotti, ma ora il nome del senatore gli venne subito sulla punta della lingua. «Per tre volte Giovanni Falcone è venuto negli Stati Uniti per chiedermi se ero pronto finalmente a parlare» disse il 16 novembre 1992 davanti alla commissione parlamentare antimafia. «E se oggi fosse vivo, gli avrei risposto ancora di no.» Eppure, Falcone era l'unico magistrato di cui alla fine Buscetta si fidasse. Perché non gli ha mai fatto il nome di Andreotti? Perché Falcone, i pentiti, li pesava, perché chiedeva riscontri, perché non amava limitarsi a mettere a verbale e a trasferire nei processi qualunque nome e qualunque circostanza fosse venuto loro l'uzzolo di tirar fuori? Ai procuratori Roberto Scarpinato e Gioacchino Natoli, che si affrettarono a interrogarlo nel settembre 1992, Buscetta disse di voler onorare la memoria del magistrato ucciso. Perché non l'aveva onorato fino in fondo quando era in vita?

Buscetta è passato giustamente alla storia come il primo pentito di mafia, l'uomo che ha squarciato il velo sull'organizzazione e la nomenklatura di Cosa Nostra. Ma tra il 1950, l'anno in cui fu affiliato poco più che ventenne a una cosca palermitana, e il 1984, quando decise di collaborare con la giustizia, ha trascorso quasi più tempo in carcere che in libertà. Tra il 1972 e il 1984, anno in cui fu riportato in Italia da Gianni De Gennaro, allora investigatore dell'Antimafia e oggi capo della Polizia, visse pressoché ininterrottamente da detenuto, salvo un breve periodo di latitanza tra il 1980 e il 1983, allorché si sottrasse al regime di semilibertà incautamente concessogli a Torino. Non è mai stato un vero boss, ma si sa che certi marescialli ne sanno più dei capitani. Uomo intelligente e, soprattutto, furbissimo, durante la lezione impartita ai commissari dell'Antimafia il 16 novembre 1992 si lasciò una via di fuga dicendo: «Non sempre le parole di un collaboratore di giustizia sono dimostrabili perché in ambito mafioso non ci sono mai testimoni». Eppure, le parole sue – e, in particolare, quelle degli altri pentiti che crocifissero Andreotti – furono prese dalla magistratura per oro colato. Non c'è dubbio che senza l'assassinio di Falcone la storia non sarebbe andata com'è andata, ma a indirizzarla verso il corso che ha preso contribuì sicuramente il mutato quadro politico.

Quando Violante andò all'Antimafia

Nella primavera del 1992 si erano tenute elezioni politiche il cui risultato punì severamente sia la Dc e i partiti di governo sia il Pci, allora Pds, reduce dal trauma della caduta del Muro di Berlino. Nei mesi successivi, Tangentopoli indebolì ancor più le formazioni politiche del vecchio centrosinistra, mentre il Pds, ancorché sconfitto nelle urne, divenne di fatto il partito guida del paese. Luciano Violante fu eletto presidente dell'Antimafia al posto di Chiaromonte e, per Andreotti, cominciarono i guai.

Scrive Jannuzzi nel già citato articolo del «Giornale»: «Il

15 ottobre [1992] Violante presenta alla commissione anti-mafia il programma di lavoro, e non c'è una sola parola sui rapporti tra mafia e politica. Il 20 ottobre vengono arrestati gli assassini di Lima e vengono rese note le presunte motivazioni. Il 24 ottobre Violante, prendendo spunto dall'ordinanza dei magistrati di Palermo, modifica il programma e vi introduce l'inchiesta su mafia e politica. Il 12 novembre Buscetta torna improvvisamente in Italia, ufficialmente per deporre, come "persona informata dei fatti", in un processo di mafia. Ma il 16 novembre, invece di presentarsi in aula dinanzi ai giudici, si reca a deporre, invitato da Violante, dinanzi alla commissione parlamentare antimafia».

L'interrogatorio sarebbe dovuto restare segreto, ma i commissari scoprirono che quella stessa mattina i giornali ne davano notizia. Buscetta fu interrogato in pratica dal solo Violante, che disse ai commissari: i giudici ci pregano di non fare domande su due procedimenti in corso, ma si ritenne vincolato al segreto e non precisò quali fossero. Così alcuni commissari lamentarono di non sapere quali quesiti porre. Buscetta, in ogni caso, affermò che non esisteva un terzo livello della mafia, cioè un livello politico direttivo («Non c'è il terzo livello perché i mafiosi non prendono ordini, ma possono dire ad altri: noi faremo così»). Sostenne che l'assassinio di Lima serviva a «denigrare Andreotti» e fece capire che l'assassinio di Dalla Chiesa avvenne perché il generale dava fastidio a qualche uomo politico.

Ci fu chi provò a indagare anche sulle responsabilità di Andreotti per l'assassinio del generale Dalla Chiesa, ma poi deve essersi detto che le esagerazioni non portano mai bene: sarebbero bastati l'omicidio Pecorelli e l'accusa di essere il «supremo patrono» romano della cupola mafiosa. (Lo stesso ragionamento sarebbe valso più tardi per Silvio Berlusconi: indagato per le stragi mafiose di Firenze del 1993, il procedimento penale contro di lui sarebbe stato poi «archiviato», lasciandone in piedi «soltanto» un'altra decina.)

Nove giorni dopo, Buscetta venne interrogato dai procuratori di Palermo. Ma non fece ancora il nome di Andreotti, sostenendo di dover riordinare i propri ricordi. In realtà Buscetta, scaricato dagli americani, aveva bisogno di soldi. E lo Stato italiano glieli diede a partire dalla metà del febbraio 1993, con un contratto da «collaboratore», attraverso il ministero dell'Interno. Due mesi prima, il 17 dicembre 1992, Giancarlo Caselli veniva nominato procuratore della Repubblica di Palermo. Jannuzzi sostiene che Violante abbia promosso una fortissima campagna per favorire questa nomina. E non è un segreto: i due sono molto legati dalla comune esperienza negli uffici giudiziari torinesi e dalle comuni convinzioni ideologiche. Claudio Martelli, che al tempo della nomina di Caselli dovette dare il suo «concerto», avrebbe parlato apertamente di queste pressioni durante la sua deposizione al processo Andreotti.

Caselli «si era candidato in estate» scriveva Edoardo Girola sul «Corriere della Sera» del 18 dicembre 1992. «Sembrava che non dovesse farcela di fronte a colleghi del Sud più esperti del fenomeno mafioso, fra cui Pietro Grasso, siciliano, giudice al maxiprocesso di Palermo, che gli ha conteso fino all'ultimo l'incarico.» Nella commissione del Csm che vota prima del Consiglio stesso, Grasso aveva ottenuto un solo suffragio in meno di Caselli. Eppure, nel «plenum» il magistrato torinese fu nominato con 24 voti a favore e 5 astenuti.

Preso possesso del suo ufficio il 15 gennaio 1993, il 27 marzo trasmise al Senato la richiesta di autorizzazione a procedere contro Andreotti. Il senatore non si meraviglia di tanta rapidità: «Lui stesso disse che era tutto preparato, che aveva trovato la cosa già pronta. Si tratta di vedere piuttosto se la sua nomina fu fatta per merito comparativo, nel senso che Caselli era molto più qualificato dei suoi concorrenti, oppure se sia legittimo il sospetto che la sua provenienza politica l'abbia aiutato. La testimonianza di Chiaromonte dimostra che queste cose si stavano preparando da tempo in chiave politica e non giudiziaria».

Il giudizio di Andreotti sull'ex procuratore di Palermo è tagliente e il senatore me lo trasmette socchiudendo gli occhi e allungando le labbra, come gli accade nei rarissimi momenti in cui esce dal suo linguaggio sfumato: «Caselli è un fenomeno di doppio fanatismo, comunista e cristiano. Si considera un profeta, ma anche i profeti possono prendere qualche cantonata. Gli è solo più difficile riconoscere di averlo fatto. Scrivere un libro in pendenza dell'appello [*Giancarlo Caselli e Antonio Ingroia, "L'eredità scomoda. Da Falcone ad Andreotti, sette anni a Palermo"*, Milano, *Feltrinelli, 2001*], presentarlo all'Istituto italiano di cultura di Bruxelles, dove pure ho qualche conoscenza, e perfino a Palermo il primo giorno del processo si è rivelato controproducente. Lui sa benissimo che i giudici di primo grado non erano miei compagni di merende».

E la Dc si arrese

«Quando arrivò in Senato la richiesta di autorizzazione a procedere» ricorda Andreotti «non ricevetti molta solidarietà dal mio partito, ma non posso nemmeno volergliene. La Dc era sotto scacco per l'enorme quantità di avvisi di reato partiti dall'inchiesta Mani pulite.» Il senatore smentisce che Mino Martinazzoli, allora segretario del partito, abbia esercitato pressioni su di lui perché accettasse di farsi processare: «Fui io stesso a sollecitare che l'autorizzazione a procedere venisse concessa. Le accuse mi sembravano talmente enormi e inverosimili che pensavo a un sollecito chiarimento. In ogni caso, non volevo essere accusato di una protezione impropria. Nel paese montava la campagna contro i partiti e contro il sistema delle autorizzazioni a procedere, e mi sembrò giusto facilitare il compito del Senato».

Lo stesso giorno in cui il Senato autorizzò il processo ad Andreotti, la Camera approvava quasi all'unanimità (489 voti a favore, 3 contrari, 6 astensioni) la legge che abrogava l'immunità parlamentare, stabilita per la prima volta nello Statuto albertino del 1848. Ma tutta la vicenda Andreotti si svolse mentre l'Italia viveva una sorta di guerra civile tra politici e magistrati. Basta guardare a caso i giornali. Il 7 novembre 1992 il «Corriere della Sera» riportava in prima pagina, oltre alla notizia della votazione in commissione antimafia contro Andreotti, quella degli arresti del segretario di Arnaldo Forlani, del cognato di Ciriaco De Mita e di altri uomini politici napoletani appartenenti a tutti i partiti, dal Msi al Pds. Il 31 marzo 1993 «la Repubblica» affiancava la relazione contro Andreotti, presentata da Violante alla commissione antimafia, alle dimissioni da ministro delle Finanze del socialista Franco Reviglio, inquisito per il reato di ricettazione di cui si sarebbe macchiato quando era ai vertici dell'Eni, alla crisi del governo Amato dopo la caduta del suo settimo ministro, all'interrogatorio di Antonio Di Pietro a Francesco Paolo Mattioli, capo della finanza Fiat, che si era deciso a parlare. Il 14 maggio successivo il «Corriere della Sera» annunciava in prima pagina che il Senato aveva concesso l'autorizzazione a procedere contro Andreotti e dava notizia degli avvisi di garanzia giunti al ministro socialista dell'Ambiente Valdo Spini (pregato dall'allora presidente del Consiglio Carlo Azeglio Ciampi di non dimettersi), all'ex ministro socialista degli Esteri Gianni De Michelis e all'ex ministro democristiano del Commercio estero Claudio Vitalone. E si potrebbe continuare.

Il «sollecito chiarimento» invocato da Andreotti al momento di andare sotto processo è durato dieci anni e, dopo il ricorso per Cassazione contro la motivazione parzialmente assolutoria della Corte d'appello di Palermo, è destinato a continuare. Ma il senatore non è pentito della sua scelta: «Mi comporterei nello stesso modo per ragioni di principio. Chi fa vita pubblica non può lasciarsi addosso un dubbio di questa gravità. Non si tratta di aver corteggiato la moglie di un amico...».

Non è un segreto, tuttavia, che Andreotti abbia vissuto allora i momenti più difficili della sua sessantennale carriera politica. La sua stessa famiglia non ne uscì indenne. «Una serenità di fondo non è mai mancata» mi dice il senatore. «Ma certo la sorpresa e l'avvilimento furono enormi. In mia moglie si riacutizzò un esaurimento insorto nel 1975, nei primi anni in cui agivano le Brigate rosse. Sotto casa nostra ci fu un violento scontro fra la polizia e un corteo di manifestanti pieno di bandiere rosse, e lei ne rimase profondamente turbata: pensava che fosse scoppiata la rivoluzione. Il giorno del rapimento Moro perse quasi conoscenza. E io stesso, quando il processo di Palermo si concretizzò nell'estate del 1994, ebbi un crollo fisico che durò un anno. Talvolta credetti veramente di perdere il senno, sì, di diventare matto.»

«Il referente romano di Cosa Nostra era Andreotti»

All'inizio della storia, per Andreotti un colpo duro almeno quanto la richiesta di rinvio a giudizio firmata da Caselli fu il testo approvato dalla commissione antimafia presieduta da Violante, il quale vi presentò la sua relazione sui rapporti tra mafia e politica il 30 marzo 1993, tre giorni dopo la trasmissione al Senato della richiesta di autorizzazione a procedere firmata da Caselli. Un problema enorme e controverso, che investiva la storia stessa del partito di maggioranza, fu liquidato in meno di una settimana senza sostanziali resistenze da parte democristiana.

Con l'abilità professionale che anche gli avversari gli riconoscono, nella sua relazione Violante rifece la storia dei rapporti tra mafia e potere politico in Sicilia nell'arco di cinquant'anni, dallo sbarco degli Alleati in poi. La Democrazia cristiana veniva crocifissa. Ma a Violante la cronaca interessava più della storia, che pure in molti punti gli dava ragione. Così scriveva: «È difficile credere che il rapporto di Cosa Nostra con il sistema politico si sia esaurito nell'attività di garante degli interessi mafiosi svolta da Salvo Lima direttamente a Palermo e a Roma. I collaboratori di giustizia hanno descritto una prassi e un sistema. Ma dell'una e dell'altro non poteva essere Lima l'unico esecutore». Di qui, sulla scorta delle dichiarazioni di alcuni pentiti, la conclusione: «Sulla base dei documenti di cui dispone la commissione, l'accertamento delle eventuali responsabilità penali del senatore Andreotti è un atto dovuto». Il dibattito, abbiamo detto, fu frettoloso, e mercoledì 7 aprile il «Corriere della Sera» poteva titolare in prima pagina: *Lima, la Dc lascia solo Andreotti.*

«I miei compagni di partito» ricorda Andreotti «fecero una riunione da Martinazzoli e proposero alcuni cambiamenti molto marginali alla relazione di Violante. La preoccupazione che la Dc potesse apparire non sufficientemente dura contro la mafia fece anche accelerare i tempi. I miei amici non si resero conto che quella relazione non era cosa di poco momento, ma rappresentava una chiamata di correo dell'intero partito.»

Il solo risultato ottenuto dai democristiani in commissione fu di aggirare la secca accusa di Violante nel modo seguente: «Risultano certi alla commissione i collegamenti di Salvo Lima con uomini di Cosa Nostra. Egli era il massimo esponente in Sicilia della corrente che fa capo a Giulio Andreotti». Se non è zuppa, è pan bagnato. Anche perché, a bagnarlo, provvide un altro passaggio della risoluzione finale: «La responsabilità politica, proprio in quanto rigorosamente accertata sulla base di fatti specifici, richiede precise sanzioni». Clemente Mastella, allora uomo di fiducia di Ciriaco De Mita e capogruppo dc in commissione, commentò: «Noi chiediamo scusa al paese, ma la Dc è anche la Dc della legge Rognoni [*che, con il comunista Pio La Torre, assestò un durissimo colpo ai beni dei mafiosi*], è la Dc di Mattarella [*Piersanti, ucciso dalla mafia*], è la Dc delle ultime leggi antimafia». Le «ultime leggi antimafia» portavano la firma di Giulio Andreotti e del suo governo, l'ultimo a guida democristiana nella storia della Repubblica.

Fin dal 1989, all'inizio del suo settimo mandato a palazzo Chigi, Andreotti prese provvedimenti antimafia in netto contrasto con la prudenza legislativa di quei governi. Gli imputati del primo maxiprocesso alla mafia (quello istruito da Falcone) stavano per tornare in libertà per la scadenza dei termini di carcerazione preventiva. Lo impedì un decreto legge. «Sapevo benissimo» mi racconta Andreotti «che quel provvedimento era ai limiti della costituzionalità. E infatti i comunisti vi si opposero fermamente, perché vedevano violato un principio essenziale e ne temevano le conseguenze per il futuro.» Un altro decreto analogo fu varato nel marzo 1992, e nel maggio successivo, dopo la strage di Capaci, fu autorizzata la deportazione di massa dei capimafia nel carcere di Pianosa. Al processo, Andreotti disse che avrebbe potuto evitare questo provvedimento perché il suo governo era già dimissionario, quindi gli sarebbe bastato non rinnovare il decreto che aveva impedito la scarcerazione degli imputati del maxiprocesso, bloccato dall'ostruzionismo della sinistra.

Ma questo non bastò a salvarlo. Lo stesso giorno in cui l'Antimafia votò contro il senatore, negli Stati Uniti Tommaso Buscetta dettava a verbale a Caselli e ai suoi sostituti andati a interrogarlo: «Oggi posso subito precisare che il referente politico nazionale a cui Lima si rivolgeva per le questioni di interesse di Cosa Nostra che dovevano trovare una soluzione a Roma era l'onorevole Giulio Andreotti».

«Andreotti baciò Riina»

La Dc era morta, anche se s'illudeva di camminare ancora. I compagni di partito di Andreotti pensavano di essersi tolti di torno il concorrente più ingombrante. E non avevano capito che era la stessa storia virtuosa della Democrazia cristiana a essere cancellata con un tratto di penna. Basta rileggere le dichiarazioni dei loro avversari politici tra la fine di marzo e la metà di aprile di quel tragico 1993, mentre Mani pulite menava i suoi fendenti letali. «Con Andreotti» commentava il segretario del Pds Achille Occhetto «è stata colpita la grande mediazione politica e di governo che ha dominato, anche sulla base di accordi con la mafia e la malavita organizzata, la scena di questo paese.» E ancora: «Quanto sta emergendo è inoppugnabile: in questo paese c'è stato un rapporto tra politica e mafia decisivo nel segnare il corso degli eventi». La leghista cattolica Irene Pivetti, che un anno dopo sarebbe stata eletta a sorpresa presidente della Camera, dichiarò: «Finalmente non sarà più possibile spacciare la Dc per un partito cristiano». Trionfava Leoluca Orlando, il grande accusatore di Andreotti, nonché di Falcone: «Andreotti è stato per anni garante di un equilibrio politico mafioso di cui lo stesso Totò Riina faceva parte». In questo clima, il 13 maggio 1993 il Senato votava l'autorizzazione a procedere contro Andreotti. I democristiani si astennero, ma la strada verso il processo era spianata.

Gli avvenimenti di quei mesi inflissero un colpo decisivo alle sorti della Prima Repubblica. Nel giro di poche settimane i magistrati di Milano affondarono i disegni e i decreti legge firmati dal Guardasigilli Giovanni Conso (governo Amato) che tentavano di proporre una soluzione politica per Tangentopoli. Gli uomini chiave dell'impero Fiat finirono in manette e Gianni Agnelli dovette annunciare la resa in un famoso discorso a Venezia. Le classi dirigenti della Dc e del Psi venivano decapitate, e Bettino Craxi cominciava il rovinoso percorso giudiziario che l'avrebbe portato a Hammamet. Poteva la classe politica di governo fare da scudo all'uomo che l'aveva rappresentata per cinquant'anni?

Nel mese e mezzo che separò la richiesta di rinvio a giudizio di Andreotti dall'accoglimento della domanda, il senatore fu condannato dall'Antimafia e nuovi pentiti garantirono a Caselli il pieno sostegno dell'accusa. Buscetta raccontò ai procuratori di Palermo di aver saputo da Tano Badalamenti di un incontro a Roma tra il boss mafioso e il senatore in cui quest'ultimo gli avrebbe detto: «Uomini come lei dovrebbero stare in ogni strada di ogni città d'Italia».

Chi conosce Andreotti sa che una frase del genere non potrebbe uscirgli di bocca nemmeno durante quello stato di semicoscienza che caratterizza il risveglio da un'anestesia generale. E infatti commentò: «Non l'avrei detta nemmeno al premio Nobel Carlo Rubbia».

Francesco Marino Mannoia, reo confesso di ventun o-
micidi, disse di essere stato testimone di un incontro tra il
senatore e il boss Stefano Bontade in una villa nei pressi
dell'aeroporto di Punta Raisi e di aver saputo da Bontade
di un altro incontro tra i due. Nell'aprile 1993 fu raccolta
anche la testimonianza del pluriomicida Balduccio Di
Maggio, il quale, arrestato in gennaio, non aveva mai fatto
il nome di Andreotti al generale dei carabinieri Francesco
Delfino, che aveva eletto a proprio confidente. Lo fece tre
mesi dopo ai procuratori di Palermo. Anzi, fece di più:
raccontò a Caselli di un incontro in casa di Ignazio Salvo,
all'epoca agli arresti domiciliari, fra il senatore e Totò Riina. Nell'occasione Andreotti avrebbe baciato il capo dei
capi mafiosi.

I giornali scrissero interi romanzi su questo punto. La
più incredula dovette essere Livia Andreotti, affidabile testimone del carattere poco espansivo del marito. Sei anni
più tardi, dopo l'assoluzione in primo grado a Perugia
per l'omicidio Pecorelli, l'avvocato Giulia Bongiorno mi
avrebbe detto di aver cercato di baciare il senatore senza
riuscirvi. «La sua faccia era irraggiungibile.» Nel 1994
chiesi a Caselli se davvero credesse al bacio di Andreotti a
Riina. «Non è il bacio che conta» rispose secco il procuratore «ma l'incontro. E fra i due l'incontro c'è stato.» Sulla
base di queste testimonianze Andreotti venne prontamen-
te rinviato a giudizio.

Quegli stipendi triplicati ai pentiti

Mollato dal suo partito, il senatore cominciò a confrontarsi con le accuse di un numero crescente di pentiti che dicevano di averlo visto di qui e di là intrattenere rapporti diretti con i massimi esponenti della cupola mafiosa, da Totò
Riina in giù. Il capo della Polizia, Vincenzo Parisi – che anche dopo la tempesta di Mani pulite aveva continuato a
coltivare discretamente i suoi rapporti con i capi della Prima Repubblica, a cominciare da Craxi –, fece sapere ad An-

dreotti che i pentiti godevano di forti vantaggi economici a parlare contro di lui. Mi racconta il senatore: «Parisi mi assicurò che sarebbe venuto a testimoniare al mio processo che ai pentiti che mi accusavano veniva triplicato il compenso pattuito con lo Stato. E questo, mi disse, risultava dagli archivi computerizzati della Polizia. Quando lui morì, mi affrettai a scrivere al ministro dell'Interno perché quelle prove non venissero occultate».

La prima lettera è del 1° febbraio 1995 ed è indirizzata ad Antonio Brancaccio, già presidente della Suprema Corte di cassazione e allora ministro «tecnico» del governo Dini. Dopo avergli assicurato che mai avrebbe detto parola contro «la positiva funzione che la legge ha affidato all'utilizzo dei pentiti, all'uopo definiti collaboratori di giustizia», gli raccontava delle «triplicazioni di compensi» comunicategli da Parisi, invitandolo a non considerare «irriguardoso» l'invito «a vigilare perché nessuno possa manipolare o distruggere questo strumento di certificazione, la cui giusta segretezza deve però potenzialmente lasciare intatto un modo di verifica a tutela della legalità e della stessa Pubblica amministrazione».

Gli avessero mandato un tizzone ardente, il povero Brancaccio l'avrebbe stretto in pugno con maggiore ardimento di quanto non fece con la lettera di Andreotti. Quindici giorni più tardi, rispondeva dunque al senatore con altra garbatissima lettera che, tradotta in linguaggio comune, voleva significare: niente so e niente voglio sapere. Il ministro ricordava ad Andreotti ciò che lui sapeva benissimo, ovvero che sono i magistrati (i procuratori palermitani, nel nostro caso) a chiedere a una commissione centrale presieduta da un sottosegretario all'Interno quanto denaro bisogna dare a tale o talaltro pentito, che «gli interventi finanziari sono di natura riservata e non soggetta a rendicontazione», e aggiungeva che, in ogni caso, si sarebbe adoperato «per quanto possibile» a garantire «la piena trasparenza delle decisioni e dei comportamenti adottati».

Acqua fresca, con tutto il rispetto per un galantuomo

come Brancaccio. Si pensa davvero che, con l'aria che tirava in quegli anni, qualcuno avrebbe potuto opporre un diniego a qualunque somma chiesta da Caselli e dai suoi per pentiti le cui dichiarazioni contro Andreotti erano comunque coperte dal segreto investigativo?

Accadde in quel periodo che un battagliero deputato di Alleanza nazionale, Enzo Fragalà, «tirò fuori una cassetta» racconta Andreotti «in cui Balduccio Di Maggio, il pentito che sarebbe stato testimone del mio bacio con Riina, telefonando ai suoi parenti di San Giuseppe Jato raccontava di dire contro di me tutto ciò che diceva perché gli investigatori volevano che lui facesse soltanto questo». Al processo, Di Maggio sosterrà di aver avuto soltanto 500 milioni. I difensori di Andreotti seppero poi che il contratto prevedeva un compenso di 2 miliardi, che però era stato ridotto perché, tornato in libertà, Di Maggio aveva ripreso a delinquere.

Il risultato della lettera di Andreotti a Brancaccio e della denuncia di Fragalà fu che il 15 marzo 1995 Caselli scrisse agli otto prefetti, questori e generali che di dritto e di rovescio sovrintendono alla sicurezza dello Stato e a quella dei pentiti, oltre che a due ministri e al sottosegretario delegato alla sorveglianza sui servizi. Richiamandosi alle «allusioni» del senatore Andreotti, rinviato a giudizio, ecc., il procuratore di Palermo li avvertiva che «il cosiddetto dossier Di Maggio-Fragalà offre un chiaro esempio di possibile uso illegittimo, strumentale e deviante di atti riservati, ancorché riguardanti vicende di per sé lecite e non censurabili». Dunque, le «autorità in indirizzo sono pregate di controllare e vigilare affinché non risultino essersi verificati, ovvero non abbiano in futuro a verificarsi, episodi di accesso improprio od irregolare a incartamenti in Vostro possesso, nonché episodi di uso illecito o comunque vietato di tali incartamenti ... Sarà gradito un cenno di riscontro».

Tutte le grandi inchieste di Caselli contro il sistema di potere democristiano, da Andreotti a Mannino, da Carnevale a Musotto – tutte fondate sulle deposizioni di pentiti –, si sono finora risolte in assoluzioni. Ma il procuratore di Palermo aveva l'autorità di chiamare a rapporto lo Stato, e allo Stato chiedeva – ottenendolo – un «gradito cenno di riscontro». (D'altra parte, anche oggi Caselli si comporta come se tutti quei processi li avesse vinti, e non persi. Egli agì con grande coraggio contro le Brigate rosse, ma la «vera storia d'Italia» che scrisse sulla mafia presenta alcuni capitoli che, alla luce dei fatti, dovrebbe correttamente emendare.)

Né Roma, né Perugia: processo a Palermo

Il processo di Palermo ebbe inizio il 26 settembre 1995. «Mi fece piacere vedere tra il pubblico Casini e Follini» racconta Andreotti. La Dc non esisteva più, lo «scampolo» moderato – allora all'opposizione – non aveva voluto dimenticare la radice vivente della propria storia. A conferma degli addentellati politici del processo cari alla Procura palermitana, basti ricordare che il tribunale non ammise, tra le prove presentate dall'ufficio di Caselli, due studi commissionati a Sergio Flamigni e Giorgio Galli, in qualità di consulenti tecnici d'ufficio. (Flamigni era stato per vent'anni parlamentare del Pci ed era l'autore di un saggio sul delitto Moro pubblicato nel 1993 dalle trasgressive edizioni Kaos con prefazione di Luciano Violante. Galli, notissimo politologo che da sinistra aveva studiato la storia democristiana, era stato incaricato di analizzare la corrente andreottiana.)

Il rapporto tra la corrente del senatore e la mafia siciliana, attraverso Salvo Lima, è uno degli aspetti più paradossali del processo. Chi conosce un po' di storia democristiana sa che Andreotti ha costituito tardissimo la sua corrente e che questa ha avuto sempre una modesta influenza negli equilibri interni del partito. Tant'è vero che il suo capo è stato l'unico leader a non venir mai eletto segretario della Dc e nemmeno a esservi candidato. Dire, come sta scritto nelle carte processuali, che senza Lima

Andreotti «sarebbe rimasto chiuso nel ghetto laziale» è una stupidaggine prima ancora che un errore marchiano. Ma questa stupidaggine è servita ai procuratori di Palermo per tenersi il processo. Andreotti è stato infatti sette volte presidente del Consiglio e diciassette volte ministro: è stato, cioè, trentadue anni al governo. Se avesse aiutato la mafia, l'avrebbe fatto ragionevolmente con piglio e successo maggiori stando ben serrato nelle stanze ministeriali. Ma se i magistrati avessero seguito questa pista, avrebbero dovuto far giudicare Andreotti dal tribunale dei ministri, a Roma. È questa una corte esente da sospetti preventivi perché, con una delle poche riforme della giustizia che hanno dato eccellenti risultati, i giudici che la compongono vengono sorteggiati di volta in volta.

In subordine, Andreotti avrebbe dovuto essere giudicato «per connessione» a Perugia, dove si celebrava il processo Pecorelli, giacché l'omicidio di mafia, essendo più grave dell'associazione mafiosa, processualmente l'assorbe. Ma Guido Lo Forte, il procuratore aggiunto di Caselli, aveva argomentato con successo che il delitto Pecorelli non era un delitto di mafia, bensì un delitto di mafiosi. Ovvero che, invece d'averlo compiuto mafiosi in divisa, militarmente obbedienti a un ordine del comando di Cosa Nostra, l'hanno compiuto dei mafiosi in borghese, giusto per fare un piacere personale a «zù Giuliu».

L'altro aspetto che colpiva, all'inizio del processo, era l'immensa quantità del materiale probatorio. Contai personalmente in una stanza dello studio dell'avvocato di Andreotti, Franco Coppi, quattrocento faldoni (grandi raccoglitori pieni di fascicoli) per la sola consultazione d'urgenza. Complessivamente le carte processuali furono raccolte in 2.030.000 pagine. L'accusa ottenne che fossero ascoltati in tribunale 368 testimoni contrari al senatore. Secondo Coppi, durante le indagini i procuratori di Palermo ne avevano interrogati tra gli ottocento e i mille. Ma interi capitoli d'indagine non comparivano nelle carte processuali, perché erano stati buchi nell'acqua. Si prenda la vicenda Salvo.

L'intera isola di Lipari fu passata al setaccio nella convinzione che lì fosse avvenuto un incontro tra il senatore e i due famosi cugini esattori, Ignazio e Nino, sospettati di collusioni mafiose. Ma risultò che nessuno li aveva mai visti insieme. Stesso esito nei sopralluoghi presso la famosa sartoria Litrico. Andreotti e i Salvo erano clienti, ma nessuno dei lavoranti li aveva mai visti incontrarsi.

Com'è possibile che lei non abbia mai conosciuto i Salvo?, chiesi una volta ad Andreotti. E lui: «Appunto perché sarebbe stato normale incontrarli, non vedo la ragione per cui, non avendoli mai incontrati, dovrei dire una bugia». E l'avvocato Coppi conferma: «Sono stato difensore di Ignazio Salvo e sapevo che i due cugini non conoscevano il senatore. Quando Andreotti mi propose di assisterlo nel processo, gli chiesi se preferiva che gli facessi da testimone su questa circostanza».

E Di Maggio disse: «Faccio l'opera...»

Se Totò Riina è, come è, il capo della cupola che ha ordinato i delitti più efferati degli ultimi vent'anni, il bacio di Andreotti basterebbe da solo a condannare il senatore all'ergastolo, almeno moralmente. Testimone oculare del fatto sarebbe stato, come si è detto, Balduccio Di Maggio, mafioso pluriomicida di San Giuseppe Jato. Arrestato nel gennaio 1993, Di Maggio si pentì subito e fu rimesso quasi istantaneamente in libertà. «Per la verità» mi racconta Andreotti «il generale Delfino, che ne raccolse le prime deposizioni, disse che nei fluviali racconti del pentito il mio nome non era mai comparso.» Il nome del senatore comparve in aprile negli interrogatori dei procuratori di Palermo. («Prima non ero pronto» si giustificò Di Maggio, cioè non era ancora pronto il contratto.) Il pentito si stabilì in Toscana, ma la sua libertà di movimento era tale che fino al 1997, quando fu arrestato per la seconda volta, poté tornare almeno quattro volte a San Giuseppe Jato, riprendere gli affari e regolare i suoi conti in sospeso. «In questo periodo ho compiuto tre omicidi e due tentati omicidi» confessò candidamente al processo, incalzato dagli avvocati di Andreotti. Ammise che, dopo il 1995, godeva di una libertà pressoché assoluta: poteva andare in tutta Italia, incontrare chi voleva (quindi anche altri pentiti), disporre di telefoni cellulari. E rivelò che aver parlato dell'incontro e del bacio di Riina ad Andreotti lo poneva «sopra ogni cosa». Ma aveva sbagliato i calcoli: tre omicidi e due tentati omicidi erano troppi.

La sicurezza di Di Maggio era tale che poco prima del secondo arresto, mentre era sotto protezione dello Stato, in una telefonata (intercettata) al padre si disse preoccupato per la sorte del figlio Andrea. Se la Procura di Palermo mi crea fastidi, affermò in sostanza, io faccio l'«opera» e mi tiro appresso tre pubblici ministeri. (L'«opera», per i siciliani, è l'opera dei pupi, che finisce regolarmente con una rissa e con qualche morto ammazzato.) Quando, al processo, Coppi gli chiese a chi si riferisse, il pentito, che parlava protetto da un paravento, si girò in direzione del banco dell'accusa e disse: «Lo Forte, Scarpinato e Natoli», il procuratore aggiunto di Caselli e i due sostituti. «Sentii un brivido salirmi lungo la schiena» mi rivela Andreotti. E la Bongiorno aggiunge: «Il senatore mi disse in un orecchio: è bellissimo. E la cosa mi stupì perché lui non usa mai superlativi».

Secondo il suo racconto, il 20 settembre 1987 Di Maggio andò a prendere Riina e lo accompagnò da Ignazio Salvo, che era agli arresti domiciliari. All'arrivo di Riina, Andreotti e Lima si alzarono dal divano dov'erano in attesa e furono baciati per due volte sulle guance dal capo della cupola. Di Maggio fu presentato ai due uomini politici, quindi si ritirò in un'altra stanza. Tre ore dopo riaccompagnò Riina a casa.

Quel giorno, in effetti, Andreotti era a Palermo, ma trascorse l'intera mattinata e il tardo pomeriggio alla Festa dell'Amicizia. Nella prima parte del pomeriggio rilasciò una lunga intervista al giornalista Alberto Sensini, che fu poi torchiato a lungo dai procuratori, e restò chiuso in camera per qualche ora. «Per scappare senza farmi vedere» mi racconta oggi «mi sarei dovuto calare dalla finestra e fuggire via mare.» E quale fu la sua reazione all'accusa di essersi fatto baciare da Totò Riina? «Non ebbi alcuna reazione particolare. Facendo anzi un calcolo utilitaristico, pensai che una circostanza così paradossale si sarebbe risolta a mio vantaggio. Dissi più tardi ai magistrati: se con la faccia che ho fossi andato a incontrare un superlatitante in casa di un signore agli arresti domiciliari, dovreste farmi ricoverare in manicomio, invece di condannarmi.»

Andreotti accettò di confrontarsi con Di Maggio in aula. «Fu una circostanza un po' avvilente, ma necessaria. In un verbale c'era scritto che, durante il mio presunto incontro con Riina, Di Maggio era in un'altra stanza. In un secondo verbale ha precisato che aspettava in cucina. A me diede l'impressione di essere un poveraccio che recitava. Intendiamoci, un poveraccio molto attivo. Dopo l'arresto in Piemonte mi ignorava, poi gli era tornata la memoria.»

Il pentito accusa, Andreotti paga

Mettetevi nei panni di un pluriomicida arrestato e con la prospettiva di passare non meno di vent'anni in galera, pur calcolando il «perdonismo» italiano. Venite a sapere che Giulio Andreotti è sotto schiaffo: se ricordate qualcosa contro di lui, tornate subito liberi e miliardari. Per di più, visto che Giovanni Falcone è morto, le probabilità di essere processati per calunnia sono infinitesimali. E, in ogni caso, lo Stato pagherà profumatamente i vostri avvocati di fiducia. Che cosa avreste fatto al posto di Balduccio Di Maggio e dei suoi ventisei colleghi che hanno accusato il senatore? Andreotti è stato assolto nei primi due gradi di giudizio per il processo di Palermo, e in via definitiva per il processo di Perugia, ma si è dovuto pagare da solo le spese processuali. («Mi sono potuto permettere Coppi e la Bongiorno solo grazie alla loro amicizia» mi confessa.)

Dopo la sentenza di primo grado a Palermo, il procuratore nazionale antimafia, Pier Luigi Vigna, rivelò che il 48 per cento dei fondi stanziati dallo Stato per la tutela dei pentiti, pari a 100 miliardi di lire all'anno, serve per gli onorari dei loro avvocati. Non un centesimo, invece, per gli avvocati delle loro vittime. Anzi, quando qualcuna di queste riesce a farli condannare per calunnia, gli è impossibile ottenere il risarcimento previsto dal tribunale, neanche a rate, perché lo stipendio del pentito è di entità misteriosa e, comunque, nemmeno parzialmente sequestrabile. Insomma, lo stipendio di un qualsiasi cittadino è sequestrabile, quello dei pentiti no. Il sottosegretario all'Interno Alfredo Mantovano mi dice che il contratto e la protezione di Balduccio Di Maggio sono scaduti nel 1997, quando si scoprì che era tornato a delinquere. E aggiunge che nessuno dei 1116 pentiti attualmente (ottobre 2003) sotto protezione, insieme con 3603 familiari, percepisce più somme esorbitanti. «Il tariffario è stato rivisto» chiarisce Mantovano «e, anche nel caso di compenso anticipato, non si supera mai qualche decina di milioni di vecchie lire. Presiedo da due anni la commissione che si occupa del problema e il risparmio è stato del 32 per cento a parità di collaboratori e di parenti assistiti.» Dopo l'assoluzione definitiva di Andreotti per il delitto Pecorelli, ho chiesto a Mantovano se gli altri quattro principali pentiti considerati, a Perugia e a Palermo, l'architrave dell'accusa (Francesco Marino Mannoia, Gaspare Mutolo, Giuseppe Marchese e Angelo Siino) sono ancora sotto protezione e percepiscono uno stipendio. La risposta è stata affermativa. Agli ultimi tre il salario viene corrisposto in Italia. Mannoia è negli Stati Uniti: anticipano gli americani e noi rimborsiamo. «Il limite della commissione è amministrativo» mi ha detto Mantovano. «Alla luce delle sentenze io potrei scrivere alle procure interessate chiedendo se esistono i presupposti per mantenere sotto protezione queste persone. Ma se i procuratori mi dicono che esistono, io devo ubbidire.»

Mantovano ricorda che, dopo la riforma degli anni scorsi, gli «scandali» si sono attenuati (per esempio, un pluriomicida dovrebbe restare in carcere dieci anni prima di ottenere la libertà) e il programma di protezione viene per legge abrogato quando il pentito si macchia di calunnia o dice visibilmente il falso. Tuttavia, la formula dubitativa di certe assoluzioni è sufficiente ad assicurare la continuità del programma. (In altre circostanze Mannoia è stato prezioso e i giudici che hanno assolto Andreotti in appello a Palermo lo hanno considerato «intrinsecamente credibile» per le sue referenze.) Ma si può andare avanti così? Dopo l'assoluzione per il delitto Pecorelli cambierà qualcosa?

Di fronte a una macchina da guerra come quella della Procura di Palermo, qualunque cittadino sarebbe uscito distrutto. Ma questa volta il «diabolico» Caselli s'è scontrato con Belzebù in persona: da almeno sessant'anni Andreotti annota ogni giorno i propri movimenti su un diario-archivio, gestito e arricchito quotidianamente di documentazione dalla sua efficientissima segretaria Lina Vido e da un paio di collaboratori. «Un giorno» mi racconta il senatore «una mia nipote andò a sfogliare il diario e in data 16 aprile 1945 lesse: mi sposo. In famiglia mi presero in giro per mesi.»

Andreotti ha sempre detto ai giudici: «Datemi una data e vi dimostrerò dov'ero». È per questo che l'accusa apparentemente più insidiosa, perché temporalmente vaga, gli venne dal pluriomicida Francesco Marino Mannoia. Il 3 aprile 1993, interrogato a New York da Caselli e Lo Forte tre giorni prima di Buscetta, raccontò che Andreotti era vicino alla mafia perché aveva avuto due incontri con Stefano Bontade. Nel primo, che sarebbe avvenuto nel 1979 in una tenuta di caccia nei pressi di Catania chiamata La Scia, Bontade avrebbe chiesto al senatore di far cambiare linea politica al presidente della regione siciliana Piersanti Mattarella. Questi, come abbiamo detto, fu ucciso il giorno dell'Epifania del 1980, e Andreotti ne sarebbe rimasto così contrariato che avrebbe preso in gran segreto un aereo privato, sarebbe sbarcato all'aeroporto di Trapani-Birgi e avrebbe avuto uno scontro con Bontade in una villetta in costruzione di proprietà degli Inzerillo.

Mannoia disse che del primo incontro gli parlò Bontade, mentre del secondo fu testimone oculare, avendo visto Andreotti arrivare in auto, seduto sul sedile posteriore. «Obiezione» esclama la Bongiorno. «Andreotti non può fisicamente star seduto sul sedile posteriore delle auto per un problema a una vertebra. Tanto è vero che, poiché nemmeno il professor Coppi può star seduto dietro, quando andiamo insieme ai processi usiamo due automobili.»

Andreotti «mafioso» fino al 1980. Poi il riscatto

Secondo l'avvocato Bongiorno, Mannoia è il più intelligente della comitiva perché non commette l'errore di indicare date precise. Lo fa, invece, nel 1996 un altro pentito, Angelo Siino, il quale dice di aver sentito alla televisione le dichiarazioni di Mannoia, si fa intervistare dalla «Repubblica» e le conferma. Ma è troppo preciso. Sostiene che il primo incontro sarebbe avvenuto, in occasione di una «partita di caccia», nei dieci giorni a cavallo fra il giugno e il luglio 1979. In quei giorni, però, Andreotti risultò in viaggio fra Tokyo, Mosca e Strasburgo, e il 1° luglio, invece di incontrare il boss mafioso Nitto Santapaola, come giurava il barman catanese Vito Di Maggio, si trovava nella tenuta presidenziale di Castelporziano per ricevere da Sandro Pertini l'incarico di formare il nuovo governo. Lo stesso Andreotti suggerì ai magistrati di verificare i suoi spostamenti presso la presidenza del Consiglio. A tale scopo fu nominata una commissione presieduta da un ufficiale della Guardia di finanza, che trovò sessanta «buchi» nella documentazione fornita dal senatore.

«Misi al lavoro i miei collaboratori» mi racconta Andreotti «e mi presentai in udienza con tre faldoni che documentavano le sessanta circostanze. Ma quando mi videro con i faldoni, i procuratori credettero di giocarmi un tiro. Prima di darmi la parola per le dichiarazioni spontanee in cui avrei provato l'inesistenza di quelle sessanta circostanze accusatorie, chiesero di poter rivelare tre nuove date in cui sarei stato senza copertura. Dissi al presidente del tribunale: datemi cinque minuti per comunicare a Roma le nuove accuse e, quando avrò finito di documentare le sessanta circostanze precedenti, avrò pronte le altre tre risposte. Eccole: il primo giorno ero andato a inaugurare il Centro di studi sociali di padre Noto a Palermo, tra le sedici e le ventuno, e non avevo pernottato in città. Il secondo, in qualità di ministro del Bilancio, avevo aperto e chiuso un convegno con tutti i presidenti delle regioni meridionali. Il terzo era impossibile che stessi a Villa Igiea, a Palermo, perché mi trovavo in Olanda per una riunione dei ministri degli Esteri.»

Nel processo di primo grado a Palermo tutte le testimonianze dei pentiti, comprese quelle di Mannoia e Siino, furono ritenute inconsistenti, e il senatore fu assolto. «In appello» racconta la Bongiorno «l'accusa disse che Siino si era confuso. In estate la caccia era chiusa, fu aperta il 31 agosto e lo rimase sino a fine dicembre. Documentammo di nuovo tutti gli spostamenti di tutti i giorni possibili. Ma la corte non ammise questa prova, considerandola irrilevante. Fu a quel punto che dissi ad Andreotti: presidente, abbiamo vinto.» E invece no. O meglio, Andreotti è stato assolto per tutto quello che ha fatto dal 1980 in poi, ma è stato ritenuto gravemente colpevole di connessioni mafiose per tutto il periodo antecedente a quell'anno. Se non è stato condannato, lo si deve unicamente all'avvenuta prescrizione. Su questo punto la motivazione della sentenza è pesantissima. Secondo i giudici d'appello, egli «ha avuto piena consapevolezza che suoi sodali siciliani [*Lima*] intrattenevano amichevoli rapporti con alcuni boss mafiosi [*Stefano Bontade, in particolare*] e ha, a sua volta, coltivato amichevoli relazioni con gli stessi boss, palesando agli stessi una disponibilità non meramente fittizia ... e indicando una vera e propria partecipazione all'associazione mafiosa, apprezzabilmente protrattasi nel tempo». Solo dopo l'assassinio di Piersanti Mattarella, scrivono i giudici d'appello di Palermo, il senatore ha manifestato «un progressivo e autentico impegno nella lotta contro la mafia che ha in definitiva compromesso l'incolumità dei suoi amici e perfino messo a repentaglio quella sua e dei suoi famigliari». Un riscatto, dunque, di cui «la storia dovrà dargli atto».

Per Palermo, ricorso generale in Cassazione

All'inizio Andreotti non voleva ricorrere per Cassazione, ma quando ha visto che la motivazione assolutoria era peggiore di una condanna ha dovuto farlo. Non poteva farsi seppellire sotto una lapide che lo definiva a tutti gli effetti un ex mafioso, per di più pentito.

Quando chiedo al senatore un giudizio sulla sentenza d'appello di Palermo, non nasconde la propria soddisfazione, «perché non solo ha confermato l'assoluzione del tribunale, ma ha dato giudizi severi sui punti essenziali del castello accusatorio e sulla squallida realtà dei collaboranti, a cominciare dall'utilizzatissimo non pentito Baldassarre Di Maggio». Restano tuttavia le pesantissime accuse su quanto Andreotti avrebbe fatto prima del 1980 e per le quali non è stato condannato soltanto per avvenuta prescrizione. «I contatti che avrei avuto con Bontade? I miei avvocati chiariranno [*in Cassazione*] che quando mi sono state rivolte accuse con date e particolari che io avevo la possibilità di smentire – come ho fatto per moltissimi casi – gli addebiti si sono dissolti. Per esempio, quando Siino ha datato con precisione il primo degli incontri con Bontade, mi fu facile dimostrare che in quei giorni ero addirittura all'estero. Dichiarammo alla corte che eravamo in grado di documentare la falsità anche per il periodo successivo a quello indicato da Siino. La corte ritenne superflua la mia disponibilità. Del resto, la stessa corte è caduta in un errore incredibile sostenendo che il 25 giugno 1979 mi sarei incontrato laggiù con mafiosi, mentre io – oltre a ricevere gli onorevoli Flaminio Piccoli e Pietro Longo, e a presiedere il Consiglio dei ministri – avevo in Roma un lungo e documentato incontro con i padri delle Missioni estere giunti appositamente da Milano. Mi meraviglio, quindi, che non siano state lette nemmeno le mie agende...»

Perché Mannoia è stato ritenuto credibile al contrario di altri pentiti? «In effetti, il motivo dell'eccezione andrebbe ricercato. È un riguardo per questo "americano" così ben retribuito in dollari? (E anche in lire, allorché venne in Italia per testimoniare al processo di Perugia e si avvalse della facoltà di non rispondere.) O è un minimo di concessione alla Procura, che la corte non ha voluto sconfessare completamente?»

Rappresentando queste riserve di Andreotti, alle due del pomeriggio di sabato 25 ottobre 2003, ultimo istante dell'ultimo giorno utile, l'avvocato Bongiorno ha depositato il ricorso per Cassazione. La stessa cosa ha fatto la Procura generale. (Difesa e Procura hanno aspettato entrambe l'ultimo momento utile sperando che l'altra parte rinunciasse.) I giudici di Palermo hanno sconfessato quasi tutti i pentiti, a cominciare dall'ineffabile Balduccio Di Maggio, ma hanno considerato «credibile» Francesco Marino Mannoia, prestandogli fede sui due incontri di Andreotti con Stefano Bontade, prima e dopo l'omicidio Mattarella. E le date? La tesi dei giudici è che, se Siino si è sbagliato, non ha senso andarle a cercare. Tuttavia, a loro avviso, c'è qualche cosa che non quadra nelle prove prodotte da Andreotti per il 25 giugno 1979. È vero che nell'agenda del presidente è annotato per le 11 un appuntamento con l'onorevole Piccoli. Ma se l'incontro fosse stato annullato? Andreotti avrebbe avuto tutta la mattina per andare a Catania da Bontade e tornare nel pomeriggio per essere presente a un altro appuntamento con il segretario socialdemocratico Pietro Longo e presiedere la riunione del Consiglio dei ministri.

Ai giudici, come lascia intendere Andreotti nella dichiarazione sopra riportata, sembra sfuggito un altro appuntamento della mattinata del 25 giugno 1979, precedente a quello con Piccoli. L'allora presidente del Consiglio aveva incontrato alle otto due missionari del Pontificio istituto missioni estere. E padre Girardi, che guidava la piccola delegazione, ha scritto sulla rivista dell'organizzazione missionaria che l'incontro è durato un'ora e mezzo. Ecco, quindi, che il senatore non avrebbe fatto in tempo a precipitarsi di nascosto a Catania per rientrare subito dopo. E poi, perché l'appuntamento con Piccoli avrebbe dovuto essere annullato? Dell'incontro fra Andreotti e Bontade del 1980, dopo l'assassinio di Mattarella, Siino dice di non sapere niente e Mannoia non ricorda né la data né l'arco di tempo in cui collocarlo. La corte ne prende atto, ma gli crede. Nel ricorso per Cassazione la difesa di Andreotti obietta: avete sempre detto che i pentiti, per essere credibili, devono fornire riscontri a quanto dichiarano. Perché questa eccezione?

Insomma, la guerra continua. Andreotti, che nel gennaio 2004 compirà ottantacinque anni, aspetta sereno e fiducioso.

Ciampi ignorato, Pera contestato

L'assoluzione di Andreotti dall'accusa di omicidio ha creato molte polemiche. Si è discusso del ruolo ambiguo che ebbe la Dc al momento della sua incriminazione, ma soprattutto del ruolo di Violante, chiamato direttamente in causa dal senatore. Le prime anticipazioni di questo capitolo apparse sui giornali domenica 2 novembre hanno fatto il resto. La destra ha affiancato ad atteggiamenti durissimi contro il presidente dei deputati ds (Bondi) atteggiamenti più riflessivi (La Russa). A sinistra, i Ds hanno difeso compatti Violante. «Il Riformista», vicino agli ambienti dalemiani, ha invocato invece un più generale processo autocritico da parte degli ex comunisti, accusati da Ottaviano Del Turco, presidente dei senatori Sdi, di aver fatto carriera con il giustizialismo.

Ma il rilievo maggiore lo ha avuto una lettera ad Andreotti del presidente del Senato Marcello Pera. Nel rallegrarsi per la «fine dell'incubo» del collega senatore, Pera ha scritto: «Ci sono altri incubi che ci avevano assalito e purtroppo continuano a spargere le loro perniciose conseguenze su tutti noi. Quello di una stagione lunga e crudele in cui molti cittadini, per assecondare il desiderio di cambiare uomini e programmi politici, non hanno badato agli strumenti per soddisfarlo. Quello di un'epoca feroce in cui la giustizia era diventata, per alcuni politici, un'arma politica, con tanto di accuse, delazioni, insinuazioni gratuite e infondate. Quello di certi magistrati talvolta disattenti alla loro specifica funzione o talvolta partecipi attivi della volontà di "processare un sistema". Quello dei pentiti ascoltati come oracoli e usati come prove regine ... Quello della fine di partiti storici come la Dc, il Psi, i partiti laici, che comunque avevano assicurato all'Italia la libertà e la democrazia. Quello della voglia, teorizzata e praticata, di scrivere la storia nei tribunali. [*Il riferimento è a "La vera storia d'Italia": con questo titolo furono pubblicati gli atti dell'accusa della Procura di Palermo contro Andreotti.*] E tanti altri, disseminati lungo un decennale calvario politico».

Pera concludeva dicendo che da questi incubi non siamo ancora usciti e trovava conforto nel discorso pronunciato da Ciampi al Consiglio superiore della magistratura il 29 ottobre, un giorno prima della sentenza Andreotti. Quel discorso ha avuto una sorte curiosa. I quotidiani ne hanno ripreso soltanto qualche riga, doverosa e scontata («L'indipendenza dei giudici nella interpretazione e nella applicazione della legge è intangibile»). Ma avevano curiosamente ignorato le parti più importanti e innovative, conoscendo l'abituale prudenza del capo dello Stato. «L'autonomia di una Istituzione si pratica, non soltanto si predica» aveva detto Ciampi. «Il magistrato non solo deve essere autonomo e indipendente, ma deve anche apparire tale, con il suo comportamento, in ogni situazione, anche al di fuori dell'esercizio delle sue funzioni.» Il pubblico ministero deve restare nell'ambito della giurisdizione, ma distinto da quello dell'investigazione, e anche il comune spazio giudiziario europeo «deve naturalmente essere in armonia con i diritti della persona garantiti dalla nostra

Costituzione». Da un lato, in sostanza, Ciampi, e con lui Pera, ammonivano a coordinare gli istituti penalistici europei con la nostra Costituzione, dall'altro guardavano con interesse a un possibile percorso di progressiva armonizzazione dei nostri magistrati dell'accusa con le regole vigenti all'estero.

Come tutti i discorsi scomodi, essi furono ignorati (Ciampi) o contestati da sinistra (Pera). Il 3 novembre Edmondo Bruti Liberati, presidente dell'Associazione magistrati, ha detto che Pera si riferiva ai processi di Milano contro Berlusconi. È così difficile riconsiderare con un minimo di serenità un decennio che ha deviato il corso della nostra democrazia?

Appendice

Schema di disegno di legge costituzionale concernente la modificazione di alcuni articoli della Parte seconda della Costituzione della Repubblica italiana*

Titolo I
IL PARLAMENTO

Sezione I - *Le Camere*

Art. 55
Il Parlamento si compone della Camera dei deputati e del Senato della Repubblica.

Il Parlamento si riunisce in seduta comune dei membri delle due Camere nei soli casi stabiliti dalla Costituzione.

(Senato federale della Repubblica)
L'art. 55, primo comma, della Costituzione è sostituito dal seguente:
«Il Parlamento si compone della Camera dei deputati e del Senato federale della Repubblica.»

Art. 56
La Camera dei deputati è eletta a suffragio universale diretto.

Il numero dei deputati è di seicentotrenta, dodici dei quali eletti nella circoscrizione Estero.

Sono eleggibili a deputati tutti gli elettori che nel giorno delle elezioni hanno compiuto i venticinque anni di età.

La ripartizione dei seggi tra le circoscrizioni, fatto salvo il numero dei seggi assegnati alla circoscrizione Estero, si effettua dividendo il numero degli abitanti della Repubblica, quale risulta dall'ultimo censimento generale della popolazione, per seicentodiciotto e distribuendo i seggi in proporzione alla popolazione di ogni circoscrizione, sulla base dei quozienti interi e dei più alti resti.

---

* In questa sezione dell'Appendice vengono riportati gli articoli della Costituzione vigente e, in carattere tipografico diverso, le relative proposte di modificazione contenute nel disegno di legge.

(Camera dei deputati)
L'art. 56 della Costituzione è sostituito dal seguente:
«La Camera dei deputati è eletta a suffragio universale e diretto.
La Camera dei deputati è composta da quattrocento deputati e dai deputati assegnati alla circoscrizione Estero.
Sono eleggibili a deputati tutti gli elettori che nel giorno delle elezioni hanno compiuto i venticinque anni di età.
La ripartizione dei seggi tra le circoscrizioni, fatto salvo il numero dei seggi assegnati alla circoscrizione Estero, si effettua dividendo il numero degli abitanti della Repubblica, quale risulta dall'ultimo censimento generale della popolazione, per quattrocento e distribuendo i seggi in proporzione alla popolazione di ogni circoscrizione, sulla base dei quozienti interi e dei più alti resti.»

Art. 57
Il Senato della Repubblica è eletto a base regionale, salvi i seggi assegnati alla circoscrizione Estero.
Il numero dei senatori elettivi è di trecentoquindici, sei dei quali eletti nella circoscrizione Estero.
Nessuna Regione può avere un numero di senatori inferiore a sette; il Molise ne ha due, la Valle d'Aosta uno.
La ripartizione dei seggi tra le Regioni, fatto salvo il numero dei seggi assegnati alla circoscrizione Estero, previa applicazione delle disposizioni del precedente comma, si effettua in proporzione alla popolazione delle Regioni, quale risulta dall'ultimo censimento generale, sulla base dei quozienti interi e dei più alti resti.

(Elezione del Senato federale della Repubblica)
All'art. 57 della Costituzione, i commi primo, secondo e terzo sono sostituiti dai seguenti:
«Il Senato federale della Repubblica è eletto a suffragio universale e diretto su base regionale, salvi i seggi assegnati alla circoscrizione Estero.
Il Senato federale della Repubblica è composto da duecento senatori elettivi, dai senatori elettivi assegnati alla circoscrizione Estero e dai senatori a vita di cui all'articolo 59.
L'elezione del Senato federale della Repubblica avviene con sistema proporzionale ed è disciplinata con legge dello Stato, che garantisce la rappresentanza territoriale da parte dei senatori.
Nessuna Regione può avere un numero di senatori inferiore a cinque; il Molise ne ha due, la Valle d'Aosta uno.»

Art. 58
I senatori sono eletti a suffragio universale e diretto dagli elettori che hanno superato il venticinquesimo anno di età.

Sono eleggibili a senatori gli elettori che hanno compiuto il quarantesimo anno.

(Requisiti di eleggibilità a senatore)

L'art. 58 della Costituzione è sostituito dal seguente:

«Sono eleggibili a senatori di una Regione gli elettori che nel giorno delle elezioni hanno compiuto i venticinque anni di età e hanno ricoperto o ricoprono cariche pubbliche elettive in enti territoriali locali o regionali, all'interno della Regione, o sono stati eletti senatori o deputati nella Regione.»

Art. 59

È senatore di diritto e a vita, salvo rinunzia, chi è stato Presidente della Repubblica.

Il Presidente della Repubblica può nominare senatori a vita cinque cittadini che hanno illustrato la Patria per altissimi meriti nel campo sociale, scientifico, artistico e letterario.

(Senatori a vita)

L'art. 59, secondo comma, della Costituzione è sostituito dal seguente:

«Possono essere nominati componenti del Senato federale della Repubblica cinque senatori a vita. I senatori a vita sono nominati dal Presidente della Repubblica tra i cittadini che hanno illustrato la Patria per altissimi meriti nel campo sociale, scientifico, artistico e letterario.»

Art. 60

La Camera dei deputati e il Senato della Repubblica sono eletti per cinque anni.

La durata di ciascuna Camera non può essere prorogata se non per legge e soltanto in caso di guerra.

(Durata delle Camere)

L'art. 60, primo comma, della Costituzione è sostituito dal seguente:

«La Camera dei deputati e il Senato federale della Repubblica sono eletti per cinque anni.»

Art. 64

Ciascuna Camera adotta il proprio regolamento a maggioranza assoluta dei suoi componenti.

Le sedute sono pubbliche; tuttavia ciascuna delle due Camere e il Parlamento a Camere riunite possono deliberare di adunarsi in seduta segreta.

Le deliberazioni di ciascuna Camera e del Parlamento non sono valide se non è presente la maggioranza dei loro componenti, e se non sono adottate a maggioranza dei presenti, salvo che la Costituzione prescriva una maggioranza speciale.

I membri del Governo, anche se non fanno parte delle Camere, hanno diritto, e se richiesti obbligo, di assistere alle sedute. Devono essere sentiti ogni volta che lo richiedono.

(Modalità di funzionamento delle Camere)
L'art. 64 della Costituzione è sostituito dal seguente:
«Ciascuna Camera adotta il proprio regolamento a maggioranza assoluta dei suoi componenti.

Le sedute sono pubbliche; tuttavia ciascuna delle due Camere e il Parlamento a Camere riunite possono deliberare di adunarsi in seduta segreta.

Le deliberazioni di ciascuna Camera e del Parlamento non sono valide se non è presente la maggioranza dei loro componenti e se non sono adottate a maggioranza dei presenti, salvo che la Costituzione prescriva una maggioranza speciale. Le deliberazioni del Senato federale della Repubblica non sono altresì valide se non sono presenti senatori eletti almeno in un terzo delle Regioni.

I membri del Governo, anche se non fanno parte delle Camere, hanno diritto, e se richiesti obbligo, di assistere alle sedute. Devono essere sentiti ogni volta che lo richiedono.

Il regolamento della Camera dei deputati garantisce i diritti delle opposizioni in ogni fase dell'attività parlamentare. Prevede le modalità di iscrizione all'ordine del giorno di proposte e iniziative indicate dalle opposizioni, con riserva di tempi e previsione del voto finale.»

Art. 65
La legge determina i casi di ineleggibilità e di incompatibilità con l'ufficio di deputato o di senatore.

Nessuno può appartenere contemporaneamente alle due Camere.

(Ineleggibilità e incompatibilità)
L'art. 65, primo comma, della Costituzione è sostituito dal seguente:
«La legge, approvata ai sensi dell'articolo 70, terzo comma, determina i casi di ineleggibilità e incompatibilità con l'ufficio di deputato o di senatore.»

Art. 67
Ogni membro del Parlamento rappresenta la Nazione ed esercita le sue funzioni senza vincolo di mandato.

(Divieto di mandato imperativo)
L'art. 67 della Costituzione è sostituito dal seguente:
«I deputati e i senatori rappresentano la Nazione e la Repubblica ed esercitano le loro funzioni senza vincolo di mandato.»

Art. 69
I membri del Parlamento ricevono una indennità stabilita dalla legge.

(Indennità parlamentare)
L'art. 69 della Costituzione è sostituito dal seguente:
«I membri delle Camere ricevono un'identica indennità stabilita dalla legge, approvata ai sensi dell'articolo 70, terzo comma.»

Sezione II - *La formazione delle leggi*

Art. 70
La funzione legislativa è esercitata collettivamente dalle due Camere.

(Formazione delle leggi)
L'art. 70 della Costituzione è sostituito dal seguente:
«La Camera dei deputati esamina i disegni di legge concernenti le materie di cui all'articolo 117, secondo comma, ivi compresi i disegni di legge attinenti ai bilanci e al rendiconto consuntivo dello Stato, salvo quanto previsto dal terzo comma del presente articolo. Dopo l'approvazione da parte della Camera dei deputati, tali disegni di legge sono trasmessi al Senato federale della Repubblica. Il Senato, su richiesta della maggioranza dei propri componenti formulata entro dieci giorni dalla trasmissione, esamina il disegno di legge. Entro i trenta giorni successivi il Senato delibera e può proporre modifiche sulle quali la Camera dei deputati decide in via definitiva. I termini sono ridotti alla metà per i disegni di legge di conversione dei decreti-legge. Qualora il Senato federale della Repubblica non proponga modifiche entro i termini previsti, la legge è promulgata ai sensi degli articoli 73 e 74.

Il Senato federale della Repubblica esamina i disegni di legge concernenti la determinazione dei princìpi fondamentali nelle materie di cui all'articolo 117, terzo comma, salvo quanto previsto dal terzo comma del presente articolo. Tali disegni di legge, dopo l'approvazione da parte del Senato federale della Repubblica, sono trasmessi alla Camera dei deputati. La Camera dei deputati, su richiesta della maggioranza dei propri componenti formulata entro dieci giorni dalla trasmissione, esamina il disegno di legge. Entro i trenta giorni successivi la Camera dei deputati delibera e può proporre modifiche sulle quali il Senato federale della Repubblica decide in via definitiva. I termini sono ridotti alla metà per i disegni di legge di conversione dei decreti-legge. Qualora la Camera dei deputati non proponga modifiche entro i termini previsti, la legge è promulgata ai sensi degli articoli 73 e 74.

Fermo quanto previsto dal primo e dal secondo comma, la funzione legislativa dello Stato è esercitata collettivamente dalle due Camere per l'esame dei disegni di legge concernenti la perequazione delle risorse finanziarie, le funzioni fondamentali di comuni, province e città metropolitane, il sistema di elezione della Camera dei deputati e del Senato federale della Repubblica e in ogni altro caso in cui la Costituzione rinvii espressamente alla legge dello Stato. Se un disegno di legge non è approvato dalle due Camere nel medesimo testo dopo una lettura da parte di ciascuna Camera, i Presidenti delle due Camere hanno facoltà di convocare, d'intesa tra di loro, una commissione mista paritetica incaricata di proporre un testo sulle disposizioni su cui permane il disaccordo tra le due Camere. Il testo proposto dalla commissione mista paritetica è sottoposto all'approvazione delle due Assemblee e su di esso non sono ammessi emendamenti.

I Presidenti del Senato federale della Repubblica e della Camera dei deputati, d'intesa fra di loro, decidono le eventuali questioni di competenza fra le due Camere in ordine all'esercizio della funzione legislativa. La decisione dei Presidenti non è sindacabile.»

Art. 71

L'iniziativa delle leggi appartiene al Governo, a ciascun membro delle Camere e agli organi ed enti ai quali sia conferita da legge costituzionale.

Il popolo esercita l'iniziativa delle leggi, mediante la proposta, da parte di almeno cinquantamila elettori, di un progetto redatto in articoli.

(Iniziativa legislativa)

L'art. 71, primo comma, della Costituzione è sostituito dal seguente:

«L'iniziativa delle leggi appartiene al Governo, a ciascun membro delle Camere nell'ambito delle rispettive competenze, e agli organi ed enti ai quali sia conferita da legge costituzionale.»

Art. 72

Ogni disegno di legge presentato a una Camera è, secondo le norme del suo regolamento, esaminato da una commissione e poi dalla Camera stessa, che l'approva articolo per articolo e con votazione finale.

Il regolamento stabilisce procedimenti abbreviati per i disegni di legge dei quali è dichiarata l'urgenza.

Può altresì stabilire in quali casi e forme l'esame e l'approvazione dei disegni di legge sono deferiti a commissioni, anche permanenti, composte in modo da rispecchiare la proporzione dei gruppi parlamentari. Anche in tali casi, fino al momento della sua approvazione definitiva, il disegno di legge è rimesso alla Camera, se il Governo o un decimo dei componenti della Camera o un quinto della commissione richiedono che sia discusso e votato dalla Camera stessa oppure che sia sottoposto alla sua approvazione finale con sole dichiarazioni di voto. Il regolamento determina le forme di pubblicità dei lavori delle commissioni.

La procedura normale di esame e di approvazione diretta da parte della Camera è sempre adottata per i disegni di legge in materia costituzionale ed elettorale e per quelli di delegazione legislativa, di autorizzazione a ratificare trattati internazionali, di approvazione di bilanci e consuntivi.

(Procedure legislative e organizzazione per commissioni)
L'art. 72 della Costituzione è sostituito dal seguente:

«Ogni disegno di legge, presentato alla Camera competente ai sensi dell'articolo 70, è secondo le norme del suo regolamento esaminato da una commissione e poi dalla Camera stessa, che l'approva articolo per articolo e con votazione finale.

Il regolamento stabilisce procedimenti abbreviati per i disegni di legge dei quali è dichiarata l'urgenza.

Può altresì stabilire in quali casi e forme l'esame e l'approvazione dei disegni di legge, di cui all'articolo 70, terzo comma, sono deferiti a commissioni, anche permanenti, composte in modo da rispecchiare la proporzione dei gruppi parlamentari. Anche in tali casi, fino al momento della sua approvazione definitiva, il disegno di legge è rimesso alla Camera, se il Governo o un decimo dei componenti della Camera o un quinto della commissione richiedono che sia discusso o votato dalla Camera stessa oppure che sia sottoposto alla sua approvazione finale con sole dichiarazioni di voto. Il regolamento determina le forme di pubblicità dei lavori delle commissioni.

La procedura normale di esame e di approvazione diretta da parte della Camera è sempre adottata per i disegni di legge in materia costituzionale ed elettorale e per quelli di delegazione legislativa.

Il Senato federale della Repubblica, secondo le norme del proprio regolamento, è organizzato in commissioni, anche con riferimento a quanto previsto dall'articolo 117, ottavo comma. Esprime il parere, secondo le norme del proprio regolamento, ai fini dell'adozione del decreto di scioglimento di un Consiglio regionale o di rimozione di un Presidente di Giunta regionale, ai sensi dell'articolo 126, primo comma.

Le proposte di legge di iniziativa regionale adottate da più Assemblee regionali in coordinamento tra di loro sono poste all'ordine del giorno dell'Assemblea nei termini tassativi stabiliti dal regolamento.»

Art. 80
Le Camere autorizzano con legge la ratifica dei trattati internazionali che sono di natura politica, o prevedono arbitrati o regolamenti giudiziari, o importano variazioni del territorio o oneri alle finanze o modificazioni di leggi.

(Ratifica dei trattati internazionali)
L'art. 80 della Costituzione è sostituito dal seguente:
«È autorizzata con legge la ratifica dei trattati internazionali che sono di natura politica, o prevedono arbitrati o regolamenti giudiziari, o importano variazioni del territorio o oneri alle finanze o modificazioni di leggi.»

Art. 81
Le Camere approvano ogni anno i bilanci e il rendiconto consuntivo presentati dal Governo.

L'esercizio provvisorio del bilancio non può essere concesso se non per legge e per periodi non superiori complessivamente a quattro mesi.

Con la legge di approvazione del bilancio non si possono stabilire nuovi tributi e nuove spese.

Ogni altra legge che importi nuove o maggiori spese deve indicare i mezzi per farvi fronte.

(Bilanci e rendiconto)
L'art. 81, primo comma, della Costituzione è sostituito dal seguente:
«Sono approvati ogni anno i bilanci e il rendiconto consuntivo presentati dal Governo.»

Titolo II
IL PRESIDENTE DELLA REPUBBLICA

Art. 83
Il Presidente della Repubblica è eletto dal Parlamento in seduta comune dei suoi membri.

All'elezione partecipano tre delegati per ogni Regione eletti dal Consiglio regionale in modo che sia assicurata la rappresentanza delle minoranze. La Valle d'Aosta ha un solo delegato.

L'elezione del Presidente della Repubblica ha luogo per scrutinio segreto a maggioranza di due terzi dell'assemblea. Dopo il terzo scrutinio è sufficiente la maggioranza assoluta.

(Elezione del Presidente della Repubblica)
L'art. 83 della Costituzione è sostituito dal seguente:
«Il Presidente della Repubblica è eletto da un collegio elettorale, presieduto dal Presidente della Camera, costituito dai componenti delle due Camere e da un numero di delegati eletti dai Consigli regionali. Ciascun Consiglio regionale elegge almeno tre delegati, in modo che sia assicurata la rappresentanza delle minoranze. La Valle d'Aosta ha un solo delegato. I Consigli regionali eleggono altresì un numero ulteriore di delegati in ragione di un delegato per ogni milione di abitanti nella Regione.

Il Presidente della Repubblica è eletto a scrutinio segreto con la maggioranza dei due terzi dei componenti del collegio elettorale. Dopo il secondo scrutinio è sufficiente la maggioranza dei tre quinti dei componenti del collegio. Dopo il quarto scrutinio è sufficiente la maggioranza assoluta.»

Art. 85

Il Presidente della Repubblica è eletto per sette anni.

Trenta giorni prima che scada il termine, il Presidente della Camera dei deputati convoca in seduta comune il Parlamento e i delegati regionali, per eleggere il nuovo Presidente della Repubblica.

Se le Camere sono sciolte, o manca meno di tre mesi alla loro cessazione, la elezione ha luogo entro quindici giorni dalla riunione delle Camere nuove. Nel frattempo sono prorogati i poteri del Presidente in carica.

(Convocazione del collegio elettorale)

L'art. 85, secondo comma, della Costituzione è sostituito dal seguente:

«Sessanta giorni prima che scada il termine, il Presidente della Camera dei deputati convoca il collegio elettorale per eleggere il nuovo Presidente della Repubblica.»

Art. 86

Le funzioni del Presidente della Repubblica, in ogni caso che egli non possa adempierle, sono esercitate dal Presidente del Senato.

In caso di impedimento permanente o di morte o di dimissioni del Presidente della Repubblica, il Presidente della Camera dei deputati indice la elezione del nuovo Presidente della Repubblica entro quindici giorni, salvo il maggior termine previsto se le Camere sono sciolte o manca meno di tre mesi alla loro cessazione.

(Supplenza del Presidente della Repubblica)

L'art. 86, primo comma, della Costituzione è sostituito dal seguente:

«Le funzioni del Presidente della Repubblica, in ogni caso in cui egli non possa adempierle, sono esercitate dal Presidente del Senato federale della Repubblica.»

Art. 87

Il Presidente della Repubblica è il Capo dello Stato e rappresenta l'unità nazionale.

Può inviare messaggi alle Camere.

Indice le elezioni delle nuove Camere e ne fissa la prima riunione.

Autorizza la presentazione alle Camere dei disegni di legge di iniziativa del Governo.

Promulga le leggi ed emana i decreti aventi valore di legge e i regolamenti.

Indice il referendum popolare nei casi previsti dalla Costituzione.

Nomina, nei casi indicati dalla legge, i funzionari dello Stato.

Accredita e riceve i rappresentanti diplomatici, ratifica i trattati internazionali, previa, quando occorra, l'autorizzazione delle Camere.

Ha il comando delle Forze armate, presiede il Consiglio supremo di difesa costituito secondo la legge, dichiara lo stato di guerra deliberato dalle Camere.

Presiede il Consiglio superiore della magistratura.

Può concedere grazia e commutare le pene.

Conferisce le onorificenze della Repubblica.

(Funzioni del Presidente della Repubblica)

L'art. 87 della Costituzione è sostituito dal seguente:

«Il Presidente della Repubblica è organo di garanzia costituzionale, rappresenta l'unità federale della Nazione ed esercita le funzioni che gli sono espressamente conferite dalla Costituzione.

Può inviare messaggi alle Camere.

Indice le elezioni delle nuove Camere e ne fissa la prima riunione.

Promulga le leggi ed emana i decreti aventi valore di legge e i regolamenti.

Indice il *referendum* popolare nei casi previsti dalla Costituzione.

Nomina, nei casi indicati dalla legge, i funzionari dello Stato e i Presidenti delle autorità amministrative indipendenti.

Accredita e riceve i rappresentanti diplomatici, ratifica i trattati internazionali, previa, quando occorra, l'autorizzazione delle Camere.

Ha il comando delle Forze armate, presiede il Consiglio supremo di difesa costituito secondo la legge, dichiara lo stato di guerra deliberato dalle Camere.

Presiede il Consiglio superiore della magistratura e ne designa il Vicepresidente nell'ambito dei suoi componenti.

Può concedere grazia e commutare le pene.

Conferisce le onorificenze della Repubblica.»

Art. 88

Il Presidente della Repubblica può, sentiti i loro Presidenti, sciogliere le Camere o anche una sola di esse.

Non può esercitare tale facoltà negli ultimi sei mesi del suo mandato, salvo che essi coincidano con gli ultimi sei mesi della legislatura.

(Scioglimento delle Camere)

L'art. 88 della Costituzione è sostituito dal seguente:

«Il Presidente della Repubblica, su richiesta del primo ministro, che ne assume la esclusiva responsabilità, ovvero nei casi di cui agli articoli 92, quarto comma, e 94, decreta lo scioglimento della Camera dei deputati e indice le elezioni entro i successivi sessanta giorni.

La richiesta di scioglimento da parte del primo ministro non può essere presentata nel caso in cui la Camera dei deputati sia già stata sciolta su richiesta del primo ministro nei dodici mesi precedenti.

Il Presidente della Repubblica, in caso di prolungata impossibilità di funzionamento del Senato federale della Repubblica, può decretarne lo scioglimento, sentito il suo Presidente. Non può esercitare tale facoltà negli ultimi sei mesi del suo mandato, salvo che essi coincidano in tutto o in parte con gli ultimi sei mesi della legislatura.»

Art. 89

Nessun atto del Presidente della Repubblica è valido se non è controfirmato dai ministri proponenti, che ne assumono la responsabilità.

Gli atti che hanno valore legislativo e gli altri indicati dalla legge sono controfirmati anche dal Presidente del Consiglio dei ministri.

(Controfirma degli atti presidenziali)

L'art. 89 della Costituzione è sostituito dal seguente:

«Nessun atto del Presidente della Repubblica è valido se non è controfirmato dai ministri proponenti, che ne assumono la responsabilità.

Gli atti che hanno valore legislativo e gli altri indicati dalla legge sono controfirmati anche dal primo ministro.

Non sono proposti né controfirmati dal primo ministro o dai ministri i seguenti atti del Presidente della Repubblica: la richiesta di una nuova deliberazione alle Camere ai sensi dell'articolo 74, i messaggi alle Camere, la concessione della grazia, la nomina dei senatori a vita, la nomina dei giudici della Corte costituzionale di sua competenza, lo scioglimento del Senato federale della Repubblica, lo scioglimento della Camera dei deputati ai sensi degli articoli 92 e 94, le nomine dei Presidenti delle autorità amministrative indipendenti, la designazione del Vicepresidente del Consiglio superiore della magistratura e le altre nomine che la legge eventualmente attribuisca alla sua esclusiva responsabilità.»

Art. 91

Il Presidente della Repubblica, prima di assumere le sue funzioni, presta giuramento di fedeltà alla Repubblica e di osservanza della Costituzione dinanzi al Parlamento in seduta comune.

(Giuramento del Presidente della Repubblica)

L'art. 91 della Costituzione è sostituito dal seguente:

«Il Presidente della Repubblica, prima di assumere le sue funzioni, presta giuramento di fedeltà alla Repubblica e di osservanza della Costituzione dinanzi al collegio che lo ha eletto.»

Titolo III
IL GOVERNO

Sezione I - *Il Consiglio dei ministri*

Art. 92

Il Governo della Repubblica è composto del Presidente del Consiglio e dei ministri, che costituiscono insieme il Consiglio dei ministri.

Il Presidente della Repubblica nomina il Presidente del Consiglio dei ministri e, su proposta di questo, i ministri.

(Governo e primo ministro)

L'art. 92 della Costituzione è sostituito dal seguente:

«Il Governo della Repubblica è composto dal primo ministro e dai ministri, che costituiscono insieme il Consiglio dei ministri.

La candidatura alla carica di primo ministro avviene mediante collegamento con i candidati all'elezione della Camera dei deputati, secondo modalità stabilite dalla legge, che assicura altresì la pubblicazione del nome del candidato primo ministro sulla scheda elettorale. La legge disciplina l'elezione dei deputati in modo da favorire la formazione di una maggioranza, collegata al candidato alla carica di primo ministro.

Il Presidente della Repubblica, sulla base dei risultati delle elezioni della Camera dei deputati, nomina il primo ministro.

In caso di morte, di impedimento permanente, accertato secondo modalità fissate dalla legge, ovvero di dimissioni del primo ministro per cause diverse da quelle di cui all'articolo 94, il Presidente della Repubblica, sulla base dei risultati delle elezioni della Camera dei deputati, nomina un nuovo primo ministro. In caso di impossibilità, decreta lo scioglimento della Camera dei deputati e indice le elezioni. Non può esercitare tale facoltà negli ultimi sei mesi del suo mandato, salvo che essi coincidano in tutto o in parte con gli ultimi sei mesi della legislatura.»

Art. 93

Il Presidente del Consiglio dei ministri e i ministri, prima di assumere le funzioni, prestano giuramento nelle mani del Presidente della Repubblica.

(Giuramento del primo ministro e dei ministri)

L'art. 93 della Costituzione è sostituito dal seguente:

«Il primo ministro e i ministri, prima di assumere le funzioni, prestano giuramento nelle mani del Presidente della Repubblica.»

Art. 94

Il Governo deve avere la fiducia delle due Camere.

Ciascuna Camera accorda o revoca la fiducia mediante mozione motivata e votata per appello nominale.

Entro dieci giorni dalla sua formazione il Governo si presenta alle Camere per ottenere la fiducia.

Il voto contrario di una o d'entrambe le Camere su una proposta del Governo non importa obbligo di dimissioni.

La mozione di sfiducia deve essere firmata da almeno un decimo dei componenti della Camera e non può essere messa in discussione prima di tre giorni dalla sua presentazione.

(Governo in Parlamento)

L'art. 94 della Costituzione è sostituito dal seguente:

«Il primo ministro illustra il programma del Governo alle Camere entro dieci giorni dalla nomina. Ogni anno presenta il rapporto sulla sua attuazione e sullo stato del Paese.

Egli può chiedere che la Camera dei deputati si esprima, con priorità su ogni altra proposta, con voto conforme alle proposte del Governo. In caso di voto contrario, il primo ministro rassegna le dimissioni, il Presidente della Repubblica decreta lo scioglimento della Camera dei deputati e indice le elezioni.

In qualsiasi momento la Camera dei deputati può obbligare il primo ministro alle dimissioni, con l'approvazione di una mozione di sfiducia. La mozione di sfiducia deve essere firmata da almeno un quinto dei componenti della Camera dei deputati, deve essere votata per appello nominale e approvata dalla maggioranza assoluta dei componenti. In tal caso il primo ministro sfiduciato si dimette e il Presidente della Repubblica decreta lo scioglimento della Camera dei deputati e indice le elezioni.»

Art. 95

Il Presidente del Consiglio dei ministri dirige la politica generale del Governo e ne è responsabile. Mantiene l'unità di indirizzo politico e amministrativo, promuovendo e coordinando l'attività dei ministri.

I ministri sono responsabili collegialmente degli atti del Consiglio dei ministri, e individualmente degli atti dei loro dicasteri.

La legge provvede all'ordinamento della Presidenza del Consiglio e determina il numero, le attribuzioni e l'organizzazione dei ministri.

(Poteri del primo ministro e dei ministri)

L'art. 95 della Costituzione è sostituito dal seguente:

«I ministri sono nominati e revocati dal primo ministro.

Il primo ministro determina la politica generale del Governo e ne è responsabile. Garantisce l'unità di indirizzo politico e amministrativo, dirigendo, promuovendo e coordinando l'attività dei ministri.

I ministri sono responsabili collegialmente degli atti del Consiglio dei ministri e individualmente degli atti dei loro dicasteri.

La legge provvede all'ordinamento della Presidenza del Consiglio e determina il numero, le attribuzioni e l'organizzazione dei ministeri.»

Art. 96

Il Presidente del Consiglio dei ministri e i ministri, anche se cessati dalla carica, sono sottoposti, per i reati commessi nell'esercizio delle loro funzioni, alla giurisdizione ordinaria, previa autorizzazione del Senato della Repubblica o della Camera dei deputati, secondo le norme stabilite con legge costituzionale.

(Disposizioni sui reati ministeriali)

L'art. 96 della Costituzione è sostituito dal seguente:

«Il primo ministro e i ministri, anche se cessati dalla carica, sono sottoposti, per i reati commessi nell'esercizio delle loro funzioni, alla giurisdizione ordinaria, previa autorizzazione del Senato federale della Repubblica o della Camera dei deputati, secondo le norme stabilite con legge costituzionale.»

Titolo IV
LA MAGISTRATURA

Art. 104

La magistratura costituisce un ordine autonomo e indipendente da ogni altro potere.

Il Consiglio superiore della magistratura è presieduto dal Presidente della Repubblica.

Ne fanno parte di diritto il primo presidente e il procuratore generale della Corte di cassazione.

Gli altri componenti sono eletti per due terzi da tutti i magistrati ordinari tra gli appartenenti alle varie categorie, e per un terzo dal Parlamento in seduta comune tra professori ordinari di università in materie giuridiche e avvocati dopo quindici anni di esercizio.

Il Consiglio elegge un vicepresidente fra i componenti designati dal Parlamento.

I membri elettivi del Consiglio durano in carica quattro anni e non sono immediatamente rieleggibili.

Non possono, finché sono in carica, essere iscritti negli albi professionali, né far parte del Parlamento o di un Consiglio regionale.

(Elezione del Consiglio superiore della magistratura)

All'art. 104, quarto comma, della Costituzione, le parole: «e per un terzo dal Parlamento in seduta comune» sono sostituite dalle seguenti: «per un sesto dalla Camera dei deputati e per un sesto dal Senato federale della Repubblica.»

L'art. 104, quinto comma, della Costituzione è sostituito con il seguente: «Il Presidente della Repubblica designa il vicepresidente del Consiglio superiore della magistratura nell'ambito dei suoi componenti.»

Titolo V
LE REGIONI, LE PROVINCE, I COMUNI

Art. 114

La Repubblica è costituita dai Comuni, dalle Province, dalle Città metropolitane, dalle Regioni e dallo Stato.

I Comuni, le Province, le Città metropolitane e le Regioni sono enti autonomi con propri statuti, poteri e funzioni secondo i princìpi fissati dalla Costituzione.

Roma è la capitale della Repubblica. La legge dello Stato disciplina il suo ordinamento.

(Capitale della Repubblica federale)

L'art. 114, terzo comma, della Costituzione è sostituito dal seguente:

«Roma è la capitale della Repubblica federale e dispone di forme e condizioni particolari di autonomia, anche normativa, nelle materie di competenza regionale, nei limiti e con le modalità stabiliti dallo Statuto della Regione Lazio.»

Art. 116

Il Friuli-Venezia Giulia, la Sardegna, la Sicilia, il Trentino-Alto Adige/Südtirol e la Valle d'Aosta dispongono di forme e condizioni particolari di autonomia, secondo statuti speciali adottati con leggi costituzionali.

La Regione Trentino-Alto Adige/Südtirol è costituita dalle Province autonome di Trento e di Bolzano.

Ulteriori forme e condizioni particolari di autonomia, concernenti le materie di cui al terzo comma dell'articolo 117 e le materie indicate dal secondo comma del medesimo articolo alle lettere *l*), limitazione all'organizzazione della giustizia di pace, *n*) e *s*), possono essere attribuite ad altre Regioni, con legge dello Stato, su iniziativa della Regione interessata, sentiti gli enti locali, nel rispetto dei princìpi di cui all'articolo 119. La legge è approvata dalle Camere a maggioranza assoluta dei componenti, sulla base di intesa fra lo Stato e la Regione interessata.

(Abrogazioni)

All'art. 116 della Costituzione, il terzo comma è abrogato.

Art. 117

La potestà legislativa è esercitata dallo Stato e dalle Regioni nel rispetto della Costituzione, nonché dei vincoli derivanti dall'ordinamento comunitario e dagli obblighi internazionali.

Lo Stato ha legislazione esclusiva nelle seguenti materie:

a) politica estera e rapporti internazionali dello Stato; rapporti dello Stato con l'Unione europea; diritto di asilo e condizione giuridica dei cittadini di Stati non appartenenti all'Unione europea;

b) immigrazione;

c) rapporti tra la Repubblica e le confessioni religiose;

d) difesa e Forze armate; sicurezza dello Stato; armi, munizioni ed esplosivi;

e) moneta, tutela del risparmio e mercati finanziari; tutela della concorrenza; sistema valutario; sistema tributario e contabile dello Stato; perequazione delle risorse finanziarie;

f) organi dello Stato e relative leggi elettorali; referendum statali; elezione del Parlamento europeo;

g) ordinamento e organizzazione amministrativa dello Stato e degli enti pubblici nazionali;

h) ordine pubblico e sicurezza, a esclusione della polizia amministrativa locale;

i) cittadinanza, stato civile e anagrafi;

l) giurisdizione e norme processuali; ordinamento civile e penale; giustizia amministrativa;

m) determinazione dei livelli essenziali delle prestazioni concernenti i diritti civili e sociali che devono essere garantiti su tutto il territorio nazionale;

n) norme generali sull'istruzione;

o) previdenza sociale;

p) legislazione elettorale, organi di governo e funzioni fondamentali di Comuni, Province e Città metropolitane;

q) dogane, protezione dei confini nazionali e profilassi internazionale;

r) pesi, misure, e determinazione del tempo; coordinamento informativo statistico e informatico dei dati dell'amministrazione statale, regionale e locale; opere dell'ingegno;

s) tutela dell'ambiente, dell'ecosistema e dei beni culturali.

Sono materie di legislazione concorrente quelle relative a: rapporti internazionali e con l'Unione europea delle Regioni; commercio con l'estero; tutela e sicurezza del lavoro; istruzione, salva l'autonomia delle istituzioni scolastiche e con esclusione della istruzione e della formazione professionale; professioni; ricerca scientifica e tecnologica e sostegno all'innovazione per i settori produttivi; tutela della salute; alimentazione; ordinamento sportivo; protezione civile; governo del territorio; porti e aeroporti civili; grandi reti di trasporto e di navigazione; ordinamento della comunicazione; produzione, trasporto e distribuzione nazionale dell'energia; previdenza complementare e integrativa; armonizzazione dei bilanci pubblici e coordinamento della finanza pubblica e del sistema tributario; valorizzazione dei beni culturali e ambientali e promozione e organizzazione di attività culturali; casse di risparmio, casse rurali, aziende di credito a carattere regionale; enti di credito fondiario e agrario a carattere regionale. Nelle materie di legislazione concorrente spetta alle Regioni la potestà legislativa, salvo che per la determinazione dei princìpi fondamentali, riservata alla legislazione dello Stato.

Spetta alle Regioni la potestà legislativa in riferimento a ogni materia non espressamente riservata alla legislazione dello Stato.

Le Regioni e le Province autonome di Trento e di Bolzano, nelle materie di loro competenza, partecipano alle decisioni dirette alla formazione degli atti normativi comunitari e provvedono all'attuazione e all'esecuzione degli accordi internazionali e degli atti dell'Unione europea, nel rispetto delle norme di procedura stabilite da legge dello Stato, che disciplina le modalità di esercizio del potere sostitutivo in caso di inadempienza.

La potestà regolamentare spetta allo Stato nelle materie di legislazione esclusiva, salva delega alle Regioni. La potestà regolamentare spetta alle Regioni in ogni altra materia. I Comuni, le Province e le Città metropolitane hanno potestà regolamentare in ordine alla disciplina dell'organizzazione e dello svolgimento delle funzioni a loro attribuite.

Le leggi regionali rimuovono ogni ostacolo che impedisce la piena parità degli uomini e delle donne nella vita sociale, culturale ed economica e promuovono la parità di accesso tra uomini e donne alle cariche elettive.

La legge regionale ratifica le intese della Regione con altre Regioni per il migliore esercizio delle proprie funzioni, anche con individuazione di organi comuni.

Nelle materie di sua competenza la Regione può concludere accordi con Stati e intese con enti territoriali interni ad altro Stato, nei casi e con le forme disciplinati da leggi dello Stato.

(Competenze legislative esclusive delle Regioni)

L'art. 117, quarto comma, della Costituzione è sostituito dal seguente:

«Spetta alle Regioni la potestà legislativa esclusiva nelle seguenti materie:

a) assistenza e organizzazione sanitaria;

b) organizzazione scolastica, gestione degli istituti scolastici e di formazione, salva l'autonomia delle istituzioni scolastiche;

c) definizione della parte dei programmi scolastici e formativi di interesse specifico della Regione;

d) polizia locale;

e) ogni altra materia non espressamente riservata alla legislazione dello Stato.»

Sino all'adeguamento dei rispettivi statuti, le disposizioni di cui al comma I del presente articolo si applicano anche alle Regioni a statuto speciale e alle Province autonome di Trento e di Bolzano, per le parti in cui prevedono forme di autonomia più ampie rispetto a quelle già attribuite.

Art. 126

Con decreto motivato del Presidente della Repubblica sono disposti lo scioglimento del Consiglio regionale e la rimozione del Presidente della Giunta che abbiano compiuto atti contrari alla Costituzione o gravi violazioni di legge. Lo scioglimento e la rimozione possono altresì essere disposti per ragioni di sicurezza nazionale. Il decreto è adottato sentita una Commissione di deputati e senatori costituita, per le questioni regionali, nei modi stabiliti con legge della Repubblica.

Il Consiglio regionale può esprimere la sfiducia nei confronti del Presidente della Giunta mediante mozione motivata, sottoscritta da almeno un quinto dei suoi componenti e approvata per appello nominale a maggioranza assoluta dei componenti. La mozione non può essere messa in discussione prima di tre giorni dalla presentazione.

L'approvazione della mozione di sfiducia nei confronti del Presidente della Giunta eletto a suffragio universale e diretto, nonché la rimozione, l'impedimento permanente, la morte o le dimissioni volontarie dello stesso comportano le dimissioni della Giunta e lo scioglimento del Consiglio. In ogni caso i medesimi effetti conseguono alle dimissioni contestuali della maggioranza dei componenti il Consiglio.

(Abrogazioni)
All'art. 126, primo comma, della Costituzione, l'ultimo periodo è soppresso.

Art. 127

Il Governo, quando ritenga che una legge regionale ecceda la competenza della Regione, può promuovere la questione di legittimità costituzionale dinanzi alla Corte costituzionale entro sessanta giorni dalla sua pubblicazione.

La Regione, quando ritenga che una legge o un atto avente valore di legge dello Stato o di un'altra Regione leda la sua sfera di competenza, può promuovere la questione di legittimità costituzionale dinanzi alla Corte costituzionale entro sessanta giorni dalla pubblicazione della legge o dell'atto avente valore di legge.

(Leggi regionali e interesse nazionale della Repubblica)
All'art. 127 della Costituzione dopo il primo comma è inserito il seguente:
«Il Governo, qualora ritenga che una legge regionale pregiudichi l'interesse nazionale della Repubblica, può sottoporre la questione al Senato federale

della Repubblica, entro trenta giorni dalla pubblicazione della legge regionale. Il Senato, entro i successivi trenta giorni, decide sulla questione e può rinviare la legge alla Regione, con deliberazione adottata a maggioranza assoluta dei propri componenti, indicando le disposizioni pregiudizievoli. Qualora entro i successivi trenta giorni il Consiglio regionale non rimuova la causa del pregiudizio, il Senato, con deliberazione adottata a maggioranza assoluta dei propri componenti, entro gli ulteriori trenta giorni, può proporre al Presidente della Repubblica di annullare la legge o sue disposizioni. Il Presidente della Repubblica può emanare il conseguente decreto di annullamento.»

Titolo VI
GARANZIE COSTITUZIONALI
Sezione I - *La Corte costituzionale*

Art. 135

La Corte costituzionale è composta di quindici giudici nominati per un terzo dal Presidente della Repubblica, per un terzo dal Parlamento in seduta comune e per un terzo dalle supreme magistrature ordinaria e amministrative.

I giudici della Corte costituzionale sono scelti fra i magistrati anche a riposo delle giurisdizioni superiori ordinaria e amministrative, i professori ordinari di università in materie giuridiche e gli avvocati dopo venti anni di esercizio.

I giudici della Corte costituzionale sono nominati per nove anni, decorrenti per ciascuno di essi dal giorno del giuramento, e non possono essere nuovamente nominati.

Alla scadenza del termine il giudice costituzionale cessa dalla carica e dall'esercizio delle funzioni.

La Corte elegge tra i suoi componenti, secondo le norme stabilite dalla legge, il Presidente, che rimane in carica per un triennio ed è rieleggibile, fermi in ogni caso i termini di scadenza dall'ufficio di giudice.

L'ufficio di giudice della Corte è incompatibile con quello di membro del Parlamento, di un Consiglio regionale, con l'esercizio della professione di avvocato e con ogni carica e ufficio indicati dalla legge.

Nei giudizi d'accusa contro il Presidente della Repubblica intervengono, oltre i giudici ordinari della Corte, sedici membri tratti a sorte da un elenco di cittadini aventi i requisiti per l'eleggibilità a senatore, che il Parlamento compila ogni nove anni mediante elezione con le stesse modalità stabilite per la nomina dei giudici ordinari.

(Corte costituzionale)

L'art. 135 della Costituzione è sostituito dal seguente:

«La Corte costituzionale è composta di diciannove giudici. Cinque giudici sono nominati dal Presidente della Repubblica, tre dalla Camera dei deputati, sei dal Senato federale della Repubblica e cinque dalle supreme magistrature ordinaria e amministrative.

I giudici della Corte costituzionale sono scelti fra i magistrati anche a riposo delle giurisdizioni superiori ordinaria e amministrativa, i professori ordinari di università in materie giuridiche e gli avvocati dopo venti anni di esercizio.

I giudici della Corte costituzionale sono nominati per nove anni, decorrenti per ciascuno di essi dal giorno del giuramento, e non possono essere nuovamente nominati.

Alla scadenza del termine il giudice costituzionale cessa dalla carica e dall'esercizio delle funzioni. Nei successivi cinque anni non può ricoprire incarichi di governo, cariche pubbliche elettive o di nomina governativa o svolgere funzioni in organi o enti pubblici individuati dalla legge.

La Corte elegge tra i suoi componenti, secondo le norme stabilite dalla legge, il Presidente, che rimane in carica per un triennio, ed è rieleggibile, fermi in ogni caso i termini di scadenza dall'ufficio di giudice.

L'ufficio di giudice della Corte costituzionale è incompatibile con l'esercizio della professione di avvocato e con ogni carica e ufficio indicati dalla legge. Non possono essere nominati giudici della Corte costituzionale coloro che siano membri di una delle Camere o di un Consiglio regionale ovvero lo siano stati nei cinque anni antecedenti alla data di cessazione dalla carica dei giudici costituzionali in scadenza.

Nei giudizi d'accusa contro il Presidente della Repubblica intervengono, oltre i giudici ordinari della Corte, venti membri tratti a sorte da un elenco di cittadini aventi i requisiti per l'eleggibilità a deputato, che la Camera dei deputati compila ogni nove anni mediante elezione con le stesse modalità stabilite per la nomina dei giudici ordinari.»

L'art. 3 della legge costituzionale 22 novembre 1967, n. 2, è sostituito con il seguente:

«I giudici della Corte costituzionale che nomina la Camera dei deputati sono eletti a scrutinio segreto e con la maggioranza dei due terzi dei componenti l'Assemblea. Per gli scrutini successivi al terzo è sufficiente la maggioranza dei tre quinti dei componenti l'Assemblea.

I giudici della Corte costituzionale che nomina il Senato federale della Repubblica sono eletti a scrutinio segreto e con la maggioranza dei due terzi dei componenti l'Assemblea. Per gli scrutini successivi al terzo è sufficiente la maggioranza dei tre quinti dei componenti l'Assemblea.»

Sezione II - *Revisione della Costituzione. Leggi costituzionali*

Art. 138

Le leggi di revisione della Costituzione e le altre leggi costituzionali sono adottate da ciascuna Camera con due successive deliberazioni a intervallo non minore di tre mesi, e sono approvate a maggioranza assoluta dei componenti di ciascuna Camera nella seconda votazione.

Le leggi stesse sono sottoposte a referendum popolare quando, entro tre mesi dalla loro pubblicazione, ne facciano domanda un quinto dei membri di una Camera o cinquecentomila elettori o cinque Consigli regionali. La legge sottoposta a referendum non è promulgata se non è approvata dalla maggioranza dei voti validi.

Non si fa luogo a referendum se la legge è stata approvata nella seconda votazione da ciascuna delle Camere a maggioranza di due terzi dei suoi componenti.

(Referendum sulle leggi costituzionali)
All'art. 138 della Costituzione, il terzo comma è abrogato.

(Disposizioni transitorie e finali)

1. Le disposizioni di cui al titolo I, al titolo II e al titolo III della parte seconda della Costituzione e le disposizioni di cui agli articoli 104, 126, 127 e 135 della Costituzione, come modificate dalla presente legge costituzionale, nonché le disposizioni di cui all'articolo 33, comma 2, della presente legge costituzionale si applicano a decorrere dall'inizio della XV legislatura, a eccezione degli articoli 56, secondo comma, e 57, secondo comma, della Costituzione, come modificati dall'articolo 1 della presente legge costituzionale, che trovano applicazione per la formazione delle Camere della XVI legislatura, salvo quanto previsto dal comma 2 del presente articolo.

2. Per le elezioni del Senato federale della Repubblica e della Camera dei deputati, successive alla data di entrata in vigore della presente legge costituzionale, e fino all'adeguamento della legislazione elettorale alle disposizioni della presente legge costituzionale, trovano applicazione le leggi elettorali per il Senato della Repubblica e la Camera dei deputati, vigenti alla data di entrata in vigore della presente legge costituzionale.

3. In sede di prima applicazione della presente legge costituzionale e fino al raggiungimento della composizione della Corte costituzionale secondo le disposizioni di cui all'articolo 135 della Costituzione, come modificata dalla presente legge costituzionale, il Senato federale della Repubblica, entro ses-

santa giorni dalla data della sua prima riunione, procede all'elezione di quattro giudici della Corte costituzionale di propria competenza. Procede altresì all'elezione degli ulteriori due giudici di propria competenza, alle prime due scadenze di giudici già eletti dal Parlamento in seduta comune, ai sensi dell'articolo 135, primo comma, della Costituzione, vigente alla data di entrata in vigore della presente legge costituzionale. Alle ulteriori tre scadenze di giudici già eletti dal Parlamento in seduta comune, la Camera dei deputati procede all'elezione dei giudici della Corte costituzionale di propria competenza, ai sensi dell'articolo 135 della Costituzione, come modificato dalla presente legge costituzionale.

4. Il quarto e il sesto comma dell'articolo 135 della Costituzione, come sostituito dall'articolo 33 della presente legge costituzionale, non si applicano nei confronti dei giudici costituzionali in carica alla data di entrata in vigore della presente legge costituzionale.

5. In caso di cessazione anticipata dall'incarico di singoli componenti del Consiglio superiore della magistratura, già eletti dal Parlamento in seduta comune, il Senato federale della Repubblica procede alle conseguenti elezioni suppletive fino alla concorrenza del numero di componenti di sua competenza, ai sensi dell'articolo 104, quarto comma, come sostituito dalla presente legge costituzionale.

Le promesse di Berlusconi a Bossi
sulla devoluzione
(11 luglio 2003)

VILLA S.MARTINO

Corpus

firme di tutti
del testo.

2003   1ª lettura

4 | 2004   2ª lettura

9 | 2004   3ª lettura

12 | 2004   4ª lettura

Juventus-Milan, finale di Champions League
Schemi di gioco concordati da Berlusconi e Ancelotti
(Manchester, 28 maggio 2003)

(1)

PARTITA _JUVENTUS- MILAN_ DEL _28·5·2003_

BARRIERA DIFDIFENSIVA

PIRLO - SEEDORF - SHEVCHENKO - INZAGHI   Incontro GATTUSO - RUI COSTA CARDO

Corner difensivi

Palo: PIRLO   Zona: GATTUSO - SEEDORF .

Vicino Angolo: —   Limite area : RUI COSTA

MARCATURE

1 COSTACURTA   2 KALADZE

3 NESTA   4 SHEVCHENKO

5 MALDINI   6 INZAGHI

PUNIZIONI LATERALI DIFENSIVE

Barriera   PIRLO

Zona GATTUSO - SEEDORF   Limite area   RUI COSTA

PUNIZIONI CENTRALI : DIRETTO PIRLO   OPPURE: SEEDORF

INDIRETTE PIRLO × SHEVCHENKO   o PIRLO + SHEVA CHE FERMA + RUI COSTA

davanti barriera GATTUSO   sul portiere INZAGHI

RIGORI PIRLO - RUI COSTA

CORNER A FAVORE

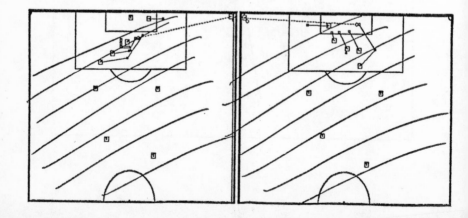

(2)

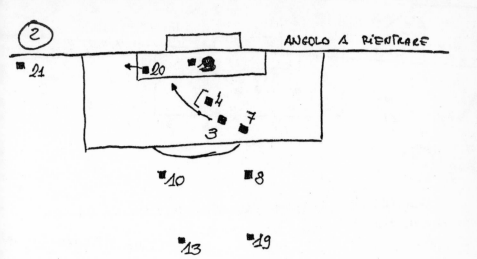

ANGOLO A RIENTRARE

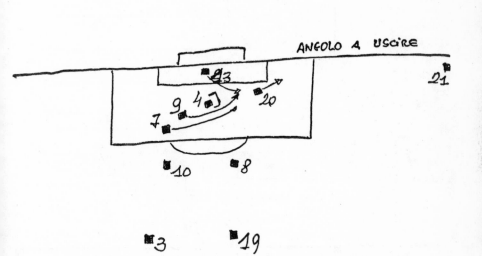

ANGOLO A USCIRE

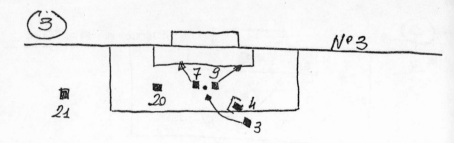

N° 3

VARIANTE, BLOCCO PER KALADZE DI MALDINI SUL II° PALO
NESTA E SHEVCHENKO VANNO TUTTI E DUE SUL 1° PALO

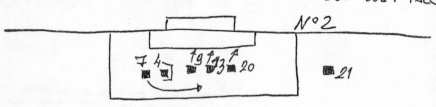

N° 2

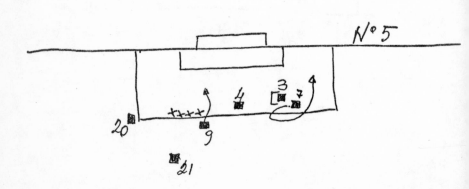

N° 5

PALLA SUL I° PALO × SHEVCHENKO, OPPURE SOPRA
LA BARRIERA × INZAGHI

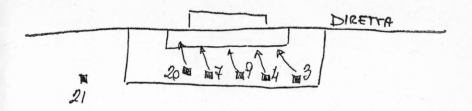

DIRETTA

21

IL PRIMO GIOCATORE (SEEDORF) DAVANTI A QUELLO
A ZONA.

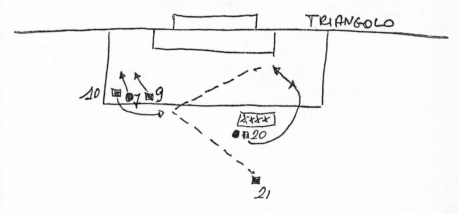

TRIANGOLO

Indice dei nomi

«Il Cavaliere e il Professore»
di Bruno Vespa
Collezione I libri di Bruno Vespa

Arnoldo Mondadori Editore S.p.A.

Questo volume è stato impresso
nel mese di novembre dell'anno 2003
presso Mondadori Printing S.p.A.
Stabilimento NSM – Cles (TN)

Stampato in Italia – Printed in Italy